9783770109562

SÜDAMERIKA

In der Umschlagklappe: Übersichtskarte von Südamerika

In der hinteren Klappe: Übersichtskarte Kolumbien–Bolivien

»Richtig reisen«

SÜDAMERIKA
KOLUMBIEN, EKUADOR, PERU, BOLIVIEN

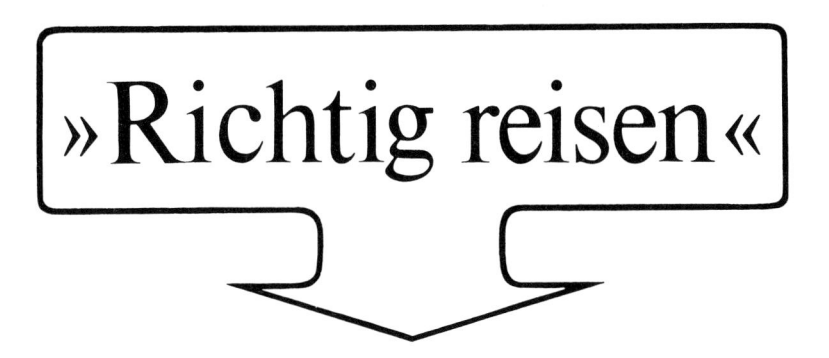

Thomas Binder

DuMont Buchverlag Köln

CIP-Kurztitelaufnahme der Deutschen Bibliothek

Binder, Thomas
Südamerika: Kolumbien, Ekuador, Peru, Bolivien. – 5. Aufl. –
Köln: DuMont, 1981. (Richtig reisen)
ISBN 3-7701-0956-2

Redaktionelle Bearbeitung: Roswitha Beyer
Herstellung: Yves Buchheim

Satz: Hertig & Co. AG, Biel
Photolithos: Kreienbühl & Co. AG, Luzern
Druck und buchbinderische Verarbeitung: Boss-Druck, Kleve

5. überarbeitete Auflage 1985
© 1981 Office du Livre, Fribourg, und
DuMont Buchverlag, Köln

Alle Rechte vorbehalten

Printed in Germany   ISBN 3-7701-0956-2

INHALTSVERZEICHNIS

ES BEGANN VOR 20 000 JAHREN 11
Die größte Völkerwanderung der Weltgeschichte 11
Vor den Inkas – Comic-strips auf Töpfen 12
El Dorado – Der »goldene Mann« auf dem Floß 14
Die Inkas – Zeichen am Himmel 16
Ein Tag aus dem Leben des Kaisers Wayna Kapac 19

LAND UND LEUTE 27
Das Amazonasbecken 27
Die Entdeckung – Orella und die streitbaren Frauen   27 – Die Waldindianer   29 – Der Gummiboom – Die weißen Kannibalen   30 – Die Flora – Der lebensgefährliche Paranuß-Baum   31 – Die Fauna – Außenbordmotor mit 150 Kilo   32 – Die Insekten – Die »Zieh den Rock aus«-Ameisen   35

Die Anden 37
Die Entstehung – Junge Riesen   37 – Die Besiedelung – Höchste Blüte in der Einöde   38 – Das Reich des Sonnengottes   40 – Die Indios – Glücksgott am Kirchentor   41 – Koka – Jesus sorgt für $C_{17}H_{21}NO_4$ 44 – Erze – Schatzkammer der Welt   46

Der Mestize – Der entscheidende Tropfen 47
Machismo – Männlichkeit hoch drei   48 – Die Familie – Großes Haus, kleines Haus   49 – Zu Gast bei Einheimischen – Mein Haus ist Ihr Haus   50 – Mañana – Immer mit der Ruhe   53 – Richtig feilschen – Mehr Geduld als Kunst   54

KOLUMBIEN 56
Die Eroberung – Ein Bayer als Entdecker   58 – Die Unabhängigkeit – Revolution wegen einer Blumenvase?   61 – Die Diebe – Blumengruß im Mercedes   62 – Smaragde – Grünes Feuer unterm V im Berg   64

Bogotá 65
Bogotá by night   70 – Shopping   72 – Verkehrsmittel in Bogotá   73

Ausgangspunkt Bogotá 73
Tequendama – Der Sprung des Gottes   73 – Zipaquirá – Gottesdienst im Berg   74 – Nach Tunja und Sagamoso – Alt-Spanien neben dem Sonnentempel   75 – Villavicencio – Tor zu den Llanos   76

Nach Süden und Westen 76
Girardot – Kaffeehafen am Magdalena   76 – Honda – Wo der Strom stürzt   77 – Medellín – Welthauptstadt der Orchideen   77 – Manizales – Zweistöckige Häuser mit sechs Etagen   78 – Cali – Die schönsten Frauen   87 – Popayán – Eine Stadt als Denkmal   87 – San Agustín – Das »Doppelte Ich« auf dem Gräberfeld   89 – Ipiales – Wo ist die Kirche?   90 – Leticia – Warten auf die Amazonas-Schiffe   91

Die Karibische Küste 91
Cartagena – Der Sklave der Sklaven im Glassarg   91 – Barranquilla – Nur im Karneval   94 – Santa Marta – Hier starb Bolivar   95

San Andrés 96
Johnny Cay   97 – El Acuario   97 – Providencia   97

EKUADOR 98

Quito 104
Quito by night   108 – Shopping   109 – Transport in Quito   110

Ausgangspunkt Quito 110
Zum Äquator – Rechtes Bein, linkes Bein   110 – Otavalo – Verkaufsschlacht im Morgengrauen   111 – Santo Domingo de los Colorados – Die Roten aus dem Urwald   123 – Ambato – Großer Markt in der Gartenstadt   124 – Cuenca – Der Traum des Pater Crespi   124 – Puyo – Hinab in den Urwald   126

Die Küste 127
Guayaquil – Touristen auf dem Friedhof   127 – Am Pazifik   129

Die Galapagos-Inseln 130
Ein Archipel als Arche Noah   130

PERU 135

Vor der Eroberung – Aufstieg der Barbaren   137 – Die Kolonialzeit – Der Erzengel mit dem Vorderlader   138 – Das freie Peru – Marxismus schon 1924   139 – Reichtum aus dem Meer – Bancheros Rache   140

Lima – Es war einmal eine Stadt der Könige 142
Die Sehenswürdigkeiten – Im Oktober violett   144 – Lima by night   148 – Shopping   150 – Transport in Lima   152

Ausgangspunkt Lima 152
La Granja Azul – Die lasterhafte Jungfrau   152 – Callao – Letzter Widerstand der Spanier   153 – Ancón – Bei bewölktem Himmel auf Gräbersuche   153 – Pachacamac – Die große Angst vor dem großen Regen   154

Die Küste 155
Nach Norden – Streifzug durch die Frühgeschichte   155 – Chan-Chan – Die größte Adobestadt der Welt   156 – Cajamarca – Einen Kaiser gegen ein Zimmer voll Gold   157 – Nach Süden   158 – Paracas – Gobelins aus der Wüste   171 – Nazca – Flugpioniere vor 1000 Jahren?   171 – Arequipa – Die Stadt in der Stadt   173 – Cañón de Majes – Tiefer als das Grand Canyon   174

Das Andenhochland 174

La Oroya – Stippvisite in der Welt der Anden 174 – Callejón de Huaylas – Die Schweiz hoch zwei 176 – Cuzco – Judas als Indianer 178 – Sacsayhuaman – 350 Tonnen ohne Rad und Rolle 181 – Tampu Machay – Das Bad des Inka 182 – Kenko – Der kaputte Puma 182 – Chingana Grande – Neugierige büßten mit dem Leben 184 – Puca Pucara 184 – Pisac – Die meistgeknipsten Menschen Perus 184 – Chincheros – Nur für Frühaufsteher 185 – Machu Picchu – Binghams aufschlußreicher Einfall 185 – Puno – Hafen am Andenmeer 196 – Die Urus – Unsinkbare Menschen auf sinkenden Inseln 197 – Julí – Maler im Schlachthaus 198 – Sillustani – Ruhe sanft im fünften Stock 198

Der Urwald 199

Iquitos – Hochseefrachter 3700 km vom Meer entfernt 199

BOLIVIEN 202

Die Unabhängigkeit – Eisenbahn als Reuegeschenk 203 – Das unbekannte Land – Bevölkerung am falschen Platz 204

La Paz – Vom Flugzeug ins Bett 206

La Paz by night 211 – Shopping 212 – Transportmittel in La Paz 214

Ausgangspunkt La Paz 214

Das Tal des Mondes – Pilze aus Stein 214 – Tiwanacu – Älteste Siedlung Amerikas? 214 – Chacaltaya – Was, hier noch skilaufen? 216 – Die Yungas – Kleine Reise in den Regenwald 217 – Copacabana – Wallfahrtsort am Inka-Meer 218

Nach Süden und Osten 220

Oruro – Der Teufel ist los 220 – Potosí – Der Berg der 30 000 Löcher 233 – Sucre – Hauptstadt ohne Bedeutung 235 – Cochabamba – Seit der Bodenreform provinziell 236 – Santa Cruz – Die heimliche Hauptstadt 237 – Higueras – Die seltsamen Methoden des Dr. Guevara 239

Informationen Kolumbien bis Bolivien im gelben Info-Teil

Register I

Im Gelben Info-Teil

INFORMATIONEN KOLUMBIEN BIS BOLIVIEN

SO REISEN SIE RICHTIG 3
Die Reisegarderobe 4 – Das liebe Geld 6 – Wie kommt man hin? 6 – Wie kommt man herum? 7 – Photo- und Filmtips 9 – Die Slums – Vorsicht! 10 – 500 Worte Spanisch 11 – Achtung: Diebe! 19 – Ein paar wohlgemeinte Tips vom Arzt 20 – Sportmöglichkeiten 22 – Kleines Überlebens-Brevier für den Rucksack-Set 29

KOLUMBIEN 41
Kolumbien auf einen Blick 41 – Klima 41 – Einreiseformalitäten 42 – Hotels 42 – Stromspannung 43 – Trinkgeld 43 – Trinkwasser 43 – Ein kleiner «Vorgeschmack» auf Kolumbien 43 – Wichtige Adressen 44

EKUADOR 46
Ekuador auf einen Blick 46 – Klima 46 – Einreiseformalitäten 47 – Hotels 47 – Stromspannung 48 – Trinkgeld 48 – Trinkwasser 48 – Ein kleiner «Vorgeschmack» auf Ekuador 48 – Wichtige Adressen 49

PERU 51
Peru auf einen Blick 51 – Klima 51 – Einreiseformalitäten 52 – Hotels 52 – Stromspannung 53 – Trinkgeld 53 – Trinkwasser 53 – Ein kleiner «Vorgeschmack» auf Peru 53 – Quechua – Eine Mini-Sprachlehre 54 – Wichtige Adressen 59

BOLIVIEN 60
Bolivien auf einen Blick 60 – Klima 60 – Einreiseformalitäten 61 – Hotels 61 – Stromspannung 62 – Trinkgeld 62 – Trinkwasser 62 – Ein kleiner «Vorgeschmack» auf Bolivien 62 – Wichtige Adressen 63

Ich wurde geboren wie die Blume im Garten.
Wie sie wuchs ich heran.
Als die Zeit meines Sterbens kam, welkte ich dahin.
Und ich starb.
  Pachacutec Yupanqui, Kaiser der Inkas von 1438–1471

ES BEGANN VOR 20 000 JAHREN

Die größte Völkerwanderung der Weltgeschichte

Weder in Nord- noch in Südamerika hat man bislang Überreste eines Urmenschen gefunden – etwa dem Neandertaler oder dem Peking-Menschen vergleichbar – und ebensowenig Spuren von höherentwickelten Affen, von denen ein hypothetischer »Homo Americanus« hätte abstammen können.

So lagen denn die beiden amerikanischen Kontinente in paradiesischer Einsamkeit, bis vor etwa 20 000 Jahren Nomadenstämme aus dem Herzen Asiens über die zu der Zeit noch engere Beringstraße und über die Inselkette der Aleuten in das heutige Alaska vordrangen. Einige von ihnen wanderten ostwärts in die unwirtlichen Eiswüsten des nördlichen Kanada, wo sie – im ständigen Kampf ums nackte Überleben – keine höhere Kultur entwickeln konnten. Der Rest zog südwärts, den Mammutherden folgend, in die weiten Prärien der USA. Hier verblieben weitere Stämme, deren Nachfahren, die Apachen, Comantschen, Sioux und andere, als – später einmal von Karl May verherrlichte – Nomaden in diesem Gebiet rastlos umherstreiften und es nicht über einen losen Zusammenhang zwischen den Stämmen hinausbrachten. Sie hinterließen als einzige feste Bauwerke die in Felswände gebauten »Pueblos« in New Mexico.

Der Drang nach Süden hielt an. In Mexiko wurden andere Gruppen ansässig, aus denen später die kulturell sehr hoch stehenden Tolteken, Mayas und Azteken hervorgingen. Die Azteken, deren Opferfeste zu Blutorgien ausarteten, schufen immerhin die Stadt Tenochtitlán, die nach zeitgenössischen Berichten Venedig an Glanz und Reichtum übertroffen haben soll. Die wissenschaftsbegeisterten Mayas arbeiteten schon 1000 Jahre vor den Europäern mit der Ziffer Null und konnten dank eines Kalenders, der eine maximale Abweichung von einer Zehntelsekunde pro Tag aufwies, jeden Tag in einem Zeitraum von 23 040 000 000 Tagen im voraus berechnen.

Auf der schmalen Landbrücke Mittelamerikas verblieben einige Stämme, die nicht einsahen, warum sie sich mit dem Aufbau einer großen Kultur und den daraus entstehenden Komplikationen herumschlagen sollten. Sie begnügten sich, in diesem Garten der Natur ein beschauliches Leben als Jäger und Sammler zu führen.

Die restlichen Sippen und Gruppen drangen schließlich am nordwestlichen Zipfel Kolumbiens in den riesigen leeren Kontinent Südamerika ein. Dort teilten sie sich. Die einen zogen nach Osten, an der Atlantikküste entlang, überquerten die Anden und besetzten die Urwälder in den Tiefebenen des Amazonas und des Orinoko. Sie waren die Vorfahren der Arawaks und Kariben, die Jahrtausende später auf wackligen Einbäumen die 4000 km lange Kette der Karibischen Inseln bis hinauf zu den Bahamas besiedelten. Sie waren auch die Vorväter der heutigen Waldindianer.

Die anderen wanderten an der Pazifikküste nach Süden durch die Küstenwüste von Peru und Chile, in deren Flußoasen sie erste Siedlungen errichteten, bis zum sturmumtosten Südzipfel des Kontinents, Feuerland, den sie um 3000 v. Chr. erreichten.

Rund 15000 Jahre hatten die asiatischen Stämme und die 500 Generationen ihrer Nachkommen gebraucht, um die 25000 km von der Mongolei bis Feuerland zurückzulegen. Mit einer durchschnittlichen Geschwindigkeit von fast 2 km im Jahr waren sie in unbekanntes Gebiet gedrungen: durch klirrendkalte Schneewüsten, Steppen, Prärien, durch karges, dornenbewachsenes Hochland, durch Wüsten, dampfenden Urwald mit Jaguaren und Alligatoren und über schneeverwehte Andenpässe in dünner Luft.

So besiedelten sie, nackt oder mit Fellen bekleidet, einen Erdteil von fast 18 Millionen km², 7500 km lang und maximal 5000 km breit. Grobe Steinwerkzeuge und -waffen waren ihre einzigen Hilfsmittel, um sich vor Tieren zu schützen und sie zu jagen, um Wurzeln auszugraben und Äste für ein Dach über dem Kopf abzuschlagen.

Vor den Inkas – Comic-strips auf Töpfen

Leider haben uns die südamerikanischen Völker und Stämme nicht den Gefallen getan, wie beispielsweise die Ägypter mit ihren Hieroglyphen oder die Sumerer mit der Keilschrift, ihre Erlebnisse, Verträge, Volkszählungen und ihren Hofklatsch schriftlich zu hinterlassen – wenn man von den kunstvoll geknüpften Quipu-Schnüren der Inkas absieht, die ohnehin nur der Knüpfer entziffern konnte.

So sind wir denn auf die Archäologen angewiesen, die mit ihrer lobenswerten Neugier hinter jedem Stein eine neue geschichtliche Fährte wittern und zu jeder Tonscherbe auch gleich die passende Theorie liefern, die sogleich von den lieben Kollegen heftig bestritten wird.

Mit erstaunlicher Präzision haben sie bislang die Geschichte nachzeichnen und die Funde datieren können. Geholfen haben auch die spanischen Priester, die sich von den Indianern die inzwischen zu Sagen verklärten Ereignisse der letzten Jahrhunderte vor der Eroberung erklären ließen und fleißig mitschrieben; wobei es ihnen allerdings selten gelang, die Spreu vom Weizen – die Wahrheit vom Märchen – zu trennen. So obliegt es nun einem Heer von Wissenschaftlern, ein riesiges Knäuel aus Knochenresten, Stoffetzen, Tonscherben, Scharrbildern, monolithischen Blöcken, Tongefäßen, Götzenbildern und Legenden im Hinblick auf den gesuchten roten Faden aufzudröseln.

So gegen 10 000 v. Chr. ließen sich die ersten Ur-Amerikaner in Höhlen nieder. Nach der Tagesarbeit saßen sie um ein Feuer herum. Während zu ihren Füßen Hunde schliefen, die entfernt den heutigen Polarhunden ähnelten, hämmerten einige Männer rohe Kupferklumpen zu primitiven Werkzeugen zurecht. Lag die Höhle am Osthang der Anden, also zum Amazonas hin, döste oft hinten in der Höhle ein kuhgroßes Riesenfaultier, das von den Frauen mit frischen Blättern dick und rund gemästet wurde. Von den mit Zeichnungen verzierten Höhlenwänden hallten die kräftigen Schläge wider, mit denen die Faustkeile geschärft wurden. Sie sollten schnell tödlich wirken, wenn man bei der Jagd auf einen Tapir oder ein Mammut stoßen sollte.

Ihre Vettern an der Westseite der Anden und an der Küste hatten einen dürftigeren Speisezettel. Sie suchten in den Oasen nach Früchten und Wurzeln, sammelten Vogeleier auf den Felsen, Muscheln in der Brandung und lauerten mit Knüppeln den rundlichen Seelöwen auf. Ihre ältesten Spuren sind etwa 8000 Jahre alt: riesige Muschelhaufen in Küstennähe von Nordperu bis Feuerland.

Gegen 4000 v. Chr. wurden in Ekuador die ersten Töpferwaren hergestellt, die ersten Menschen und Götter dargestellt. Manche Funde sind verwirrend: Sie weisen stilistische Ähnlichkeiten mit Gebrauchsgegenständen der chinesischen Frühzeit auf.

Um 2000 v. Chr. entstanden plötzlich überall Kulturen, so daß die Forscher noch einige Jahre lang zu tun haben werden, diese chronologisch genau einzuordnen: In San Agustín in Südkolumbien wurden vermutlich die ersten Gräber und Monolithe gemeißelt; in Tiwanacu in Bolivien entstand eine große Siedlung, in Chavín de Huantar in Peru ein gigantischer steinerner Tempel – geschmückt mit Jaguar-Motiven, die zur gleichen Zeit in ähnlicher Form von den Olmeken im 4000 km entfernten Mexiko in Stein gemeißelt wurden. In den Anden wurden gigantische Terrassen und Stauanlagen errichtet; eine davon ist 800×1000 m groß, ihre Staumauer bis zu 24 m dick, die Zuleitungskanäle sind bis zu 20 km lang. Sie ist noch heute in Gebrauch.

Dann verlagerte sich das Schwergewicht auf die Küstenkulturen. Um 700 v. Chr. begann die Paracas-Kultur. Hier wurden die Toten in die kostbarsten Brokate gehüllt, die im salpeterhaltigen Wüstensand bis heute ihre begeisternden Farben beibehalten haben, und unter den Grabbeigaben in den Grüften fand man auch chirurgisches Besteck für Schädeltrepanationen. In Ekuador müssen um 500 v. Chr. seltsame Einflüsse gewirkt haben: Die Caras-Maya-Kultur hat unter anderem einen Angelhaken aus Platin hinterlassen, einem Metall, dessen Schmelzpunkt bei 1800 Grad liegt; eine solche Temperatur ist mit keinem Holzfeuer der Welt zu erreichen. Bei einigen anderen Stücken aus dieser Kultur wollen mutige Forscher Anklänge an die chinesischen T'ang- und Han-Dynastien erkennen.

Um die Zeitwende erstarkten so viele Kulturen, daß es wahrlich schwierig wird, den Überblick zu behalten. Immer sind es regionale Kulturen, die scheinbar von einem Tag auf den anderen einen eigenen Stil entwickelten, der jedoch bald mit anderen verschmolz. Denn an der ganzen peruanischen Küste herrschte ein reger Austausch von Waren und Wissen.

Als erste überregional einflußreiche Kultur profiliert sich die der Mochicas, die nicht ohne Humor ihre Mitmenschen in Ton nachbilden, und zwar so perfekt, daß sofort die Laune des Modells erkennbar wird. Prüde waren sie nicht: In Ton stellten sie auch ihre Liebesphantasien und -wirklichkeiten so einprägsam dar, daß empörte Wissenschaftler sie als die ersten Hersteller von handfester Pornographie abstempeln. Wir haben ihnen jedoch viele Kenntnisse zu verdanken. Auf den Tongefäßen hielten sie den Ablauf wichtiger Situationen ihres Lebens mit geschickten Pinselstrichen so detailreich fest, daß diese Malereien als die ersten »Comic-strips« der Geschichte gelten.

In die von ihnen errichtete Stadt Chan-Chan im heutigen Peru zogen um 900 n. Chr. die Chimús, die als erste ihre Herrschaft bis in die Anden erstreckten, wo die Tiwanacu-Kultur allmählich ihrem Ende zuging. Weiter nördlich in den Anden aber strebten zwei Hochlandkulturen ihrem Höhepunkt zu: die der Chibchas und Muiscas. Alle diese Stämme waren hervorragende Goldschmiede, die mit dem überreich vorhandenen gelben Metall mit gleicher Kunstfertigkeit die Throne der Herrscher vergoldeten, Opfergefäße herstellten und mit aufwendiger Technik herrlichen Schmuck im Wachsausschmelzverfahren gossen.

Im 15. Jahrhundert jedoch wurde die mächtige Chimú-Kultur ernsthaft bedroht: Aus den Anden kam die Kunde, daß eine Stammesgruppe mit einer Taktik, gemischt aus Grausamkeit und politischem Geschick, Stamm um Stamm unterwerfe. Es waren die Inkas, das Kaiservolk.

Bevor wir uns jedoch näher mit ihnen befassen, wollen wir noch einen Augenblick beim Gold verweilen. Als die Spanier nach Kolumbien eindrangen und die unermeßlichen Goldschätze sahen, wollten sie selbstverständlich alles über dieses geliebte und verfluchte Edelmetall wissen. Die Muiscas erzählten ihnen eine bezaubernde Sage, deren Hauptperson seit Jahrhunderten immer wieder namentlich genannt wird, obwohl die wenigsten wissen, wer sie war.

El Dorado – Der »goldene Mann« auf dem Floß

Da liegt in Kolumbien, eine Autostunde von Bogotá, im kühlen Hochland ein See namens Guatavita, umrahmt von Bergriesen, die sich in seinem himmelsfarbenen Wasser spiegeln. Unweit dieses Sees lebte einst – so die Sage – der Herrscher von Guatavita friedlich inmitten eines Harems voll anmutiger Frauen und lenkte umsichtig die Geschicke seines Stammes.

Eines Tages zerbrach jäh diese Idylle. Seine Lieblingsfrau, deren Schönheit weithin bewundert und beneidet wurde, hatte ihn mit einem Hofmarschall betrogen. Aus tief gekränkter männlicher Eitelkeit ließ er sofort den Ehebrecher grausam hinrichten und die Missetat der Schönen von Herolden im ganzen Reich verkünden. Hohn und Verachtung schlugen ihr nun auf Schritt und Tritt entgegen. Vor Verzweiflung von Sinnen, stürzte sie sich mit ihrer kleinen Tochter in den Armen in den See, der sie verschlang. Damit hatte der Herrscher nicht gerechnet. Untröstlich über den Verlust, befahl er seinem Zauberer, die beiden auf dem Grund des Gewässers zu suchen. Dieser tauchte und erschien bald wieder an der Oberfläche, um zu verkünden, daß die Gemahlin nunmehr dort unten an der Seite eines Dämons in einem Palast wohne, der schöner sei als der in Guatavita. Sie sei glücklich und gedenke nicht zurückzukehren. Dann wolle er wenigstens sein Kind wiederhaben, flehte der Herrscher. Der Zauberer tauchte erneut und stieg mit dem Kind in den Armen ans Ufer. Doch der Dämon hatte es getötet und ihm die Augen ausgekratzt.

In tiefstem Schmerz entschloß sich der Herrscher nun, reumütig Opfer darzubringen. Bei der Zeremonie sollten alle seine Untergebenen anwesend sein, um durch ihre Rufe das Herz der Geliebten zu erweichen.

Lange Jahre hindurch begab sich der Herrscher alle paar Monate im Morgengrauen zum Kratersee, begleitet von seinem Hofstaat, von Musikanten und Hunderten von Pilgern. Am Ufer bestieg er ein Floß, das ihn zur Mitte des ruhigen Wassers brachte. Auf dem Weg dorthin wurde sein mit Harz eingestrichener nackter Körper über und über mit Goldstaub bedeckt. In der Mitte angelangt, stimmte er seine Klage an, und während das stille Wasser seine flehenden Rufe zu den Betenden hinübertrug, streiften ihn die ersten Strahlen der gleißend aufgehenden Sonne. Als dann sein goldbedeckter Körper mit dem Glanz des lebenspendenden Himmelsgestirns im Wettstreit lag, warf der Herrscher Smaragde und liebevoll geschmiedeten Goldschmuck als Opfer und Zeichen seiner Liebe in die Tiefe. Dann wusch er mit Kräutersaft das Gold von seiner Haut, das als schimmernder Schleier auf den Palast und die Gärten des Dämons hinabsank. – Doch seine Frau wollte ihn nicht mehr erhören.

Der gramgebeugte Herrscher, der unbeirrbar Jahre hindurch seine Opfer auf dem morgenkalten See vollzog, der »goldene Mann«, der unter seiner peinigenden Liebe litt, wurde alsbald zur Legende. Die Spanier übersetzten seinen Namen mit El Dorado, der Goldene. Daraus schließlich wurde jener Begriff, der heute dazu dient, märchenhaften Reichtum zu bezeichnen.

Dabei ist die Sage schöner als alles, was man sich gegenwärtig unter diesem Namen vorstellen kann.

Die Inkas – Zeichen am Himmel

Einer Inka-Sage nach soll es unweit von Cuzco in den Anden einst eine Höhle namens Paqariqtampu gegeben haben, aus der eines weitvergangenen Tages vier Brüder blinzelnd ins Sonnenlicht traten. Ayar Kachi, der älteste, konnte mit der Welt offenbar recht wenig anfangen und kehrte in die Höhle zurück, wo er sich in eine Gottheit verwandelte. Da waren es nur noch drei. Diese irrten lange auf dem Hochplateau herum, bis sich Ayar Uchu erschöpft auf den Berg Wanakawri niederließ und dort zu Stein erstarrte. Da waren es nur noch zwei. Manko Kapac, der jüngste, schleuderte nun seinen goldenen Stab in alle Himmelsrichtungen. Dort, wo er sich in den Boden bohrte, sollte sein Reich enden. Ayar Akwa ging in den Norden des so abgesteckten Gebiets und erstarrte ebenfalls zu Stein. Allein geblieben, nahm Manko Kapac seine Schwester Mama Oqllo zur Frau, gründete die Stadt Cuzco und wurde zum Propheten für die barbarischen Stämme der Umgebung, die in die neue Stadt strömten, um seinen Lehren zu lauschen und unter seiner Anleitung eine große Kultur aufzubauen. So wurde er im Laufe der Jahre zum Urvater der Inkas und zum großen Lehrer der Menschheit.

Soweit die Sage. – Historiker, die sich nicht mit Märchen abspeisen lassen und seien sie noch so schön, sind der Sache auf den Grund gegangen und dabei fündig geworden. Demnach war diese Sage nur raffinierte Propaganda, erdacht von den politisch hochtalentierten Führern dieses wilden Stammes, der sich um 1200 aus dem brodelnd heißen Amazonastiefland ins karge, kalte Hochland der Anden vorwagte. Dort aber gab es im Gebiet um Cuzco drei bereits fest etablierte, halbzivilisierte Stämme, die ihre Herkunft von den ursprünglich drei Höhlenbrüdern ableiteten. Nichts lag für die Ankömmlinge also näher, als einen vierten hinzuzudichten und ihn zu ihrem Urvater zu deklarieren, um aus dem vermeintlich gemeinsamen Ursprung Kapital zu schlagen.

Zuerst machten sich die halbwilden Inkas bei den Gastgebern Liebkind, indem sie ihre Sprache aufgaben, Quechua lernten und sich in Kunst und Handwerk unterweisen ließen. Zu Anfang wurden sie nicht als vollwertige Mitglieder dieses Stammesbundes erkannt und mußten sich damit begnügen, das Gebiet zu verteidigen und für die Verehrung Intis – der Sonne – zu sorgen.

Gegen 1380 hatte sich der Inka-Führer Sinchi Roka bei der unbarmherzigen Unterwerfung benachbarter Stämme Ruhm und Achtung verschafft, was er sogleich ausnutzte, um durch Intrigen die Machtverhältnisse zugunsten seines kleinen Stammes zu verschieben. Damit ebnete er seinen Nachfolgern den Weg zur Beherrschung und schließlich Entmachtung der anderen drei Stämme. Inca Roca – wobei Inca »Kaiser« bedeutet – schaffte den großen Sprung nach vorn. Seine Untertanen hievten unter Siegesgeheul die Statue ihres Urvaters Manco Kapac auf die Tempel, schlugen die Stammesgötter der anderen entzwei und machten den Sonnenkult zur offiziellen Religion ihres neuen Reiches.

Das sahen die Chanka-Indianer im Süden des Hochplateaus gar nicht gern, und sie machten sich 1438 siegesgewiß auf – mit der Statue ihres Vorvaters auf den Schultern –, diesen Parvenus eine Lektion zu erteilen. Unter der Führung von Pachacutec gelang es den geschickten Inkas jedoch, dem weit überlegenen Heer der Chankas den Ahnen, ohne den jeder Kampf sinnlos war, zu klauen. Dann setzten sie den demoralisierten Truppen nach und richteten ein furchtbares Blutbad an. Das war das Ende des Chanka-Stammes. Dieser Sieg, den sie – taktisch klug – allein ihrem Sonnengott Inti zuschrieben, wirkte dermaßen abschreckend, daß sich ihnen im Hochland niemand mehr entgegenzustellen wagte. Selbst die feindlich gesinnten Stämme richteten zähneknirschend Sonnentempel ein. Man konnte ja nie wissen...

Unbehelligt konnten die Inkas nun Expeditionen zum Titicaca-See im Südosten starten, die umliegenden Stämme im Handstreich unterwerfen und siegesgewiß 1000 km weit nach Norden, bis hinein nach Ekuador vordringen.

Damit gerieten sie in die Einflußsphäre der bereits erwähnten Chimú-Indianer, des mächtigsten Stammes an der Pazifikküste. Diese ließen für eine Weile ihre Goldschmiedewerkzeuge und Webstühle liegen und rannten vergeblich gegen die von den Inkas in größter Eile in den Andentälern errichteten Festungen an, deren Kommandeure den Chimús im wahrsten Sinne des Wortes das Wasser abgraben ließen. Denn das Schmelzwasser aus den Anden, das die Flüsse durch die Wüste zum Meer führten, benutzten diese meisterhaften Handwerker zur Bewässerung ihrer Felder, die so ertragreich waren, daß sie im Überfluß leben konnten. Ratlos mußten sie zusehen, wie die Flußbetten austrockneten und die fruchtschweren Stauden verdorrten, während die Inkas in den Festungen gelangweilt auf die Kapitulation warteten. Dann stießen die spartanischen Inkas in die Chimú-Stadt Chan-Chan, liefen mit offenem Mund durch die Straßen dieser größten Adobestadt der Welt, faßten sich aber bald und breiteten die kostbaren Stoffe aus, warfen die phantastischen Goldschätze hinein und wanderten mit den Bündeln auf dem Rücken zurück in die Berge.

Doch nicht nur Gold und Stoffe nahmen sie mit, auch die Künste und die erlesene Lebensart der Chimús blieben ihnen erhalten: Sie trieben die Überlebenden hinauf nach Cuzco und machten sie zu ihren Lehrmeistern. Damit waren die Inkas unter Pachacutec der mächtigste Stamm Amerikas geworden.

1470 ging nach langem Machtkampf die Herrschaft von Pachacutec an Tupac Yupanqui, der dessen Expansionspolitik fortführte. Er drang ins Amazonastiefland ein, weil sich hin und wieder einige barbarische Waldindianer erdreistet hatten, ins Hochland zu schauen, kundschaftete machtbewußt

Nordargentinien aus, eroberte den Norden Chiles und konnte von den barbarischen Araucas mit Knüppeln und Steinen gerade noch davon abgehalten werden, bis nach Feuerland zu marschieren.

Dieser Staatstourismus mißfiel den Daheimgebliebenen, die in seiner Abwesenheit Komplotte schmiedeten und den nichtsahnenden Kaiser bei der Rückkehr von einem seiner zahlreichen Siegeszüge 1493 umbrachten. Denn auch bei den Inkas war nicht alles so rosig, wie es beim ersten Blick scheinen will.

Dessen ungeachtet machte sich auch der neue Herrscher Wayna Kapac daran, die Grenzen des Reichs weiter hinauszuschieben. Unter ihm erreichte es 1526 seine größte Ausdehnung: 1 000 000 km², viermal so groß wie die BRD; von Kolumbien bis nach Chile, 4000 km weit, im Westen vom Pazifik und im Osten von den undurchdringlichen Urwäldern des Amazonas begrenzt.

Nun galt es, das Reich innerlich zu konsolidieren, denn wohlgelitten waren die neuen Herrscher Amerikas nicht, man hielt zu ihnen eher aus Furcht denn aus Achtung.

Da ereignete sich etwas Seltsames. Zauberer lasen aus geheimnisvollen Zeichen am Himmel drohendes Unheil. Es kam in Form einer unbekannten Seuche, die wie ein Buschfeuer von Norden in das Inkareich drang. In wenigen Monaten raffte sie 200 000 Inkas dahin, unter ihnen Wayna Kapac. Boten meldeten von der Küste das Auftauchen seltsamer weißer Segel über schwimmenden Tempeln auf dem Meer. Doch wie jedesmal beim Tod eines Herrschers, brach auch diesmal das Reich fast auseinander, geschüttelt vom Bürgerkrieg, den die beiden potentiellen Thronfolger Atahualpa und Huascar in ihrem mörderischen Kampf um das purpurne Kaiserband entfacht hatten. So schenkte man diesen Ereignissen nicht die gebührende Aufmerksamkeit, und die Priester deuteten das Nahen der Segel als die Erfüllung einer Prophezeihung des Schöpfers des Universums, Viracocha, wonach er auf schäumenden Wellenkronen über das Meer zurückkehren würde. Die Realpolitiker, voll im Machtkampf engagiert, sahen in der Viracocha-Geschichte nur einen Schachzug der Priester, die sich damit besser in Szene setzen wollten. Das sollte ihnen zum Verhängnis werden. Denn unter den Segeln beschattete der spanische Conquistador Pizarro seine Augen und spähte nach einem sicheren Landeplatz. Auf seinen Schiffen befanden sich 180 Soldaten, 37 Pferde und eine Meute dressierter Bluthunde. Diese Mini-Armee mit dem wahnwitzigen Vorsatz, das phantastische Inkareich zu unterwerfen, ging im April 1532 in Tumbes in Nord-Peru an Land.

Ein Tag aus dem Leben des Kaisers Wayna Kapac

Damit hätten wir in ganz groben Zügen die Geschichte der Inkas umrissen. Doch die nüchternen historischen Fakten sagen wenig aus über die Menschen, wie sie lebten, wofür sie lebten, über ihre Bräuche und ihren Alltag. Darum wollen wir einen Tag aus dem Leben Wayna Kapacs anhand erwiesener Tatsachen rekonstruieren. Nehmen wir dazu ein beliebiges Jahr: 1526. Das Geschichtsbuch lehrt uns, daß zu dieser Zeit in Europa ein wortgewaltiger Prediger namens Martin Luther an den Fundamenten der katholischen Kirche rüttelt und die Türken im eroberten Ungarn die ersten Moscheen errichten. Doch davon weiß der Inka-Kaiser nichts, er weiß nicht einmal, daß es einen Kontinent Europa gibt und darin eine Stadt Köln, in der die Hälfte des Doms bereits fertig ist, auch nicht, daß vor einigen Monaten der Bauernkrieg zu Ende gegangen ist, in dem die selbstherrlichen Fürsten gehörig eins aufs gekrönte Haupt bekommen haben.

Nehmen wir einen beliebigen Tag: den 30. November. Es ist ein Dienstag. Im kühlen Morgengrauen wacht Wayna Kapac von selbst auf, da niemand ihn, den menschgewordenen Sonnengott, im Schlaf zu stören wagt; er erhebt sich von seinem Lager aus Brokatstoffen und Fellen und ruft seine Leibsklaven. Sie kleiden ihn an und vermeiden, ihm ins Antlitz zu schauen. Es ist ein ebenmäßiges Gesicht, faltenlos, obwohl der Kaiser im »besten Alter« ist, mit schräg geschnittenen, schwarzen Augen und mit auseinanderliegenden Backenknochen, über die sich bronzefarbene Haut spannt. Die morgendliche Rasur entfällt, da sein Kinn, wie sein gedrungener, stämmiger Körper von 160 cm Größe, nahezu unbehaart ist. Etwaige Barthaare werden mit einer goldenen Pinzette gezupft. Während er sich die Maskapaitcha, das purpurne Kaiserband um die Stirn legt und über dem dichten blauschwarzen Haar verknotet, legt man ihm die Kleider an aus Stoffen von unübertroffener Schönheit und Qualität, in leuchtenden Farben eng geometrisch gemustert und mit goldenen Fäden durchwirkt. Darüber legt man den Brustschmuck aus Tausenden winziger Federn in schillernden Farben, die mit Goldplättchen eingefaßt sind.

Während die knienden Sklaven die Sandalen mit schweren Goldbeschlägen binden, schiebt er den schweren Vorhang aus Lamawolle zur Seite und blickt aus dem Fenster seines riesenhaften Palastes auf die Stadt Cuzco, in der sich schon seit geraumer Zeit Leben regt. In der dünnen, regenverhangenen Luft des Hochplateaus liegt um den Palast das Viertel Hanan Cuzco, wo der Hofstaat, die Edelleute, die Reichen und die Mitglieder des Inkastammes leben, aus deren Palästen die Sklaven zum Markt eilen – hinab nach Hurin Cuzco, wo sich das gemeine Volk aus den unterworfenen und verbündeten Stämmen drängt. Dann gleitet sein Blick hinauf zur gigantischen Festung Sacsayhuaman, wo ein Heer von 5000 Kriegern bereitsteht, die schachbrettförmig angelegte Stadt, die die Götter zum Bauchnabel der Welt erklärt haben, zu verteidigen oder zu einem Feldzug auszuziehen. Auf dem fünfstöckigen Turm stehen spähende Wachen. Ein gutes Gefühl, sie dort oben zu wissen. Nicht, daß jemand leichtsinnig genug wäre, sein immenses Reich anzugreifen – es schreckt auch jene ab, die ihm den Thron neiden. Denn das Reich besteht nur dank der persönlichen Macht des Herrschers. Sobald er eine Schwäche zeigt, ist es um den erzwungenen Zusammenhalt geschehen.

Nach einem kurzen Frühstück aus Obst und gekochtem Mais begibt er sich zum Coricancha, zum Sonnentempel. Auf einer Sänfte wird er durch die Gänge getragen, gefolgt von einem Schwarm Priester. Überall ist Gold. An den Wänden, vor denen die Sklaven bei seinem Vorbeigleiten niederknien, sind mit goldenen Nägeln goldene Platten befestigt. So auch im Coricancha, durch dessen goldbeschlagene Türen er ins höchste Heiligtum Amerikas vordringt. Hier ist der Garten, dessen Pracht bei Sonnenlicht in den Augen brennt. Statt Gras bedecken Goldklumpen den Boden, aus dem als Zeichen der Fruchtbarkeit Maisstauden aus massivem Gold ragen. Zwischen ihnen grast friedlich eine Herde Lamas, auch sie naturgetreu aus Gold nachgebildet.

In einem der vier Tempelsäle, in dem die einbalsamierten Mumien seiner Vorgänger an den Wänden stehen, beginnt nun die allmorgendliche Zeremonie. Unter Anleitung eines Priesters wird Inti, die Sonne, deren übermannshohes Antlitz aus massivem Gold mit taubeneigroßen Smaragden und anderen Edelsteinen geschmückt ist, weihevoll angerufen, ihrem auserwählten Sohn, nun selbst eine Gottheit, Kraft zu geben und ihn zu beschützen. Während er einem jungen Lama mit einem goldenen Messer die Kehle durchtrennt und es anschließend in das Opferfeuer legt, muß Wayna Kapac zurückdenken, wie er selbst dieses Heiligtum zum ersten Mal betrat, um zum Sohn Intis geweiht zu werden.

Es war ein langer Weg gewesen. Nach der Ermordung seines Vaters Tupac Yupanqui 1493 hatte es zwischen ihm und seinen Brüdern den seit Generationen üblichen Streit um den Thron gegeben, der, wie sonst auch immer, zum Bürgerkrieg ausgeartet war. Mehrere tausend Tote hatte es gegeben, darunter viele Familienmitglieder, die auf seiten seiner Brüder gestanden hatten. Einige Stämme hatten sich vom Reich losgesagt oder die Brüder unterstützt. Als er nach vielen Monaten endlich den Thron besteigen konnte, weil ihn die hohen Priester als den würdigsten unter den möglichen Nachfolgern auserwählt hatten, folgte seine grausame Rache. Die Häuptlinge der abtrünnigen Stämme hatte er umbringen und ihre Völker ins Reich zurückführen lassen; er hatte einen großen Teil der hohen Beamten auszuwechseln und die aufmüpfigen Kommandeure hinzurichten befohlen. Indem er in Windeseile das Inkareich von innen her neu strukturierte, handelte er nur wie alle seine Vorgänger und ließ das Reich wie den Phönix aus der Asche neu entstehen. Darin liegt ja die unglaubliche Stärke seines Volkes. Anders als bei erblichen Dynastien kommen nach einer schmerzlichen Selbstzerfleischung des Stammes nur die Stärksten auf den Thron. Und sie führen auch jedesmal neue Ideen ein. Er hat größere, pompösere Zeremonien angeordnet, wie er sie als Kind bei den Chimús gesehen hatte, und das Schwergewicht von der Eroberung auf die Ausbeute und politische Kontrolle der Gebiete gelegt. Und nun fördert er die Künste, indem er begabte Künstler von der Küste und aus dem Norden nach Cuzco ruft und sie hier bevorzugt behandeln läßt.

Auch auf religiösem Gebiet ist er weiter gegangen als seine Vorgänger. Wo die anderen fremde Götter in den Pantheon der Inkas aufgenommen hatten, um die Besiegten auch durch den Glauben an sich zu ketten, hat er diese Statuen köpfen lassen, weil ihre Orakel nie zu seiner Zufriedenheit ausgefallen sind. Jetzt gibt es nur noch den allmächtigen Sonnengott. Und ihn.

Das letzte Gebet des Priesters reißt den Herrscher aus seinen Gedanken. Er wendet den Blick endlich vom heiligen Feuer, das Inti selbst durch einen goldenen Hohlspiegel in seiner Hand entzündet hat, nimmt den ihm gereichten kiloschweren Goldbecher und trinkt einen Schluck geweihten Maisbiers.

Er wird zurück in den Palast getragen, wo er seine Gewänder wechselt, die er nur einmal trägt und die dann verbrannt werden. Nun kann er sich den Staatsgeschäften widmen.

Seine engsten Berater, meist Mitglieder seiner großen Familie, berichten kniend über die letzten Meldungen, die mit Läuferstaffeln, den Chasquis, über das großartige Straßennetz von über 6000 km Länge von allen Teilen des Reichs nach Cuzco geschickt worden sind. Hervorragend, diese Läufer! Für 2000 km brauchen sie kaum eine Woche. Es sind überwiegend Meldungen militärischen Inhalts: Der Kommandeur von Tumipampa benötigt dringend 200 Soldaten; eine drohende Rebellion wird aus dem Süden gemeldet; dann eine untertänigste Bitte an den Kaiser, er möge ein von seinen Priestern prophezeites Erdbeben abwenden – wie damals sein Vorgänger Pachacutec allein zum Krater des spuckenden Vulkans Misti emporgestiegen war, dessen Lavaströme und Aschenregen die Dörfer verwüsteten, und mit einer herrischen Geste den Ausbruch erstickt hatte. Nun werden Statthalter aus entlegenen Provinzen hereingeführt, die ihm ihre Aufwartung machen wollen. Auf Knien müssen sie rutschen und ein schweres Joch auf den Schultern schleppen. Sie tragen ihre Bitten vor und lauschen mit zu Boden gesenktem Blick.

Der Rest des Vormittags ist mit Verwaltungsarbeiten ausgefüllt. Seine Macht beruht auch auf einer perfekt durchorganisierten Bürokratie, in der die vitalen Statistiken von einer ranghohen Beamtenkaste geführt werden – nahezu unglaublich, wo die Inkas doch keine Schrift kennen. Anhand der Quipus, auf lineallange Stäbe gezogenen farbigen Schnüren mit verschiedenen Knoten, die für Zahlen im Dezimalsystem stehen und deren Sinn nur der knüpfende Beamte versteht, werden dem Kaiser die letzten Erkenntnisse des Rechnungswesens vorgetragen: Der Stamm der Kañarr zählt nunmehr 85 423 Mitglieder; die Maisvorräte in der Pilgerstadt Pachacamac am Meer reichen, wegen der vielen Feste, die zu Ehren Intis abgehalten worden sind, nur noch für vier Monate, die Quinoavorräte – eine Art Reis – für drei. Mechanisch gleiten die Finger des Vortragenden über die Schnüre. Beim Ausbau der Straße nach Quito sind 638 Arbeiter tätig, die in den letzten 45 Tagen 236 489 Platten verlegt haben, das entspricht... Mit einer unwirschen Geste beendet er die Anhörung – sollen sich seine Beamten darum kümmern.

Zum Mittagsmahl wird er in den Speisesaal getragen. Auf irdenen und silbernen Tellern liegen zu schmalen Streifen geschnittenes, an der Luft gedörrtes Lamafleisch, gekochte Maiskolben, Meerschweinchen, die in einem Loch mit heißen Steinen gegart worden sind, dazu rote und grüne Pfefferschoten sowie getrocknete Kartoffeln aus den Staatsvorräten. Die letzte Ernte war schlecht, und die frischen Knollen sind für die nächste Saat bestimmt. In großen Schalen duftet tropisches Obst, das Träger aus den heißen Tälern am Osthang der Anden gebracht haben.

Während er mit den Händen speist, nähert sich ehrfurchtsvoll seine Schwester, die zugleich seine Hauptfrau ist, und berichtet, die Schädeloperation an seinem jüngsten Sohn sei offensichtlich erfolgreich verlaufen. Der Priester aus Nazca an der Küste hat geschickt mit dem Tumi, dem halbmondförmigen goldenen Messer, gearbeitet. Sein Sohn liegt jetzt unter starken Beruhigungsmitteln in seinem Zimmer. Sie habe tägliche Opfer zu seiner Genesung veranlaßt, an denen auch die anderen Frauen teilnehmen sollen.

Die kaiserliche Ruhepause ist heute kurz, denn es ist ein wichtiger Tag, an dem er mit viel Pomp seine Macht darstellen muß. Er befiehlt, in den großen Saal getragen zu werden, wo bereits einer seiner tüchtigsten Generale wartet, um die Eroberung zu melden. Nachdenklich spielt Wayna Kapac mit dem münzgroßen Goldstück, das sein durchbohrtes Ohrläppchen im Laufe der Jahre um eine Handbreit nach unten gezogen hat. Es war notwendig geworden, dieses Gebiet am Osthang der Anden zu besetzen. Die eigenen Anbaugebiete für Kokablätter reichen nicht mehr aus, um den wachsenden Bedarf zu decken. Immer mehr seiner Untergebenen verfallen diesem schleichenden Gift. Der kniende General beginnt mit einem Lob auf den Sonnengott, auf den Kaiser und auf dessen Macht. Dann erstattet er Meldung: Der ganze Stamm ist unterworfen, die Schätze und die Statuen der Vorväter werden in diesem Moment vor den Palast getragen, der gefangene Häuptling steht bereit für die Zeremonie. Wayna Kapac zeigt sich gnädig. Er schenkt ihm drei jungfräuliche Yanas, Nonnen, die im Kindesalter dem Sonnenkult geweiht werden. Keusch und abgeschnitten von der Welt leben sie in Klöstern und weben phantastische Stoffe. Sie stammen aus den besten Familien, sind unterwürfig, geschickt und klug. Sie vom Kaiser persönlich als Nebenfrauen geschenkt zu bekommen, ist die höchste Ehre. Dazu erhält der General natürlich einen Teil der Beute. Dieser Feldzug hat sich für ihn gelohnt.

Wayna Kapacs Gedanken sind bereits bei der Zeremonie, die in wenigen Minuten beginnen soll. Bei ihr wird er wie immer grausam gegen die unterlegen Führer, aber milde mit deren Volk sein. Draußen auf dem »Platz der

Freuden« zwischen Tempel und Palast ist bereits seit Stunden alles vorbereitet. Man wartet, zitternd vor Angst oder johlend vor freudiger Erregung. Wieder wird er umgekleidet, und auch diese Kleider werden verbrannt. Gemessenen Schrittes wird er hinausgetragen. Bei seinem Erscheinen wird es schlagartig ruhig. Stolz steht er vor seinem Volk. Mehr Gold als Stoff bedeckt seinen Körper. Im Glanz der Sonne, die wenig vorher die Wolken durchbrochen hat, erstrahlt er beinahe überirdisch. Um den Platz, zurückgehalten von Soldaten in Galauniform und von den armdicken goldenen Ketten, die ihn umspannen, fallen Tausende von Gaffern auf die Knie und drücken, ein Gebet murmelnd, die Stirn auf den Boden. Aus den Fenstern der umliegenden Paläste schauen Diener und Sklaven erwartungsvoll auf den Platz, in dessen Mitte der gefangene Häuptling, seine Feldherrn und seine engste Verwandtschaft von einer Garde umringt werden. Langsam nimmt Wayna Kapac auf der mit kostbaren Stoffen und Fellen bedeckten Tribüne zwischen den unterwürfig knienden Mitgliedern der kaiserlichen Familie Platz.

Ein Zeichen zum Hofmarschall, und die Zeremonie beginnt. Trommeln, Flöten, Muschelhörner und Schellen erklingen. Tänzer springen hervor, verherrlichen allegorisch im Tanz das Gefecht und den Sieg und karikieren die Besiegten. Dann beginnt das dumpfe Dröhnen der großen Trommeln. Die Tänzer ziehen sich zurück. Soldaten führen in langer Prozession die Beute an der Tribüne vorbei, deren kostbarste Stücke vom Volk mit Beifallsrufen begrüßt werden. Dann wieder Stille als die Huaca herbeigetragen wird, die lebensgroße Statue des zur Gottheit gewordenen Urvaters dieses Stammes, sein wichtigstes Heiligtum. Unter den kritischen Augen der Amauta, der geachteten Geschichtserzähler, die seine Taten hymnisch verklärt im Reich verkünden werden, gibt der Kaiser ein weiteres Zeichen. Ein ranghoher Soldat tritt an die Statue heran. Mit einer schweren, steinbewehrten Keule trennt er ihr mit einem mächtigen Schlag den Kopf vom Rumpf. Berstend kracht das Tongebilde auf das sonnenwarme Pflaster. Wieder Beifall. Dann plötzlich lähmende Stille. Der große Augenblick ist gekommen, der erhaben grausame Machtbeweis steht unmittelbar bevor.

Mit gesenktem Kopf wird der Häuptling herbeigeführt. Derbe Soldatenhände reißen ihm die mit Gold und Federn geschmückten Kleider vom Leib und zwingen ihn in die Knie. Sein gekrümmter brauner Rücken bebt, in glatten Strähnen hängt das blauschwarze Haar in sein Gesicht. Bedächtig schreitet Wayna Kapac Stufe um Stufe hinab und bleibt hochaufragend einen Schritt vor dem Häuptling stehen. Plötzlich schnellt dessen Kopf hoch und seine haßerfüllten Blicke bohren sich herausfordernd in den Blick des Kaisers. Unbewegt, im vollen Bewußtsein seiner grenzenlosen Macht, hält er dieser stummen Beleidigung regungslos stand. Dann tritt er zu. Zweimal, dreimal, immer wieder saust sein Fuß erniedrigend ins Gesicht des Knienden. Von den Heerführern werden nun die restlichen Gefangenen herangeschleift. Auch sie werden zu Boden geworfen. Mit plötzlich vom Blutrausch betäubten Sinnen treten die Soldaten erbarmungslos auf die Liegenden ein, in deren Schreie sich das Gejohle des Pöbels mischt, der nur mit Mühe zurückgehalten werden kann. Hier tobt sich das Bluterbe der Inkas aus, ein Relikt aus jener Zeit, als sie noch ein unbedeutender barbarischer Stamm im dichten Dschungel waren, zu dessen Riten auch das Verspeisen der besiegten Feinde gehörte.

Wie nach einem plötzlichen Erwachen kehrt jeder an seinen Platz zurück, nach und nach verebben die Rufe der aufgepeitschten Menge. Ein Dutzend Leichen liegt auf dem Platz, umgeben von zerrissenen Gewändern und verbogenem Schmuck. Ein leichter Wind treibt spielend die schillernden Federn des Häuptlingsschmucks empor.

Die Zeremonie geht weiter. Unter Aufsicht der Priester werden die Leichen weggetragen, Tänzer springen erneut hervor. Im hypnotisierenden Rhythmus der Trommeln malen sie flüchtige Bewegungsarabesken in leuchtenden Farben, wiegen sich im klagenden Ton der Muschelhörner und Panflöten. Die eigentliche, stundenlange Siegesfeier beginnt. Maisbier fließt in Strömen, edle weiße Vicuñas werden geopfert. Kurz vor Sonnenuntergang wird dem Kaiser der symbolische Siegestrunk gereicht: Maisbier in der eiligst abgetrennten Schädeldecke des zu Tode getrampelten Häuptlings, aus dessen Knochen bereits Flöten geschnitzt werden. Seine Haut ist schon zum Trocknen aufgespannt. Aus ihr wird man Felle für die großen, dumpf schlagenden Trommeln machen. All dies sind Handlungen, wie sie fast alle südamerikanischen Stämme seit Jahrtausenden in ähnlicher Form vollziehen. Bei den Inkas aber sind sie inzwischen stark religiös verbrämt. Sie sollen nicht nur deutlich die Unterwerfung des Feindes vor Augen führen, sondern gelten als Opfer für den Sonnengott. Wobei man letztlich den Geopferten ehrt, weil man ihn für würdig befunden hat, vor Inti treten zu dürfen.

Der Abend im Palast vergeht mit Tänzen, Musik und Gesprächen. Beim Klang der Flöten wiegen sich mit Schellen behängte Tänzer im getragenen Llamaya, dem Schäfertanz; irrlichtern im rasenden Freudentanz Kachiwa und im Siegestanz Haylli arawi.

Wayna Kapac verläßt bald die Gruppe, gibt Anweisung, eine seiner Nebenfrauen zu schmücken und an sein Lager zu bringen. Dann befiehlt er einen seiner höchsten Priester zu sich, der gleichzeitig auch Astronom und Astologe ist. Noch immer nämlich stimmt der Kalender nicht mit den wirklichen Bewegungen der Gestirne überein, und das ist schlecht für ein Volk, das auf die Landwirtschaft angewiesen ist. Auch der Priester weiß nicht, wie man die Zeiten für Aussaat und Ernte besser bestimmen könnte. Denn noch gilt für die Bauern das Mondjahr der Chimús, das um elf Tage kürzer ist als das Sonnenjahr, das die Zeitrechnung bestimmt. Diese beiden in Einklang zu bringen, ist ein schwieriges Problem, mit dem sich schon Wayna Kapacs Vorgänger mit mäßigem Erfolg herumgeplagt haben. Wenn er nun die fehlenden Tage in einem neuen Monat unterbringen will, müssen die zwölf Türme auf den Hügeln über Cuzco, die bei Sonnenaufgang vom Sonnentempel aus gesehen den Beginn eines jeden Monats anzeigen, abgerissen und an anderen Stellen neu erbaut werden. Auch heute finden sie keine Lösung.

Sie besprechen noch die bevorstehenden Feiern zur Wintersonnenwende, bei denen die vierzehn- bis fünfzehnjährigen Jungen und Mädchen weihevoll ihre Rechte und Pflichten erhalten und auferlegt bekommen – auch das Recht zu heiraten. Wayna Kapac spielt dabei die wichtigste Rolle. Er muß die Feierlichkeiten eröffnen und dazu rein sein. Das bedeutet tagelanges Fasten, Abstinenz, unzählige tägliche Gebete und Opfer. Denn nur so kann es ein gutes Jahr werden und der Beginn eines Lebens als Erwachsener, in dem alle Sehnsüchte und Wünsche – hochfliegende wie zutiefst menschliche – in Erfüllung gehen können, geleitet von der wohlwollenden Hand des allwissenden Gottvaters Inti, der in wenigen Stunden sein strahlendes Haupt über seinem Reich, dem Zentrum des Universums, zeigen wird. Mit einem letzten Gebet verabschiedet sich der Priester.

Es ist still geworden im Palast. Gedämpft klingen die Schritte der Diener, die den Kaiser in seine Gemächer tragen. Von fern trägt der Wind vereinzelt Musikfetzen und Gelächter herüber. Im volkreichen Hurin Cuzco wird noch gefeiert, zum Wohl des Kaisers dem begehrten Maisbier zugesprochen, den Kokablättern und dem Tanz. Es ist die hart arbeitende Unterschicht, mit endlos vielen Pflichten und wenigen Rechten, gewohnt, die seltenen Feste auszukosten und für selige Augenblicke im Taumel der Klänge und des Rausches die Härten des Daseins zu vergessen.

Nur eine einzige Stimme klingt durch den dunklen Palast. In einem kleinen Innenhof unter freiem Himmel singt ein Priester ein demütiges Gebet zum Gott Viracocha empor:
Oh Schöpfer,
gelobter Schöpfer, sei gnädig.
Erbarme Dich der Menschen, Deiner Menschen und Diener,
von Dir geschaffen und zum Leben erkoren.
Erbarme Dich ihrer,
damit sie immer gesund und wohlbehalten bleiben
mit ihren Kindern und Nachkommen;
damit sie einen geraden Weg gehen, ohne an das Böse zu denken.
Laß sie lange leben und nicht jung sterben.
Laß sie in Frieden essen und leben.

Zwei Jahre später, 1528, starb Wayna Kapac, auch er ein Opfer jener Pockenseuche, die die Spanier nach Kolumbien eingeschleppt hatten und die als ihr todbringender Vorläufer durch das Inkareich raste.

Dem Kaiser wurde das bis dahin grandioseste Begräbnis zuteil. Tagelange Zeremonien und unzählige Opfer wurden ihm dargebracht. 4000 Männer, Frauen und Kinder schieden freiwillig aus dem Leben und wurden in ein gewaltiges Grab gelegt. Der letzte wahrhaft große Kaiser der Inkas wurde einbalsamiert und im Sonnentempel neben seine Vorgänger gestellt.

Es blieb ihm erspart mitzuerleben, wie fünf Jahre nach seinem Tod Hufe spanischer Pferde über die Straßen von Cuzco klapperten.

Zum letzten und zugleich auch tragischsten Inka-Kaiser, Herrscher über einen lächerlichen Rest des Reiches, wurde 1571 Tupac Amaru. Unter einem fadenscheinigen Vorwand wurde er in die neue Hauptstadt Lima gebracht, wo ihm von dem spanischen Vizekönig Toledo ein entwürdigender Schauprozeß gemacht wurde. Das Todesurteil war schnell gesprochen. Als die vier Peitschen auf die Rücken der vier Pferde niedersausten, zwischen die man ihn gespannt hatte, starb mit ihm ein ganzes Volk, eine Idee, ein Glaube. Seine abgerissenen Gliedmaßen wurden durch das ehemalige Inkareich getragen, um seinen Tod zu beweisen. Durch das Hochland, durch die Wüste nach Norden und Süden. Sein Kopf wurde in Cuzco zur Schau gestellt.

Man schrieb den Mai 1572. Von nun an regierten auf dem ganzen Kontinent unwidersprochen jene Fremden, die vor einer Generation diesen Boden zum ersten Mal betreten hatten.

LAND UND LEUTE

Das Amazonasbecken

Als man einem Brasilianer bei Köln den Rhein als größten Fluß Westeuropas vorstellte, brach er in schallendes Gelächter aus.

Denn verglichen mit den immensen Wasserläufen seines Heimatkontinents nimmt sich der vielbesungene Rhein wie ein klägliches Rinnsal aus. Vor allem neben dem Amazonas: Rechnet man den Vilcanota-Fluß hinzu und setzt also seinen Ursprung nicht erst am Lauricocha-See in Peru an, dann ist er insgesamt 7300 km lang, sechsmal so lang wie besagter Rhein, länger noch als Nil und Mississippi. Von den eisigen Gletschern in den Anden wühlt er sich mit tobender Kraft durch die felsigen Täler, schießt über 13 Felsvorsprünge und rast die Flanken dieser mächtigen Bergkette hinab in die brüllend heiße Ebene. Dort verebbt seine Wildheit, und die braunen Wassermassen drängen im Fußgängertempo unaufhaltsam dem Atlantik zu. 50 Millionen Kubikmeter schiebt er jede Stunde in ihn hinein und trübt sein stählernes Blau 500 km weit.

Doch das Wasser, das sich aus seinem 250 km breiten Delta ergießt, stammt nicht von ihm allein. Rund 1100 Nebenflüsse lassen ihn anschwellen. 100 davon sind schiffbar, 20 länger als der Rhein. Ihn selbst kann man fast 5000 km weit befahren; bis nach Iquitos in Peru sogar mit Frachtern bis zu 5000 Bruttoregistertonnen.

Im Amazonas fließt das Wasser aus ca. 8 Millionen km² zusammen. Sein Becken ist somit das größte Süßwasserreservoir der Welt. Bei einer durchschnittlichen Breite von 5 km mißt er an manchen Stellen sogar bis zu 70 km von Ufer zu Ufer. Dann können die Fischer in seiner Mitte nirgendwo Land sehen. Sie wähnen sich in einem Meer, das nicht einmal ungefährlich ist. Bei Sturm bringen die aufgepeitschten Wellen mühelos mittelgroße Boote zum Kentern, und bei Springflut draußen im Atlantik erreicht die Pororoca genannte Gezeitenwelle mitunter eine Höhe von zweieinhalb Metern, donnert weithin hörbar Hunderte von Kilometern stromaufwärts, scheucht die sonst so gelassenen Urwaldbewohner blitzartig auf die nächste Anhöhe oder einen stabilen Baum und schlägt an den Gestaden alles kurz und klein.

Die Entdeckung – Orellana und die streitbaren Frauen

Kurios – wie so vieles an ihm – ist auch, wie der gewaltigste Strom der Erde zu seinem wohlklingenden Namen kam. Ein gewisser Francisco de Orellana wurde vom Eroberer Perus, Pizarro, 1541 mit dem Befehl losgeschickt, sich doch einmal östlich der Anden umzuschauen, ob nicht dort die so verzweifelt gesuchten goldenen Städte lägen. Die fand Orellana zwar nicht, aus dem Staunen kam er dennoch nicht heraus.

Mit einer Handvoll Unerschrockener und dem obligaten Priester drang er in diesen endlosen Urwald ein und stieß bald auf einen großen Fluß. Dort ließ er ein Boot bauen, für das er seine letzten Pferde opferte: Mit den Hufnägeln der geschundenen Rösser wurden die Planken zusammengenagelt. 243 Tage dauerte ihre romanhafte Odyssee. Aus jeder Zeile des Reiseberichts, den Orellana seinem Herrn Pizarro übergab, spricht noch heute Entsetzen, Bewunderung und Ehrfurcht – ein großartiges menschliches Dokument.

Nach wenigen Tagen bereits begannen die wildentschlossenen Angriffe nackter Indianer, deren weißgetünchte und mit farbigen Ornamenten verzierte Hütten hinter der grünen Baumwand aufleuchteten. Die gefangenen Krieger sorgten für eine ausgewachsene Überraschung. Kleinlaut berichteten sie, daß sie gewissermaßen unter dem Pantoffel stünden; undenkbar eigentlich bei ihrem martialischen Aussehen. Frauen hätten sie zum Angriff gezwungen, die tief im Urwald herrliche Städte bewohnten, in die einmal im Jahr ausgesuchte Männer geführt würden. Die aus diesem Besuch hervorgegangenen Kinder würden – wenn es Mädchen waren – mit großer Härte erzogen, die Buben entweder ertränkt oder dem Vater zugeschickt. Orellana ließ die vermeintlichen Lügner über Bord werfen. Dominierende Frauen? Lächerlich!

Er wurde eines Besseren belehrt. Kaum eine Woche später sah er wieder Krieger mit Keulen, Bögen und Pfeilen auf das Boot zuschwimmen, von dessen Reling es ein leichtes war, sie erfolgreich abzuwehren. Trotz ihrer aussichtslosen Position griffen die Indianer mit unverminderter Wut weiter an. Bald erkannte Orellana den Grund für ihr Verhalten. Vom Ufer erklangen schrille Anfeuerungsrufe. Hunderte von halbnackten hochgewachsenen Frauen sahen mit sichtlicher Wonne dem Kampfgetümmel zu und waren auch sonst nicht zimperlich. Zögernde Kämpfer wurden rüde ins Wasser gestoßen, wer aufgeben wollte, kurzerhand umgebracht.

Dem entsetzten Orellana kam nur ein Vergleich in den Sinn. Er mußte an das streitsüchtigste Volk der griechischen Sage denken, an die Amazonen, die sich die rechte Brust amputierten, damit sie ihnen beim Bogenspannen nicht hinderlich sei. Doch was bei den Griechen vermutlich nur blumige Mythologie war, hier war es mörderische Wirklichkeit.

So taufte Orellana den Strom Amazonas, was auf spanisch »die Amazonen« heißt. Soweit der Bericht Orellanas, den er Pizarro und seinem erschütterten Stab vortrug.

In Wahrheit war es möglicherweise ganz anders. Vielleicht hat der Spanier nur ein bißchen gelogen, um den eigenen Ruhm zu mehren. Denn Wissenschaftler, nur allzu gern bereit, den schillernden Luftballon dichterischer

Phantasie mit einer spitzen Nadel zum Platzen zu bringen, gingen auch dieser Erzählung auf den Grund und warteten alsbald mit einer denkbar prosaischen Erklärung auf.

Diese rauflustigen Weibsbilder, deren Pfeile angeblich dem Schreiber um die Ohren gepfiffen waren, hat man nie gefunden, auch nicht ihre sagenumwobenen Städte, von denen in allen abhängigen Dörfern ein reich geschmücktes Modell gestanden haben soll. Die Forscher vermuten, daß Orellana von den Gefangenen das Wort »amazunu« vernommen habe, was auf indianisch etwa soviel heißt wie »der Lärm wasserreicher Wolken«. Darauf habe er die Assoziation mit der hellenischen Sage gehabt und sich diese aufregende Geschichte ausgedacht.

Schade, die Geschichte hört sich viel schöner an!

Die Waldindianer

Erfunden oder nicht, an der Vorherrschaft der Frauen scheint etwas Wahres dran zu sein. Geblieben ist nämlich ein stark matriarchalischer Zug bei vielen dieser Stämme. Da müssen die Männer alle undankbaren Arbeiten und Sorgen auf sich nehmen. Selbst beim Kinderkriegen: Während die Frau ohne viel Aufhebens das Kind gebiert, windet sich der Mann in Wehen auf einer Strohmatte und bleibt eine Woche restlos erschöpft liegen, liebevoll umsorgt von mitfühlenden Leidensgenossen.

Alle hier beschriebenen Länder haben einen mehr oder minder großen Anteil am Amazonasurwald. Eine Fahrt zu einem der Indianerstämme gehört zu den stärksten Eindrücken überhaupt. Nicht nur wegen der halbzivilisierten Naturmenschen, die ein – für europäische Maßstäbe – paradiesisch simples Leben führen, sondern auch wegen der erdrückenden Naturkulisse, die dem Fremden ohne Vorwarnung seine eigene Schwäche, ja Bedeutungslosigkeit vor Augen führt. Mit Zeit, Glück und den entsprechenden Dollars kann man mehrere Stämme besuchen. In Kolumbien die Huitoto und Omagua, in Ekuador die Pimupivo am Oberlauf des Rio Napo, in Peru die Yaguas mit dekorativen Baströcken und die Jívaros, weltberühmte Hersteller von Schrumpfköpfen.

Ein paar hundert Stämme gibt es noch, einst mitunter berühmt und gefürchtet, heute dank unüberlegter Unterstützung und Beeinflussung durch westliche Kultur in ihrem Selbstbewußtsein erschüttert und zur Bedeutungslosigkeit degradiert, meist mit wenigen Mitgliedern und unter eingeschleppten Krankheiten leidend. Einige scheinen durch die Überfremdung – Ergebnis missionarischen Eifers – den Willen zum Leben verloren zu haben. Ihre Zauberer, einst strenge Wahrer der Traditionen, begnügen sich oftmals damit, einen ausreichenden Vorrat an berauschenden und halluzinogenen Getränken für die tagelangen Saufgelage bereit zu halten. Und wenn es nicht die

Zauberer tun, dann sorgen die Straßenbauer dafür. Wenn ein Stamm nicht freiwillig umsiedeln will, bekommt er eine Wagenladung Feuerwasser. Das hilft fast immer. Die zweite Ladung erhält er dann nur gegen das Versprechen wegzuziehen. Das ist der Anfang vom Ende.

Nur wenige verteidigen noch verbissen ihre Unabhängigkeit, so zum Beispiel die Aucas in Ekuador, die mit jedem, der ungebeten das rechte Ufer des Napo betritt, kurzen Prozeß machen und ihn gelegentlich in den Kochtopf stecken. Andere schließlich leben in abgeschiedenen Gebieten und ziehen alle paar Jahre, wenn die Felder ausgemergelt sind, oft hundert Kilometer weiter. Sie sind schwer zu orten und darum auch von forschsüchtigen Weißen verschont geblieben. Um 1530 lebten im ganzen Amazonasgebiet mindestens drei Millionen Waldindianer. Heute sind es schätzungsweise noch 500 000.

Den ersten Spaniern und Portugiesen, die zu fein waren, selbst einen Handschlag zu tun, waren sie billige Arbeitskräfte, die bedenkenlos verheizt werden konnten. Doch nicht nur durch die Fron wurden sie dezimiert. Die Fremden verlegten ganze Stämme in die Nähe ihrer Plantagen, was natürlich Kriege mit den Nachbarstämmen hervorrief. Jeder Widerstand war zwecklos, rebellische Stämme wurden von Strafexpeditionen bis auf das letzte Kind niedergemetzelt. Damit nicht genug, waren diese Stämme auch nicht immun gegen Pocken und Masern beispielsweise, die sich epidemisch ausbreiteten und Abertausende dahinrafften. Um 1800 waren die wichtigsten Gebiete und die darin lebenden Waldindianer »befriedet«.

Die heute in Zivilisationsnähe lebenden Stämme sind friedlich und – wenn man sie mit erklärtermaßen guten Absichten besucht – zuweilen auch gastfreundlich. Forscher haben schon monatelang in ihren Hütten gelebt und an ihren kargen Mahlzeiten teilgenommen. Sie haben mit ihnen ihre Feste gefeiert, die als willkommene Abwechslung recht zahlreich sind, haben gebratene Alligatorenschwänze und Maniokfladen gegessen und literweise berauschende Chicha getrunken. Sie wurden symbolisch in den Stamm aufgenommen, mit Papageienfedern geschmückt, mit rotem Urucu und blauem Genipa bemalt. Dennoch ist diesen Stämmen der Weiße ein Fremder geblieben. Unausrottbar ist das Mißtrauen, das die bitteren Erfahrungen der Vergangenheit in ihre Seele gebrannt haben. Wer sie besucht, sollte sie mit Achtung behandeln. Ein kleines Geschenk erleichtert den Kontakt.

Vor allem sollte man einen langen Blick in ihre Augen senken. Es ist ein Blick in unsere eigene Vergangenheit – in die Augen unserer seit vielen tausend Jahren toten Vorfahren.

Der Gummiboom – Die weißen Kannibalen

Von welcher Seite diese scheuen Menschen die Weißen kennenlernten, soll ein letztes Beispiel erhellen. Es ist eines unter vielen.

Gegen 1840 wurde der bis dahin wirtschaftlich mäßig interessante Amazonasurwald Ziel eines fieberhaften Ansturms. Der Grund hieß Hevea Brasiliensis. Wenn man diesen Baum anritzte, floß die weiße Latexmilch heraus, die, gekocht, getrocknet und zu Rohgummiballen aufgewickelt, aus dem dunklen Dschungel ihren Siegeszug um die Welt antrat und unvorstellbaren Reichtum zurückbrachte. In dem Hauptumschlagplatz Manaus, am Ufer des Amazonas, aßen damals selbst zweitrangige Exporteure von goldenen Tellern.

Irgend jemand aber mußte diesen kostbaren Saft einsammeln. Und da die herbeigeströmten Glückssucher lieber Lieferscheine ausstellten, mußten Indianer die mit Schlangen und Alligatoren verseuchten Sumpfgegenden durchstreifen, die dieser Baum bevorzugt. Man fing ganze Stämme als Sklaven ein, trieb sie wie Vieh in die reichen Gebiete und gab jedem einzelnen ein bestimmtes Areal, das er tagtäglich absammeln mußte. Wer sein Soll nicht erfüllte, war ein toter Mann. Auch die Flucht half nicht. Die Privatpolizei der Großunternehmer sorgte dafür, daß keiner weit kam, und brachte die Flüchtlinge zurück, um sie in den Lagern zur Abschreckung grausam zu massakrieren. Was hier noch vor hundert Jahren an Barbareien verübt wurde, aufgepeitscht durch die krankhafte Gier nach Reichtum, die jegliche Moral mit Füßen trampelt, bleibt unvorstellbar.

Es sei nur noch erwähnt, daß dieses elende Kapitel der Menschheitsgeschichte darin gipfelte, daß selbst »zivilisierte« europäische Einwanderer dem Kannibalismus verfielen. Alle hatten nur noch Latex im Sinn. Keiner wollte mehr seine Zeit und Kraft bei Ackerbau und Viehzucht verschwenden. Indianer aber gab es genügend. Als kurz vor dem Ersten Weltkrieg der Gummiboom am Amazonas abflaute, weil die asiatische Konkurrenz das Geschäft verdarb, endete auch für die Waldindianer diese grauenvolle Zeit. Wie viele von ihnen dem weißen Gott der Habgier geopfert wurden, wird sich nicht mehr feststellen lassen. Mit Sicherheit aber war ihre Zahl sechsstellig.

Die Flora – Der lebensgefährliche Paranuß-Baum

Eine besondere Spezies Mensch ist mit der Bezeichnung »grüne Hölle« keinesfalls einverstanden – für Biologen und Botaniker ist dieser Urwald ein grünes Paradies.

Obwohl mittlerweile über 400 Jahre lang Tausende von Amateur- und Profiwissenschaftlern Schleier um Schleier gelüftet haben, werden gegenwärtig auf jeder neuen Expedition Dutzende von neuen Pflanzen entdeckt, bislang unbekannte Fische geangelt und die Forscher von bis dato unvermuteten Insekten gepiesackt. In zehnjähriger Arbeit entdeckte der britische Forscher Henry Walter Bates allein 8000 neue Tiere und Gewächse, die in diesem von Lebensdrang brodelnden Kessel um die wenigen Sonnenstrahlen kämpfen, die durch das fast regendichte Blätterdach des Urwalds dringen.

Die Pflanzenwelt ist von einer unglaublichen Vermehrungswut besessen. Jeder Same, jede Spore keimt drängend empor. Jeder Quadratzentimeter Boden wird überwuchert, und dort, wo kein Boden mehr frei ist, nisten sich Pflanzen in die Rinde anderer Bäume ein, ranken an ihnen empor und bringen sie nicht selten dabei um. Doch nur ein winziger Teil der herabschwebenden oder niederprasselnden Samen wird zu ausgewachsenen Pflanzen. Die meisten werden von Tieren gefressen, was keimt, wird von Schlingpflanzen erdrückt oder geht an Lichtmangel ein, wird von der jährlichen Überschwemmung entwurzelt und fortgeschwemmt oder – falls es stehenbleibt – ersäuft. Die Auswahl ist unerbittlich.

Hier sind die Baumriesen Könige, deren gewaltige Kronen vom Flugzeug aus wie Blasen auf einem schäumenden grünen Brei anmuten. Neben ihnen ist der Mensch ein dürftiger Zwerg. Achtzig Meter hoch wird der Paranuß-Baum, dessen Früchte zu Weihnachten begeistert geknackt werden. Es ist nicht ratsam, sich unter ihm aufzuhalten. Aus schwindelnder Höhe nämlich klatschen seine steinharten, kiloschweren Samenkapseln mit jeweils dreißig Nüssen in den morastigen Boden. Überhaupt ist sehr vieles, was da so von oben kommt, genießbar: Rund 40 herrlich saftige Obstarten, deren pralles Fleisch exotische Duftsymphonien komponiert, schenkt der Urwald. Leider sind nur wenige außerhalb dieses Gebiets bekannt – sie sind allesamt leicht verderblich.

Beinahe jeder Baum, jeder Strauch liefert etwas: Obst, Gewürze, Gummi; Rinde, aus der man ein Boot machen kann; Säfte, aus denen man hochwirksame Medikamente oder das lähmende Pfeilgift Curare gewinnt; Duftessenzen, mit denen sich die schönen Frauen umhüllen; Farbstoffe in allen Schattierungen des Regenbogens; Nutzholz aller Härtegrade mit begeisternden Maserungen und schließlich die von den Indianern hochgeschätzten halluzinogenen Drogen, unter anderem Jajé, Lloco und Ayahuasca.

Blühende Bäume und Blumen jedoch – abgesehen von Orchideen und Seerosen – sind selten. Es scheint, als wolle die Natur beim unerbittlichen Kampf ums Überleben auf diesen Luxus verzichten.

Die Fauna – Außenbordmotor mit 150 Kilo

Selbstredend sind auch die Biologen hellauf begeistert von der Vielfalt dessen was schwimmt, kraucht, läuft, von Ast zu Ast hüpft oder umherschwirrt und einfallslos krächzt.

15 000 Tiere hat man bislang katalogisiert, ohne daß die Bestandsaufnahme komplett wäre; 1500 davon sind Vögel: vom Kolibri, der schmächtige

drei Gramm auf die Waage bringt, bis zum kiloschweren Aasgeier. Sogar Spatzen trifft man hier an. Doch all die Papageien, Aras, Reiher, Stärlinge, Schwäne und Tukane fallen bestenfalls durch ihre Form oder Farbenpracht auf; singen kann kein einziger von ihnen.

In den Baumwipfeln wird den gefiederten Exoten jedoch die Schau von den Affen gestohlen. 40 Arten hat man bereits entdeckt, alle immer zu Schabernack aufgelegt: von weißen oder grünen faustgroßen Winzlingen bis zu den ewig beleidigt dreinschauenden Brüllaffen. Das absolut langweiligste Tier dieser Höhenebene ist das Ai, auch Faultier genannt, das sich mit der unfaßbaren Geschwindigkeit von einem Meter pro Minute bewegt.

Wo es in dem grünen Dschungeldach noch vergleichsweise gemächlich zugeht, tobt auf dem Boden ein erbarmungsloser Kampf der Arten, auf den der Begriff »grüne Hölle« schon eher zutrifft. Hier ist niemand König wie der Löwe in den Steppen. Auch der tigergroße, gefleckte oder schwarze Jaguar muß seine ganze Autorität einsetzen, um sich gegen solche Ungeheuer wie die Anaconda zu behaupten. Diese bis zu zehn Meter lange Schlange, hübsch anzuschauen mit ihrem grauen und grünen Rautenmuster, kann nämlich ohne Schwierigkeiten dem ponygroßen Tapir sämtliche Knochen im Leib brechen. Sie ringelt sich um ihn und drückt einmal herzhaft zu. Ihr Opfer verschlingt sie, dank einer elastischen Kieferkonstruktion, mit Haut und Fell. Bei einem großen Bissen ist sie dann wochenlang fast bewegungslos mit dessen Verdauung beschäftigt.

Der friedliebende, vegetarische Tapir ist ein entfernter Verwandter des Elefanten. Er ist prall und rund anzusehen und hat unter seiner dunkelgrauen Haut ansehnliche Muskelpakete. Durch die rüsselartige lange Nase bekommt sein freundliches Gesicht etwas Distinguiertes. Da sich der Jaguar davon nicht beeindrucken läßt, muß der Tapir seine Muskeln für die Flucht verwenden. Und wenn er dann seine 350 Kilo im Galopp krachend durch das Unterholz wirft, muß selbst die geschmeidige Riesenkatze passen. Die hält sich dann lieber an Rehe, Wildschweine, Riesenratten, Wildhunde, Ameisenbären und verschiedene Nager. Oder sie geht mit knurrendem Magen auf Fischfang und angelt sich von einem tiefhängenden Ast aus vielleicht einen schwarzen Trahira, den Vertreter einer gefährlichen Hechtart.

Dieser Sport ist nicht ohne Risiko, denn möglicherweise hat ein Alligator sein grünes Auge auf den gleichen Fisch geworfen. Bis zu vier Meter lang werden diese schuppigen Überbleibsel aus der Urzeit, die vor wenigen Jahren noch so zahlreich waren, daß man sie erst zu Tausenden abschießen mußte, um eine Siedlung anzulegen. Auch zu Teamarbeit sind diese Riesenechsen fähig: Man hat sie schon – taktisch wohlüberlegt – ganze Rinderherden ins Wasser treiben sehen, wo die gehörnten Fleischspender leichtere Beute sind.

Das Leben im Wasser ist nicht minder grausam als unter den Bäumen. Hier ist der Alligator unumstrittener Herrscher. Gegen ihn kommt nicht einmal die Anaconda an, die drei Viertel ihres Lebens im Wasser verbringt.

Fressen und gefressen werden heißt hier das unerbittliche Gesetz. Doch Not macht erfinderisch: Wenn Gefahr droht, weiß der brutliebende Aracá keine andere Lösung, als seine Nachkommen ins Maul zu nehmen und es fest zu verschließen.

Wenn Sie in der Dämmerung am Amazonas einen wackligen Einbaum mit einem verzweifelt sich festklammernden Indianer im Zick-Zack den Fluß hinunterrasen sehen, dann ist nicht das sinneverwirrende Klima daran schuld, sondern der Pirarucu, auch Paiche genannt. Dieses schuppenbewehrte Monster ist der größte Süßwasserfisch Amerikas mit der für ihn bedauerlichen Eigenart, daß er vorzüglich schmeckt. Mutige Indianer harpunieren diese bis zu 150 Kilo schweren Brocken vom Boot aus und lassen sich dann in rauschender Fahrt abschleppen, bis das Opfer ermattet.

Ach ja, die Pirañas! Was hat man nicht schon alles an Schauermärchen über sie geschrieben, nämlich auch, daß diese männerhandgroßen Freßmaschinen mit ihren Rasiermesserzähnen ein ausgewachsenes Rindvieh in einer Zigarettenlänge bis aufs Skelett wegputzen. Leider stimmt alles. Das mit der Kuh nutzen die Viehtreiber aus, wenn eine Herde einen Fluß durchqueren muß: Sie schlagen das klapprigste Tier blutig und jagen es als erstes ins Wasser. Während Hunderte von aufgeregten Pirañas das Wasser zu blutigem Schaum schlagen, können sie die Herde einige Meter flußabwärts unbehelligt hinübertreiben. Offensichtlich sind die Pirañas nicht immer so angriffslustig. In vielen Flüssen, wo es sie nachweislich gibt, sieht man dunkelbraune Kinder mit Freudengeheul im Wasser herumplantschen.

Die erstaunliche Vielfalt der Fischarten ist auch in Europa bekannt. Wer als Aquariumbesitzer was auf sich hält, hat mindestens einen der winzigen Neonfische, die – zu Millionen gefangen – in Plastikbeuteln mit angereichertem Wasser ihre Flugreise von Iquitos in Peru zu den europäischen Wohnzimmern antreten, um sich dort bestaunen zu lassen.

Die Fische zahlen den schwersten Tribut an die Natur. Jahraus jahrein gehen Milliarden von ihnen zugrunde. Im Februar steigen durch die unvorstellbaren Wassermassen, die der Himmel spendet, die Flüsse stellenweise bis zu 12 m, überfluten riesige Gebiete und spülen fruchtbaren schwarzen Schlamm hinein. Und damit natürlich auch die Fische, die Jagd machen auf allerlei Kleingetier, das auf kleinen Erhebungen der steigenden Flut ausgeliefert ist. Doch die Gier wird ihnen zum Verhängnis. Im Juni, Ende der Regenzeit, sinkt das Wasser auf den Normalstand zurück und alle Fische, die nicht mehr den Weg in die Flüsse gefunden haben, verenden qualvoll in den austrocknenden Tümpeln, während in den Bäumen die Aasgeier warten. Wer nicht gefressen wird, düngt den Boden. So schließt sich der Kreislauf der Natur.

Die Insekten – Die »Zieh den Rock aus«-Ameisen

Es muß hier noch eine Art von Lebewesen erwähnt werden, die man in Europa getrost vergessen kann, die aber im Amazonasurwald beim besten Willen nicht zu übersehen ist. Und wenn man sie nicht sieht, dann spürt man sie: Insekten.

Zwanzigtausend bekannte Arten gibt es, und die meisten scheinen nur dazu geschaffen zu sein, dem Menschen entsetzlich auf die Nerven zu gehen oder ihm einen heiligen Horror einzujagen. Zwischen mikroskopisch kleinen Krabbeltieren und einer Vogelspinnenart von 35 cm Durchmesser mit ausgebreiteten haarigen Beinen gibt es noch genügend Platz für die unendliche Phantasie der Natur an Farben, Formen und Aufdringlichkeit.

Spinnen jedenfalls, diese Sternzeichen des Ekels, gibt es in unerschöpflichen Mengen. Bei jedem Gang durch das dampfende Dickicht legt sich mehr als einmal der klebrige Schleier ihrer Netze über das Gesicht. Manche Arten lassen sich von den Ästen auf das unbekannte Wesen Spaziergänger fallen, um es zu erforschen. Andere wiederum, wie die Caranguejeira-Spinne, hetzen ihren Opfern – Mäusen, Fröschen – in großen Sprüngen nach und stechen sie zu Tode. Auf den Menschen wirkt ihr Stich wie drei Liter türkischen Mokkas.

Natürlich gibt es auch Skorpione. Ihr Gift hat schon manchen unachtsamen Wanderer den Sensenmann ahnen lassen.

Zu den gefährlichsten Plagen zählen die Ameisen. Berüchtigt ist die schwarze Saúva, die in Millionenheeren Plantagen in wenigen Tagen kahlfressen und Holzhäuser zum Einsturz bringen kann. Ihr ebenbürtig ist die Feuerameise, so genannt, weil ihr Biß irrsinnig brennt. Einige Dutzend davon können einen Menschen umbringen, wenn sie ihn im Schlaf überfallen.

Den lustigsten Namen unter den Ameisen trägt die Saca-saia. Das ist Portugiesisch und heißt »zieh den Rock aus!«. Ihre Anwesenheit indes wirkt weniger belustigend. Ihretwegen sind schon Stammesfehden jäh beendet, Dörfer fluchtartig von Mann und Maus verlassen und Siedlungen vorsichtigerweise um etliche Kilometer verlegt worden. Ihre Heerscharen fressen schmatzend breite Schneisen durch dickstes Gestrüpp und pellen selbst daumendicke Rinde von den Bäumen. Ihr kurioser Name rührt von der Tatsache, daß von ihnen überraschten Frauen nichts übrig bleibt, als die Röcke über dem Kopf zusammenzufassen, um wenigstens das Gesicht zu schützen, sich brettsteif hinzulegen und zu beten, daß sie nicht gebissen werden. Normalerweise greifen die Saca-saias keine Warmblütler an, reagieren jedoch allergisch auf jede Art von Bewegung.

Das wohl einzige Geschöpf, das nicht panisch vor den Ameisen flieht, ist der Ameisenbär. Begeistert wandert er über den vielbeinig krabbelnden Teppich ihrer Heere und stopft sich mit Tausenden, die er mit seiner klebrigen dünnen Zunge aufsammelt, randvoll.

Zu Beginn der starken Regenfälle, etwa im Januar, tauchen auch die

Milliarden geflügelter Plagegeister vermehrt auf. Unbeeindruckt von den offiziellen Beteuerungen über ihren Rückgang vermehren sich die Moskitos weiter. Wer hier seit längerem wohnt und keine Malaria gehabt hat, wird wohlwollend bestaunt. Die Moskitos haben allerdings nicht ein Monopol als Krankheitsüberträger. Es gibt noch viele schwirrende Nervensägen, bei denen man das Gefühl nicht loswird, sie warteten monatelang geduldig auf einen Menschen, um sich dann mit Inbrunst auf ihn zu stürzen. Eine davon ist der mückengroße Piúm, der die Haut aufritzt. Wenn man die gräßlich juckenden Wunden kratzt, können tödliche Komplikationen entstehen. Manche Menschen entwickeln gegen seinen Biß eine fatale Allergie. Damit nicht genug, gibt es noch den fliegenähnlichen Barbeiro. Er überträgt die fast immer tödlich endende Chagas-Krankheit, die mit Fieber und Lähmungen beginnt.

Der einzige Trost für zerstochene und zerbissene Touristen sind die fabelhaften Schmetterlinge, allen voran der metallisch-blau leuchtende Morphos, dessen handtellergroße Flügel zu gern gekauften Andenken verarbeitet werden.

Das alles soll Sie natürlich nicht davon abhalten, den Amazonas zu besuchen – nicht alle Gebiete sind gefährlich. Das beantwortet auch die bange Frage, wie es denn die Waldindianer angestellt haben, um zu überleben. Nun, Erfahrung macht bekanntlich klug, und die Stämme haben sich dort angesiedelt, wo diese Plagen nur sporadisch auftreten. Die Orte und Siedlungen, die Sie möglicherweise bereisen werden, liegen in gesünderen Gebieten. Dort werden Sie auch Moskitonetze in den Hotelzimmern vorfinden und in den »farmacias« Tabletten zur Vorbeugung gegen Malaria.

Über einen dösenden Alligator zu stolpern oder von einem Schwarm Piúm überfallen zu werden, riskieren Sie allerdings bei Entdeckungsreisen in die Tiefe dieses Urwalds, der 32mal so groß ist wie die Bundesrepublik Deutschland.

Auch von einer kurzen Reise werden Sie unvergeßliche Eindrücke mitbringen, Erinnerungen an Gesehenes, besonders aber an Gefühltes: die Winzigkeit des Menschen vor dieser zyklopischen Natur, seine Vergänglichkeit angesichts des seit Jahrmillionen unbeirrbar fließenden Amazonas; die drängende Lebenskraft der Pflanzenwelt, die in wenigen Monaten Straßen verschlingen und alle menschlichen Spuren auslöschen kann. Erinnerungen an die feuchtheißen Nächte, in denen man den unvorstellbaren Lärm des nächtlichen Urwalds zum erstenmal hörte: Millionen von Grillen, das meilenweit hallende Geheul der Brüllaffen, das Klatschen der Fische im unaufhaltsam gurgelnden Wasser, die Lautfetzen von mörderischen Kämpfen, übertönt vom Krachen stürzender Äste.

Vielleicht erleben Sie auch einen Sturm. Nur wenn der Himmel seine ganze Kraft austobt, schweigen die Tiere befangen. Dann erlischt plötzlich die brennende Sonne in einer blauschwarzen Wolkenwand, die knapp über den Gipfeln daherjagt. Wie grelle Dornen schießen sengende Blitze, unter denen tausendjährige Riesen bersten, in das grüne Dach. Orkanstarke Böen knicken andere wie Streichhölzer und wirbeln hausgroße Kronen spielend umher. Windhosen saugen tonnenweise lehmiges Wasser in die Wolken, aus denen es erschlagend herabdonnert. Verzweifelt kämpfende Reiher und Affenadler werden gegen die Stämme geschleudert. Dann lähmende Stille. Vereinzelt prasseln taubeneigroße Tropfen auf das Blätterdach, vereinigen sich im Nu zu einer milchigen Wasserwand. Warmes, klares Wasser rinnt in Bächen an den Stämmen herab, spült den Staub von den Blättern, bildet knietiefe Lachen und durchtränkt belebend den Boden. Verschwunden ist der schwüle Dunst von Moder und Verwesung, der immer über dem Urwald wabert. Säuerlicher Ozongeruch erfüllt die Luft. Vereinzelte Baumwipfel strahlen gespenstisches Elmsfeuer aus. Gleichmütig lösen sich die Waldindianer aus dem Schutz der mannshohen brettförmigen Wurzeln. Während die meisten in das verwüstete Dorf zurückkehren, gehen einige Männer zu einem stillen Flußarm und werfen Zweige der hochgiftigen Barbasco-Pflanze hinein. Zum Fischen mit Netzen und Pfeilen ist jetzt keine Zeit. Bald färbt sich das Wasser milchigweiß und Hunderte von Fischen treiben bäuchlings an der Oberfläche. Schweigend werden sie eingesammelt. Für die Nahrung des nächsten Tages ist gesorgt.

Die Anden

Die Entstehung – Junge Riesen

Die Wunderwelt der Anden hat bislang alle beeindruckt. Die ersten Indianer wähnten über ihren Schneegipfeln die Throne der Götter; für die einfallenden Spanier konnte der sagenhafte Goldschatz des El Dorado nur hier und nirgendwo anders verborgen sein; Alexander von Humboldt würdigte sie auf mehr als tausend Buchseiten; Antoine de Saint-Exupéry hielt sie für ein ebenso schönes wie gefährliches Hindernis für die Postfliegerei; Kurt Tucholsky schließlich entlieh sich den lautmalenden Namen eines 6300 m hohen Andenvulkans in Ekuador, um die deutsche Sprache zu bereichern: eine Flegelei nannte er strafend einen »Chimborazo an Unhöflichkeit«.

Diese vielbesungenen Anden, das nach Westen, parallel zur Pazifikküste verschobene Rückgrat Südamerikas und die längste Bergkette auf unserer vielseitigen alten Mutter Erde, sind 8000 km lang. Von Feuerland aus laufen sie in nördlicher Richtung nach Kolumbien, biegen dort nach Nordosten ab und enden bei Caracas in Venezuela im Atlantik. Ihre größte Breite beträgt – im Länderdreieck Chile, Bolivien, Peru – 750 km. Bei einer durchschnittlichen Breite von 250 km bedecken sie ein Gebiet von rund 2 Millionen km².

Das entspricht der achtfachen Fläche der Bundesrepublik. Ihre mittlere Höhe liegt bei 4000 m, das sind nur 166 m weniger als die Höhe der Jungfrau in den Berner Alpen. Höchster Berg der Anden und damit von ganz Amerika ist der 6957 m hohe Aconcagua im chilenisch-argentinischen Grenzgebiet. Vorläufig jedenfalls, denn angeblich soll der Ojos del Salado ihn um einige Meter überragen. Künftige Vermessungen werden endgültige Zahlen ergeben. 20 Andengipfel sind über 6000 m hoch, 40 über 5000 m. Über die Hälfte davon sind nur noch begrenzt tätige Vulkane. Nur wenige spucken noch gelegentlich oder verleihen mit einem schmückenden Dampfwölkchen über dem Krater der Landschaft einen urzeitlichen Reiz. Sie geben damit Aufschluß über die Entstehungsgeschichte dieser Gigantenwelt.

Die Anden sind weitaus jünger als die Alpen. Sie entstanden im Tertiär – vor rund 70 Millionen Jahren also –, als sich auf der damals noch dünneren Erdkruste treibende Felsinseln aneinanderschoben und gegenseitig aufrichteten oder überlagerten. Bei diesem unvorstellbaren Schauspiel riß die Haut der Erde auf, das glühende Magma quoll aus dem Innern empor und überflutete weite Landstriche mit kristallhart erkaltender Lava. Vulkane, Geysire, heiße Quellen sind die letzten Zeugen dieser zyklopischen Bewegungen in grauer Vorzeit. Sie zeigen, ebenso wie die häufigen mörderischen Erdbeben, daß die Erde noch lange nicht zur Ruhe gekommen ist. Die Anden wachsen stetig weiter, wenn auch so unendlich langsam, daß die Eintagsfliege Mensch keine Veränderungen wahrnehmen kann; es sei denn, ein Vulkanausbruch oder durch Beben verursachte Bergrutsche verformen schlagartig das Aussehen eines Tals oder einer Ebene.

Die Anden bestehen nicht nur aus einer Bergkette, fast immer laufen zwei Kordilleren, teilweise auch drei, parallel. Die Täler zwischen ihnen haben sich allmählich mit erodiertem Geröll angefüllt oder sind im Laufe der Veränderungen mit angehoben worden. So entstand auch die Puna oder Altiplano genannte Hochebene, die von Ekuador über Peru bis nach Bolivien reicht. Sie ist im Schnitt 4000 m hoch – fast unvorstellbar für europäische Verhältnisse.

Die Besiedelung – Höchste Blüte in der Einöde

Eine Frage, mit der sich Archäologen und Anthropologen seit geraumer Zeit herumschlagen: Wie kamen die Ureinwohner Südamerikas darauf, sich ausgerechnet in dieser menschenfeindlichen oder zumindest nicht sehr menschenfreundlichen Landschaft anzusiedeln?

Die Nachteile waren damals wohl nicht zu übersehen. Erforderlich war zuerst einmal eine körperliche Umstellung: Um den hier oben sehr knappen Sauerstoff zu den Zellen zu führen, mußten mehr rote Blutkörperchen gebildet werden. Dann das Klima. Schnee, Frost und Hagel waren und sind keine Seltenheit, wohl aber mancherorts der Regen. Das stellte höhere Anforderungen an Behausung und Kleidung. Auch das Feuer brennt – wiederum wegen der Sauerstoffarmut – schwächer. Das werden Sie merken, wenn Sie an Ihrer gewohnten Zigarette ziehen. Zudem fehlt es in dieser vegetationsarmen Höhe auch an einer ausreichenden Menge Holz für den Bau von Hütten und ein prasselndes, durchwärmendes Feuer in jeder von ihnen. Dann zwang sie auch noch der vielfach katastrophale Wassermangel, ihre Landwirtschaft weitgehend zu rationalisieren. Nutzpflanzen mußten – schon wegen der starken Bodenneigung an den Hängen der Täler – auf Terrassen ausgesät werden. So sickerte das kostbare Naß in den Boden ein, ohne daß die dünne Bodenkrume fortgespült wurde. Kostspielige Kanäle mußten für die Bewässerung größerer Flächen angelegt werden, dazu Talsperren, um die Bergbäche zu stauen. Damit nicht genug, gedeiht hier oben schließlich nicht alles, was eine ausgewogene Ernährung gewährleistet. Und was dann doch gedeiht, braucht bis zur Reife immer noch zwei bis drei Monate mehr als im Tiefland. Jagdbares Wild war ebenfalls nicht ausreichend vorhanden, nur Lamas, Alpakas und Meerschweinchen, die gezüchtet werden mußten, um ihren Bestand nicht zu gefährden. Hinzu kam die Unberechenbarkeit der Natur mit Erdbeben, Bergrutschen, Vulkanausbrüchen, Kältewellen und Trockenperioden. Wahrlich kein Paradies!

Und doch strömten sie hierher. So auch die Inkas, die im 13. Jahrhundert ihr Stammgebiet am Rande des Amazonasbeckens verließen, wo es vor vierbeinigen Proteinspendern nur so wimmelt, wo jeder dritte Baum eßbare Frucht trägt und die gleichbleibende Hitze weder an Haus noch Kleidung größeren Aufwand erfordert. Hier machten diese einstigen Barbaren ihre atemberaubende Wandlung durch. In nur sechs Generationen schufen sie das mächtigste Imperium Amerikas.

Wie das? – Der Schlüssel zu diesem Geheimnis liegt wohl in einem Vergleich zwischen Wald- und Hochlandindianern. Kein einziger Stamm im blödsinnig heißen Amazonasbecken hat je eine annähernd gleiche Kulturstufe erreicht. Mag sein, daß die im Urwald bestens gedeihenden Krankheitserreger ihre Kopfstärke in Grenzen hielten, daß ein großer Teil der Energie fürs bloße Überleben draufging, daß die Hitze lähmend auf die Initiative wirkte. Spötter schließlich meinen, daß man nicht viel von Menschen erwarten könne, deren Horizont nur bis zum nächsten Baumriesen reicht.

Das Hochland hingegen stellte ungleich höhere Anforderungen an Kreativität und Gemeinschaftssinn. Wer nur zu jagen oder zu sammeln verstand, hatte hier keine Zukunft. Die erforderlichen Arbeiten – Bau von Terrassen, Kanälen, Staudämmen – konnten nur in gemeinsamem Einsatz bewältigt werden. Dazu mußte die Sozialstruktur gestrafft und durchorganisiert, mußten der Gemeinschaft Pflichten auferlegt und Rechte zugestanden werden. Wo bloße Strafandrohung die Unterwerfung des Einzelnen nicht bewirken konnte, mußte die Religion eingesetzt werden. Der elementare Götzendienst mußte zu einer Theologie entwickelt werden, die – durch eine zweckgebundene Verquickung mit der weltlichen Macht – letztlich zur Staatsphilosophie avancierte. Somit verschoben sich die alten Prioritäten. Nicht mehr der erfolgreichste Jäger war Hauptperson, das Sagen hatten nun Priester und Häuptlinge – die Intellektuellen.

So gelangten die Menschen schließlich durch Bewältigung der Probleme zu einem Gleichgewicht mit der Natur. Dieses Gleichgewicht – Grundlage jeder höheren Zivilisation –, das dem Menschen ermöglicht, über die alltäglichen physischen Bedürfnisse hinaus zu denken, hat sich im reicheren, aber auch ungesünderen Amazonasbecken nie herstellen lassen. Bis heute nicht.

Hiermit wollen wir natürlich nicht der gelehrten Auseinandersetzung über dieses Thema vorgreifen, sondern nur auf mögliche Zusammenhänge hinweisen. Das ist ja heute, da seit einigen Jahren ein von Forschern als »dänikeln« verspotteter Denksport viele Laien begeistert, auch Nicht-Wissenschaftlern erlaubt. Zu dieser faszinierenden Freizeitbeschäftigung werden auch Sie in diesen Ländern bekehrt werden. Die Wissenschaft hat schon erstaunliche Dinge über die vergangenen Zivilisationen herausbekommen, aber in vielen Fällen tappt sie noch in stockdusterer Nacht umher und gibt es nur durch die Blume zu. Orte wie Machu Picchu, Sacsayhuaman, Tiwanacu, wie die Tempel und Gräber auf 6000 m hohen Andengipfeln fordern zum Rätselraten heraus.

Das Reich des Sonnengottes

Den Inkasagen nach schuf Viracocha von hier aus die Welt, machte diese hehre Landschaft zum Mittelpunkt des Universums. Cuzco trug zur Zeit der Inkas den Beinamen »Nabel der Welt«.

Was damit gemeint ist, begreift man bei einer Fahrt durch die Anden. Vor der grandiosen Kulisse verschneiter Riesen wird dem Menschen vollends seine Kleinheit bewußt. Der Rahmen, in dem er sein nach individuellen Maßstäben geformtes Weltbild geordnet hat, wird unweigerlich und endgültig gesprengt. Es ist, als sähe man die Natur zum ersten Mal. Die Berge sind doppelt so hoch und abweisend wie anderswo, die Täler tiefer und steiler. Sonne und Luft, sonst nie bewußt registriert, sind hier plötzlich physisch spürbar. Das Atmen wird anstrengend, wird zu einem bewußten Vorgang, bei dem man sich bemüht, die Lungen wie gewohnt aufzufüllen. Anders ist auch die Sonne. Unbarmherzig brennt sie tagsüber herab, läßt die Farbensymphonie der Bergwelt unerwartet grell aufleuchten und belebt sie. Wandernde Schlagschatten verändern minutenschnell die Konturen der Berge, machen sie nach Belieben scharfkantig wie zersplittertes Porzellan oder lieblich. Die schnelle Abenddämmerung hat etwas Endgültiges. Unweigerlich denkt man an das Ende der Welt. Mit ihr fällt eisige Kälte von den

Sternen herab und lähmt Mensch und Tier. Unbeweglich spannt sich das leuchtende Band der Milchstraße von Horizont zu Horizont.

Die Natur verstummt, die Stimmen in den Hütten werden verhalten, und nur selten sieht man einen einsamen Indio tief in seinen Poncho vermummt auf den Wegen. Die Lamas ducken sich in wachsamem Halbschlaf ins spärliche Gras. Die schweigende Nacht, in der man seinen pochenden Herzschlag hört, breitet ihren schwarzen Mantel über das Universum.

Die kurze Morgenröte gleicht einer Auferstehung. Gleißend dringt die Sonne in die erdfarbenen Hütten und in die Seelen der Menschen. Das Leben kann wieder beginnen. Kein Wunder, daß Inti für die Inkas die allesbeherrschende Gottheit, sein feuriger Lauf über den Himmel das Maß aller Dinge war. Er war immer spürbar nah und doch ungreifbar fern. Er beschenkte alle gleichermaßen; doch ihn anzuschauen konnte das Augenlicht kosten. Darum wohl auch leiteten die Inkaherrscher ihre Würde und Macht von der Sonne ab und ließen alle, die ihnen ins Antlitz blickten, empfindlich bestrafen. Und sie umgaben sich mit Gold, jenem Metall, das den Glanz des himmlischen Schöpfers ausstrahlt.

Die Indios – Glücksgott am Kirchentor

Im Reich Intis entstanden zahlreiche blühende Kulturen, und kurz vor der spanischen Eroberung lebten in diesen Bergen etwa 15 Millionen Menschen – Im Amazonasbecken waren es damals höchstens drei Millionen.

Mit bewundernswerter Zähigkeit besiedelten sie diese Welt, die jeden Besucher auf schwer beschreibbare Weise in ihren Bann schlägt, und machten sie urbar. Die hier heimische Kartoffel, die im 17. Jahrhundert ihren Siegeszug um die Welt antrat, wurde geduldig gezüchtet, ebenso wie der Mais, dessen Kolben ursprünglich nur erdbeergroß waren. Sie entdeckten die Quinoa, eine Getreideart, und einige Gemüsesorten. Dann lernten sie, Bewässerungskanäle zu bauen, die sie teilweise durch Tunnel führten, befreiten im Großeinsatz die Felder von Steinen und errichteten Terrassen. All das ist noch heute zu sehen. Auf den Feldern wachsen nach wie vor die gleichen Pflanzen, und die Indios benutzen immer noch die von den Inkas angelegten Straßen, die kreuz und quer über das Hochplateau führen, über schwindelerregende Pässe in das gewaltige Gewirr der Täler, hinauf bis an die zerklüfteten Gletscherzungen. Dieses Straßennetz war größer und besser als das der Römer. Über die glatten Steinplatten hasteten damals die Chasquis, die Stafettenläufer, mit brandeiligen Nachrichten und übergaben die mündliche Botschaft an den nächsten Läufer in den Tampus, den Raststätten, wo sie Nahrung und ein Bett aus warmwolligen Lamafellen fanden. Diese Straßen führten von Quito in Ekuador bis nach Valparaiso in Chile: 4000 km weit. Über sie klapperten auch die Hufe der Pferde Pizarros.

Die Hochebene ist vielgesichtig. Teilweise ist sie versteppt, und über die öden graubraunen Flächen – himmelhoch überragt von spitzzackigen Felskolossen, die in die weißen Wolkenbäuche schneiden – jagt der Wind raschelnd Sand und Kiesel.

Doch schon das nächste Tal ist eine lebenspralle Oase. Bäche perlen silbrig aus Gletschern und netzen Weiden mit Büscheln von saftigem Hartgras, zwischen denen stachelige weiße Wollkakteen herausragen. Die schlanken Kronen der Eukalyptusbäume flirren schillernd im Wind. Unter ihnen rupfen die vierbeinigen Wollknäuel der Schafherden unentwegt das Gras. Lamas beäugen mit artistischen Verdrehungen ihrer langen Hälse, um die sie als Markierung farbige Bänder tragen, hochnäsig die Eindringlinge. Fruchtversprechende Äcker warten mit aufgebrochenen Schollen auf die Aussaat.

Die Indios, die hier leben, zählen zu den glücklicheren Bewohnern der Hochebene, sie genießen einen relativen Wohlstand. Sie wohnen in mit Steinmauern eingefaßten Gehöften mit einer Handvoll Hütten. Es sind niedrige, fensterlose Behausungen aus ungebrannten Lehmziegeln, bedeckt mit Strohdächern, die von einem Bambusgerüst getragen werden. In ihnen glimmt ständig ein Feuer, gespeist mit Lama- und Schafdung. In einer Ecke stapeln sich die Vorräte – Mais, Quinoa, Pfefferschoten und getrocknetes Lamafleisch. In einer anderen dient ein Haufen Schaf- und Lamafelle auf dem festgestampften Erdboden als Lager, in ihrem warmen Dunst schlafen jung und alt kunterbunt durcheinander. In der Einfriedung, bewacht von bissigen Mischlingshunden, stehen Lamas und Alpakas, die Fleisch und Felle liefern und Lasten bis zu dreißig Kilo schleppen können, dazu ein paar Schafe, manchmal auch ein Maultier. In kleinen Gehegen werden Cuys gehalten, Meerschweinchen, die bis zu drei Kilo schwer werden und aus festlichem Anlaß freudig bei Tisch begrüßt werden.

Die weniger glücklichen Indios hausen, mitunter in eisigen Höhen von über 5000 m, in ärmlichen kleinen Gehöften an den Hängen. Ihre winzigen Terrassenfelder kleben förmlich an den steilen Flanken. Wochenlang treiben sie barfuß die Lamaherden hart am Rand der firnglänzenden Gletscherzungen entlang zu den spärlichen Weideplätzen, vorbei an kaltblauen Seen, unergründlich tiefen Augen, die in den Himmel starren und die sturmumpfiffenen Gipfel spiegeln. Über die Herden huscht dann und wann der Schatten eines ruhig kreisenden Kondors, der auf ein krankes Jungtier lauert. Manchmal auch begleitet sie der zischende Flügelschlag und das heisere Trompeten weißer Wildgänse.

In diesen ländlichen Gegenden leben die Indios noch immer so, als gäbe es die manchmal nur 30 km entfernten Städte nicht, als würden nicht wenige Kilometer weiter Autos und Busse über die staubigen Straßen rattern und in den Dörfern die Transistorradios an den Ohren der Jugendlichen quäken.

Sowenig wie ihre Lebensbedingungen hat sich auch ihr Wesen seit der Zeit der Inkas verändert. Noch immer verharren sie in der Passivität, zu der sie ein bürokratisch durchorganisiertes Staatswesen verdammte, das sie zwang, kritiklos Befehle der Obrigkeit auszuführen. Vor langer Zeit verlernten sie, spontan ihre Gefühle zu äußern. Sie haben es bis heute nicht wieder gelernt.

Sie sind still, zurückhaltend und mißtrauisch, besonders jenen gegenüber, die nicht ihre Quechua- oder Aymara-Sprache beherrschen. Auch untereinander sind sie wortkarg und verständigen sich weitgehend mit Blicken und verhaltenen Gesten. Immer liegt über ihren breitflächigen kupferfarbenen Gesichtern mit hochliegenden Backenknochen und geschwungener Nase mit breiten Flügeln eine unergründliche Wehmut. Allein die mandelförmigen Augen zeigen gelegentlich das Leuchten von gutmütigem Spott und den Anflug eines Lächelns. Sie lachen selten. Und nie ist es ein befreiender Ausbruch von Heiterkeit. Von Fremden angesprochen, kommt es durchaus vor, daß sie den Frager stumm mustern, ohne eine Gefühlsregung zu zeigen. Das wird von vielen als Mangel an Achtung empfunden, ist es aber nicht – sie denken einfach anders, und wenn sie mit einer Frage nichts anfangen können, gehen sie gar nicht erst darauf ein. Was man als Verschlossenheit deuten könnte, ist nur Zurückhaltung oder gar Schüchternheit.

Ausgelassen und offen sind sie nur bei ihren Festen. Wenn Chicha – ein Getränk aus vergorenem Mais von variablem Alkoholgehalt – und Feuerwasser fließen, weben sie mit flüchtigen, wirbelnden Tanzschritten farbige Arabesken auf die staubigen Dorfplätze und erzählen symbolisch im Reigen ihre leidvolle Geschichte. Dann entsteht eine Gruppendynamik wie vor Jahrhunderten, als der Einzelne nichts galt und alle Aufgaben gemeinschaftlich gelöst wurden. Das melancholische Klagen der Quena-Flöten bringt ihre Seelen bei den getragenen Tänzen in Gleichklang. Rasende Trommelwirbel und das quirlige Pfeifen der Pinkillo-Flöten peitschen sie in tosende Drehungen, die mitunter in Trance enden. Gelockert von Tanz und Alkohol, taucht plötzlich ihr Selbstbewußtsein wieder auf. Sie karikieren farbenfroh die spanischen Eroberer und finden wieder zu ihren Göttern zurück, denen sie, trotz gewaltsamer Christianisierung, nie abgeschworen haben. Das feierliche Opfer eines Lamas, mit dessen noch warmem Blut die Wände besspritzt werden, um das Haus vor bösen Geistern zu schützen, wird noch vielerorts vollzogen. Und bei den Hochzeiten fehlt nie ein Abbild des Glücksgottes Ekkeko, das vor der Kirche thront, während drinnen der Priester das Sakrament der Ehe segnet. Ihre Gottesdienste sind gemeinsam vollzogene Rituale zu Ehren des Schöpfers der Welt, wobei für ihren Glauben gleichgültig ist, ob der Schöpfer Viracocha heißt oder vom Kreuz symbolisiert wird. Maßgebend ist, was sie dabei empfinden. Die Muttergottes ist immer noch Mama Oqllo, die man getrost um die Erlösung von einem verhaßten Feind bitten darf. Die Heiligen sind zu jenen Gottheiten avanciert, die früher die wichtigen Aspekte des irdischen Alltags bestimmten. Nirgendwo ist die Heiligenverehrung so inbrünstig wie in Lateinamerika.

Die weltliche Macht verkörpern die Alcaldes. Diese »Bürgermeister« treffen sich – wie im peruanischen Pisac – jeden Sonntag festlich gewandet mit kurzen schwarzen Hosen, einem feingewebten Poncho, Deckelhut und silberbeschlagenem Stab, um in gemeinsamem Palaver die Lokalpolitik auszuhandeln. Es sind ehrwürdige alte Herren, denen die nächste Ernte wichtiger ist als der neueste Regierungsbeschluß. Was jenseits der Berge geschieht, ist für sie eine unverständliche, aber konkrete Bedrohung ihrer Traditionen.

Wenn die Zeiten so mißlich werden, daß weder Tanz, Chicha, die Alcaldes noch die Götter helfen können, dann hat der Indio immer noch einen Strohhalm, an den er sich klammern kann: die göttliche Koka.

Koka – Jesus sorgt für $C_{17}H_{21}NO_4$

Die siegreichen Spanier merkten sofort, welcher Stellenwert dem Koka-Kauen in der Inkagesellschaft zukam. Die zu jedem Erobererzug gehörenden Priester, immer darauf brennend, der Mutter Kirche wieder ein paar Schäflein mehr zuzuführen, wußten auch sogleich, was man damit anfangen konnte. Flugs dichteten sie einige Passagen der Bibel um – der Zweck heiligt auch die Rauschmittel. Den besiegten Indios erklärten sie nun, der Teufel habe dem Jesuskind nach dem Leben getrachtet. Daraufhin habe Gottvater es in einen Erwachsenen verwandelt und ihm zur Flucht geraten. Maria suchte – dieser erstaunlichen Version nach – bekümmert hoch zu Esel tagelang das Land nach ihrem Sohn ab, verirrte sich und war drauf und dran zu verhungern. Da segnete Jesus von den Wolken aus einen Kokastrauch, Maria aß einige Blätter davon, und wie durch ein Wunder kehrten ihre Kräfte zurück.

Damit hatten die Priester ihrer Religion eine Indianerlegende einverleibt, die besagte, daß der Kokastrauch ein Geschenk des Sonnengottes sei, überbracht durch seine Kinder Manco Kapac und Mama Oqllo. So gelang es ihnen, über den Umweg über ihr Laster zahllose Indios in die Kirchen zu locken, die da meinten, wenn der neue Gott auch etwas für Koka übrig habe, dann könne man auch mit ihm einverstanden sein.

Allmählich wurde diese Geschichte der Obrigkeit doch zu blümerant. Der Bischof von Lima drohte 1569 den Kokagenießern mit Exkommunikation, der Vizekönig sekundierte artig und nannte diese Leidenschaft Teufelswerk und Götzendienst. – Natürlich alles umsonst.

Die Spanier verdienten weiterhin ein Vermögen mit dem Kokaanbau; die Kurie von Cuzco ließ von sämtlichen Kanzeln aus dagegen wettern, kassierte aber gleichzeitig rigoros den Zehnten darauf.

Mittelpunkt dieses Durcheinanders war ein unscheinbarer, mannshoher Strauch mit mittelgroßen, länglichen Blättern, der auf den lateinischen Namen Erythroxylon coca hört. Von den Arawak-Indianern war er aus Kolumbien mitgebracht und von den Inkas begeistert angepflanzt worden.

Die Inkaherrscher verbrannten die Blätter zu Ehren der Götter und genehmigten sich selbst auch einige davon. Sie enthalten als Hauptalkaloid das $C_{17}H_{21}NO_4$: Kokain.

Dreimal im Jahr werden die Blätter geerntet, getrocknet und – wie Tabak – leicht fermentiert. Der Indio kauft heute seinen Vorrat auf dem Markt. 100 Gramm Blätter kosten etwa soviel wie eine Schachtel Zigaretten und reichen bei durchschnittlichem Bedarf eine Woche. In einer Chuspa, der kleinen Umhängetasche aus Lamawolle, die Sie überall als Andenken finden, trägt er sie stets bei sich. Bei Lust oder Bedarf entrippt er zwei Blätter, rollt sie zusammen und speichelt sie ein. Dann taucht er sie in ein kleines Gefäß mit Kalk oder der Asche von Kaktuswurzeln, was die Löslichkeit des Alkaloids beschleunigt. Anschließend schiebt er sie in die Backe und genießt sie ein bis zwei Stunden lang.

Der Effekt ist erstaunlich: man hat keinen Hunger mehr, keinen Durst, Kälte spürt man kaum noch, die Müdigkeit verfliegt und die Schmerzempfindlichkeit wird stark herabgesetzt. Für kurze Zeit ist der Kopf begeisternd klar, die Laune beschwingt und heiter. Unweigerlich aber kommt dann die Apathie, die Gleichgültigkeit gegenüber äußeren Reizen und eine trostvolle Gedankenleere. Andengewohnte Touristen haben schon längst eine weitere Eigenschaft erkannt: Ein Tee aus fünf bis sechs Kokablättern pro Liter Wasser, kalt und gezuckert genossen, ist ein vorzügliches Mittel gegen die berüchtigte Höhenkrankheit Soroche, die jeden zweiten Besucher mit Unwohlsein und Atemnot befällt. Sie brauchen dabei nichts zu befürchten, erst wochenlanger, ständiger Genuß führt zur Gewöhnung.

Ausgestattet mit einer Ration Kokablätter und einer Handvoll Mais bewältigen die Indios scheinbar mühelos tagelange Märsche. Mit der gleichen Ration mußten sie unter spanischer Knute manchmal eine Woche lang in den mörderischen Silberminen schuften.

Dieser Raubbau am Körper rächt sich grausam. Nach jahrelangem Konsum verblödet der »coquero« allmählich, sein Gang wird schwankend, sein Blick unstet, und seine Haut färbt sich graugelb. Ein Vierzigjähriger sieht aus wie sechzig. Dennoch ist der Kokaanbau weiterhin erlaubt. Ein Verbot würde den Indios das wirksamste Mittel nehmen, ihr mancherorts offenkundiges Elend ein wenig zu vergessen. Die möglichen Auswirkungen auf die auf vier Millionen geschätzte Zahl der Koka-Kauer hat die Regierungen bislang vor dieser Maßnahme zurückschrecken lassen.

Der zivilisierten Welt, die sich dem Kokagebrauch aufmerksam zuwandte, das Auslutschen der grünen Blätter aber nicht für gesellschaftsfähig hielt, wußte man bald eine feinere Genußart anzubieten. Man kochte die Blätter aus, fällte den Sud mit Natriumkarbonat aus und reinigte das verbleibende graue Pulver. Ein einfacher chemischer Prozeß, der in jedem Hinterhoflabor durchgeführt werden konnte. Das Produkt gelangte bald nach Europa, wo es so eminente Denker wie Sigmund Freud begeisterte und Ärzte und Künstler zu allerlei Experimenten verführte. Als es schließlich in Paris mit der gleichen Lässigkeit wie eine Tasse Kaffee genossen wurde, griff auch hier die Obrigkeit ein. Diesmal konsequent. Nach dem Ersten Weltkrieg wurde das Kokain weltweit unter Kontrolle gestellt, der unerlaubte Privatgenuß kriminalisiert. Sehr zur Freude der Hersteller in den Anden, denn nun stieg der Preis ins Astronomische. Auch heute ist Kokain in aller Munde – und in aller Nasen, vor allem bei der Schickeria beiderseits des Atlantik. Milliarden Dollar werden mit dem Pulver umgesetzt, und die Bedarfsgrenze scheint noch nicht erreicht – auch die Verdienstgrenze nicht. In Peru, Ekuador, Bolivien und Kolumbien hängen ganze Landstriche wirtschaftlich davon ab, vor allem die fruchtbaren Täler an den Osthängen der Anden. In Bolivien erbot sich 1984 der größte Drogenhändler öffentlich, die Auslandsverschuldung aus eigener Tasche zu bezahlen. Das war kein schlechter Witz, sondern ein ernstes Angebot. Die Regierung lehnte, hilflos, ab. Auch die anderen Regierungen sind hilflos. Was immer sie der Polizei zahlen, die Drogenhändler zahlen für die Passivität der Beamten das Doppelte. Und noch mal das Doppelte, wenn die Polizisten ihnen auch die Konkurrenten vom Hals halten.

Erze – Schatzkammer der Welt

Die Inkas nannten das Hochplateau Antasuyu, was auf deutsch soviel heißt wie »Gegend, in der Kupfer vorkommt«. Aus Antasuyu machten die Spanier Andes: die Anden. So verrät also schon der Name dieser Berge, was sich in ihnen verbirgt.

Kupfer war das erste Metall, das hier gewonnen wurde, Silber und Gold wurden später in solchen Mengen gefunden, daß die Inkas ihre Paläste damit tapezieren konnten. Welches Metall die Menschen hier auch gerade gebrauchen konnten, der Boden gab es ihnen, wenn sie sich nur die Mühe machten, in die Bergflanken einzudringen.

Peru und Bolivien leben heute weitgehend vom Export von Erzen und Metallen. Bolivien wäre ohne Zinn eines der zehn ärmsten Länder der Erde. Auf diesen lebensnotwendigen Reichtum werden diese Länder noch für lange Zeit ihre Hoffnungen auf eine bessere Zukunft gründen können, denn bislang hat man bei jeder Prospektion neue, unermeßlich reiche Vorkommen entdeckt. Hier lagert noch ein beträchtlicher Teil der Weltvorräte an Eisen, Kohle, Antimon, Kupfer, Zinn, Zink, Quecksilber, Schwefel, Blei, Magnesium, Molybdän, Tungsten, Salz, Salpeter, Silber, Asbest und Kali.

Zur großen Freude dieser Länder hat man auch Erdgas und Erdöl an den West- und Osthängen der Anden gefunden. Somit werden die Staaten wenigstens auf dem Energiesektor eine relative Unabhängigkeit genießen und kostbare Devisen sparen.

Der Mestize – der entscheidende Tropfen

Gefragt, ob er denn nicht Präsident werden wolle, winkte der mexikanische Viehdieb und erfolgreiche Revolutionär Pancho Villa bescheiden ab: »Was würde man im Ausland über einen Analphabeten als Staatsoberhaupt denken!«. Denn Pancho Villa, der dankbaren Regisseuren schier unerschöpflichen Drehbuchstoff lieferte, war ein Ehrenmann. Und als Ehrenmann starb er. Am 20. Juli 1923 wurde er in seinem Auto nach bester Bonny-and-Clyde-Manier zersiebt. Nur ein Ehrenmann konnte einen solchen Aufwand wert sein. Ehrenmänner sind in Lateinamerika alle Mestizen: vom Rio Grande in Mexiko bis hinab nach Feuerland – ihre Mentalität ist in ganz Lateinamerika in ihren Grundzügen gleich.

Die Mehrheit der Menschen in den hier beschriebenen Ländern – Bolivien ausgenommen, dort überwiegen die Indios – hat schon einige Tropfen spanischen Bluts in den Adern, die nicht nur das Aussehen, sondern vor allem die Mentalität auf wundersame, oft explosive Weise verändern. Das merkt man sofort, wenn man von der Küste oder von den Städten aus, wo die meisten Mestizen leben, ins Hochland zu den Indianern fährt.

Bei den Mestizen ist nichts mehr von der Verschwiegenheit und Unnahbarkeit ihrer indianischen Vorfahren zu spüren. Ein fremder Blutstropfen schon hat gereicht, um sie hochfahrend und extrovertiert zu machen. Geblieben ist nur die Sentimentalität, eine überall – namentlich in Literatur und Musik – mitschwingende gedämpfte Traurigkeit und der Fatalismus der Vorfahren. Geblieben ist auch eine tiefe Gläubigkeit, oft bis zum Aberglauben gesteigert, die sich in den Prozessionen zeigt und auch darin, daß sich viele Autofahrer bekreuzigen, ehe sie den Wagen in Gang setzen. Diese von den Spaniern erlernte Geste erinnert an die präkolumbische Zeit, als für jede Handlung eine bestimmte Gottheit zuständig war, die es gnädig zu stimmen galt, weil sie jederzeit Opfer verlangen konnte.

Fügsamkeit und bedingungslose Unterwerfung der Indianer leben in den Mestizen nur noch in ihrer fatalistischen Haltung dem Tod gegenüber; in allen anderen emotionellen Bereichen sind spanische Eigenarten bestimmend geworden, vor allem das hochstilisierte hispanische Ehrgefühl, das die Mestizen nun bei der kleinsten vermeintlichen Beleidigung nur noch zutiefst irrational reagieren läßt. Das hat dazu beigetragen, daß in Lateinamerika täglich eine erschreckend hohe Zahl von Morden begangen wird. Die meisten sind nicht das Ergebnis von Raubüberfällen, sondern von Ehrenhändeln, in denen sich die tiefe Verletzlichkeit dieser Menschen offenbart. Ein aufschlußreiches Beispiel: Weil sich das Orchester wiederholt geweigert hatte, seine Lieblingsmelodie zu spielen, und ihn der Dirigent überdies vor aller Augen mit rüden Worten zur Ruhe angehalten hatte, zog in einer ländlichen Bar ein Mann seinen Colt. Ergebnis: vier Tote. Deutlicher als alle gelehrten psychologischen Abhandlungen widerspiegeln die Mordberichte und die mitunter geschmacklose Art ihrer Schilderung in den Tageszeitungen diesen Aspekt der lateinamerikanischen Seele. Der Besucher genießt einen gewissen Schutz, erstens wegen der Sprache, zweitens weil er in brenzligen Situationen ›unlateinamerikanisch‹ reagiert, also weniger emotional. Am sichersten ist, sich aus allen Händeln herauszuhalten. Keinen Schutz hingegen genießt er vor Diebstahl und Überfällen. Im Gegenteil: Er ist, weil reicher, gesuchtes Opfer.

Machismo – Männlichkeit hoch drei

Dieses spanische Erbgut aus Stolz, wohlwollender Überschätzung der eigenen Wichtigkeit und Selbstherrlichkeit hat zu einer typisch lateinamerikanischen Erscheinung geführt, zum Machismo, dem Kult des Macho. Macho heißt soviel wie männliches Wesen, männliches Tier. Dieser lapidaren Wörterbuchübersetzung wäre einiges hinzuzufügen. Der Macho ist gewissermaßen ein Über-Mann, einer, für den die Gesetze nicht gelten. Er stellt sie vielmehr selber anhand eines kleinlichen Ehrenkodex auf, lebt nach ihnen und verteidigt sie notfalls mit seinem Leben. Er trägt gemeinhin eine überspitzte, pfauenhafte Männlichkeit zur Schau, die sich in Rücksichtslosigkeit vor allem Frauen gegenüber zeigt, die er am liebsten alle vor sich knien sähe. Pancho Villa war ein echter Macho. Das bewies er, indem er annähernd genausoviel Frauen verführte wie Männer erschoß – der Sage nach einige hundert.

Selbstredend lebt ein Macho gefährlich, denn ganz offen fordert er Widerstand heraus. Er muß stets seine Kraft und seinen Mut beweisen. Jeder Anlaß ist dazu gut genug, solange man ihn nur geschickt genug hochspielt, was sich unter Alkohol mühelos machen läßt. Brisant wird es, wenn zwei Machos aufeinandertreffen. Dann reicht schon ein verächtliches Grinsen, eine lockere Bemerkung über die Mutter, die jedem Manne hier zutiefst heilig ist, und nach altem Ritual, bei dem das Publikum eine tragende Rolle spielt, beginnt dann die tätliche Auseinandersetzung – allzu oft mit tödlichem Ausgang.

Ein Quentchen von diesem Machismo schlummert in jedem Lateinamerikaner und wird von kritischen Situationen oder Alkohol freigesetzt. Dann reicht schon eine falsch verstandene gutmütige Spöttelei, um einen bedächtigen Geschäftsmann plötzlich zu hitziger Gewalttätigkeit hinzureißen.

Trotz aller vermeintlichen Härte und Überlegenheit wirken die Machos jedoch wie große, sentimentale Kinder auf der Suche nach einer heilen Welt, errichtet nach ihren Gesetzen, in der die Auseinandersetzungen noch Aug' in Auge ausgetragen werden und nicht geregelt sind durch eine anonyme Gesetzgebung, die keinerlei Gefühle mehr berücksichtigt.

Diese Spezies Mann trifft man besonders häufig in ländlichen Gegenden an, wo sie sich auch willig für einen Zweck einsetzen lassen. Daß ein Dorf von einem schurkischen Großgrundbesitzer und seinen rauhbeinigen Gesellen tyrannisiert wird, ist mancherorts noch bittere Wirklichkeit. Dann wird die Lokalpolitik weniger mit dem Stimmzettel als mit dem drohenden Colt gemacht. Aus dieser Sicht läßt sich auch das Entstehen der Bandidos erklären, plündernder und mordender Räuberbanden, die seit gut dreißig Jahren Überlandreisen in Kolumbien zu einem riskanten Unterfangen werden lassen.

Eine Waffe – ob nun Revolver oder Buschmesser – wird von ihnen als selbstverständliche Notwendigkeit für die Selbstverteidigung erachtet. Nur darf man nicht vergessen, daß »Feigling« genannt zu werden einen Angriff auf die persönliche Integrität bedeutet, auf die Ehre, zu deren Wahrung man gewillt ist, sogar einige Jahre im Kerker zu verbringen, notfalls sein Leben zu lassen.

Diese Todesverachtung kommt nicht von ungefähr. Sie läßt sich mit dem Satz »durch die Geburt ist der Mensch zum Tode verurteilt« definieren. Hier spielt das Erbe der indianischen Vorfahren eine Rolle, für die ein Leben nur Bedeutung hatte, wenn es im Dienst der Götter stand, ihnen gar als Opfer dargebracht wurde. Ihre Priester hatten damals die irdische Existenz zur Last erklärt, die Erlösung davon zur ersehnten Vereinigung mit den Göttern, bei der sich der Kreis schloß. Wie fest diese Überzeugung verwurzelt war, hat sich bei der Eroberung durch die Spanier gezeigt, die die Götter von den Altären stürzten und deren Kult zur Sünde erklärten. Das nahm vielen Indianern den Willen zum Leben und ließ sie in eine schwermütige Todessehnsucht oder lähmende Gleichgültigkeit versinken.

Darum auch ließen sie sich scheinbar so mühelos zum Christentum bekehren. Der von ihnen eigenwillig als Tod zu Ehren seines himmlischen Vaters interpretierte Kreuzestod Christi entsprach ihrer eigenen Haltung zum Jenseits.

Unbekannt ist darum hier die heuchlerische Haltung dem Tod gegenüber, wie man sie in Europa kennt, wo eine Leiche etwas fast Obszönes ist, das man möglichst schnell verscharrt. Hier ist der Tod so natürlich wie Geburt und Leben. Und allgegenwärtig. Die Auseinandersetzung mit ihm ist kein Sonderfall, dafür sorgen die geringere Lebenserwartung, die Kriminalität und die hohe Kindersterblichkeit.

So erklärt sich vielleicht auch, warum die Achtung vor dem fremden Leben hier geringer ist, warum die Ehefrau den Seitensprung und der Feind die Beleidigung mit dem Leben bezahlen müssen, und warum schließlich die Richter bei Verbrechen aus Leidenschaft erstaunlich oft Milde zeigen oder sogar den reulosen Täter freisprechen.

Die Familie – Großes Haus, kleines Haus

Der Mann vertritt die Familie nach außen hin, wie man es von ihm erwartet, und fühlt sich in der traditionellen Rolle des Patriarchen sichtlich wohl. Er fordert die rückhaltlose Unterwerfung der Frau, die ihm alles zu verzeihen hat und ihm zur Treue verpflichtet ist, mit der er selbst aber nach Gutdünken umgeht. Dieser Zwiespalt, der den Männern offensichtlich nicht bewußt ist, zeigt sich auch darin, daß sie als Junggesellen fordern, alle Frauen nach Herzenslust erobern zu dürfen; doch wehe, es stellt sich heraus, daß die zur Gattin Auserwählte nicht mehr »rein« ist. Mit diesem Argument läßt sich noch heute jede Eheschließung annullieren.

Europäische Frauen sind bei den lateinamerikanischen Junggesellen außerordentlich beliebt, als Ehefrauen jedoch weit weniger. Denn sie haben zu oft von der Emanzipationswelle ein paar Spritzer abbekommen, wollen immer das Sagen haben und machen spätestens nach der dritten Tracht Prügel einen handfesten Skandal. Das tut keine einheimische Frau – sie erduldet es getreu der Maxime »Gott verzeiht den Fehltritt, aber nicht den Skandal«, die auch erklärt, warum die Familien nach außen hin ein erstaunliches Bild liebevoller Harmonie bieten. Der Einfluß der Frau ist dennoch erheblich: Sie verwaltet das Haushaltsgeld, bestimmt die Erziehung der Kinder, die man hier abgöttisch liebt, und das überaus wichtige gesellschaftliche Leben. Schließlich avanciert sie, wenn die Kinder geheiratet haben, zur wichtigsten Person der Großfamilie.

Während die Frau in Teufels Küche gerät, wenn sie einem anderen Mann auch nur einen warmen Augenaufschlag schenkt, fühlt sich der Mann an die Frau mehr durch Verantwortung als durch Treue gebunden. Das kann leicht dazu führen, daß er eine andere junge Frau »entehrt«, was ihn sofort verpflichtet, auch für diese zu sorgen, denn ihre Eltern erfahren so etwas in Windeseile. So hat er dann neben der »casa grande«, dem großen Haus, in dem seine rechtmäßige Frau nebst Kindern wohnt, auch noch die »casa chica«, das kleine Haus, mit der zweiten Frau, das sich alsbald mit weiteren Kindern bevölkert. Wenn nun auch bei der zweiten Frau mit den Kindern und den Jahren ein paar Kilo mehr die verführerische Jugendlichkeit überdecken, kommt nicht selten eine zweite »casa chica« hinzu. Dann muß der Mann seine Zeit und vor allem sein Geld möglichst gleichmäßig auf die diversen Haushalte aufteilen, die offiziell nichts voneinander wissen. Tun sie aber. Und damit die Schwierigkeiten nicht überhand nehmen, koordiniert meist die Mutter des Mannes sachkundig das Geschehen.

In den gehobenen Schichten wird die »casa chica« gern zum Statussymbol hochstilisiert, das durch gezielte Indiskretionen den guten Geschmack, die unwiderstehliche Männlichkeit und das Vermögen dokumentieren soll.

Zu Gast bei Einheimischen – Mein Haus ist Ihr Haus

Der Umgang mit Pünktlichkeit beziehungsweise ihre weitläufige Auslegung seitens der Lateinamerikaner hat schon manchen chronisch uhrgebundenen Europäer in helle Verzweiflung gestürzt.

Man hat hier nämlich noch, was auf dem alten Kontinent bereits kostspielige Mangelware ist: Zeit und nochmals Zeit. Mit der Zeit wird hier förmlich gepraßt. Wenn man bei Bussen, Zügen und Flugzeugen 30 Minuten Verspätung gelassen hinnimmt, so muß man sich bei öffentlichen Anlässen, Diners und Festlichkeiten aller Art mit viel Geduld wappnen. Denn nicht selten verstreichen zwei Stunden bis zum eigentlichen Auftakt. Es gibt einen ungeschriebenen Verspätungs-Plan, den jeder Einheimische genauestens kennt und somit peinliche Fauxpas zu vermeiden weiß.

Prinzipiell kommt man nie pünktlich. Selbst bei brennend dringenden geschäftlichen Besprechungen ist mindestens die akademische Viertelstunde drin. Nichts ist so wichtig, als daß es nicht noch eine halbe Stunde warten könnte, in der die Welt ja nun doch nicht untergehen wird.

Zu einem Cocktail beispielsweise, der meist offiziell um 19 Uhr beginnt, erscheint man nicht vor 19.30 Uhr, sonst steht man der Dame des Hauses bei ihren emsigen Vorbereitungen und beim Herumkommandieren der Bediensteten im Wege herum. Zu einem Abendessen, Geburtstag oder was auch immer betritt man das gastliche Haus 45 Minuten nach der angegebenen Zeit. Keine Angst, Sie verpassen nichts. Wenn die Einladung auf 21 Uhr lautet, wird bestimmt nicht vor 23 Uhr serviert.

Der erste Teil des Abends dient zur Auflockerung der Atmosphäre, was mit großzügigem Ausschank von Hochprozentigem – vorzugsweise Whisky – auch glänzend erreicht wird. Da man solche starken Sachen, die in hoch gelegenen Städten (Bogotá 2600 m, La Paz 3800 m) etwa doppelt so schnell zu Kopf steigen – ein doppelter Scotch entspricht dann einem vierfachen –, mit einer Grundlage im Magen weitaus besser verträgt, nimmt man gewöhnlich zu Hause oder im Hotel vorher einen Imbiß zu sich. So vermeidet man vorzeitige übermäßige Erheiterung und einen knurrenden Magen.

Die Lateinamerikaner laden liebend gerne ihr Haus voller Gäste und sind stets auf den guten Ton bedacht. Sie vermuten allerdings fälschlicherweise, daß auf der ganzen Welt die gleichen Spielregeln herrschen und daß der Ausländer sich entsprechend zu verhalten weiß.

»Mi casa es suya« lautet die freundliche Begrüßungsformel: mein Haus gehört Ihnen. Dies ist natürlich nicht wörtlich gemeint. Es bedeutet lediglich, daß man willkommen ist, wenn die Einheimischen Besuch zu empfangen wünschen, keinesfalls ist es ein Freibrief für ein mehrwöchiges Belegen ihres Heims. Wenn man Bekanntschaft mit reisenden Lateinamerikanern geschlossen und eine Einladung, bei ihnen zu wohnen, bekommen hat, so ist es eine sträfliche Unhöflichkeit, mit vier Koffern und einem herzlichen »Hallo, hier sind wir!« vor der Tür zu erscheinen. Der gute Ton verlangt, sich vorher in einem Hotel einzuquartieren und von dort aus die Gastgeber in spe zu einem Begrüßungsdrink einzuladen. Wenn man die Regel beherzigt, daß Überraschungseffekte auf völliges Unverständnis treffen, hat man die ersten drohenden Klippen klar umschifft.

Nach einer hektischen Vorbereitungszeit – ausländischer Besuch ist ein Ereignis ersten Ranges, an dem die ganze Verwandtschaft regen Anteil nimmt und das minuziös und verschwenderisch geplant und durchgeführt wird – erfolgt die Einladung. Man nimmt sie, nach den üblichen Einwänden, dankend an. Dann jedoch sollte man die Gastfreundschaft nicht unbotmäßig strapazieren. Besuch ist wie Fisch: nach drei Tagen wird er ungenießbar. Man bedankt sich schriftlich und mit einem ins Haus geschickten Blumenstrauß.

Bei größeren Anlässen oder Zusammenkünften mit mehr als sechs Personen herrscht gemeinhin Geschlechtertrennung. Die Damen reden über die universell populäre Mode, über Dienstmädchen, die es hier auch in jedem Mittelklassehaushalt gibt, über Kinder und vergangene Parties, die Herren über Büro, Sport, Affären, ein wenig Lokalpolitik und über das zarte Geschlecht. Wie überall auf der Welt. Sich aus mehr als anfänglicher Höflichkeit dem anderen Geschlecht zu widmen, sollte man vermeiden – das könnte hierzulande leicht mißverstanden werden. Bunte Reihe wird nur bei Tisch gemacht, an dem auch das biedere Huhn mit Messer-und-Gabel-Akrobatik verspeist werden muß. Mit den Fingern essen nur die Armen. Auch das Obst wird solcherart behandelt – bei Bananen keine ganz einfache Angelegenheit.

Weltbewegende Probleme zu erörtern oder den Tischnachbarn in philosophische Haarspaltereien zu verwickeln, gilt als unfein und unhöflich. Einziges Ziel einer Party oder eines Diners ist es, die Alltagssorgen endlich einmal zu vergessen. Darum kehrt jeder seine Schokoladenseite hervor und wählt nur angenehme Themen. Wer miese Laune hat, sollte dankend absagen.

Es wird viel erzählt – mit viel Aufwand an Stimme und Gestik. Doch nur ein Nichteingeweihter würde das Gesagte bis aufs I-Tüpfelchen wörtlich nehmen. Man sagt möglichst schmeichelhafte, unterhaltende und angenehme Dinge, die den Gesprächspartner erheitern und erfreuen sollen. Ob nun auch alles stimmt, ist von untergeordneter Bedeutung. Bilden Sie sich auf keinen Fall ein Urteil über einen Einheimischen bei einer Party. Alles was auch nur unter dem geringsten Alkoholeinfluß gesagt wird, ist nicht unbedingt bindend.

Stillschweigend erwartet man vom Ausländer, daß er das Land lobt. Übertreiben Sie getrost ein bißchen, das tun schließlich alle. Und vermeiden Sie tunlichst jede Kritik. Über ihre eigenen Unzulänglichkeiten wissen diese Leute bestens Bescheid. Wenn die Einheimischen dann anfangen, ihre Schattenseiten aufzuzählen – was oft geschieht –, dann sollten Sie widersprechen mit dem Hinweis, daß das alles nicht so schlimm sei, daß sie dafür die schönsten Frauen, den besten Pisco und das lieblichste Klima hätten, wogegen es in Europa immer regne, die Leute immer nur dem Geld nachhetzten und vom Amüsieren nichts verstünden. Man wird es Ihnen danken und lobend von Ihrer Weltoffenheit berichten.

Nichts ist aufschlußreicher, als zu einem Ausflug ins Blaue eingeladen zu werden, wobei allerlei Gutes auf den Tisch kommt und die Einheimischen ihr manchmal etwas enigmatisches Familienleben in aller Offenheit vorführen. Selbstredend gibt es auch bei einem solchen Ausflug Verzögerungen: Wenn die Abfahrt für 8 Uhr morgens vorgesehen ist, kann man getrost bis 8.30 Uhr schlafen. Vor 9.30 kommt garantiert niemand.

Ausnahmen – es gibt sie wie bei jeder Regel – sind die Einladungen, auf denen ausdrücklich »hora inglesa« – englische Zeit – vermerkt ist. Dann ist nur eine Viertelstunde Verspätung erlaubt.

Einige Hinweise auf die entsprechende Kleidung finden Sie auf den gelben Info-Seiten.

Mañana – Immer mit der Ruhe

Wenn die Unpünktlichkeit nicht mehr in Stunden, sondern in Tagen gerechnet wird, so erscheint der Begriff mañana, der wörtlich nichts weiter als »morgen« bedeutet, hinter dem sich aber eine ganze kleine Lebensphilosophie verbirgt.

Sie besagt, daß man nicht lebt, um zu arbeiten, sondern leider doch irgendwann mal was tun müsse, um sich und den Seinen das Leben lebenswert zu gestalten. Und dabei hat man's nicht eilig, sonst macht das ganze Arbeiten keinen Spaß mehr. Und getreu dem Motto »was du heut' nicht kannst besorgen, das verschieb' getrost auf morgen« teilt man sich die Tätigkeit ein. Wie das geschieht, werden Sie merken, sobald Sie ein Paar Schuhe besohlt, ein Auto repariert oder ein amtliches Dokument ausgestellt haben wollen. Wenn man Ihnen den Mittwoch als Termin mit Ehrenwort garantiert, gehen Sie an dem Tag umsonst hin. Die Entschuldigung ist bedauernd, wortreich und reuevoll. Mit Sicherheit morgen! Mañana! Wenn Sie sicherheitshalber erst freitags hingehen, ist die Arbeit dann gerade erst fertig geworden. Das ganze hat Methode und bedeutet mitnichten, daß man Sie nicht ganz für voll nähme. Wenn der zuständige Mann nämlich Mittwoch sagt, wäre er selbst baß erstaunt, wenn es bis dahin fertig wäre. Nur wagt er eben nicht, Ihnen das zu sagen. Er fürchtet, Sie könnten es als Beleidigung auffassen und daraus schließen, er hielte Sie für eine bevorzugte Bedienung nicht für wichtig genug. Diese im Grunde wohlmeinende Haltung wird erfahrungsgemäß von Europäern immer wieder mißverstanden, und bei jedem fruchtlosen Besuch bricht ein geradebrechter Sturm los. Der Fremde fühlt sich gefoppt, der Einheimische kraß mißverstanden. Woher auch soll er wissen, daß man es in Europa anders macht?

Das Rezept dagegen ist simpel, es erspart einerseits das vergebliche Erscheinen und schont die im Urlaub – Hand aufs Herz – ohnehin recht angespannten Nerven: Verlangen Sie einen möglichst knappen Termin und gehen Sie dann zwei Tage danach hin. Sollte es dann nicht fertig sein, wird es Ihnen hoch und heilig für morgen versprochen. Mañana!

In Hotels, Reiseagenturen und ähnlichem ist man den Umgang mit zeitpusseligen Europäern gewohnt, und Sie dürfen auf einer angemessenen Pünktlichkeit bestehen.

Richtig feilschen – Mehr Geduld als Kunst

Am ehesten werden Sie mit der exotischen Volksseele beim Einkaufen in Kontakt kommen. Sie wird sich Ihnen dort offenbaren, wo man noch den Preis einer Ware in zähem Ringen aushandelt: auf den Märkten. Dazu einige Anmerkungen.

Wer den geforderten Preis anstandslos zahlt, ist nicht nur selbst schuld, sondern dumm. Das ist keine Gehässigkeit, sondern die Überzeugung der einheimischen Markthändler. Geld ist hier – wie leider überall auf der Welt – eine ungemein wichtige Sache. Und da man hier allgemein weniger davon hat, geht man auch entsprechend vorsichtig damit um. Daß die Lateinamerikaner bei Hochzeiten und ähnlichen Festen ihr gesamtes Hab und Gut verjubeln, tut dieser Feststellung keinen Abbruch, denn das ist eine ganz andere Geschichte. Der geforderte Preis dient nur als Diskussionsbasis, wie bei den Tarifverhandlungen mit den Gewerkschaften. Wer ihn ohne zu zögern begleicht, beweist lediglich, daß er leichtfertig mit den sauer erworbenen Pesos umgeht, und disqualifiziert sich damit selbst. Ferner kann dann nicht das überaus wichtige Gespräch aufkommen, an dem einem Händler fast ebensoviel liegt wie am Geld. Er möchte schließlich wissen, wem er seine Ware anvertraut.

Nehmen Sie sich für Ihre Souvenir-Jagden auf den Märkten also viel Zeit mit. Erstens entdeckt man mit ein wenig Muße eine Fülle unerwarteter kleiner Szenen, und zweitens werden Sie sie brauchen bei den Transaktionen, die sich gewöhnlich folgendermaßen abwickeln:

Phase 1 Der Käufer entdeckt das gesuchte Objekt und verhält sich möglichst unverbindlich, indem er etwas ganz anderes anschaut. Der Händler seinerseits durchschaut das Manöver und errechnet den Aufschlag: geputzte Schuhe +10%, gute Kleidung +20%, teure Armbanduhr +20%, Ausländer +50%. Mit leicht enttäuschter Miene begutachtet der Käufer in spe das restliche Sortiment, deutet mit dem Finger auf dieses oder jenes Stück – auch auf das gewünschte –, fragt beiläufig »cuanto?« und erschrickt spürbar. Mit der undeutlich gemurmelten Bemerkung, mit der Hälfte sei das schon überbezahlt, verabschiedet er sich. Vorläufig.

Phase 2 Nach einem halbstündigem Rundgang, bei dem er noch weitere begehrenswerte Artikel lokalisiert hat, erscheint der Käufer erneut vor dem Stand. In diesem Zeitraum ist der Preis bereits um 20% gesunken. Er fordert weiteren Nachlaß. Es entspinnt sich alsdann eine Unterhaltung über das Wetter, wie schön das Land sei, wie nett die Leute, über die letzten Wahlen –

falls in dem betreffenden Land welche stattfinden – und auf welche Endnummer das große Lotterielos gefallen sei. Bei Sprachschwierigkeiten tut's auch der himmelwärts gereckte Zeigefinger mit der entsprechenden eloquenten Miene. Der Verkäufer geht daraufhin um weitere 10% herunter, läßt aber erkennen, daß er das nur täte, weil der Käufer sein Amigo sei, und daß er bei dem Verlust den schmählichen Hungertod seiner gesamten Familie riskiere. Das Leben sei ja so teuer. Der Kunde verweist nun plötzlich sachverständig auf die offenkundigen Mängel des Gegenstandes: die Farbe ist zu dunkel, die Qualität nicht besonders, ebensowenig die Verarbeitung. Außerdem ist da ein Kratzer. Aus lauter Opferbereitschaft für seinen neugewonnenen Freund geht der Händler nochmals um 10% herunter. Nun spielt der Käufer seinen Trumpf aus: Er fragt kurz entschlossen nach dem último precio, dem letzten, niedrigsten Preis. Nach einer ergreifenden Szene, in der der Händler offensichtlich die Zukunft seiner ganzen Verwandtschaft aufs Spiel setzt, zieht er schließlich noch einmal 10% ab. Man tauscht Geld gegen Ware, und beide genießen das erhabene Gefühl, ein ausgezeichnetes Geschäft gemacht zu haben, und zeigen sich gegenseitig ihre Hochachtung.

In Kaufhäusern, Supermärkten und den Geschäften im Stadtzentrum kann man sich leider nicht diesem völkerverbindenden Sport widmen. Gute Geschäfte kann man indes bei konsequentem Feilschen in den kleineren Juwelier- und Andenkenläden machen. Mit einer Verkäuferin zu verhandeln, hat da wenig Sinn; sie wird ohnehin den Chef rufen, wenn Sie mit dem Preis nicht einverstanden sind. Dieser wird natürlich nicht gleich darauf eingehen, sondern Mengenrabatt gewähren wollen, wenn Sie außer dem Armband noch eine Kette, eine Brosche und jenen wunderhübschen Aschenbecher nehmen. Lassen Sie sich nur darauf ein, wenn es sich wirklich lohnt. Nach einer Weile lenkt nämlich auch er ein.

Im übrigen feilscht man um alles, ob man nun ein paar Blumen kauft, sich ein Haus bauen, einen Kotflügel ausbeulen oder den Blinddarm herausnehmen läßt.

Natürlich soll diese Anleitung nicht als fester Regieplan gelten; Preise und Handlungsablauf ändern sich selbstverständlich je nach Land, Ort und Laune des Händlers. Dann gilt es zu improvisieren. Und das macht Spaß, besonders den Damen, die hierbei bisher unbekannte Talente offenbaren.

Ein letzter Tip: Bei akuten Sprachschwierigkeiten sollten Sie stets einen Kuli nebst Papier dabei haben, auf dem sich dann die Auseinandersetzung in Form von hingekritzelten Zahlen abspielt. Für geübte Pokerspieler ein denkwürdiges Ereignis.

KOLUMBIEN

Wenn Boliviens Name seit Anfang des 19. Jahrhunderts das Andenken an den Befreier Südamerikas, an Simon Bolivar wachhält, so kündet Kolumbien von einem Mann, ohne den Bolivar gar nichts zum Befreien gehabt hätte: von Cristóbal Colón, Kolumbus, dessen Familienname zu Colombia wurde. Den furchtlosen Genueser Seemann ehrt man zu Recht, denn dieses Land bietet in vielerlei Hinsicht einen Querschnitt von Mittel- und Südamerika. Das soll jedoch mitnichten heißen, daß man nach 14 Tagen in Kolumbien wieder heimreisen könne im Bewußtsein, der Rest dieses Riesenkontinents berge keine Überraschungen mehr. Als Einführung in die Wunderwelt Lateinamerikas indes ist Kolumbien bestens geeignet. Und wer viel Zeit hat und den festen Vorsatz, diese Länder zu entdecken, sollte hier beginnen.

Das altehrwürdige Klischee vom »Land der Gegensätze« paßt in diesem Fall ausgezeichnet, es trifft auf Menschen und Natur gleichermaßen zu.

Die Anden, über die bisher alle Besucher lobend und ehrfurchtsvoll berichtet haben, laufen in drei mächtigen Ketten durch das Land. Der 5875 m hohe Nevado de Colón, der »verschneite Berg des Kolumbus« – der höchste Gipfel in Kolumbien –, ehrt ebenfalls den Entdecker und zählt zu den großartigsten Bergen Südamerikas. Auf den Hochplateaus leben die Indios noch fast genauso malerisch – aber ebenso armselig – wie in den dafür berühmteren Ländern Peru und Bolivien. Zum Sonntagsmarkt aber versammeln sie sich in Kolonialstädten, bevölkert von Mestizen und den direkten Nachfahren der Spanier, und beten in den üppig geschmückten Kirchen zu einem Gott, der ihnen aufgezwungen wurde.

Östlich der Berge liegen die Llanos, eine Landschaft, die man gewöhnlich in Bolivien und Paraguay ansiedelt. In diesen heißen, wasserreichen Ebenen, in denen das Grün jedoch nicht so hemmungslos wuchert wie am Amazonas, leben die meisten der 386 Indianerstämme Kolumbiens noch weitgehend unbehelligt von Zivilisation und Forschern.

Im fernen Süden schließlich gibt es Urwald wie aus dem Bilderbuch. Leticia, von Bogotá aus nur noch per Flugzeug in fünf Stunden zu erreichen, ist ein gottverlassener kleiner Hafen am Ufer des mächtigen Amazonas. Einige Gummisucher durchstreifen von hier aus den Dschungel, mißtrauisch beäugt von den Waldindianern.

Anders die feuchtheißen Küstenniederungen im Norden, umspült von der türkisklaren Karibischen See. Hier lebt, beschwingt, heiter und arbeitsscheu, ein Rassencocktail, dessen Hauptingredienzien Mestizen und die Nachkommen der Negersklaven sind. Hier liegen märchenhafte Strände, die sich von den palmenbestandenen Sandstreifen der Bahamas nur darin unterscheiden, daß sie ein viel interessanteres Hinterland haben.

Wen es dennoch in die Karibik lockt: 700 km vom Mutterland entfernt liegt die kolumbianische Inselgruppe San Andrés. Mehr darüber auf S. 96.

Wie auch in Bolivien haben die Eroberer hier vorzugsweise ihre Städte im kühlen Hochland errichtet. Elf der vierzehn wichtigsten Ansiedlungen liegen denn auch in und zwischen den nordöstlich laufenden Andenketten. So kommt es zu dem verblüffenden Zustand, daß auf zwei Fünfteln des Gebiets 97% der 28 Millionen Einwohner leben, während auf den restlichen drei Fünfteln der insgesamt 1 138 822 km² jeder Einwohner statistisch einen Quadratkilometer für sich hat. Von drohender Übervölkerung also keine Spur.

Anders aber als in Bolivien sitzt hier die Mehrheit beileibe nicht am falschen Ort. In den im Tertiär mit Vulkanasche angefüllten Tälern zwischen den Anden ist der Boden dermaßen fruchtbar, daß – so bei Popayán – der Mais bis zu fünfmal im Jahr Frucht trägt! Das aber fanden die Spanier erst später heraus, denn sie kamen ja wegen des Goldes. Das gab es hier in jeder Menge, dazu Platin und Smaragde. Was wollten sie noch mehr!

Die Fruchtbarkeit des Bodens scheint sich auf die Menschen übertragen zu haben: Zwischen 1939 und 1964 hat sich die Zahl der Kolumbianer verdoppelt. Bei einer gegenwärtigen Zuwachsrate von 3,2% liegt das Land mit an der Weltspitze. Welche Bevölkerungsgruppe sich nun am kaninchenhaftesten vermehrt, darüber schweigt die sonst allwissende Statistik. Die Vermutung liegt nahe, daß die Neger mit einem Anteil von 5% und die Mestizen mit 68% am fleißigsten sind. Die 20% Weißen sind bekanntlich zurückhaltender. Ebenso die 7% Indianer.

Klimatologisch gesehen ist Kolumbien ein ideales Studiengebiet. Das ganze Land liegt im tropischen Bereich, neun Zehntel davon über, ein Zehntel unter dem Äquator. So betragen die jährlichen Temperaturschwankungen weniger als zwei Grad, und die Klimazonen sind klar bestimmbar. In der »tierra caliente«, im heißen Land, zwischen 0 m und 1000 m, beträgt die Durchschnittstemperatur 27 Grad; in der »tierra templada«, im gemäßigten Land, von 1000 bis 2000 m, 23 Grad; in der »tierra fria«, im kalten Land, zwischen 2000 und 3000 m, 15 Grad. Darüber, bis an die Schneegrenze bei 4500 m, erstreckt sich die »tierra helada« das eisige Land, menschenleer und öd. Kein Wunder also, daß sich hier alle wohlfühlten, konnten sie sich doch die Zone aussuchen, die ihrer Heimat am ehesten entsprach – die Neger die Küsten, die Europäer das Hochland –, und das anbauen, was sie gewohnt waren: Maniok und Bananen oder aber Weizen und Äpfel.

Kein anderes Land Südamerikas haben die Spanier so entscheidend geprägt wie dieses. Noch heute sieht manche Stadt aus, als sei sie im 17. Jahrhundert direkt aus Spanien hierher verpflanzt worden, ohne auch nur einen

Ziegelstein zu verrücken. Beim Stierkampf geht es immer noch so zu wie in Sevilla, und die Kirche steht immer noch mitten im Dorf. Und zwar so fest, daß der Bund fürs Leben keiner standesamtlichen Untermauerung bedarf und daß jene, die es sich anders überlegt haben, sich im Ausland scheiden lassen müssen. Katholizismus ist hier Staatsreligion, und so ist es nicht verwunderlich, daß Kolumbien als erstes Land Lateinamerikas von einem Papst besucht wurde: von Paul VI. im Jahr 1968. Dieses Ereignis bescherte der Hauptstadt eine hektisch durchgeführte Verschönerungskur, von der man allerdings nicht mehr viel sieht, und dem Land beachtliche Publicity.

Dank seiner begeisternden landschaftlichen, kulturellen und menschlichen Vielfalt sowie seines Klimas wird Kolumbien in wenigen Jahren zu einem der wichtigsten touristischen Länder Amerikas avancieren. Ein dafür unerläßliches Element ist vorhanden: Gastfreundschaft zeigen die Kolumbianer gerne, ob nun im leicht vornehmen Ton, immer auf Etikette bedacht wie die Hauptstädter, oder mit praller Lebenslust wie an der karibischen Küste. Nett sind sie alle – bis auf die Diebe. Doch davon später.

Die Eroberung – Ein Bayer als Entdecker

Wenn es um die Indianer Südamerikas ging, lobte, bewunderte oder verdammte man die Inkas, staunte über Tiwanacu und erwähnte beiläufig die Mochicas und die Waldindianer. Das war, wie sich mittlerweile herausgestellt hat, eine sträfliche Unterlassungssünde. Denn spätestens seit 1932 konnte man in der Fachliteratur nachlesen, daß es auch hier eine großartige Kultur gegeben hat: die von San Agustín nahe an der Grenze zu Ekuador, die den Archäologen bislang Rätsel über Rätsel aufgegeben hat.

1538 machten die Eroberer hier mit drei Indianerfamilien Bekanntschaft. Die politisch weit entwickelten Chibchas wohnten in den Berggebieten zwischen Ekuador und Mittelamerika. In den Küstenniederungen an der Karibischen See hausten friedliche Arawaks, die den Fremden sogleich alles Wissenswerte über ihr Land erzählten. Vermutlich waren sie nur darum so freundlich, weil sie sich von ihnen Hilfe gegen die barbarischen Kariben erhofften, die regelmäßig Jagd auf die Arawaks machten, um sie – nach makabren Ritualen – zu verspeisen.

Die Kariben, nach denen – Sie haben es erraten – die Karibischen Inseln benannt wurden, haben irgendwann in grauer Vorzeit auf wackligen Einbäumen jenen sich über 4000 km spannenden Inselbogen ausgekundschaftet und besiedelt. Eine bravouröse Leistung.

Die Arawaks erzählten den Spaniern auch die – im Geschichtsteil erwähnte – Legende vom El Dorado, vom Goldenen Mann, woraufhin diese in kopfloser Hast zum Guatavita-See aufbrachen. Statt auf den Märchenfürst stießen sie in den Bergen auf die Muiscas, Mitglieder der Chibcha-Familie, deren

KOLUMBIEN

Stammesname nichts weiter bedeutete als »Mensch«. Hier fanden sie das versprochene Gold. Die Wände der hölzernen Tempel waren damit verkleidet, in jeder zweiten Hütte standen goldene Gefäße, jeder Friedhof quoll über von goldenen Grabbeigaben. Die Adligen, vor allem aber die Häuptlinge, die sich Harems von mitunter 400 Frauen zubilligten, schleppten pfundweise Goldschmuck mit sich herum. Die Fremden plünderten alles mit solcher Begeisterung, daß man darauf brannte, sie loszuwerden. Mit Waffengewalt ging das nicht. Also mit List. Man malte ihnen die goldene Stadt Manoa – vielleicht das heutige Manaus in Brasilien? – und das goldene Reich der Göttin Dabaiba, beide angeblich östlich der Anden im Urwald, in solch schillernden Farben aus, daß die Spanier mit leuchtenden Augen davonstoben. Natürlich fanden sie nichts. Immerhin kundschafteten sie so das Gebiet bis zum Orinoko aus. Sie waren genau in die verkehrte Richtung gegangen. Die reichste Gegend lag nur 150 km westlich: das Cauca-Tal.

Während die Muiscas hin und wieder zwar mal einen Knaben opferten, um diesen oder jenen Gott gütig zu stimmen, im übrigen aber damit beschäftigt waren, einen Staat ähnlich dem der Inkas aufzubauen und eine Kulturstufe zu halten, die als die vierthöchste in Lateinamerika gilt, herrschten im Tal des Rio Cauca denkwürdige Zustände. Alle Stämme hier bekriegten sich gegenseitig. Nicht etwa um Boden, Reichtum oder Prinzipien, sie wollten nur Gefangene machen für ihre blutrünstigen Zeremonien. Nach der Hinrichtung wurden deren Geister mit Beschwörungen gefügig gemacht, um sie für persönliche Zwecke einzuspannen. Mit ihrer Haut wurden Trommeln bespannt. Hände, Füße und Köpfe wurden zu Trophäen, Schmuck für die Hütten verdienter Krieger. Nach Berichten der entgeisterten Chronisten zeigten ihnen vernarbte Veteranen stolz ihre Kollektionen: manchmal bis zu 400 Trophäen, mitunter komplette Körper, naturgetreu ausgestopft. Was nicht als Zier fürs Heim diente, wanderte in den Kochtopf, um auch die Kraft und den Mut des Besiegten zu gewinnen. Und nun das Erstaunliche: trotz dieser Abscheulichkeiten waren sie alle überragende, einfühlungsfähige Künstler. Sie schufen aus Gold Kunstwerke, die bislang unübertroffen sind.

Das aus den Flüssen als Staub oder Nuggets gewaschene Metall wurde rein oder mit Kupfer legiert mit Techniken verarbeitet, die noch heute angewendet werden. Entweder wurde es flach oder über einer Form zur dünnen Folie geklopft, das Muster anschließend durch Punzen oder Gravieren aufgetragen, oder ganze Stücke wurden im aufwendigen »Wachsausschmelzverfahren« gegossen; charakteristisch aber ist für sie ein filigranartiger Stil, bei dem aus zusammengelöteten oder -geschweißten Drähten schimmernde Kunstwerke entstanden. So auch das Gold-Modell vom Floß des El Dorado, das wie viele tausend andere Kostbarkeiten von den Stämmen Quimbaya, Muisca, Tairona, Sinú und Calima im Goldmuseum von Bogotá zu bestaunen ist.

Dieses Goldland ist von zwei Seiten erobert worden. Gonzalo Jimenez de

Quezada kam von der Karibischen See, drang in das Tal des mächtigen Rio Magdalena ein und stieß in den Bergen auf den Zipa – Häuptling – von Bacatá, besiegte ihn und gründete dort die erste Siedlung. Aus Bacatá wurde Bogotá. Von Ekuador aus kam ein Jahr später Sebastián de Benalcázar. Zusammen durften die beiden Spanier eine exotische Erscheinung staunend begrüßen, die durch den dampfenden Küstenurwald gekommen war: Nikolaus Federmann, ein solider Bayer, der für die Augsburger Welser mal die neue Welt nach Anlagemöglichkeiten für ihre Taler auskundschaften sollte. Er war der erste und letzte deutsche Eroberer in der Neuen Welt.

Die Unabhängigkeit – Revolution wegen einer Blumenvase?

Angelockt durch die brandeilig verbreitete Nachricht von den märchenhaften Schätzen, strömten nun wahre Völkerwanderungen ins Land. Alsbald hob ein denkwürdiges Gerangel um Gold und einflußreiche Posten an, und der neueingesetzte Vizekönig in Peru beeilte sich, dieses Gebiet seinem Hoheitsbereich einzuverleiben und endlich für Ruhe zu sorgen. 1718 wurde dann Kolumbien zusammen mit Venezuela und Panama zum Vizekönigtum Neu Granada erhoben. Das ging bis 1796 gut. Denn zwei Jahre zuvor hatte ein gewisser Nariño die Erklärung der Menschenrechte der französischen Revolution ins Spanische übersetzt, die nun in den Intelektuellenzirkeln diskutiert wurde. Im besagten Jahr machten sie dann ihrem Untertanenunmut Luft. Und 1810 passierte die Geschichte mit der Blumenvase. Der Spanier Llorente verlangte von den beiden begüterten Patrioten Antonio und Francisco Morales, eine wunderschöne Blumenvase für einen Empfang des Vizekönigs geliehen zu bekommen. Die beiden schüttelten den Kopf und bemerkten nebenbei, was sie so vom Vizekönig hielten. Das anschließende Handgemenge schuf einige blaue Flecke und einen ersehnten Vorwand, um Aufgestautes loszuwerden. Im Nu wußte die ganze Stadt Bescheid, die Atmosphäre vergiftete sich, die offene Revolte brach aus. So können Kleinigkeiten die große Weltgeschichte in Gang setzen.

    Einzelne Landesteile machten sich selbständig, herzhaft bekriegt von den Royalisten. Der legendäre Simon Bolivar sorgte für klare Verhältnisse. Mit einem bunt zusammengewürfelten Heer raste er in drei Monaten 1200 km weit durch ein Dutzend Provinzen und schlug Spanier wie Königstreue in sechs entscheidenden Schlachten. Die Unabhängigkeit war erreicht. – Fast. – 1815 kamen die Spanier zurück, rachedurstig und bestens bewaffnet, um dem selbstherrlichen Kolumbien exemplarisch für ganz Lateinamerika einen Denkzettel zu verpassen. Sie »befriedeten« das Land mit einem Blutbad. Diese Barbareien ließen Bolivar im sonnigen Jamaika den Kragen platzen. Er trommelte ein Heer zusammen und stürmte in einem heroischen Marsch über die eisigen Anden und besiegte die Spanier erneut. Diesmal jedoch endgültig.

Mit freudenfeuchten Augen fielen sich die Freiheitskämpfer in die Arme und riefen die Republik Groß-Kolumbien aus. Aber wie es in diesen Breitengraden so geht, zelebrierte man nach außen hin noch Freiheit und Brüderlichkeit, während man sich schon wieder ernsthaft in den Haaren lag. Venezuela sagte sich 1829 los, Ekuador ein Jahr darauf. Der schmollende Rest nannte sich 1863 nur noch Colombia. Und auch dort herrschte keine Eintracht. Die zweite Häfte des 19. Jahrhunderts stand im Zeichen der unbarmherzigen Auseinandersetzung zwischen kirchentreuen Konservativen und pfaffenfressenden Liberalen, in der die mächtige Kirche nach Kräften mitmischte. Sie gipfelte im »Krieg der 1000 Tage« von 1899 bis 1902, der den Liberalen die Niederlage und etwa 100 000 Menschen den Tod brachte.

Dagegen verlief die erste Hälfte des 20. Jahrhunderts relativ ruhig, und so konnte die bitter notwendige zentralisierte Staatsautorität aufgebaut und alle Kräfte auf die Weiterentwicklung des Landes konzentriert werden.

Die alte Polarisierung – liberal-konservativ – wurde 1948 wieder aktuell und tobte sich in einem verschleierten Bürgerkrieg – meist auf dem Land – aus, der in den folgenden zehn Jahren rund 200 000 Todesopfer forderte, ohne daß die Weltöffentlichkeit davon Notiz nahm. Er wurde erst durch ein Abkommen zwischen den rivalisierenden Gruppen beendet, das eine Einigung auf einen gemeinsamen Präsidentschaftskandidaten und eine proporzgerechte Ämteraufteilung vorsah.

Seit 1974 aber ernennt jede Gruppe wieder ihren eigenen Kandidaten.

Die Diebe – Blumengruß im Mercedes

Sobald irgendwo auf der Welt ein kolumbianisches Schiff anlegt, bricht bei der jeweiligen Hafenpolizei eine gelinde Panik aus. Spähende Augen beobachten es rund um die Uhr. Und sehen nichts Außergewöhnliches. Und wenn es wieder ablegt, haben einige Kilo oder gar Tonnen Schmuggelware den Besitzer gewechselt, darunter meist Marihuana oder Kokain.

Das hat eine solide Tradition. Seit die Piraten die Goldtransporte vor den kolumbianischen Häfen abpaßten, ist der leichtfertige Umgang mit Kostbarkeiten und fremdem Eigentum an den Küsten zum Nationalsport geworden. Und nicht nur dort. Mittlerweile ist das ganze Land davon betroffen. Geschichtlich gesehen war es eine konsequente Entwicklung. Gold, das bekanntlich 99% der Menschen die Zehn Gebote vergessen läßt, bestimmte die ersten beiden Jahrhunderte Kolumbiens. Dann kamen die hohen Zölle, mit denen die Obrigkeit alles Begehrenswerte aus dem Ausland belegte. So mußte diese düstere Zunft an das Problem mit wissenschaftlicher Akribie und Elementen des modernen Managements herangehen. Autos beispielsweise, auf denen bis zu 300% Zoll lasten, waren Mangelware. Man organisierte sich, kaufte ausgemusterte amerikanische Landungsboote aus dem Zweiten Weltkrieg und brachte mit dieser Flotte monatlich einige hundert Wagen von Miami an die heimatliche Küste, die man komplett mit Papieren und Nummernschildern lieferte. Kleine Aufmerksamkeiten für die zuständigen Dienststellen sorgten für reibungslose Geschäftsabwicklung.

Wo Profis so geschickt agieren, fehlen natürlich die Amateure nicht, die gern für touristischen Notstand sorgen. Wenn man ohne Paß, Geld, Koffer und Spanischkenntnisse dasteht, ist auch der schönste Urlaub gelaufen. Doch wo die »ehrenwerten Herren« unter den Taschendieben nur mit geschmeidigen Fingern ihre bühnenreife Kunst bei flüchtigem Anrempeln vorexerzieren, bedient sich der Nachwuchs ziemlich respektlos: Handtaschenriemen werden mit Rasiermessern durchgetrennt, Jacken ebenso aufgeschlitzt, Armbanduhren von den Handgelenken und Sonnenbrillen von der Nase gerissen. In dunklen Straßen wird mit Messer oder Pistole abkassiert. Wer in Urlaub fährt, muß damit rechnen, daß man am hellichten Tag mit einem Möbelwagen vorfährt und ihm sein Haus ausräumt.

Dabei gibt es dennoch eine Art Berufsethos. Ein Bogotaner, der seinen beneideten Mercedes vermißte, bekam einen Anruf mit der Bitte um Lösegeld dafür. Auf seinen Einwand hin, man würde ihn – bei monatlicher Wiederholung dieser Masche – ruinieren, versprach man, das Auto höchstens zweimal im Jahr zu stehlen. Als es nach zwei Monaten abermals verschwunden war, ließ er seinen Protest über eine verdächtige Werkstatt weiterleiten. Am nächsten Morgen stand das Auto verschlossen vor seiner Tür. Auf dem Sitz lagen ein Blumenstrauß und eine handschriftliche Bitte um Entschuldigung. Jedoch ohne Unterschrift.

Gegen diese Gesellen hilft nur eines: sie nicht in Versuchung zu führen. Man läßt Schmuck und Uhren im Koffer, geht nie bei Dunkelheit in wenig belebten Straßen spazieren und umgeht auch am Tag die volkstümlichen Viertel. Man meidet Gedränge – wie in Bussen, Märkten und Kinos –, trägt nur das notwendigste Kleingeld sicher verstaut mit sich herum und drückt die Handtaschen möglichst innig an den Körper. Autos sollte man nie aus den Augen verlieren und nichts verlockend auf den Sitzen liegen lassen.

Und noch ein Rat: Wenn es soweit kommen sollte, wäre es totaler Blödsinn, den »Helden« spielen zu wollen. Man hat hier bekanntlich weniger Respekt vor dem Leben, was noch aus der Zeit der »violencia«, der Gewalttätigkeit, herrührt, in deren siebzehnjähriger Dauer täglich im Schnitt 48 Morde verzeichnet wurden. Einem Häuptling der Bandidos, Teófilo Rojas, wurden 2000 Morde nachgesagt und 592 nachgewiesen. Keine Angst. Rojas kam im Januar 1962 um, als seine Bande von Soldaten eingekesselt wurde.

Diese Bemerkungen sollen nicht zu sträflichen Verallgemeinerungen über alle Kolumbianer führen. Allerdings muß darauf hingewiesen werden, daß hier das Risiko, bestohlen oder überfallen zu werden, ungleich größer ist als in den Nachbarländern.

Smaragde – Grünes Feuer unterm V im Berg

Für die Chibchas waren sie Symbole der Unsterblichkeit, für die Inkas die Tränen der Gottheiten, und selbst der Aztekenkaiser Moctezuma im fernen Mexiko schmückte sich mit ihrem Schimmer. Diese grüne Abart des Berylls hat jetzt andere Liebhaber gefunden. In Weißgold eingefaßt und mit kleinen Brillanten umgeben, schmückt sie nunmehr zarte Hände und Décolletés. Männer interessieren sich gemeinhin nur für die finanziellen Aspekte dieses edelsten aller Steine.

In den fünf Fundgebieten von Muzo, Gachaló, Barbú, Cosque und Chivor fördert Kolumbien 90% der Weltproduktion. Die restlichen Steine, aus Indien, der Sowjetunion und Rhodesien, haben bei weitem nicht die Reinheit der kolumbianischen. Sie strahlen nicht das »lebendige Feuer« aus.

Die Spanier machten die von den Chibchas ausgebeutete Mine Chivor ausfindig und zerstritten sich über die glitzernde Beute bald so heillos, daß der König von Spanien ein einmaliges salomonisches Urteil fällte: Er ließ die Mine schließen. Zweihundert Jahre lang blieb sie unauffindbar und verführte Hunderte von Glückssuchern zu hoffnungsvollen Expeditionen. Der glückliche Finder war ein Ingenieur, der mit kühlem Kopf nach einer V-förmigen Lücke in der Kordillere ausspähte, durch die man vom Bergwerkseingang die östliche Orinoko-Ebene im Sonnenglast flimmern sehen sollte, der einzige verschlüsselte Hinweis, den alte Schriften – so recht nach Art der Schatzkarten von Piraten – geben konnten.

Der Abbau hat sich seit den Zeiten der Chibchas nicht geändert. Mit Eisenstangen werden Erdreich und Gestein, mitunter im Terrassenabbau, aufgebrochen. Wo man fündig wird, entsteht eine kleine Siedlung, in der es oft so rauhbeinig zugeht, daß sich selbst die Polizei nicht dort sehen läßt. Die Rohsmaragde werden in waffenstarrenden Muli-Konvoys über eisige Pässe und durch glühende Ebenen geschleppt. Sich einer solchen Karawane zu nähern – seit je unwiderstehliche Verlockung für alle, die schnellen Reichtum anstreben –, kann zum erfolgreichen Selbstmordversuch führen.

In Kolumbien gibt es eine regelrechte Smaragdindustrie. Tausende klopfen die Berge nach ihnen ab. In Bogotá geben ihnen etwa 20 000 Schleifer den vorteilhaften Tafelschliff, der das spritzige Lindgrün bis hin zum schweren Waldgrün aufleuchten läßt, und Dutzende von Juwelieren fassen die Steine verführerisch.

Die Kolumbianer, obwohl inzwischen reichlich damit eingedeckt, kaufen weiterhin Smaragde, und die Touristen erliegen sowieso alle ihrer feurigen Faszination und überziehen ihr Reisebudget auf sträfliche Weise. Neuerdings sind Smaragde nicht nur wegen ihrer Schönheit gepriesen, sondern auch als krisenfeste Geldanlage. In der Hosentasche kann man unauffällig den Gegenwert von mehreren Eigenheimen mit sich herumtragen.

Bogotá

Die Hauptstadt Kolumbiens entstand in jener Hochebene, in der sich der Zipa von Bacatá gottgleich verehren ließ, was die Spanier nicht daran hinderte, ihn hinauszuwerfen. Sie bietet mit rund 5 Millionen Einwohnern, charmantem kolonialem Flair und futuristisch-architektonischem Größenwahn sowie entnervenden täglichen Regenfällen alles, was man von einer Metropole dieser Größenordnung erwartet. Bis auf einen Autofriedhof. Die Veteranen, die dort eigentlich hingehören, ächzen immer noch als bereifte Verkehrshindernisse durch die brausenden Straßen. Meist sind es Taxis, nur noch zusammengehalten von Draht und gutem Willen. Und sollte doch mal eins auseinanderfallen, wird mit dessen Einzelteilen bei einer Reihe anderer Uraltkarossen das bittere Ende um einige Monate hinausgezögert.

Bogotá liegt in dem 2000 km² großen, La Sabana genannten Hochplateau auf 2600 m mitten in der östlichen Kordillere, auf das sich das Flugzeug durch die träge dahinschwimmenden Wolkenschiffe herabschraubt. Gleich im Flughafen mit dem treffenden Namen »El Dorado« sollten Sie sich kostenlos ein Hotelzimmer zuweisen lassen – das erspart viele Umwege –, zu dem Sie ein Taxi in einer knappen halben Stunde hinbringt. Dort sollten Sie mindestens – der ungewohnten Höhe wegen – einen halben Tag entspannen und möglichst wenig essen. Ihr Organismus wird es Ihnen danken. Nach einer guten Nachtruhe und einem leichten – nicht im Hotelpreis inbegriffenen – Frühstück kann's losgehen, bewaffnet mit irgendeinem Regenschutz, da es nachmittags fast immer regnet, und einem Pulli, falls Sie bis abends fortbleiben wollen. Hier oben wird es nachts empfindlich kalt.

Ihre erste Station sollte der Montserrate-Hügel sein. Verschieben Sie das nicht auf den Nachmittag, sonst schauen Sie nur in die vom Wetterdienst garantierte feuchte Wolkenwand. Dieser Hügel, benannt nach einem nordwestlich von Barcelona in Spanien gelegenen Berg, ragt im Osten der Stadt 3125 m hoch. Lassen Sie sich in einem Taxi zu der Seilbahn bringen, die Sie in drei schwindelerregenden Minuten entlang der 81 Grad steilen Flanke zum Gipfel trägt. Meiden Sie die parallellaufende Zahnradbahn, sie führt weitgehend durch einen Tunnel. Meiden Sie auch den Fußweg hinauf. Er ist auch am hellichten Tag höchst unsicher.

Hier oben thront, umgeben von einem Park, eine weithin sichtbare Kirche, beliebtes Nahziel der Hauptstädter. Am Wochenende gleicht die Atmosphäre der eines Volksfestes. Dann erleben Sie die Mittelklasse pur. Picknicker werden von fliegenden Händlern mit Lebensnotwendigem versorgt. Kinder und Transistorradios plärren, während Mutter strickt und Papa seinen kleinen Sonntagsnachmittagsrausch ausschläft.

Ernüchternd allerdings wirkt als Gegensatz zu der kleinbürgerlichen Idylle die Prozession der Krüppel, die in die zum Gotteshaus umgebaute Einsiedelei strömen, um von dem in einem Glaskasten aufbewahrten Gefallenen Christus Erlösung von ihren Gebrechen zu erflehen, und lamentierend das schützende Glas küssen.

Der Hügel neben Ihnen, gekrönt von einer gigantischen Marienstatue, ist der mexikanischen Virgen de Guadalupe, der Muttergottes, geweiht. Er ist nur per Auto zu erreichen, wobei die nächtliche Fahrt dorthin selbst von vor lauter Liebe blinden Pärchen gemieden wird. Er ist bevorzugter Aufenthaltsort von Dunkelmännern.

Zu Ihren Füßen liegt die Stadt, ein ausuferndes Meer aus flachen rotgedeckten Häusern, hier und da gepunktet von grünen Parks und grauen Klumpen unansehnlicher Büro- und Wohnhochhäuser, durchzogen von baumbestandenen Alleen. Himmelstürmende hypermoderne Betontürme, die nicht so recht in dieses Bild passen wollen, ragen jäh daraus hervor. Ringsherum liegt ein Gürtel von locker verteilten guten Wohnvierteln und buntscheckigen, zusammengeballten Elendsquartieren.

Bogotá ist nie von wirklich schweren Erdbeben heimgesucht worden, und wenn sich das Stadtbild gewandelt hat, so auch, weil in der wirren Vergangenheit gezielt oder unvorsichtig mit hochbrisantem Sprengstoff umgegangen wurde.

Ein großer Vorteil für den Besucher: Die Straßen sind schachbrettförmig angelegt und so geschickt bezeichnet, daß die normale Touristen-Paranoia, sich zu verlaufen, entfällt. Von Norden nach Süden heißen sie Carreras und sind fortlaufend numeriert, ebenso wie die Calles von West nach Ost. Nur die wichtigen Verkehrsadern heißen Avenidas. Hier ein Beispiel: Wenn die Adresse Calle 10, 15-22 lautet, liegt das Haus mit der Nummer 22 im 15. Block der 10. Calle, dort wo sie sich mit den Carreras 15 und 16 schneidet. Simpel. Man fragt sich, wieso man im klugen Europa noch nicht ähnliches gemacht hat.

Lassen Sie Ihren Blick über die immergrüne Ebene schweifen, überragt von einem Kranz kahlspitziger Berge. Der Sage nach benahmen sich die hier angesiedelten Indianerstämme dermaßen verwerflich, daß die Götter beschlossen, sie mit einer Sintflut auszurotten – eine erstaunliche Parallele zur Bibel und zum Gilgamesch-Epos. Gesagt, getan. Die Ebene füllte ein schimmernder See. Da erschien eines Tages den verdattert auf den Bergen sitzenden Indios ein bärtiger weißer Mann, den sie Bochica nannten, und sprengte mit seinem goldenen Stab einen Felsen am Rand der Ebene weg. So entstand der 140 m hohe Tequendama-Wasserfall, über den sich brausend der See entleerte. Er liegt genau im Westen der Hauptstadt.

Am Fuß des Montserrate-Hügels liegt die *Quinta de Bolivar*, das koloniale Landhaus des Befreiers, mittlerweile Tempel seiner heißen Verehrung. Paradox: Er wird geehrt, weil er Kolumbien von den Spaniern befreit hat, obschon sich dieses Land noch in Kultur und Tradition am deutlichsten zu Spanien bekennt. Alte Kanonen und in Öl gebannte Szenen aus seinem bewegten Leben schmücken Garten und Zimmer.

Plaza Bolivar heißt denn auch folgerichtig das Herz der Stadt. Dort steht der Held in würdiger Pose, diesmal vom italienischen Bildhauer Tenerani in Bronze gegossen. Prunkstück des Platzes ist die monumentale *Kathedrale* im besten klassizistischen Stil, 1823 an dem Ort beendet, wo 1538 das erste Kapellchen der neuen Siedlung entstand. Zu ihren Sehenswürdigkeiten gehört auch die kostbar ausgeschmückte *Kapelle der Heiligen Elisabeth von Ungarn*, in der die Reste des Stadtgründers Quezada aufbewahrt werden nebst der Fahne, die seinem unerschrockenen Haufen voranflatterte. Hier ruht auch Gregorio Vasquez de Arce y Ceballos, der vielleicht bedeutendste Maler Südamerikas, den man 1711 im Kirchenschiff beisetzte. Einige seiner Werke hängen hier und in der benachbarten *Sagrario-Kapelle* mit einer stilistisch ungewöhnlich reinen Fassade aus dem 17. Jahrhundert und Säulen, die mit Türkisen inkrustiert sind. Daneben liegen der Kardinalspalast mit imposanten Bronzetüren und das Haus der heißblütigen Geliebten Bolivars, Manuela Sáenz, die ihrem Volkshelden bei einem Mordanschlag das Leben rettete und darob – trotz ihres sündigen Verhältnisses – als Heldin gilt. Massig anzusehen mit seinen wuchtigen Kolonnaden steht hier das Kapitol, wo der Kongreß debattiert. Den Bau begann man 1847, konnte ihn aber, wegen des politischen Durcheinanders, nicht vor 1925 beenden.

Rings um die Plaza wartet das malerischste Kolonialviertel Bogotás auf eine Besichtigung der menschenprallen engen Straßen, gesäumt von Häusern aus dem 17. und 18. Jahrhundert mit soliden Steinfassaden, überragt von schweren, vorstehenden Giebeln, geschmückt mit teilweise verglasten Erkern und Balkonen aus massivem dunklem Holzwerk. Ungeachtet des Lamentos der Denkmalschützer werden nun neben ehrwürdige Residenzen bombastische Riesen aus Glas und Beton hingeklotzt, die das verträumte Panorama sprengen, sobald man den Blick ein wenig hebt. Die Zukunft ist eben wichtiger als die Vergangenheit!

Die Sehenswürdigkeiten dieses Viertels:

Das *Museum des 20. Juli,* auch *Casa del Florero,* Haus der Blumenvase, genannt, weil hier die folgenschwere Rauferei um dieses schmückende Gefäß anhob. Heute wird darin allerlei Geschichtliches – Dokumente, Urkunden – aus der Revolutionszeit gezeigt. Und natürlich besagte Vase.

La Concepción, die älteste Kirche Bogotás, gegen Ende des 16. Jahrhunderts gebaut, auch *La Mudéjar* genannt, weil die streng geometrische Holzdecke, trotz einiger Renaissance-Elemente, im edlen Mudéjar-Stil ausgeführt ist, der in Spanien aus einer Vermählung des spanischen mit dem maurischen Stil hervorging. Sie stammt aus einem 1581 bei einer Flutkatastrophe zerstörten Haus.

Die Kirche *San Agustín,* vollendet 1637 und ein wenig überladen, ist vor allem wegen ihres Heilands bekannt, dem man offensichtlich so innig vertraute, daß er während des Freiheitskrieges 1812 kurzerhand zum Generalissimus befördert wurde.

Die Kirche *Santa Clara* aus dem 17. Jahrhundert, ebenfalls mit hübschen maurischen Stilelementen.

Die Kirche *San Ignacio,* von den Jesuiten um 1604 nach dem Vorbild der Kirche Il Gesú in Rom erbaut, mit einer unendlich wertvollen Monstranz mit Smaragden aus der Muzo-Mine und mit mehreren Gemälden von Vasquez.

Das *Museo Colonial,* direkt daneben, ein ehemaliges Kloster, das eine phantastische Sammlung kolonialer Kunst- und Gebrauchsgegenstände birgt sowie Werke des unermüdlichen Vasquez.

Der *Palacio San Carlos,* auch *Palacio Presidencial* genannt, im 16. Jahrhundert errichtet und 1824 und 1948 renoviert, in dem Manuela Sáenz ihren Geliebten aus dem Fenster warf und ihm das Leben rettete. Eine Marmorplakette unter dem betreffenden Fenster kündet von dieser beherzten Liebestat. Heute wohnt darin offiziell der Präsident. Jeden Tag um 17 Uhr versammeln sich davor die Touristen, um die preußisch-präzise Wachablösung auf Zelluloid zu bannen.

Das *Haus des Marquis San Jorge,* vielleicht das reinste Beispiel kolonialer Baukunst, heute Bibliothek und Museum für präkolumbische Töpferei.

Das *Museo de Arte Popular,* das Museum für Volkskunst, ein idyllischer Bau, einst Kloster und Militärakademie, in dem jetzt ganz unmartialisch Volkstümliches aus allen Landesteilen gezeigt wird. Sehr aufschlußreich.

Die ehemalige Staatliche Münze, die *Casa de la Moneda,* ist eine zum Museum umfunktionierte herrschaftliche Residenz mit blühenden Innenhöfen. Hier wird alles gezeigt, was mit Geld, Gold und Prägung zu tun hat, sowie Sammelnswertes aus vergangenen Jahrhunderten. Ein Paradies für Numismatiker.

Die *Luis-Angel-Arango-Bibliothek und -Konzerthalle* ist eine willkommene stilistische Abwechslung. Futuristisch gewagt ist dort ein weiter Innenraum umbaut worden, in dem sich eine der vollständigsten Bibliotheken Lateinamerikas befindet. Ein Besuch lohnt sich immer: tagsüber finden Ausstellungen, abends Konzerte statt.

Die Kirche *San Francisco,* vielleicht die schönste von Bogotá. Wenige Jahre nach der Eroberung wurde sie gebaut und 1622 mit einem einzigartigen, komplett vergoldeten sieben Meter hohen Altar im reinsten Plateresk-Stil vervollständigt. Neben den Gemälden von Vasquez und Figueroa verdient auch die Mudéjar-Decke einen bewundernden Blick.

Die Kirche *La Tercera,* ein franziskanisches Gotteshaus aus der Mitte des 18. Jahrhunderts, deren wundervoller Altar aus Eichen- und Zedernholz zu den wertvollsten Lateinamerikas zählt.

Die *Veracruz-Kirche,* auch als *Panteón Nacional* bekannt, letzte Ruhestätte der Helden der Unabhängigkeit. Sehenswert ihr Barockaltar und ein wundertätiger Schrein aus Silber und Schildpatt, wichtiges Requisit der Osterprozessionen.

Und nun endlich zum *Goldmuseum,* »der« Attraktion Bogotás. Der

Besuch ist eine touristische Pflichtübung, auch wenn Sie nur wenige Stunden hier verbringen. Das »Museo del Oro« ist einmalig auf der Welt.

Hinter der Tür des ansprechenden Gebäudes am Santander-Park öffnet sich eine Zauberwelt, die dem Profi-Archäologen, dem naiven Sommerfrischler und dem blasierten Besserwisser den in dieser sauerstoffarmen Höhenlage noch verbleibenden Atem verschlägt. Wenn man jemals von unermeßlichem Reichtum geträumt hat, dann so. Rund 18 000 Gegenstände aus Gold – und 2000 aus Ton – prangen in den Vitrinen: Masken, Waffen, Kronen, Gefäße, Brustgehänge, Kultgegenstände und Schmuckstücke, mit und ohne Smaragde, hergestellt mit den ausgefeiltesten Techniken vor mindestens 450 Jahren. Die kostbarsten Stücke liegen in einem Tresorraum im oberen Stockwerk. Durch seine tonnenschwere Tür schreitet man mitten in eine märchenhafte, bis an die Decke gefüllte Schatztruhe. Unfaßbar! Und die Smaragde: Hier glänzen die angeblich vier größten der Welt, einer davon hat 1796 Karat, genug für 2000 edle Ringe.

Ein weiterer Raum, der in diesem sinneverwirrenden Leuchten unverdient fad wirkt, enthält nicht minder kunstvolle Töpfereien aus der Chibcha-Zeit.

Eine kleine Überlegung: 250 Jahre lang haben die Spanier das Land gründlichst nach Gold abgesucht und die Beute ins gierige Mutterland geschickt. Nach der Unabhängigkeit wanderten 125 Jahre lang alle Goldfunde in Privatsammlungen. Erst 1938 legte die Nationalbank diese Kollektion an, um dem unüberlegten Einschmelzen von Kunstschätzen – die überwiegend von Privatleuten gesucht und gefunden werden – zuvorzukommen, indem sie mehr als den Goldwert zahlte. Demnach ist diese betörende Pracht nur ein verschwindender Bruchteil dessen, was nach Kolumbus hier gefunden wurde. Kein Zweifel: Das sagenumrankte Goldland war Kolumbien.

Eine letzte Sehenswürdigkeit mit viel Vergangenheit und etwas Kunst, das *Nationalmuseum,* bei dessen Besichtigung einem immer ein leises Gruseln im Nacken kribbelt. Es ist im verrufensten Gefängnis der Stadt untergebracht – ein greulicher Rundbau von einer Festung, die der Volksmund »Panóptico« nennt. Was diese meterdicken Mauern schon alles gesehen und gehört haben mögen! Einige der Kuriositäten: das Testament Bolivars, das Kettenhemd des Gründers Quezada und das Schwert des mutigen Bayern Federmann.

Nach soviel Kirchlichem und Musealem, das zu bestaunen doch zu Konzentrationsschwäche und schmerzenden Füßen führt, nun etwas, wobei man sitzend die vibrierende Volksseele spürt. Da steht gleich neben dem Nobelhotel Tequendama wie eine Riesentorte aus hellbraunem Ziegelmauerwerk die *Stierkampfarena* im spanisch-maurischen Stil, in der die Bogotános ihre Reserviertheit verlieren und 14 000 Kehlen mit der gleichen Begeisterung wie in Sevilla ihr Olé schmettern. In der Hauptsaison von Dezember bis Februar messen sich hier die besten spanischen Toreros mit den aggressiven Rindviechern, von März bis November die beherzten lokalen Nachwuchsmatadore. Jeden Samstag und Sonntag geht's – ausnahmsweise pünktlich – um 15 Uhr los. Ohne Rücksicht auf mögliche Assoziationen werden hier auch Boxkämpfe abgehalten.

Ohne Blutvergießen, aber ebenso hektisch geht's im *Fußballstadion El Campín* her, wo sonntags um die gleiche Zeit das Temperament mit 40 000 Fans durchgeht. Beides hautnahe Erlebnisse für Soziologie-Adepten.

Mindestens gleichermaßen ansteckend ist die Stimmung auf dem *Hipódromo Techo*, auf der Pferderennbahn, wo Sonntags um 12.30 Uhr herzklopfend den schnellen Vierbeiner der Traum vom ganz großen Glück anvertraut wird. Mit kundigem Blick für rassige Galopper kann man hier die Reisekasse aufbessern.

Nach Kultur, Geschichte und Volkssport empfiehlt sich ein kleiner Stadtbummel, um den Leuten beim Leben zuzuschauen und die tausend kleinen Szenen zu erleben, durch die man die Menschen besser kennenlernt als beim Bewundern ihrer hinter Glas verstaubenden Geschichte. Beginnen Sie im Zentrum, wo in den Betonpalästen smarte Manager das andere Gold Kolumbiens, den Kaffee, vom Anbau bis zum Rösten überwachen und notfalls mal schnell in die Anbaugebiete jetten, während in den marmorverkleideten Eingängen kauernde Indianer vom Land schweigend einen Korb voll Mangos feilhalten. Allgegenwärtig sind die Gegensätze. Bettler lehnen zerlumpt an blankgewienerten Cadillacs. Nur die Ruana, jener vorne offene Poncho, den schon die Chibchas aus Lamawolle webten, wird von allen getragen, ob abgewetzt wie ein alter Sack oder mit Goldfäden durchwirkt.

Meiden Sie die volkstümlichen Viertel am Stadtrand, wo Abertausende ohne Licht und Wasser hausen, auch wenn es Sie noch so sehr reizt.

Schauen Sie sich eher die Märkte und das moderne Bogotá an. Die Carrera 14 entlang nach Norden bringt Sie ein Taxi oder Colectivo ins Chicó, das Viertel der besseren Leute, wo hinter modernsten Villenfassaden und englischem Rasen erstaunlich konservatives Gedankengut gepflegt wird, wo weißgekleidete Dienstmädchen und hochnäsige Rassehunde die Kinder beim Spielen beaufsichtigen. Hier weiß sich die Hautevolee bei ihrer oft exzentrischen Lebensweise in den Privatclubs mit begrenzter Mitgliederzahl vor neugierigen Blicken sicher. Hier liegen die Boutiques, die schicken Restaurants und modernen Einkaufszentren – eine Stadt neben der Stadt.

Bogotá by night

Gönnen Sie sich nun eine Verschnaufpause im Hotel. Strecken Sie mal alle Viere von sich und überlegen Sie, wie man sich auf möglichst angenehme Weise stärken und zerstreuen kann.

Soviel vorweggenommen: Ein Sündenbabel ist Bogotá nicht. Dafür wird man kulinarisch entschädigt, denn die Bogotános essen gern auswärts. Nur sonntags nicht, dann sind alle Restaurants zu. Nach einem unkomplizierten

Abendessen braucht man nicht lange zu suchen. Im Zentrum gibt es preiswert in etwa fünfzig ansprechend sauberen Restaurants Pizzas, Steak mit Reis und der lokalen Teigspezialität Arepas oder ein Grillhähnchen. Kulinarischer Tourismus auf den Märkten ist nur bei kampferprobtem Magen anzuraten.

Daneben gibt es natürlich in dieser Riesenstadt einige Dutzend Restaurants, in denen man nicht mehr ißt, sondern speist. Ein Teil dieser Nobel-Restaurants befindet sich in ehemaligen herrschaftlichen Residenzen, andere wiederum in den großen internationalen Hotels. Hier wie dort ist die Küche abwechslungsreich bei gleicher Güte. Einige haben sich auf einheimische, andere auf argentinische, französische oder chinesische Küche spezialisiert. Ein Besuch lohnt sich nicht nur, weil gutes Essen auch ein Teil des Urlaubs sein sollte, sondern weil man in diesen Restaurants die gehobene Mittelklasse Bogotás studieren und sich in aller Ruhe mit ihr vertraut machen kann. Nicht nur Geschäftsleute gehen hier essen; auch Familienväter führen mit gewisser Regelmäßigkeit Frau und Kinder aus zu einer Paella oder einer »sobrebarriga«, dem typischen gewürzten Rindfleisch mit ebenso scharfen Beilagen. Danach gibt es den pechschwarzen »tinto«, den hiesigen Mokka, und für Papa ein Gläschen des männermordenden Anisschnaps »antioqueño«. In den Restaurants der großen Hotels werden Schulabschlüsse und Hochzeiten gefeiert, an den Hotelbars treffen sich einheimische Geschäftsleute zum Feierabenddrink. Da kann man immer en passant viel über diese Menschen erfahren, die hier ein wenig vom internationalen Flair dieser Hotels schnuppern wollen. Denn in den Hauptstädten, wie auch in der Provinz, haben die großen Hotels noch etwas romanhaftes – wie in Deutschland zur Zeit von Vicky Baums ›Menschen im Hotel‹ –, wobei immer wieder die Eigenheiten des Ortes und der Landesgegend zum Tragen kommen. Interessant für wissensdurstige Touristen, nützlich für Geschäftsleute, die in diesen Hotels schon mal von einer tobenden Combo am Swimming-pool um den kostbaren Schlaf gebracht werden. So braucht man mitunter gar nicht abends aus seinem großen Hotel hinaus auf der Suche nach dem ›Typischen‹ der Stadt – die Stadt kommt zu Ihnen ins Hotel, zeigt sich so, wie sie gern gesehen werden möchte.

Beschau- und Besinnliches wird vielfach im Teatro Colón und im Teatro Municipal, den ehrwürdigen Musentempeln geboten: Konzerte, Ballet und Bühnenwerke, oft mit internationalen Kräften, denen man hier preiswerter applaudieren kann als in Europa. Neueste amerikanische Filme, original mit Untertiteln, gibt's zu kleinen Preisen in rund zwanzig Kinos.

Pop-Fans werden gut bedient. »Nur fliegen ist schöner« scheint die Dekorateure der Diskothek »Topsi«, Calle 116 und Avenida 19, beflügelt zu haben. Sie sieht innen aus wie ein Jumbo-Jet. Für ein Abheben vom Boden sorgt ausgezeichnete Musik und ein psychedelisches Farbenspektakel. Das

»Unicornio« in der gleichen Straße ist gediegener, dunkler und vornehmer. Die Musik ist die gleiche, der Besitzer übrigens auch.

Wer einem rassigen, selbstgetanzten Flamenco oder Bolero mehr abgewinnt, sollte sich in den »Cuevas del Sacromonte«, Carrera 10, 27–21, einfinden, einer künstlichen Zigeunerhöhle mit praller Stimmung bis 4 Uhr morgens. Für ein spätes tête à tête bei sanfter Musik in dezenter Umgebung sei das wolkennahe »Le Toit« im 41. Stockwerk des Hilton Hotels empfohlen. Unvergeßlich schöne Aussicht. Wenn es gerade nicht regnet.

Anhänger des Striptease müssen wir leider enttäuschen. Diese textilsparende Kleinkunst wird nur in Etablissements praktiziert, die man selbst abgebrühten Seeleuten nicht empfehlen mag.

Shopping

Irreführenderweise werden die Preise stets mit dem $-Zeichen angegeben. Damit sind jedoch nicht Dollars, sondern Pesos gemeint.

Gold werden Sie in jeder denkbaren Form bekommen, auch als Kopien der schönsten Stücke im Goldmuseum. Lassen Sie sich Zeit beim Wählen, Juwelierläden, in denen man – nach ausgiebigem Preisvergleich – ein wenig feilschen kann, gibt es genug.

Smaradge bekommen Sie ebenfalls dort angeboten, zu Karatpreisen zwischen 50 und 10 000 Dollar. Gewisse Verunreinigungen sind sogar erwünscht, sie verstärken die Lichtbrechung und verleihen ihnen das vielbesungene grüne Feuer. Da der Kauf von Smaragden folglich Vertrauenssache ist, sollten Sie sich gut beraten lassen. Das werden Sie nicht in den kleinen Läden, sondern in den Filialen von »Stern« im Hilton und Tequendama, die auf Wunsch Garantie-Zertifikate mit Rückgaberecht ausstellen. Gemmologen und Juweliere können bei den zwielichtigen Gestalten, von denen man in der Calle 14 zwischen Carrera 8 und 10 angesprochen wird, möglicherweise einen großartigen Fang machen. Da die Herkunft der Steine ähnlich dunkel ist wie die Miene der Verkäufer, empfiehlt sich äußerste Vorsicht.

Kunsthandwerk aus Wolle, Ton, Holz, Leder, Kupfer und Messing findet man überall. Hoch im Kurs stehen furchterregende Holzmasken, Ruanas aus Schaf- oder Lamawolle – eine Riechprobe bestätigt das zweifelsfrei –, Leuchter und Töpfe aus Kupfer und Messing. Nicht minder begehrt sind Nachbildungen von Chibcha-Gottheiten aus Metall oder Ton, ebensolche Kopien der Funde im Goldmuseum und Taschen und Koffer aus schmiegsamem gelbem Leder. Eine gute und preiswerte Quelle: »Artesanías de Colombia«, eine staatliche Vertriebsorganisation in der Carrera 10, 26–50. Ferner »Artesanías el Lago«, Carrera 15, 73–74.

Makramee-Schals und -Dreiecktücher, aus glänzenden Seidenbändern zu hochkomplizierten Mustern verknüpft, sind eine kleidsame Spezialität

Kolumbiens für die elegante Dame. Erstaunlich aber wahr: Die schönsten Arbeiten stammen aus dem Blindenheim in Chiá. Zu bewundern und zu kaufen in Kunsthandwerkläden.

Präkolumbianische Kunst, meist aus Ton, darf erstaunlicherweise frei verkauft werden – sogar mit Echtheits-Zertifikat. Gefäße, Götterbilder sowie Pfeilspitzen in allen Preis- und Schönheitskategorien werden in den Arkaden des Hilton und Tequendama feilgehalten und, zusammen mit verblüffenden Kopien, im »Antiguedades«, Carrera 7, 10–66.

Sonstiges: Zigaretten sind hierzulande spottbillig, ebenso wie die unzähligen Arten von Feuerwasser. Preiswert ist auch praktische Urlaubskleidung. Auf den Gehwegen wird von Straßenverkäufern eine solche Warenvielfalt angeboten, daß man hier leben könnte, ohne jemals ein Geschäft zu betreten. Unter der Hand angebotene Omega-Uhren – angebliche Schmuggelware – sind schamlose Fälschungen, deren blechernes Herzchen spätestens nach drei Tagen aufhört zu schlagen.

Verkehrsmittel in Bogotá

Taxis sollten Sie wenn immer möglich benutzen, zumindest immer abends. Sie sind durchaus erschwinglich und abends relativ sicher.

Kollektivtaxis, »colectivos« genannt, sind noch preiswerter und fahren regelmäßig die Hauptstraßen rauf und runter. Normalerweise nehmen sie fünf Fahrgäste mit; in Stoßzeiten allerdings übt man sich im Luftanhalten. Die Fahrer haben nämlich klar erkannt, daß acht Personen mehr einbringen.

Busse sollten nur der allerletzte Strohhalm sein. Der Preis grenzt ans Lächerliche, aber das Risiko, Geld und Uhr loszuwerden, steigt im Quadrat mit der Anzahl der Passagiere. Und wenn man die Routen nicht kennt, landet man unverhofft in höchst ungesunden Gegenden.

Übrigens: Der obligatorische Wermutstropfen fehlt auch hier nicht. Statt dem Passagier einen guten Rückflug zu wünschen, knöpft man ihm am Flughafen 15 Dollar als Benutzungsgebühr ab. Es wird nur US-Währung angenommen.

Ausgangspunkt Bogotá

Tequendama – Der Sprung des Gottes

Kaum ein Mensch vermag sich dem Zauber eines mächtigen Wasserfalles zu entziehen, es sei denn, er hat zwanzig Jahre daneben gewohnt und sehnt sich endlich nach Ruhe.

Eine 30 m breite Wasserwand, die 140 m tief in ein überwuchertes, felsiges Amphitheater donnert und es im Sonnenlicht mit irisierenden Dunstschleiern erfüllt, könnte man stundenlang anschauen. Die ewige Kraft des lebensspendenden Wassers. – Es ist der Salto del Tequendama, der Sprung des Tequendama, benannt nach einer Chibcha-Gottheit. Hier, 31 km westlich von Bogotá, stürzt der Rio Bogotá vom Hochplateau in die Schluchten, die ihn schließlich schäumend zum behäbig fließenden Rio Magdalena führen. Es ist die schönste natürliche Sehenswürdigkeit in unmittelbarer Nähe der großen Stadt und leicht mit dem Bus zu erreichen. Seit einigen Jahren rauscht es weniger heftig. Das meiste Wasser wird ganz unromantisch über die Turbinen einer Staustufe geleitet. Nutzen hat Vorrang vor Schönheit.

Zipaquirá – Gottesdienst im Berg

Früher sind die Kolumbianer mit dem Auto in das weiträumigste Gotteshaus ihres Landes hineingefahren. Das bekam der Gemeinde nicht, also hat man es verboten. Dafür müssen Sie jetzt fünf Minuten vom Eingang bis zum Altar laufen. Ein Rundgang erfordert eine ganze Viertelstunde.

Fünfzig Kilometer weit nach Norden führt die Straße durch eine liebliche grüne Landschaft, in der die besten Rinder des Landes gezüchtet werden. Am Ziel, auf über 3000 m Höhe, liegt oberhalb der Stadt Zipaquirá der Eingang zu einem unendlich ergiebigen Salzbergwerk, mit dessen Lagern man die ganze Welt noch mindestens ein Jahrhundert lang versorgen könnte. Anfang der vierziger Jahre kam jemandem die Idee, daß man die weitläufigen Stollen zu einer Kirche im Berg ausbauen könnte. Nach zehnjähriger Arbeit wurde die Catedral de Sal, die Salzkathedrale, feierlich der Schutzpatronin der Bergleute geweiht und damit schlagartig zu einer touristischen Sensation.

10 000 Gläubige können in ihrem vierschiffigen Raum von 120 m Länge und 23 m Höhe beten. Das dunkelgrau schimmernde Gewölbe, von dem ständig ein intensiver Salpeterdunst herabwabert, wird von 14 viereckigen Säulen getragen, die ebenso aus dem Steinsalz herausgearbeitet sind wie der 18 Tonnen schwere Altar, wie die Engel und Heiligenstatuen und die Kapellen und Kammern mitten im Berg. Ein Gottesdienst ist hier ein Erlebnis. Die geschickte, indirekte Beleuchtung läßt die Salzkristalle abwechselnd aufblitzen, wenn man sich bewegt. Das Wissen, mitten in einem lebenden Berg zu sein, vermittelt Geborgenheit und dann wieder schleichende Furcht, wenn die Gesänge der Gemeinde wegen der eigenartigen Akustik nachhallen und aus den endlosen Stollen ein Echo klagend nachklingt. Auch Konzerte werden hin und wieder hier veranstaltet. Ein Choral von Bach gewinnt hier eine völlig neue Dimension.

Zipaquirá ist mehrmals am Tag mit dem Bus zu erreichen. Samstags und sonntags sogar mit einer Dampfeisenbahn, Abfahrt um 9 Uhr vom Hauptbahnhof von Bogotá, der Estación Central.

Nach Tunja und Sagamoso – Alt-Spanien neben dem Sonnentempel

Nach Norden, durch die grandiose Szenerie des kühlen Andenhochlands führt ebenfalls der Weg in Richtung Tunja.

Bei Sequilé lohnt es sich, einen Abstecher zum Tominé-Stausee zu machen, an dessen Ufer mit liebevollem Gefühl für Traditionelles das Dorf Guatavita neu aufgebaut worden ist, nachdem das aufgestaute Wasser allmählich die legendäre Siedlung überflutet hatte. In zwei Stunden zu Fuß oder zu Pferd erreicht man den verträumten Guatavita-See, auf dem sich der »El Dorado« den Goldstaub vom Körper wusch. Wenige Busminuten weiter liegt die Ortschaft Chocontá, berühmt für ihre wundervollen Ledersachen im aparten, maurisch inspirierten Stil.

Daß Tunja ein geschichtsbeladener Ort ist, merken Sie schon 15 km vorher. Bei der Brücke von Boyacá steht eine kuriose Gedenkstätte mit Restaurant, durch deren Mitte sich jenes Flüßchen schlängelt, an dem Bolivar 1819 seine größte Schlacht siegreich beendete. In Tunja lebte bei der Ankunft der Eroberer der Zaque von Tunja, zweiter König der Chibchas und ewiger Rivale des Zipa von Bacatá. Er wurde 1539 vertrieben, und die nunmehr 70 000 Einwohner starke Stadt in der trockenen, rauhen Berglandschaft auf 2782 m erinnert mit keinem Stein mehr an sein mächtiges Reich. Statt dessen fühlt man sich von dem ruhigen kolonialen Stadtbild so deutlich an Alt-Spanien erinnert, als sei die Zeit hier 200 Jahre lang stehengeblieben: verschwiegene Klöster, starke Häuser mit tiefhängenden Giebeln aus schmückendem dunklem Holzwerk, wappenverzierte Türen, durch die man einen flüchtigen Blick auf die duftenden Blumeninseln in den Patios werfen kann. Von den vergitterten, überdachten Balkonen blicken heute wie damals flinke Mädchenaugen in die kühle Würde ausstrahlenden Straßen.

Hier können Sie einige der kunstvollsten Schnitzereien Kolumbiens bewundern, so in den Kirchen Santo Domingo und Santa Bárbara, eine Gedenkminute einlegen für jene drei Märtyrer der Freiheitskriege, die vor der Adobemauer im Park Bosque de la República hingerichtet wurden, und über die Bedeutung der Siege Bolivars, die er hier errang, nachsinnen.

Eine Autostunde von Tunja entfernt liegt Villa de Neyva, ein Städtchen, das im Grunde ein koloniales Freilichtmuseum ist, natürlich ebenfalls geschichtsbeladen als Sommerresidenz der Vizekönige und Heimatort des Unabhängigkeitshelden Antonio Nariño. Einmalige Atmosphäre.

Eine weitere Stunde Fahrt, und Sie erreichen Sagamoso, die als Sagamuxi berühmt gewordene Tempelstadt der Chibchas. Ihr Heiligtum war der Sonnentempel, eine hochaufragende hölzerne Konstruktion, die unter den verachtenden Blicken der reglosen, rotgewandeten Priester von den Spaniern gestürmt wurde. Sie rissen die goldenen Verkleidungen von den Wänden und warfen anschließend eine Fackel hinein. Vom Sonnentempel steht jetzt nur noch ein Modell im kleinen Museum, das ebenso interessant ist wie ein Rundgang durch den Parque Arqueológico.

Zwanzig Kilometer von Sagamoso entfernt liegt der Tota-See, Fischerparadies und beliebtes Ausflugsziel der Bogotános. Ideal für ein paar beschauliche Tage. Dem Wassersport können Sie sich ebenfalls auf dem etwas kleineren Fuquene-See hingeben, den Sie auf dem Rückweg über einen kurzen Abstecher erreichen. Neben Fischen, Baden und der Jagd auf wehrlose Enten ist der beliebteste Sport das Segeln mit Flößen aus federleichtem Balsaholz.

Von hier aus schließlich sind es nur noch fünfzig Kilometer bis zur besuchenswerten staatlichen Smaragdmine von Muzo.

Villavicencio – Tor zu den Llanos

Von Bogotá führt eine Straße 130 km weit zur schmucklosen Stadt Villavicencio, am Fuß der östlichen Kordillere auf nur noch 500 m gelegen. Hier beginnen die Llanos, die heißen, endlos weiten, grasigen Ebenen, durchzogen von einem Netz silbriger Flüsse und spärlich besiedelt von kleinen Indianerstämmen.

Und hier beginnt das Abenteuer für jene, denen die Pfade des Normaltourismus nun doch zu ausgetreten sind, die, ausgerüstet mit Boot, Angel, Konserven und einem Gewehr zur Beschaffung von Frischfleisch, mit Zelt und Moskitonetz zu Expeditionen ins Unbekannte starten wollen. Hier läßt man jegliche Zivilisation hinter sich, wenn man auf den Flüssen hinab bis zum Orinoko fährt oder die Sierra Macarena auskundschaftet, jene in der Indianersprache Manigua, Zauberwald, genannte Bergkette, Wasserscheide zwischen Orinoko und Amazonas, die wegen ihrer bizarren geologischen Struktur und der schier unendlichen Vielfalt an Flora und Fauna zum menschenleeren Nationalpark erklärt worden ist.

Nach Süden und Westen

Girardot – Kaffeehafen am Magdalena

Wenn die klimatisch wirklich nicht verwöhnten Bogotános endlich wieder einmal ihre Lungen mit dickerer Luft füllen und wohlige Wärme auf der Haut spüren wollen, fahren sie hinab zum Magdalena-Strom, der 1550 km lang durch das 40 bis 80 km weite Tal zwischen der mittleren und der östlichen Kordillere fließt, die Küstensümpfe durchtränkt und im Schrittempo der Karibischen See zuströmt.

Am nächsten von Bogotá, nur 134 km entfernt, liegt Girardot, ein Flußhafen, den man nach einer Fahrt durch Plantagen erreicht, in denen unter feinblättrigen Schattenbäumen der vielgepriesene Kaffee wächst. Er trägt die Außenhandelsbilanz zu 80%. Hier werden rauhe Säcke mit dem duftenden Gut auf schwerfällige Raddampfer geladen.

In Girardot erholen sich die Hauptstädter in der vor grüner Lebenskraft brodelnden Natur vom Großstadtstreß und scharen sich mit einem spritzigen Cocktail in der Hand um den Swimming-pool des beliebten Hotels »Tocarema«. Abends sprechen sie begeistert den örtlichen Fischspezialitäten in dem zum Restaurant umgebauten Hausboot zu.

Honda – Wo der Strom stürzt

Zu dem ebenso weit von Bogotá und auch am Magdalena befindlichen Honda sollten Sie unbedingt mit der Eisenbahn fahren, natürlich nur, wenn Sie schwindelfrei sind. Denn die haarsträubende Streckenführung, über die sich die klapprige Bahn vom Hochland ins Tal windet, verursacht manches Herzklopfen.

In Honda wird der Kaffee aus Girardot vom Dampfer in die Bahn umgeladen, da unterhalb des Hafens die Stromschnellen beginnen, die den Magdalena 32 km weit bis La Dorada unschiffbar machen. Hier wird die sonst kaum bewegte Wasserfläche plötzlich von klobigen Felsen zu schäumenden Fahnen zerrissen, und ein dumpfes Dröhnen liegt ständig über der Talsohle.

Im Westen, siebzig Kilometer weit weg, thront der weiße Riese Nevado del Ruiz, 5486 m, auf dessen Flanke eine Berghütte für Schneefreunde bereitsteht.

Medellín – Welthauptstadt der Orchideen

Durch das weite Tal des Magdalena und über die mittlere Kordillere hinweg gelangt man in das landschaftlich begeisternd schöne Tal des Rio Cauca – zwischen der mittleren und der westlichen Kordillere –, der in den Sümpfen der Küstenebene in den Magdalena mündet.

Die wichtigste Stadt dieses Gebiets ist Medellín, 1540 m hoch am Osthang dieses Tals in einer wildzerklüfteten Bergkulisse gelegen. Lange Jahre war sie so unzugänglich, daß sie unbeachtet dahinkümmerte. Der Bau von Straßen um die Jahrhundertwende änderte diesen Zustand schlagartig. Sie wuchs so ungestüm, daß man vor lauter Bauboom völlig vergaß, die Kolonialbauwerke stehen zu lassen. Heute zählt sie rund 2 Millionen Einwohner und ist zur wichtigsten Industriestadt Kolumbiens avanciert.

Medellín ist sauber, ordentlich, modern und weitflächig angelegt. Die Einwohner sind von einem beneidenswerten Optimismus beseelt und halten sich selbst für die Cleversten im ganzen Land, was natürlich mit Bogotá zu solch bitter-süßen Sticheleien führt, wie man sie zwischen Berlinern und Bayern gewohnt ist.

Als Industriezentrum ist Medellín natürlich funktionell gestaltet, und es gibt wenig zu sehen: die Stierkampfarena, in der die Kehlen sich beim Olé genauso heiser brüllen wie in Bogotá, eine der gelungensten Amerikas; die Backsteinkathedrale ist in ihrer Art eine der größten der Welt und eigentlich nur deshalb sehenswert; das gediegene Wohnviertel El Poblado, Spielplatz phantasiebegabter Architekten, wo sich die stilunempfindlichen Industriellen ihre Villen in mittelalterlicher Skurrilität oder sterilem Modernismus haben hinmauern lassen.

Einen unbestreitbaren Zauber aber hat Medellín: die Orchideen. Der selbstgewählte Name »Welthauptstadt der Orchideen« ist kein Publicrelations-Gag rühriger Stadtväter, sondern vielfarbig leuchtende Wirklichkeit. Nicht nur sind Gärten, Plätze und Straßen jahraus jahrein mit polychromen Blütentupfern übersät; in den Plantagen und Gewächshäusern ringsherum werden Millionen Exemplare der ca. 300 Orchideenarten hingebungsvoll gezüchtet und Anfang Juni stolz beim Textil- und Blumenfestival den weithergereisten Liebhabern in Karnevalsatmosphäre vorgeführt. Und das nicht ohne Hintergedanken. Geschäftstüchtig haben sie aus dem Export dieser kleinen Kunstwerke der Natur ein Bombengeschäft gemacht.

Manizales – Zweistöckige Häuser mit sechs Etagen

Stromaufwärts das Tal des Rio Cauca entlang, also in südlicher Richtung, fährt man von Medellín ins ebenfalls im Bergland gelegene Manizales, eine Stadt von einer Viertelmillion Einwohner, in der Holzhäuser verboten sind, weil der Ort schon zweimal bis auf die Grundmauern niedergebrannt ist.

Hier können die Bewohner nie genau sagen, in welchem Stockwerk sie wohnen, weil die Häuser so verschachtelt an den steilen Hängen kleben, daß man von vorne zwei, von hinten sechs Etagen sehen kann. Architekten, die für den Bau von Hanghäusern vorbildliche Lösungen suchen, sollten den Urlaub hier zur Studienreise umfunktionieren.

Prunkstück der Stadt ist die frei nach einem gotischen Thema entworfene Kathedrale.

Die weiten Schneefelder des vorhin erwähnten Nevado del Ruiz liegen nur eine Autostunde entfernt, wodurch Manizales neuerdings eine wachsende Anziehungskraft als Urlaubszentrum bekommen hat.

Dreimal Architektur in Kolumbien: Dieses schlichte Kloster in Popayán ist nunmehr ein Hotel. Im Kreuzgang wandeln jetzt nur noch Touristen. Im besten Kolonialstil reich ausgestattet ist die Fassade des ehemaligen Palastes der Inquisition, 18. Jh., in Cartagena. Der traditionelle Baustil ist auf die moderne Architektur ohne Wirkung geblieben. Hier drei Hochhäuser der Universität in Bogotá.

Zahllose Steinskulpturen stehen in der Nähe der kleinen Stadt San Agustín in Südkolumbien. Bei »Meseta B« steht dieser eigentümliche Adler, der eine erbeutete Schlange verspeist. Die kniende Gestalt links unten verspeist ebenfalls ein Opfer. Ein Kind? Die gleichen drohenden Jaguarzähne zieren auch die untere Skulptur mit den leeren Augenhöhlen.

Erstaunlich: Über das Eindrucksvollste, was Kolumbien an Präkolumbianischem zu bieten hat, ist am wenigsten bekannt. Seit über 40 Jahren wird das Gebiet im Umkreis von 25 km um San Agustín, ein wahres »Totenland«, gewissenhaft erforscht. 350 Skulpturen und Gräber hat man gefunden. Eine der am wenigsten erschreckenden Figuren ist der oben abgebildete Koloß, der immerhin – trotz Jaguarzähnen – ein breites Grinsen zeigt und seine Hände schützend über ein Kind hält. Andere Figuren haben ein »Doppeltes Ich«, eine Tiergestalt, die den abgebildeten Menschen überragt. So eindrucksvoll sie auch sind: Man kann nur ahnen, welche Bedeutung diese Statuen einmal gehabt haben, wer sie hergestellt hat und vor allem wann. Man nimmt an, daß sie ab 500 v. Chr. entstanden sind.

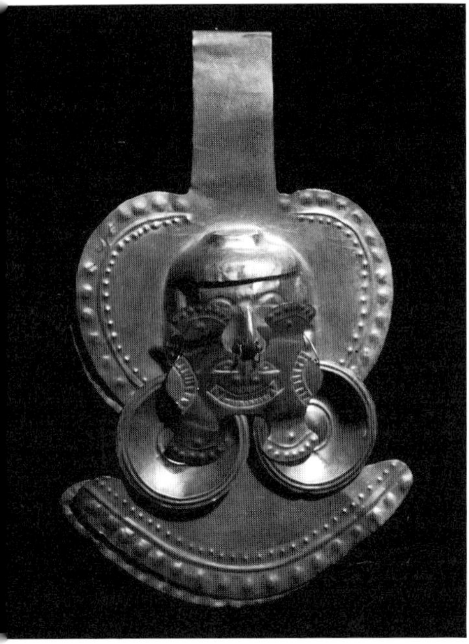
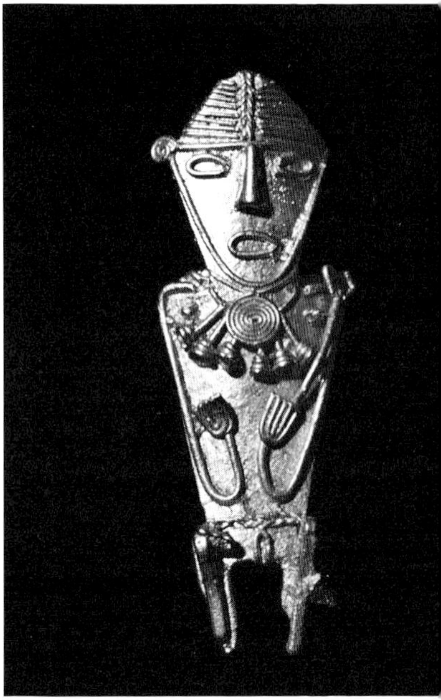
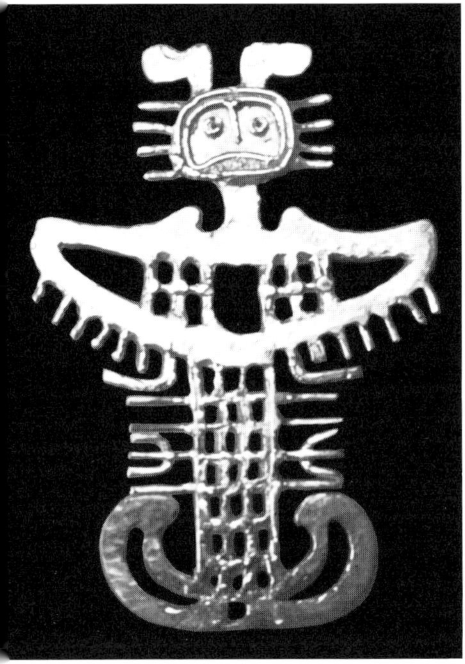
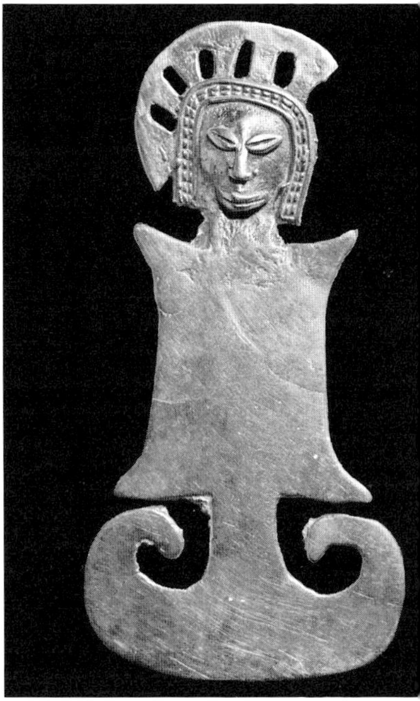

Kolumbus hatte durchaus recht, als er 1492 die Segel setzte und von den »goldenen Bergen von Cipangu«, träumte. Nur lagen diese nicht in China, wie er meinte, sondern in Kolumbien. Hier fanden die Spanier solch unvorstellbare Mengen dieses Edelmetalls, daß sie damit die Finanzen der spanischen Krone sanieren konnten. Obwohl die Indianerstämme in Kolumbien im Vergleich zu den Inkas eine relativ niedrige Kulturstufe erreicht hatten und noch nach der Eroberung kannibalische Riten zelebrierten, waren sie doch begnadete Künstler, die bereits im 13. Jahrhundert Goldschmuck im Wachsausschmelzverfahren herstellten. Bis auf die Brosche links unten liegen alle diese Fundstücke im Museo del Oro, dem Goldmuseum, in Bogotá, dessen atemberaubende Goldsammlung alle anderen in den Schatten stellt.

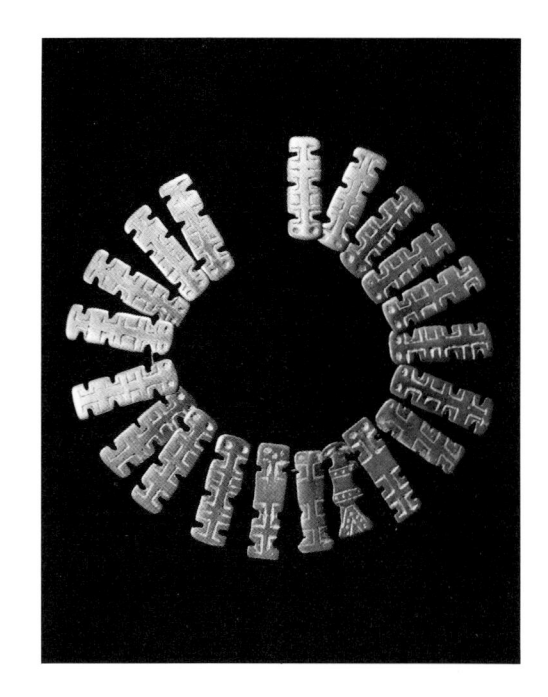

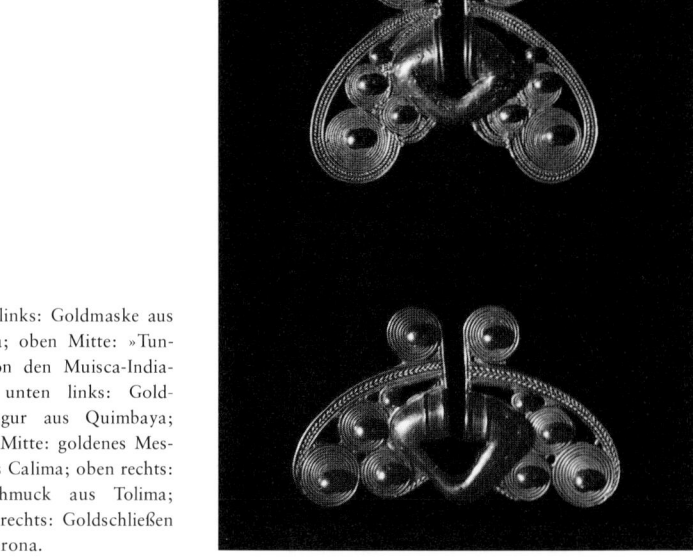

Oben links: Goldmaske aus Calima; oben Mitte: »Tunjo« von den Muisca-Indianern; unten links: Golddrahtfigur aus Quimbaya; unten Mitte: goldenes Messer aus Calima; oben rechts: Halsschmuck aus Tolima; unten rechts: Goldschließen aus Tairona.

In Kolumbien leben insgesamt noch 386 Indianerstämme, die meisten davon im Amazonastiefland. Zu ihnen gehört die große Gruppe der Yaguas, die man auch in Ekuador und Peru findet. Ihre Hauptnahrung ist der Maniok. Diese Yagua-Frau zerstampft gerade die im Rohzustand hochgiftigen Knollen. Die Masse wird danach in enggeflochtene Körbe gefüllt, aus denen der blausäurehaltige Saft abfließt. Der Maniok kann dann als Brei oder getrocknet als Fladen gegessen werden. Man kann ihn auch in Wasser fermentieren lassen und gewinnt so das berauschende Getränk Kashiri.

Die Panflöte ist ein in allen Andenländern beliebtes Instrument, wie überhaupt die Indios alles gern mögen, was Pfeiftöne erzeugt. Noch heute geben 4000 Jahre alte Tonkrüge aus Ekuador beim Entleeren einen Pfeifton von sich.

Dieser würdig, aber doch ein wenig verwundert in die Linse schauende Herr ist ein Arhuaco-Häuptling, dessen Vorrangstellung durch die originelle Kopfbedeckung dokumentiert wird.

Gemüsefrau auf dem Markt von Tunja, nördlich von Bogotá. Dank der verschiedenen Klimazonen wächst in Kolumbien alles, was eine ausgewogene Ernährung sicherstellen könnte.

Die Festung San Felipe in Cartagena, wichtiger Hafen an der karibischen Küste Kolumbiens, ist ein imposantes Gebirge aus Stein, das die Piraten abhalten sollte.

Die Hafenstadt Leticia am Amazonas braucht keinen Schutzwall. Der einzige Reichtum ist dort die üppige Fruchtbarkeit des Bodens.

Cali – Die schönsten Frauen

Eintausend Meter hoch liegt, ebenfalls im Cauca-Tal, südlich von Manizales die weniger schöne Industriestadt Cali mit eineinhalb Millionen Menschen, deren Zahl sich seit 1950 immerhin vervierfacht hat, eine Leistung, die ihr so schnell keiner nachmacht. Familien mit 15 Nachkommen sind keine Seltenheit, schon gar nicht in den Slums.

Wer sich hier beliebt machen will, muß entweder Sportler sein oder Jorge Isaacs loben.

Sportler mag man, weil seit den »Panamerikanischen Spielen« – einer Art amerikanischer Olympiade – hier nur noch in sportlichen Metern und Sekunden gedacht wird und die fabelhaften Sportanlagen Calis grundsätzlich ausgelastet sind. Allerdings findet man den Stierkampf genauso schön. Wenn es nach den Bewohnern von Cali ginge, wäre das Ballett mit den gehörnten Paarhufern schon längst eine olympische Disziplin.

Jorge Isaacs ist der vergötterte Lieblingssohn der Stadt und wortgewaltiger Verfasser des Romans »La María«, eines der Hauptwerke der lateinamerikanischen Literatur. In dem nach ihm benannten Park im Zentrum scharen sich die bronzenen Romanhelden um seine Büste.

Sehenswert: das Stadtpanorama von der Christusstatue oben auf dem Berg aus; das Kloster San Francisco mit dem minarettähnlichen Turm; die neugotische Ermita-Kirche; das historische Landgut »Canas Gordas«, auf dem sich einst der Vizekönig vom strapaziösen Hofleben erholte.

Erlebenswert: die Zeit zwischen Weihnachten und Neujahr, die zum Stadtfest wird, und der Karneval, bei dem Cali vor Lebenslust schier aus den Nähten platzt und das Wörtchen »Arbeit« vorübergehend aus dem Wortschatz gestrichen wird.

Bewundernswert: die schönsten Mädchen und Frauen Kolumbiens, die ihr offenkundig tropisches Temperament reizvoll hinter einer verspielt-charmanten Züchtigkeit verbergen. Sie sind ebenso anmutig wie die Männer eifersüchtig.

Popayán – Eine Stadt als Denkmal

Wenn man eines Tages die Liste der zehn Städte Lateinamerikas mit der stärksten Ausstrahlung aufstellt, wird der Name Popayán mit Sicherheit nicht darauf fehlen.

Landschaftlich könnte diese Stadt nicht erhabener liegen: auf 1800 m, im obersten Teil des Cauca-Tals, 137 km südlich von Cali, nahe der drei stolzen Vulkane Pan de Azúcar, Sotará und Puracé, dessen schneebedeckte Spitze oft eine Rauchwolke ziert. In ihren eisigen Höhen entspringen der Rio Magdalena und der Rio Cauca.

Die kulturelle Bedeutung Popayáns war in der Kolonialzeit immens, weswegen es mit Toledo, Burgos oder gar Weimar verglichen worden ist. Doch wie immer hinken auch diese Vergleiche mühsam daher. Denn diese Stadt war einzigartig, eine Festung der geistlichen und weltlichen Elite. Sie war von Anbeginn eine wohlhabende Stadt. Hier wohnten in verschwenderisch eingerichteten Residenzen in angenehmer Kühle all jene, die von den Indios unten im heißen Tal Zuckerrohr und später Kaffee anbauen ließen und tatenlos Vermögen verdienten. Sie waren ausnahmslos Spanier oder wenigstens deren im Land geborene Kinder und Enkel, die Zugang zur bestmöglichen Bildung hatten. Bald auch entstanden hier Klosterschulen, in denen mit gleicher Gewissenhaftigkeit – wie damals üblich – die Bibel und politische Schriften studiert wurden. Außerdem lag sie an der einzigen Landverbindung zwischen Bogotá, Quito und Lima. Alle Reisenden machten hier gerne halt, denn man verstand, ausgezeichnet zu leben, und nahmen neue Ideen und Denkanstöße mit.

Popayán war reich genug, nach jedem Erdbeben den alten Glanz wiederauferstehen zu lassen. Ob dies noch einmal gelingen wird, bleibt abzuwarten. Das Erdbeben vom März 1983 hat die meisten Kostbarkeiten in diesem kolonialen Kleinod Kolumbiens vernichtet. In Schutt liegen die Fassaden im generösen andalusischen Stil, deren Strenge gemildert wurde durch blühende Ranken. Die beschwingt emporstrebenden Kirchen- und Klostertürme, deren Glocken singend das Tal erfüllten, sind vor der freundlichen, reichen Bergkulisse zusammengefallen. Die Farbe, die ruhige Gelassenheit, die Zuversicht sind dahin. Popayán war Zeugnis des gigantischen kulturellen und geschichtlichen Umbruchs, der diesen Kontinent überrannte, der Macht der Spanier, ihres unverbrüchlichen Gottesglaubens, ihres blinden Vertrauens in die eigene Größe. Hunderte von Toten hat es gegeben; alle Kirchen, die Kathedrale und die Museen wurden beschädigt oder zerstört. Es wird Jahre dauern, bis die Museen den Besuchern wieder alle Schätze werden zeigen können. Es bleibt abzuwarten, welche Kirchen und Herrschaftshäuser wieder aufgebaut werden, was aufgegeben und endgültig Opfer der Planierraupe wird. Denn auch das Selbstbewußtsein der Stadt hat Risse bekommen. In den früheren Residenzen leben nun mitunter vielköpfige Mittelklassefamilien, in den prunkvollen Innenhöfen hängen Wäscheleinen, an den Fontänen, so sie noch plätschern, spritzen sich lärmende Kinder gegenseitig naß. Vielleicht erstrahlen bald die Kirchen wieder in alter Pracht: San Francisco mit der kelchförmigen Kanzel und den Schätzen in der Sakristei; San Agustín mit der massiv goldenen, smaragdbesetzten Monstranz. Vielleicht gibt man sie auf, wie die vielen anderen Kirchen, an denen die Spuren der zahlreichen Beben nie ganz getilgt worden sind. Da hat man schon früher verlorene Kostbarkeiten durch primitive Nachahmungen aus Sperrholz und Pappe ersetzt, wo einst Blattgold prangte, hat man hastig Goldfarbe hingepinselt.

Zeichen der Zeit: In einem alten Kloster wandeln keine meditierenden Mönche mehr, nun hasten kofferbeladene Fremde durch den Kreuzgang. Es heißt jetzt Hotel Monasterio.

Kommen Sie wenn möglich in der Osterwoche. Die Prozessionen, streng nach sevillanischer Tradition, sind noch immer ein läuterndes Erlebnis für alle Gläubigen.

San Agustín – Das »Doppelte Ich« auf dem Gräberfeld

Bislang haben wir ein wenig die Geschichte der kolumbianischen Indianer gestreift, ihre Goldschätze bestaunt, doch nirgendwo steinerne Zeugen einer ihrer Kulturen gesehen, wie man sie beispielsweise in Peru in jedem zweiten Tal entdecken kann.

Die einzigen sind vorerst in San Agustín gefunden worden und haben selbst sensationsgewohnte Fachleute sprachlos gemacht. Lassen Sie sich auch beeindrucken und verwirren. Fahren Sie 300 landschaftlich begeisternde Kilometer von Popayán, der wichtigsten kolonialen Attraktion, nach San Agustín, der wichtigsten indianischen Attraktion des Landes. Denn dieser Ort mit einer Handvoll Hotels ist das Zentrum eines phantastischen archäologischen Gebiets, das Sie zu Fuß, zu Pferd oder im Jeep entdecken können.

Der Begriff »Totenstadt« reicht nicht mehr aus, hier muß man bereits von einem »Totenland« sprechen. Nirgendwo stehen Tempel oder Pyramiden, wie wir sie bei den Mayas, Azteken oder Inkas gewohnt sind. Statt dessen Gräber, nochmals Gräber, Mausoleen, Schachtgräber und Grüfte, reich geschmückt mit Steinskulpturen, die erstaunliche Ähnlichkeit mit Motiven aus Tiwanacu in Bolivien und sogar aus dem Reich der Tolteken im fernen Mexiko haben, wo der Jaguar als Inkarnation des Gottes galt. Feste Bauwerke gab es nur für die Toten. Für die Lebenden bestenfalls Bambushütten.

Zwei Tage müssen Sie mindestens für einen Besuch rechnen. Und auch dann werden Sie nur einen Bruchteil des mehrere hundert Quadratkilometer großen, dem Totenkult geweihten Andengebiets kennenlernen können. Immerhin stehen und liegen im Umkreis von 25 km um San Agustín rund 350 Skulpturen und Gräber. Die hat man sich näher angeschaut und Vermutungen angestellt. Nach dem Aufwand zu schließen, den man für die Bestatteten trieb, waren diese Gräber sicherlich die letzten Ruhestätten von Priestern, Häuptlingen und wichtigen Persönlichkeiten des öffentlichen Lebens. Auf jedem Grab, teilweise mit einem tierförmig stilisierten Sarkophag, ruht eine Statue, geschaffen von einer Megalith-Kultur, über deren Ursprung, Name und Lebensform niemand auch nur das Geringste mit Sicherheit weiß, obwohl deren Steinmetzkunst nur noch von den Mayas viele Jahrhunderte später übertroffen wurde. Gemeißelt sind diese Statuen aus bis zu fünf Meter hohen Andesit-Blöcken, die nachweislich über Entfernungen von manchmal 20 km gebracht worden sind. Doch wie? Ein weiteres Rätsel.

Die Statuen aus der ersten Epoche, die Wissenschaftler immerhin so um 500 v. Chr. ansetzen, weisen nur rudimentäre Verzierungen auf, wenige Rillen, die Gesicht und Körper andeuten. Später – wann? – werden ihre Formen faszinierend, mit perfekt durchgebildeten ausdrucksvollen Gesichtern über einem kurzen, gedrungenen Körper, umklammert und teilweise überragt von einer Tiergestalt – oft Ratte oder Leguan –, jenem »Doppelten Ich« von dunkler kultischer Bedeutung. Dann wieder halb menschliche, halb tierische Gestalten mit spitzen Jaguarzähnen, die einen kleinen Menschen verschlingen oder aus unergründlich tiefen, regenverwaschenen Steinaugen die majestätische Bergwelt überschauen.

Diese Jaguarzähne weisen auf eine wie auch immer geartete Verwandtschaft mit den Olmeken hin, die bezeichnenderweise auch berühmt wurden durch ihre Kolossalköpfe von 20 Tonnen Gewicht, die man in den sumpfigen Niederungen am Golf von Mexiko gefunden hat. Und sie mögen zur gleichen Zeit in ferner Vergangenheit entstanden sein, als hier die großartigen Steinmetze die heiligen Quellen auf den Gräberfeldern kunstvoll verzierten. Als die siegreichen Spanier eintrafen, hatte man sie schon vergessen. Die hier ansässigen Andakí-Indianer kannten sie nicht einmal mehr vom Sagen her.

Einige der wichtigsten Funde sind nach San Agustín gebracht und in dem parkähnlichen Bosque Arqueológico am Stadtrand aufgestellt worden. Vier Kilometer außerhalb befindet sich der Parque Arqueológico mit weiteren Funden. 27 km sind es zum wichtigsten unberührten Gräberfeld der Umgebung: El Alto de los Idolos, die »Anhöhe der Götzen«.

Ein nachdenklicher Spaziergang zwischen den Statuen hindurch, im Morgengrauen oder in der Abenddämmerung wenn die anderen Besucher noch nicht da oder schon fort sind, bleibt unvergessen. Dann strahlen die Steine etwas physisch Spürbares aus, das sich jeder Beschreibung entzieht.

Ipiales – Wo ist die Kirche?

Der Wallfahrtsort Ipiales, hart an der ekuadorianischen Grenze, wartet mit der – nach der Salzkathedrale – zweiten ungewöhnlichen Kirche Kolumbiens auf, zu der Jahr für Jahr ein endloser Pilgerstrom zieht, um von der Heiligen Frau von Lajas jene erstaunlichen Wunder zu erflehen, die sie schon so vielen gewährt hat. Es ist das lateinamerikanische Lourdes.

Allerdings sieht man diese denkwürdig Kirche erst, wenn man unmittelbar davorsteht! Aus einem Grund, der der einschlägigen Literatur unbekannt ist, wurde sie ausgerechnet in einer hautengen Flußschlucht errichtet, aus der mit Mühe noch ihre neugotische Turmspitze herausragt. Durch ihr massiges Fundament rauscht weiterhin unverdrossen das Flüßchen.

Diese »Stadt der drei Vulkane« erfreut den Besucher außer mit einer Naturkulisse, die aussieht wie ein gigantischer grüner Faltenwurf von

Michelangelo, auch noch mit einem farbenprallen Sonntagsmarkt, zu dem die photogenen Indianer aus den unwegsamen Schluchten in weitem Umkreis herbeiströmen.

Leticia – Warten auf die Amazonas-Schiffe

Leticia ist die einzige kolumbianische Stadt am Amazonas, von Bogotá aus nur in einem mehrstündigen Flug über geheimnisvollen Dschungel zu erreichen.

Sie liegt 3200 km von der Mündung des Stromes entfernt, von drei Seiten bedrängt von der wildwuchernden »Grünen Hölle«, die auszukundschaften man hier mannigfache Gelegenheit bekommt. Rührige Hoteliers und Führer bringen Sie über den braunen Strom in brütender Hitze zu Gummibaum-Plantagen, zu den Yagua-Indianern, zu ein- oder mehrtägigen Expeditionen in den Urwald, zur Jagd, zum Fischen, zur Affen-Insel, zur Naturbeobachtung, mit Motorboot, Proviant und Zelt, so lange und so teuer wie Sie wollen, entweder von Leticia aus oder von der brasilianischen Stadt Marco, gleich nebenan. Sonst gibt es in der Stadt mit 20 000 Einwohnern wenig zu tun, außer auf die Schiffchen zu warten, die in schöner Unregelmäßigkeit Passagiere nach Brasilien oder Peru befördern. Entweder in der ersten Klasse oder in der mitgebrachten Hängematte. Bei letzterem sollte man auch Eßbesteck mitbringen und einen Trinkwasservorrat für die fünf Tage hinab nach Manaus oder hinauf nach Iquitos in Peru.

Die Karibische Küste

Cartagena – Der Sklave der Sklaven im Glassarg

Daß Cartagena, Hafenstadt an der Karibischen See, noch nicht von den Reiseveranstaltern als obligatorische Station fest in jede Südamerikareise eingeplant worden ist, die diesen Namen verdient, ist eine schwere Unterlassungssünde.

Wo an anderen Orten Lateinamerikas die Geschichte bereits in Symbolen einer Epoche erstarrt ist – Machu Picchu, Popayán –, vibriert sie hier noch, steht den Menschen in das oft sattbraune Gesicht geschrieben, eine Geschichte, die aus vielen Geschichten von Spaniern, Piraten, Negersklaven und einem Heiligen besteht. Wo in Popayán die Auswirkungen einer ganzen Zivilisation zum Ausdruck kommen, brauste in Cartagena die Historie nicht über die Köpfe der Menschen hinweg, hier ging sie durch das Herz des Einzelnen. Jede Straße der Altstadt ist noch getränkt von Blut, von Freudentränen der Befreiung, hallt nach von karnevalesker Ausgelassenheit und wehmütigen afrikanischen Klageliedern.

Hundert Romane könnten über diese Stadt geschrieben werden! Eine Woche dicht an ihrem Puls, und man fühlt sich zum würdigen Nachfolger von Greene, Hemingway oder Steinbeck berufen.

Sie liegt 650 km Luftlinie nördlich von Bogotá in – wie es scheint – einer anderen Welt. Die Farbpalette ist hier greller, die Musik lauter und beschwingter, die Sprache schnell und spielerisch, der gestenreiche Umgang überbrückt minutenschnell die anfängliche Distanz. 1533 gegründet, wurde sie wie keine andere von Piraten und Eroberern heimgesucht, denn über ihre Kais wurden aus den prallen Lagerhäusern Gold und andere Kostbarkeiten in die Bäuche der spanischen Galeonen geschleppt. Beim Klang ihres Namens mußte jeder Freibeuter leuchtende Augen bekommen.

Der erste war Robert Baal, der sie 1544 bereits erfolgreich plünderte. Das kam Martin Cote zu Ohren, der dies auch einmal schaffte, beim zweiten Versuch 1561 aber 300 Mann verlor und unverrichteter Dinge abziehen mußte. Ebenso kläglich versagte mehrmals der sonst so erfolgreiche John Hawkins. Erst dem Vollprofi Sir Francis Drake gelang 1586 eine erneute Plünderung, allerdings unter Einsatz der ganz großen Mittel: 1300 Mann, die alles kurz und klein schlugen, einschließlich der Kathedrale.

Von diesem Ereignis geschockt, beschloß man, die wenig nützlichen Schutzanlagen zu verstärken, und schuf in zwanzigjähriger Bauzeit San Felipe de Barajas, das ungeheuerliche Meisterwerk spanischer Festungsbaukunst, ein geometrisches Gebirge aus Stein und angeblich mit Stierblut angerührtem Mörtel. Ketten wurden über eine Hafeneinfahrt gespannt und die Stadt mit bis zu 18 m dicken Steinwällen eingemauert. Nun kehrte eine Zeitlang Ruhe ein, und man konnte sich zivilen Aufgaben widmen. Eine davon war die Kanalisierung eines 150 km langen Seitenarms des Magdalena, der jetzige Canal del Dique.

Somit wurde Cartagena als Warenumschlagplatz noch wichtiger und noch reicher und lockte die Franzosen Pointis und Ducasse an, die 1697 die Wälle überwanden. Allerdings brauchten sie dazu 10 000 todesmutige Kämpfer. – Wieder gingen die Steinmetze ans Werk. Mit Erfolg.

Im spanisch-englischen Krieg griff Edward Vernon 1741 mit seiner Armada die Stadt an. Er hatte in naiver Zuversicht schon Gedenkmünzen für den bevorstehenden Sieg schlagen lassen. Zwei Monate lang rannten 27 000 Mann gegen die klotzigen Mauern an. 3000 Kanonen feuerten Tag und Nacht auf sie ein. Eine Kugel krachte während des Gottesdienstes durch die Wand und in einen Stützpfeiler der Kirche Santo Toribio. Die leidgewohnte Gemeinde schaute kurz auf, sah, daß der Bau mit Gottes Hilfe hielt, und betete weiter. Die Kugel steckt noch heute dort. Die voreilig bestellten Münzen werden mit unverhohlenem Stolz in der Kathedrale gezeigt. Der lahme, einäugige Blas de Lenzo, ein rechter Quasimodo, der als Verteidiger der Stadt den siegessicheren Vernon zu einem gebrochenen Mann machte, wird seitdem als Volksheld verehrt.

Doch die schlimmste Zeit sollte noch kommen. Die Siege im Unabhängigkeitskrieg gegen Spanien waren hier mit karibischem Temperament gefeiert worden. Freudig lag man sich in den Armen und malte sich eine Zukunft in Freiheit und Brüderlichkeit mit leuchtenden Farben aus. Die Spanier kamen 1815 zurück. 156 leidvolle Tage belagerten sie unter Pablo Morillo die Mauern, hinter denen sich in tiefster Verzweiflung die niederen Instinkte der Kreatur austobten. Was damals hier geschah, wurde nur noch von der »Säuberung« durch den Sieger Morillo überboten. Um die Überlebenden zu ehren, gab ihr Simon Bolivar nach der endgültigen Befreiung den Namen Ciudad Heróica, »Heldenhafte Stadt«.

Es gibt hier so viel zu sehen, daß man nicht recht weiß, wo man mit der Besichtigung anfangen soll. Am besten, man geht zuerst in die Altstadt am vordersten Zipfel der Halbinsel, umgeben von Lagunen und den Hafenbecken, in denen sich Hunderte geschäftig tuckernder Boote drängeln und leuchtend bunte Waren herumschleppen. Man umrundet sie entlang der Festungsmauern, vorbei an der Festung, durch deren verräuchertes, dumpfes Labyrinth von Gängen und Hallen erleuchtete Galerien führen, vorbei an den Bóvedas, jenen Verliesen, in denen gefangene Piraten schmachten mußten, zur Plaza de la Artillería, dem Artillerieplatz. Hier in der Nähe steht die Kirche Santo Domingo aus dem 17. Jahrhundert, deren Turm – so wollen es die Leute, in deren Köpfen Geschichte und Legende untrennbar verquickt sind – vom Teufel verdreht wurde, damit er nicht zur Fassade passe.

Man muß einfach plan- und ziellos durch dieses Viertel der »casas bajas«, der niedrigen Häuser, streifen, um die Atmosphäre in sich aufzusaugen. Hier hat sich seit dem 17. Jahrhundert nur wenig verändert. Die dicken Steinmauern der ein- oder zweistöckigen Häuser lassen weder die duftschwangere heiße Luft eindringen noch den Lärm, der Tag und Nacht die Gassen erfüllt, die so schmal sind, daß die Hunde mit dem Schwanz auf und ab wedeln müssen. Überall findet man unerwartete Straßenszenen, Geschichtliches und Anekdotisches. So in der Klosterkirche des San Pedro Claver, benannt nach dem Jesuiten Petrus Claver, der unter dem Beinamen »Sklave der Sklaven« berühmt wurde. Jahrelang bettelte er Nahrung und Medikamente zusammen, um die auf Elendsschiffen aus Afrika kommenden Neger zu versorgen. 300 000 von ihnen soll er getauft haben. 1888 wurde er kanonisiert. Der einbalsamierte Körper des Heiligen ruht dort in einem Glassarg auf dem Altar.

Nicht weit entfernt ist das Haus des Pedro Romero, der – bezeichnend für die hiesige Mentalität – die Unabhängigkeitskämpfe in Cartagena damit einläutete, daß er mitten in der Nacht auf die Straße hinausstürzte und aus Leibeskräften »Es lebe die Freiheit!« schrie. Nahebei ist die Promenade der

Märtyrer, Paseo de los Mártires, wo Romeros Nacheiferer von Morillo hingerichtet wurden.

Wenige Schritte weiter brodelt der Markt, auf dem man die unerwartetsten Dinge findet und Photo-Fans nicht mehr wissen, was sie zuerst knipsen sollen. Eine der unzähligen Attraktionen dieser Stadt, die man nicht nur sehen, sondern vor allem erleben muß und die man am besten von der Kirche auf dem La-Popa-Hügel überblickt, zu der in einer Nacht Anfang Februar die Gläubigen mit Kerzen betend emporschreiten.

Neben alldem ist Cartagena natürlich auch – zumindest in den äußeren Quartieren – eine moderne Hafenstadt mit nunmehr 700 000 Einwohnern, mit eleganten Wohnvierteln, bezaubernden Stränden in Boca Chica und Boca Grande, ideal auch zum Segeln und Fischen, und zahlreichen Hotels für sonnenhungrige Bogotános. Sie treffen sich gern in den Restaurants aller Güteklassen, die das Köstlichste aus dem warmem Karibischen Meer scharf gewürzt servieren.

Hier trifft man sich mit Vorliebe beim Karneval oder sonstigen Festen, bei denen sich Cartagena tagelang im Cumbia- und Joropofieber wiegt und auf die Tänzer während der Blumenschlachten ein duftender Blütenregen niederschwebt.

Barranquilla – Nur im Karneval

Mit seinen 1,4 Millionen Einwohnern hat Barranquilla schon vor Jahren Cartagena den Rang als wichtigster Hafen an der Karibischen Küste abgelaufen. Es ist eine schmucklose Industrie- und Handelsstadt am Rio Magdalena, 18 km vom Meer entfernt, mit wenigem, was den Besucher zum Verweilen einladen könnte, außer vielleicht der Bahnfahrt über ausgeleierte Schienen in offenen Wagen hinab zu der Mündung des mächtigen Stroms.

In der Karnevalszeit allerdings ist die Stadt nicht wiederzuerkennen. Fünf Tage vor Aschermittwoch beginnt das dröhnende Tohuwabohu. Hier ist es ein Fest zum Miterleben, nicht zum Ansehn wie in Rio. Die Arbeit ruht selbstverständlich. Auf den Straßen und in jedem Lokal wird rund um die Uhr getanzt und gefeiert vor einer mitreißenden Geräuschkulisse aus aufpeitschenden Cumbia- und Merenguerhythmen. Wer morgens um vier noch Amüsement sucht, hat die Qual der Wahl. Jung und alt sind mit einer Rumbarassel, mit Trommeln, Pfeifen oder wenigstens Topfdeckeln bewaffnet und begleiten damit die spontanen Tanzwettbewerbe. Dabei kommt es weniger auf die Melodie an als auf eine Kadenz, die vereinzelte Tänzer zur Extase treibt.

Ehrensache ist natürlich eine möglichst phantasievolle Kostümierung, die bei den Mädchen, zur allgemeinen Männerfreude, wegen der Tropenhitze sehr textilknapp ausfällt. Das Klicken der Flaschen mit Rum und Anisschnaps und der süßliche Duft von Marihuana begleiten die Blumenschlachten, in denen die ungezählten Schönheitsköniginnen gekürt werden.

In der letzten Nacht, bevor sich der katerige Morgen des Aschermittwoch rötet, wird Joselito Carnaval, Symbol des Karnevals, mit rotgeränderten Augen zu Grabe getragen.

Dann bleibt Barranquilla 51 Wochen lang nur noch für Geschäftsleute interessant.

Santa Marta – Hier starb Bolivar

Hier verbringen die Kolumbianer, die etwas auf sich halten, ihren Urlaub. Mit Recht. Es ist das Schönste, was Kolumbien an der Karibischen Küste zu bieten hat. Landschaftlich wartet Santa Marta, Hafen- und Urlaubsstadt mit 300 000 Einwohnern, mit einem auf der Welt sicher einzigen Panorama auf: Während Sie rücklings im türkisklaren, warmen Wasser vor den palmenbeschatteten weißen Stränden treiben, leuchtet in nur 35 km Entfernung der Schneegipfel des gigantischen, 5875 m hohen Nevado de Colón einsam im Azurhimmel. An seinen dunkelgrünen Flanken und im anschließenden Berggebiet der Sierra Nevada leben versprengte Indianerstämme, Pumas und Jaguare, wachsen Kaffee und Bananen, von denen jährlich 10 Millionen Büschel von Santa Marta aus nach USA und Europa verschifft werden.

Der Strand Rodadero de Gaira ist gesäumt von mondänen Hotels, neuerdings Tummelplatz der südamerikanischen Schickeria, weswegen er auch – etwas wohlwollend – zur »südamerikanischen Riviera« hochgelobt wird. Hier gibt man sich dem Wassersport hin, döst am Strand, promeniert, trinkt Cocktails, speist Delikates aus dem Meer und erholt sich im übrigen blendend.

Wer diesen gut belegten Strand meiden will, kann zu den Fischerdörfern Villa Concha und Taganga fahren, zum Aquarium beim Felsen Punta de Betín, auf dem ein Leuchtturm seinen Lichtstrahl kreisen läßt, oder in den 25 km entfernten Nationalpark Tairona, ein unberührtes Naturparadies mit fischreichem Wasser. Erst 1980 wurde bekannt, daß am Nordhang des Nevado de Colón die verlorene Urwaldstadt der Tairona-Indianer nach jahrhundertelangem Suchen gefunden wurde. Mit ihren mehreren Hundert runden Terrassen ist diese Stadt, Buritaca, größer als Machu Picchu und wohl auch um einiges älter. Diese archäologische Sensation ersten Ranges wird für Besucher gesperrt bleiben, bis die Archäologen ihre Arbeit beendet haben.

Auch Santa Marta hat – wie könnte es anders sein – eine leidvolle Vergangenheit. Die Piraten, die sich an den zyklopischen Mauern von Cartagena die Zähne ausgebissen hatten, vergriffen sich, aus lauter Enttäuschung rachsüchtig, an dieser kleinen Stadt und machten sie mehrmals dem Erdboden gleich.

Hier fand der größte Held Lateinamerikas, Simon Bolivar ein pathetisches Ende. Zermürbt von Anfechtungen und Intrigen, enttäuscht, weil sein Traum von einer dauerhaften Republik Groß-Kolumbien durch engstirnige Eifersüchteleien zerschlagen worden war und weil man ihn, dem die Frauen weinend zu Füßen gelegen hatten und der in den Männern ungeahnte Begeisterung zu wecken verstand, monarchistischer Tendenzen verdächtigte, wollte er nach der Ermordung seines Freundes Sucre nach Europa fliehen. Eine Lungenkrankheit hinderte ihn daran. Bettelarm starb der geniale Taktiker und politische Visionär im Landhaus eines mitleidigen Freundes. Auf dem Landgut San Pedro Alejandrino, wenige Kilometer vor Santa Marta, wo er mit 47 Jahren am 17. Dezember 1830 die Augen schloß, steht nun eine Gedenkstätte. In seinem Sterbezimmer im Landhaus liegen seine spärlichen Habseligkeiten seitdem unberührt. Jetzt gelten sie als Reliquien.

San Andrés

Wer sich nach einem Inselurlaub sehnt, dem bietet Kolumbien eine kleine Inselwelt. 700 km nordwestlich von Cartagena und 300 km von der mittelamerikanischen Küste entfernt, liegt der Archipel San Andrés y Providencia, eine Mini-Welt aus 17 Cays, Atollen und Inseln, deren größte, San Andrés, 45 km² mißt und 10 000 Einwohner hat. Sie ist für die Kolumbianer und viele Mittelamerikaner Flugziel für unbeschwerte Ferientage und für Europäer Zwischenstation auf dem Flug von und nach Mittelamerika.

Wer sich für Acapulco begeistern kann, wird sicherlich meinen, hier sei es langweilig. Beschaulich wäre die treffendere Bezeichnung. Zwar gibt es drei Kasinos, in denen man überschüssiges Urlaubsgeld schnell loswerden kann, doch spielt sich das Leben tagsüber vorwiegend am Strand ab, über und unter Wasser, sowie nach Sonnenuntergang in den zahlreichen kleinen Restaurants mit legerer Atmosphäre. Das gute Dutzend meist moderner Hotels sorgt für gute Nachtruhe nach einem ausgefüllten Inseltag.

Hier lebt ein bunter Rassencocktail, der – neben dem offiziellen Spanisch – noch das alte »Königsenglisch« der 1629 aus England eingewanderten Puritaner spricht. San Andrés war lange Zeit Schlupfwinkel des Freibeuters Sir Henry Morgan, der hier seine reiche Beute vergraben haben soll. Obwohl man die Insel schon mehr als einmal umgegraben hat, bleibt der Schatz unauffindbar. Ein Grund mehr, hierher zu kommen, wenn Sie ein Faible für alte Golddublonen in morschen Kisten haben.

Das Sehenswerte sieht man bequem bei einer Inselrundfahrt oder, wenn man es nicht eilig hat, bei einem Spaziergang querinselein. Da wäre die Cueva de Morgan, Morgans Höhle, die aber mitnichten den Schatz enthält; dann das eindrucksvolle Hoyo Soplador, das blasende Loch in der Kalksteinschicht am Ufer, das unterirdisch mit dem Meer verbunden ist und aus dem ein meterhoher Gischtstrahl schießt, wenn eine größere Welle heranschwappt. Suchen Sie sich Ihren Strand aus, kaufen Sie sich bei den Fischern ein zappelndes Mittagessen zum Selbstbraten, und teilen Sie eine kleine Bucht mit einer Handvoll Romantiker. Balsam für die Nerven.

Für etwa 100 Dollar kann man von Cartagena aus in zwei Flugstunden über das samtige Blau der Karibischen See diese Insel erreichen. Erlebnisreicher ist eine dreitägige Fahrt mit einem kleinen Frachter von Cartagena aus über die warmen Fluten. Das ist doppelt so schön und nur halb so teuer.

Johnny Cay

Etwa fünf Kilometer vor San Andrés liegt das winzige idyllische Eiland Johnny Cay. Hier gibt es nur Palmen, Sonne, Sand und Meer. Morgens fährt man mit einem Boot dorthin, abends wieder zurück, es sei denn, man möchte einmal im Leben eine Nacht im Sand unter sich wiegenden Palmenkronen und einem funkelnden Sternenhimmel beim gleichmäßigen Schlagen der Wellen verbringen. Ein überaus empfehlenswertes kleines Erlebnis.

El Acuario

»Das Aquarium« wird ein kleines Inselchen wenige hundert Meter vor San Andrés genannt, um das sich farbenprächtige Fische, deren Schatten über den weißen Meeresboden flirren, zu Myriaden tummeln.

Mit Maske, Schnorchel sowie Sandalen gegen die borstigen Seeigel kann man für Stunden in diese Wunderwelt tauchen. Mit einem Boot setzt man in wenigen Minuten über.

Providencia

Genauso teuer, aber nur halb so überlaufen wie San Andrés ist diese vor wenigen Jahren für Reisende entdeckte Tropeninsel. Sie ist 8 km lang, sehr bergig und liegt 80 km nordwestlich von San Andrés, eine halbe Flugstunde mit einer kleinen Propellermaschine entfernt. Nur wenige Touristen finden sich in der Handvoll einfacher Hotels und an den schönen Stränden ein. Die meisten Besucher sind Tagesgäste, so daß, wer hier bleibt seine Ruhe hat. Providencia ist – noch – ein Geheimtip.

EKUADOR

Bislang war der Name dieses Landes vielen nur deshalb geläufig, weil er auf den kleinen Aufklebern der Tischbananen prangt und nebenbei erwähnt wird, wenn im Fernsehen oder in Zeitschriften über die Galapagos-Inseln berichtet wird, ein Tierparadies, das von den Medien als Feigenblatt für das schlechte ökologische Gewissen einer Menschheit angeboten wird, die mit Tieren bislang wenig mehr im Sinn hatte, als die schönsten Raubkatzen in teure Pelzmäntel und die größten Wale in wohlfeile Margarine zu verwandeln.

Der Name Ekuador steht für die geographische Lage des Landes. Durch seinen Nordteil läuft jene imaginäre Linie, die Taille unser alten Erde mit einem Umfang von 40 000 km, deren Erreichen einst müßigen Schiffspassagieren die Erfindung der feucht-fröhlichen Äquatortaufe ermöglichte.

Im übrigen sprach man wenig über Ekuador – zu sehr lag es im touristischen Schatten seines großen Bruders Peru. In den letzten Jahren aber hat sich das geändert. Der Name fällt immer häufiger – und nicht nur in bezug auf Bananen und Schildkröten. Bei den Reiseveranstaltern gilt es mittlerweile als künftiges Ziel für vollbeladene Jumbos. Denn nicht nur ist Ekuador, mit 270 670 km² knapp größer als die BRD, touristisches Neuland, was ja schon viele Neugierige anlockt, sondern es hat auch eine Menge zu bieten. Vor allem landschaftlich.

An Inkaruinen gibt es, verglichen mit Peru, nur wenig. Dafür aber hat die Küstenebene vor einigen Jahren mit einer archäologischen Sensation ersten Ranges aufwarten können. Wie die begeisterten Forscher melden, sollen sich die wichtigsten Phasen der amerikanischen Frühgeschichte hier abgespielt haben. Um 8000 v. Chr. sind offenbar die ersten Sammler und Jäger in Ekuador und Südkolumbien seßhaft geworden, nachdem sie den Mais als Nahrungsmittel entdeckt hatten. Um 4000 v. Chr. erfanden sie dann – als erste in ganz Amerika – das Töpfern und verzierten die noch etwas ungeschlachten Gefäße mit Abdrücken von Maiskörnern. Aus gutem Grund, denn schließlich hatte die ursprünglich erdbeergroße Kolbenfrucht die Seßhaftigkeit, Grundvoraussetzung für die Entwicklung einer höheren Kultur, überhaupt erst möglich gemacht. Doch diese bislang namenlosen Früh-Amerikaner aßen nicht nur Mais. Ihre Speisekarte war recht abwechslungsreich, wie die Mengen Menschenknochen unter ihren Küchenabfällen am Fundort Loma Alta zu beweisen scheinen.

Dann ging es mit ihnen rapide aufwärts. Etwa zugleich mit der Töpferei hatten sie auch die Wirkung der Kokablätter und anderer natürlicher Rauschgifte erkannt, dank derer sie offenbar die Götter deutlicher sahen, was wiederum ihre künstlerische Kreativität beflügelte. Die Sippen wurden zu Religionsgemeinschaften, und Töpfer fertigten die ersten Abbildungen von Menschen an, anatomisch korrekt durchgebildet und von der Hüfte bis zu den Knien mit rot oder schwarz aufgemalten Hosen versehen – dabei kam diesen Ur-Menschen auch die Nacktheit wenigstens symbolisch abhanden, vielleicht eine Parallele zum biblischen Feigenblatt, das den Verlust der Unschuld dokumentiert.

Sich selbst sahen sie positiv. Die Gesichtszüge sind kräftig, charaktervoll und strahlen eine würdige Gelassenheit aus. Die war berechtigt, denn schließlich hatten sie den damals höchsten kulturellen Stand Amerikas erreicht. Sie, nicht etwa die dunklen Vorfahren der Olmeken und Mayas im fernen Mexiko, wie bislang gern vermutet wurde. Stand hier also die lange gesuchte Wiege der höheren amerikanischen Kulturen, deren Einfluß sich bis nach Mexiko erstreckt haben könnte? Denn dort fehlen noch die Belege für eine Frühkultur. Und es ist unwahrscheinlich, daß die mexikanischen Indianer von einem Tag auf den anderen das Jagen und Sammeln aufgegeben und mit dem Bau von Tempeln begonnen hätten.

Wie alle, die sich erfolgreich mit der Umgebung auseinandersetzen, hatten die Leute von Loma Alta einen klaren Blick für die greifbaren Realitäten und erreichten in einer späteren Phase ihrer Töpferkunst einen erstaunlichen Naturalismus. Tiere stellten sie so detailreich dar, daß man ohne weiteres die Art bestimmen kann, Pflanzen so minuziös, daß man fast erkennen kann, ob die tönerne Ananas reif oder noch grün ist. Als die Ägypter am Nildelta die Erfindung der Hieroglyphenschrift feierten, stellten diese Früh-Amerikaner ihresgleichen nicht mehr statisch dar, sondern erfaßten sie bereits in der Bewegung, als Akrobat, als Tänzer. Auch das Absonderliche interessierte sie. Einen Kranken modellierten die frühen Künstler von Chorrera am Rio Guayas so präzis, daß Ärzte nachträglich zehn Leiden an ihm diagnostizieren konnten. Sogar musikalisch waren sie und haben uns verraten, an welchen Klängen sie sich besonders erfreuten: Einige Gefäße haben eine oder zwei Öffnungen, die beim Entleeren des Inhalts einen wohlklingenden Pfeifton oder deren zwei – sorgsam aufeinander abgestimmt, um Mißklänge zu vermeiden – von sich geben.

So viel zusammenhängende frühe Kultur war wie Weihnachten für die Forscher, nicht nur was Amerika betraf. Lange nämlich schon hatten sie nach Funden einer Kultur ausgespäht, die sich völlig isoliert von anderen Kulturen auf anderen Erdteilen entwickelt haben könnte. Daran wollten sie ergründen, ob alle Formen menschlicher Weiterentwicklung zwangsläufig die gleichen Etappen durchlaufen – eine Frage, die auch für Soziologen interessant ist. Doch wo sie sich nun Antworten auf einen Stapel von Fragen erhofften, standen sie unvermittelt vor einem neuen Rätsel. Man hatte bei Ausgrabungen Nackenstützen gefunden und auf einem pfeifenden Krug das Abbild eines Hundes. Beides war der Forschung aus Ostasien bekannt. Dort erleichterten die Nackenstützen die Siesta der frühen Chinesen, die selbige Hunde als Fleischspender züchteten – zu der Zeit als die Germanen im heutigen Norddeutschland klobige Steine auf die Hünengräber wuchteten.

Das legt die Vermutung nahe, daß eine wie auch immer geartete Verbindung bestanden haben muß. Über den Pazifik aber sind es von Ekuador bis China mindestens 15 000 km.

Um 1000 v. Chr. büßten diese Leute ihre kulturelle Vormachtstellung allmählich ein, der Schwerpunkt verlagerte sich nach Süden, nach Peru, wo all das weitergeführt wurde, was sie entwickelt hatten. Ob es in den folgenden Jahrhunderten hier wirklich so ruhig wurde, wie es scheinen will, ist fraglich. Denn in einem verblüffenden System von ausgebauten Höhlen in der Nähe des Rio Santiago am Osthang der Anden – das Besuchern vorerst noch unzugänglich ist – sind handtuchgroße Platten aus Goldblech gefunden worden, verziert mit Zeichen, die man für eine Schrift halten könnte, und Abbildungen seltsamer Gestalten. Ihre Urheber waren zweifellos große Künstler, wie sie nur aus einer hochstehenden Kultur hervorgehen können, über die wir jedoch nichts wissen. Sicher ist auf jeden Fall, daß uns die Vergangenheit dieses Kontinents nur in Umrissen bekannt ist und daß der Boden noch weitere Überraschungen parat hält.

Soweit wir wissen, wurde Ekuador erst viel später, nämlich gegen Mitte des 15. Jahrhunderts, wieder wichtig. Die Inkas, auf der Höhe ihrer Macht, bauten eine Straße durch das nördliche Hochland und errichteten die zweitgrößte Stadt ihres Reiches: Quito. Dort regierte beim Erscheinen der Spanier Atahualpa, dessen Halbbruder Huascar in Cuzco saß. Von dem Streit um den Kaiserthron zwischen diesen beiden erfuhr Pizarro, als er 1527 in der Gegend um Guayaquil an Land ging, um sich Informationen zu beschaffen. Die Erkenntnisse, die er aus den Verhören gefangener Indianer gewann, verwertete er so teuflisch geschickt, daß man annehmen möchte, er habe alle Schriften von Nicolo Machiavell, vor allem »Il Principe«, bis auf die letzte Silbe verschlungen und verstanden; wenn man nicht wüßte, daß er Analphabet war. Geduldig wartete er auf den Ausbruch der Feindseligkeiten zwischen den beiden Thronfolgern und auf den Moment, wo das Reich geschwächt und verwundbar war. 1532 war es soweit. Nur drei Jahre brauchten er und seine rücksichtslosen Gesellen, um das Imperium zu zerschlagen.

Nutznießer der Eroberungsarbeit Pizarros wollte der Conquistador Pedro de Alvarado sein, der sich nach getaner Arbeit im mittelamerikanischen Guatemala langweilte. Er glaubte, Quito gehöre nicht mehr zum Hoheitsbereich von Pizarro, und machte sich auf den Weg, die dort vermuteten Schätze abzuräumen. Das kam Pizarro zu Ohren, er sandte Sebastián de Benalcázar im Galopp gen Norden, und der erreichte Quito nur wenige Tage vor Alvarado. Dieser dachte nicht daran, goldlos abzuziehen, man tauschte

EKUADOR

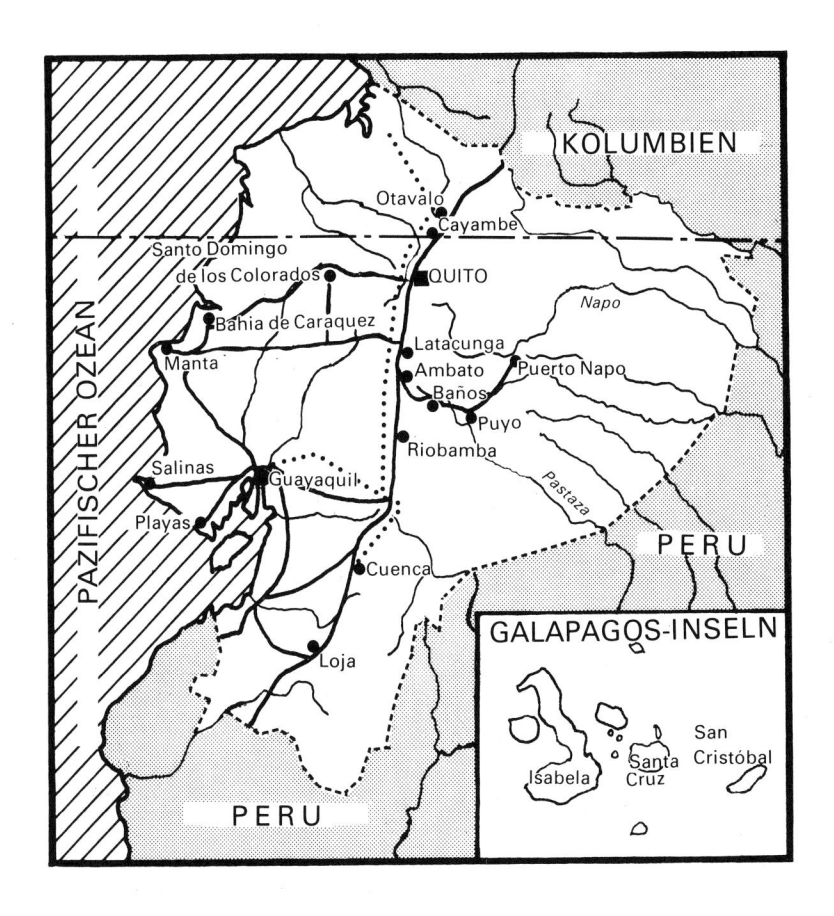

Entfernungen in km (Straße)

Quito–Cuenca	470	Guayaquil–Salinas	140
Quito–Guayaquil	450	Quito–San Domingo	130
Guayaquil–Cuenca	240	Quito–Otavalo	102

ehrverletzende Bemerkungen aus, und prompt schlugen sich zum ersten Mal in der neuen Welt Spanier gegenseitig die Köpfe ein. Alvarado erklärte sich schließlich bereit, das Feld zu räumen, wenn man ihm zuvor die hohen Reisekosten erstatten und ein deftiges Schmerzensgeld zahlen würde. Benalcázar willigte ein, denn er war sicher, in der Inkastadt Quito reiche Beute zu machen. Er hatte sich nicht getäuscht.

Lange Zeit blieb Quito ein von Lima vernachlässigtes Provinznest, obwohl es 1563 zur Audiencia des Vizekönigreiches erhoben wurde und damit eigene Gerichtshoheit bekam. Indes wuchs Guayaquil unten am Meer rasch zu einer bedeutenden Hafenstadt heran. Quito wurde nur deshalb nicht von der Welt abgeschnitten, weil durch das wunderschöne Andental die Straße von Lima nach Bogotá führte und man so die Entwicklung der hohen Politik verfolgen konnte, die ein wenig über die Köpfe der hier Ansässigen hinwegging. Also schloß man rasch Frieden mit den Indianern. Die etwas behäbig gewordenen Kämpfer der ersten Stunde, nun zu Großgrundbesitzern avanciert, vermählten sich mit schönen Indio-Prinzessinnen und schenkten ihre ganze Aufmerksamkeit dem Maisanbau. Die ruhige Landschaft war der rechte Rahmen, in dem man sich den Künsten widmen konnte. Renaissance und spanischer Barock wurden nun mit indianischen Motiven bereichert und die Stadt im neuen Stil großartig herausgeputzt. Da es hier kaum so grauenhafte Erdbeben gegeben hat wie in Lima oder Cuzco, ist die alte Pracht gottlob stehengeblieben. Vom Standpunkt der Kolonialkunst aus gesehen, ist Quito mit Abstand die schönste Hauptstadt Südamerikas. Nicht nur äußerlich. Um die großartigen Gotteshäuser zu schmücken, wurden viele Maler und Bildhauer angelockt. Sie gründeten die »Schule von Quito«, von der viele Kenner meinen, sie hätte in der Malerei und vor allem in der Bildhauerei die Schule von Cuzco weit hinter sich gelassen, nicht zuletzt dank des Malers Miguel de Santiago und des Bildhauers Manuel Chili.

Früh fing man hier an, sich Gedanken über die Unabhängigkeit zu machen. Bereits gegen Ende des 18. Jahrhunderts wurde die separatistische Stimmung von den Schriften des »Indio Espejo« angeheizt. 1809 wurde eine Gegenregierung gebildet, die von den Spaniern 1812 blutig niedergeschlagen wurde. Schließlich gelang der große Coup 1822 mit kräftiger Hilfe von Bolivar, San Martín und Sucre, die den Vizekönig Aymerich zur Aufgabe der Stadt Quito zwangen. Bis 1830 gehörte Ecuador zu Groß-Kolumbien. Dann sagte es sich los und wurde selbständig.

Gemessen an der hektischen Polit-Aktivität der Nachbarländer verlief der Rest des 19. Jahrhunderts hier relativ ruhig, es gab nur ein Drittel soviel Putsche und Revolutionen. Etwas farbenfroher ging es zu Beginn unseres Jahrhunderts zu. 1912 wurde sogar der komplette Parteivorstand der »Alfaristas« samt Ex-Präsident Alfaro vom Volk gelyncht. 1931 ein weiteres Kuriosum: Wahlsieger wird Neftalí Bonifaz und damit zum neuen Präsidenten. Als er sich jedoch hinter den wichtigsten Schreibtisch des Landes setzen will, stellt der Kongreß fest, daß er Peruaner ist und folglich im Lande nichts verloren hat, zumindest nicht auf dem pompösen Sessel.

Darüber hinaus hat Ekuador die politische Szenerie um eine denkwürdige Figur bereichert – um ein staatsmännisches Stehaufmännchen. José Maria Velasco Ibarra hieß er und hat etwas Niedagewesenes fertiggebracht: 1934 wurde er zum Präsidenten gewählt und 1935 gewaltsam abgesetzt. 1944 wurde er erneut gewählt und 1947 erneut verjagt. 1952 siegte er wieder und durfte zum ersten Mal die vierjährige Amtszeit vollenden. 1960 gewann er nochmals die Wahlen, wurde aber bereits 1961 von den Militärs entmachtet. 1968 hievte ihn das Volk erneut auf den Präsidentensessel. Aus beachtlicher Erfahrung klug geworden, versuchte er, dem erwarteten Putsch zuvorzukommen, indem er die Militärs entmachtete. Weise und wohl auch ein wenig halsstarrig geworden, hielt er nun die absolute Macht für die übersichtlichste Weise, ein Land zu führen, und ernannte sich zum Diktator. Es gelang ihm auch noch, die Revolte von 1971 niederzuschlagen, nicht aber die von 1972. Die Militärs übergaben schließlich 1978 freiwillig die Macht an den frei gewählten Jaime Roldós ab. 1984 trat nach langer Zeit wieder einmal ein Präsident regulär sein Amt an seinen frei gewählten Nachfolger ab.

Das Land, in dessen Geschicke die Militärs immer wieder entscheidend eingegriffen haben, ist landschaftlich beneidenswert schön und abwechslungsreich, obwohl die Kontraste nicht so frappierend sind wie in Peru. Ein Viertel seiner Fläche nimmt die tropisch heiße, im Norden mit üppiger Vegetation überwucherte Küstenebene am Pazifik ein. Östlich davon ragt die erste Andenkette empor. Dahinter liegt das anmutige, schmale Hochplateau, das, von Norden nach Süden verlaufend, in zehn Becken unterteilt ist; hinter der zweiten Andenkette unter waberndem heißem Dunst dann das wirtschaftlich vielversprechende Amazonastiefland, das ebenfalls ein Viertel der Landesfläche bedeckt.

Bis vor wenigen Jahren bestritt Ekuador 90% des Exports mit Agrarprodukten, hauptsächlich Bananen, was dem Land die Bezeichnung »Bananenrepublik« bescherte. Hinzu kamen Kaffee, Kakao und Zucker. Mit deren Anbau aber ist die wirtschaftliche Kapazität Ekuadors noch lange nicht ausgelastet. Nur 5% der landwirtschaftlich nutzbaren Fläche werden bebaut und mit dem Ertrag die Eigenversorgung und der Export bestritten, der bislang für eine leidlich ausgeglichene Außenhandelsbilanz gesorgt hat. Was dieses Land nach einer längst überfälligen, konsequenten Bodenreform produzieren könnte, kann man nur träumen. Neuerdings aber zeichnet sich – auch ohne Bodenreform – eine rosige Zukunft am tropischen Himmel ab. Im Osten des Landes fand man Erdöl. Nach zwei Jahren bereits war die Eigenversorgung sichergestellt, und der Export begann. 1973 übertraf der Verkaufserlös des Schwarzen Goldes erstmals den der krummen gelben Früchte. Ekuador wurde in den exklusiven OPEC-Club aufgenommen und zum wichtigsten Erdölexporteur Südamerikas nach Venezuela. Zum Ölboom, dessen Auswirkungen die archaische Wirtschaftsstruktur sichtlich belasten und der hoffnungsvolle Unternehmer aus den Nachbarländern in Scharen anlockt, kommt in letzter Zeit auch ein zaghafter Tourismusboom. Anfänglich machten hier Besucher nur auf der Durchreise zu den Galapagos halt, als notwendiges Übel gewissermaßen. Dann aber stellten sie überrascht fest, daß es sich lohnt, ein paar Tage zu verweilen.

Quito

Quito ist heute die Hauptstadt Ekuadors, wie es früher die Hauptstadt des nördlichen Inkareichs war. Hier allerdings wurde die neue Stadt nicht – wie in Cuzco – unter Beibehaltung der alten Straßen und der Fundamente der Paläste und Häuser aufgebaut; hier gingen die Spanier erst einmal gründlich zu Werk. Alles, was die Indios in den beiden Ebenen Rumibamba und Turubamba aufgebaut hatten, wurde bis auf den letzten Stein geschleift. Ihrer Zerstörungswut entging lediglich der kleine Tempel auf dem Panecillo-Hügel.

Wunderschön anzusehen ist die Stadt, wenn das Flugzeug beim Landeanflug in das Hochtal einschwebt. Sie wird beschützt vom 4776 m hohen Vulkan Pichincha mit einer unverwechselbaren ausgezackten Spitze. Lava und Asche seiner Ausbrüche haben die Formen an dieser Stelle des Tals lieblich abgerundet und den Boden dauerhaft gedüngt. Denn die Lavaasche tötet nur zu Anfang die Vegetation. Einige Jahre später wächst darauf alles, was das Herz begehrt. Die zahllosen Felder, an die Hänge hingetupft, beweisen es.

Beim Aussteigen eine Überraschung: Die Luft ist frühlingshaft frisch – aber auch dünn, so daß man unwillkürlich das Atmen beschleunigt. Quito liegt auf 2850 m und ist damit – nach La Paz – die zweithöchste Hauptstadt der Welt. Außerdem ist sie, nach Bogotá, mit 900 000 Einwohnern die zweitgrößte Andenstadt. Die Temperatur beträgt im Jahresmittel 13 Grad, was man eigentlich von einer Stadt nur 25 km vom Äquator nicht erwartet hat, denn die gängige Assoziation mit diesem Wort ist immer ein dampfender Urwald mit Baumriesen, auf denen bösäugige Pythonschlangen dösen.

Quito ist eine ruhige Stadt, in der mehr verwaltet als produziert wird. Zwar sitzt hier der Präsident des Landes, zwar stehen hier die beiden größten Universitäten Ekuadors, die großen Geschäfte aber, die die Zukunft des Landes bestimmen, werden im heißen Guayaquil gemacht, jener Hafenstadt, die Quito bereits vor vielen Jahren den Rang als größte und bedeutendste Stadt abgelaufen hat.

Auch würde geschäftliche Hektik nicht zu dieser Stadt passen, deren liebevoll instand gehaltene Altstadt – eigentlich ein überdimensioniertes Freilichtmuseum für allerlei Schönes aus der Kolonialzeit – die bedächtige Atmosphäre Quitos prägt, die auch nicht der weitläufige moderne Teil zerstören kann. Nirgendwo anders in Ekuador läßt es sich besser leben. Da aber das Geld nicht hier gemacht wird, haben betuchte Geschäftsleute schnell eine Lösung gefunden. Die Büros sind in Guayaquil, Frau und Kinder in Quito.

Vom nahen Flughafen Mariscal Sucre, benannt nach einem der Befreier, bringt Sie ein Bus oder Taxi zu dem am Flughafen bereits ausgewählten Hotel in der Altstadt, wo Sie bis zu den Sehenswürdigkeiten nur ein paar Schritte zu gehen haben.

Nach einer guten Nachtruhe oder mindestens einer ausgiebigen Siesta, um sich an die Höhe zu gewöhnen, kann es losgehen.

Wenn Sie einen Überblick über die Stadt und ihre Umgebung haben wollen, müssen Sie als erstes auf den Cerro Panecillo, wörtlich Brötchen-Hügel, der diesen Namen seiner eigenwilligen Form verdankt. 183 m ist er hoch, und seine Flanken sind von mittags bis spät abends von Picknickern, Spaziergängern, Kindern und Liebespärchen belagert. Hier haben Sie die Stadt zu ihren Füßen. Im Norden das durchgrünte, offene neue Quito, durchaus einen neugierigen Spaziergang wert, um zu sehen, was man hier unter gut und modern leben versteht; im Südwesten das alte Quito, anzusehen, als wäre die Zeit spurlos daran vorbeigegangen: winklige, enge Gassen mit groben Pflastersteinen, gesäumt von flachen Häusern, deren ineinander verschachtelte Ziegeldächer ein wogendes Meer aus zahllosen Rotschattierungen bilden. Mitten hindurch windet sich die steinige Schlucht des Rio Machángara. Über sie führen malerische alte Steinbrücken zu den Gassen an den Hängen und zu den drei Plätzen, an denen die wichtigsten der rund 90 Kirchen Quitos stehen.

Gewiß, Kirchen zu bestaunen ist nicht das Wichtigste an einer Reise durch diese Länder, und wenn man zehn Gotteshäuser gesehen hat, kann man sich ein recht gutes Bild der kolonialen Sakralbaukunst machen. Hier aber muß man das Dutzend voll machen. Die Kirchen sind das Schönste, was Quito zu bieten hat – sie bekehren selbst Gleichgültige durch ihre unfaßbare Pracht.

Ein Rundgang sollte bei der schönen *Plaza Independencia*, dem Platz der Unabhängigkeit, beginnen, so getauft, weil die Ekuadorianer – wie alle anderen Lateinamerikaner – das vor über 150 Jahren stattgefundene Ereignis immer noch für das wichtigste geschichtliche Datum überhaupt halten und es bei jeder Gelegenheit, passend oder nicht, vollmundig beschwören.

Die *Kathedrale*, ein fast drohender Bau mit schwerer Steinfassade und grün gekachelter Kuppel, trägt außen Plaketten mit den Namen der verherrlichten Unabhängigkeitskämpfer. In ihr ruhen die Gebeine des Marschalls Sucre. Berühmt ist sie wegen der vom Indio Manuel Chili, genannt Caspicara, Pockengesicht, gemalten Kreuzabnahme Christi, mit der dieser Bildhauer bewies, daß er auch ein begnadeter Maler war. Es ist eines der wichtigsten Werke der Schule von Quito.

Der Regierungspalast, *Palacio de Gobierno*, liegt ebenfalls an diesem Platz mit dem wuchtigen Unabhängigkeitsdenkmal. Den Präsidenten im zweiten Stock darf man nicht stören, aber im ersten ein bombastisches Wandmosaik bewundern, auf dem die todesmutige Amazonas-Entdeckungsfahrt des Francisco de Orellana polychrom verewigt ist.

Die Klosterkirche *San Francisco* erreicht man ein paar Straßen weiter. Mit ihrem Bau wurde gleich nach der Eroberung begonnen. Vor ihr thront das Standbild des flämischen Franziskanerfraters Jodoco Ricke, der sich um das Wohl des Landes verdient machte, indem er den Weizen einführte. Lassen Sie sich nicht von der vergleichsweise schlichten Fassade täuschen. Im Innern erwarten Sie atemberaubende Kostbarkeiten. Unter der prächtigen Holzdecke im Mudéjar-Stil glänzt allenthalben Gold und Silber. Da stehen, von Caspicara geschnitzt, die zwölf Apostel, da prangt das erlesene Chorgestühl. Überall hängen bedeutende Gemälde, die sich überwiegend mit dem Leben des heiligen Franziskus beschäftigen.

Den *Alameda-Park*, eine willkommene, schattige Oase, schmücken ein Denkmal von Bolivar in heldenhafter Pose und eine maßstabgetreue Nachbildung Ekuadors im Relief, eine große Hilfe, um sich mit der Topographie des Landes vertraut zu machen.

Die *Plaza Santo Domingo*, auch *Plaza Sucre* genannt, schmückt eine sinnfällige Statue des Helden. Mit stolzer Gebärde weist er, gewissermaßen als kleine Orientierungshilfe, auf die Stelle am Hang des Pichincha, wo er die königstreuen Spanier entscheidend schlug. Santo Domingo heißt dieser Platz deshalb, weil an ihm die gleichnamige Klosterkirche steht, deren Schnitzereien und verschwenderisch ausgestattete Kapellen man bewundern sollte.

Die Besichtigung der Jesuitenkirche *La Compañia* ist ein Ereignis! Sie gilt als das künstlerisch wertvollste Gotteshaus Lateinamerikas. Sie ist auch eines der reichsten. Sinneverwirrend ist bereits ihre Fassade, in der die spielerische Bewegtheit des Barock in hellem Stein eingefangen und verklärt wurde. Erträumt wurde sie von einem deutschen und einem italienischen Jesuiten. Nach einem Rundgang durch ihr kühles Schiff, vorbei an bemalten Säulen, am überwältigenden goldenen Altar und den zehn vergoldeten Nebenaltären, sollte man sich schleunigst hinsetzen, um von dieser Explosion an barocker Gestaltungsbegeisterung nicht schier umgeworfen zu werden. So etwas hat man sich in Europa nie träumen lassen! Hier durfte im 17. und 18. Jahrhundert ein Heer von Künstlern, berauscht von der schier endlosen Verfügbarkeit von Gold und Silber, Meisterwerke schaffen. Sie werden sich kaum vorstellen können, daß die wichtigsten Kunstwerke nicht hier sind, sondern in der Zentralbank. So auch die »Muttergottes der Schmerzen« aus Gold und Smaragden im Wert von 10 Millionen Dollar. Sie wird nur bei wichtigen Prozessionen gezeigt. Das Risiko, sie ungeschützt in der Kirche stehen zu lassen, ist den Patres in dieser gottlosen Zeit wohl doch zu groß.

Wenn Sie ihren Spaziergang noch etwas ausdehnen, werden Sie in den vielen Kirchen, die letztlich die schönsten Museen Quitos sind, zahllose Gemälde und Schnitzereien der Schule von Quito bewundern können. So in der Klosterkirche *La Merced*, deren Turmuhr eine Zwillingsschwester des Big Ben ist, oder im Kloster *San Diego*, wo – als aparte Variante – die Kleider der gemalten Heiligen in einer Vorahnung der Collage-Technik auf die Leinwand genäht sind. Auch einzigartige Straßenbilder werden Sie entdecken: Die *Calle Roca* zum Beispiel, bei deren Anblick jeder moderne Architekt und Stadtplaner Albträume bekommt. Die Häuser sind als Moscheen, Burgen und Schlösser gebaut, deren Originale die hiesigen Architekten auf Postkarten gesehen haben mögen. Ihre Interpretation der kleinen Abbildungen ist überwältigend. Damit nicht genug, schien der natürliche Stein ihren gewagten Phantasieprodukten nicht gerecht zu werden, und so wurden sie zu allem Überfluß noch in den schreiendsten Farben überpinselt. Um sich dieses Bild aus dem Kopf zu jagen, sollten Sie schleunigst Ihren Spaziergang mit einem Abstecher in die *Calle Morales*, auch *Calle de la Ronda* genannt, beschließen. Dicht aneinandergeschmiegt stehen schlichte kleine Häuschen, fest gemauert und mit hellen Farben bemalt. Hier ist die Altstadt am schönsten, weil sie trotz ihrer unversehrten Kolonialatmosphäre nicht museal wirkt, sondern von Leben durchpulst ist.

Wenn Sie Geld wechseln müssen, tun Sie es in der Zentralbank, im *Banco Central del Ecuador*, und begeben Sie sich anschließend per Aufzug in den fünften und dann in den sechsten Stock. In dieser nüchternen Umgebung ist das sehenswerteste Museum Ekuadors untergebracht. Hier, streng bewacht, liegt das Schönste und Wertvollste, was die größten Künstler des Landes – von der Frühgeschichte bis zum 19. Jahrhundert – geschaffen haben.

Um nach soviel Kolonialem und Geschichtlichem wieder den Anschluß an das 20. Jahrhundert zu bekommen, sollten Sie zur *Ciudad Universitaria*, zur Universitätsstadt hinausfahren, wo in parkähnlicher Umgebung Tausende von Studenten für eine bessere Zukunft pauken.

An Ablenkung von den kleinen Alltagssorgen bietet Quito im Dezember Stierkämpfe in der *Plaza Monumental;* samstags und sonntags Pferderennen auf der *Rennbahn La Carolina*, wo die zweitbesten Freunde der Menschen unter lauten Zurufen des wettfreudigen Publikums japsend durch die dünne Luft ins Ziel gepeitscht werden; ferner Hahnenkämpfe, die man sich als Kuriosität voller Lokalkolorit getrost einmal anschauen sollte, und schließlich das einzigartige Spiel Pelota de Guante, was man mit »Handschuhball« übersetzen kann. Es ist eine Mischung aus Völker- und Volleyball, bei dem es darum geht, eine gewichtige Kugel mit einem 10 kg schweren Schläger über das Netz zu wuchten. Samstags und sonntags wird diese schweißtreibende Sportart dem begeisterten Publikum im *Estadio Mejía* vorgeführt.

Nachdem die Sonne, wie es sich am Äquator gehört, um Punkt 18 Uhr untergegangen ist, wird es Zeit, sich im Hotel ein Stündchen zu entspannen und sich dabei auf die kleinen Freuden zu besinnen, bei denen man nicht mehr den Geruch von Weihrauch in der Nase hat, sondern den Duft einer kundig komponierten Abendmahlzeit.

Quito by night

Diese Überschrift ist vielleicht etwas vielversprechend, soll aber an dieser Stelle stehen, weil wir es bei den anderen Hauptstädten auch so machen. Abendliche Aufregung wird in Quito klein geschrieben, nicht aber gemütliche Entspannung.

Gepflegtes ekuadorianisches Ambiente und eine gute Speisekarte mit lokalen und internationalen Gerichten finden sie im »La Choza«, Avenida 12 de Octubre 1600. Trotz Bambusdach und ländlichem Flair geht es hier recht vornehm zu. Um eine Krawatte kommt man nicht herum. Fast ebenso gute Küche und eine wundervolle Aussicht bietet das »El Panecillo« auf jenem Hügel, von dem Sie wenige Stunden zuvor die Hauptstadt überblickt haben. Chinesisch gefällig? Von vielen unerwartet gibt es hier ein gutes Dutzend guter bis ausgezeichneter chinesischer Restaurants. Mal etwas lohnendes anderes. Wer sich des Plagiats schuldig macht, muß sich einen Vergleich gefallen lassen: Zweimal gibt es in Quito »Las Cuevas de Luis Candelas«, zwei Restaurants, die von ihrem gemeinsamen Besitzer nach der berühmten madrilenischen Flamenco-Höhle benannt worden sind. Mit dem Original kommen sie beide – wie zu erwarten – nicht mit. Er hat sich aber mit Atmosphäre und Speisekarte redliche Mühe gegeben, und sie gehören beide zu den beliebtesten Lokalen Quitos. Das erste, Calama 234, ist kolonial gehalten und mit Stierkampf- und Flamenco-Motiven dekoriert. Das zweite, Benalcázar 709, in der Altstadt, ist einer kühlen Höhle nachempfunden.

Nach dem Abendessen sollten Sie sich eine seltene Attraktion nicht entgehen lassen. Beim Besuch des Alameda-Parks können Sie sich am Nachmittag für einen nächtlichen Blick ins Firmament durch das Teleskop des Observatoriums vormerken lassen.

Nach den Sternen greifen kann man im Kasino des Hotels »Quito Intercontinental«, wo die fein herausgeputzte Elite lässig die Chips auf den grünen Filz gleiten läßt. Wer gute Musik mehr schätzt als das erregende Klickern der Roulettekugel, findet im Nachtclub gleich neben dem Spielsaal dezente Stimmung und im siebten Stock eine Dachbar für ungestörte Augenblicke bei märchenhaftem Ausblick.

Anders als viele Restaurants, in denen mitunter schon um 22 Uhr die Stühle hochgestellt werden, bleiben die Diskotheken offen, bis die Tänzer keinen Fuß mehr vor den anderen setzen können. Um diesen Zustand zu vermeiden, sollten Sie, als höhenungewohnter Besucher, Ihre gewohnte Alkoholration halbieren und öfters mal einem Blues den Vorzug geben. Auch Quito hat die »peñas« entdeckt, kleine einfache Restaurants, in denen es nicht auf Dekoration, sondern auf das Publikum und das »ambiente« ankommt: Folklore-Kneipen voll junger Leute, die sich vor allem mit Begeisterung der einheimischen Musik hingeben und nach der Show selbst ihr Können vorführen.

Obwohl die Ekuadorianer Damen gegenüber sehr zuvorkommend sind, wimmelt man sie – auch in Gruppen – an den Türen höflich aber bestimmt ab. Doch Justitia schläft nicht: Herren ohne Begleitung müssen auch vor der Tür bleiben.

Dunkle kleine Clubs, deren Shows man guten Freunden hinter vorgehaltener Hand beschreibt, gibt es kaum. Wo es für hiesige Verhältnisse schon verrufen zugeht, erfährt man vom Empfangschef nach einigen Minuten zwangloser Unterhaltung.

Shopping

Märkte, auf denen – wie in La Paz – man die Indioseele pur erleben kann, gibt es in Quito kaum. Um als erfahrener Souvenir-Jäger reiche Beute zu machen, muß man nach Otavalo, Ambato oder zu anderen Orten fahren, die für ihre Märkte berühmt sind. Das einheimische Kunsthandwerk scheint noch nicht den rechten Impuls bekommen zu haben – das Angebot jedenfalls ist nicht mit dem Perus vergleichbar. Hier eine kleine Auswahl:

Tsantsas werden die Schrumpfköpfe genannt, jene Trophäen aus Menschenköpfen, mit denen verdiente Krieger fast im ganzen Amazonasgebiet ihre Hütten schmückten. Die echten sind kaum noch zu finden, da der Hersteller bei der Beschaffung von Rohmaterial jedesmal 20 Jahre Zuchthaus riskiert. Heute müssen Ziegen, mitunter auch Affen, ihr Fell dafür lassen. Mit bunten Bändern verziert stehen sie in Reih und Glied in den Auslagen.

Panamahüte werden seit ihrer Erfindung allein in Ekuador hergestellt, die Welt beharrt aber weiterhin darauf, ihnen ein falsches Ursprungsland zuzuschreiben. Die besten sind so gut gearbeitet, daß man getrost aus Versehen einige Stunden auf ihnen sitzen bleiben kann, ohne daß sie ihre Formschönheit merklich einbüßen.

Wolle, zu dekorativen Wandteppichen mit indianischen Motiven geknüpft, findet man im »Folklore Olga Fisch«, Avenida Colón 260, in Quito. Ferner macht man daraus hübsche Ponchos und andere Bekleidungsartikel.

Holz ist ein überaus beliebtes Arbeitsmaterial. Man fertigt daraus schreckeinflößende Teufelsmasken, Schmuckkästchen, Spielzeug, Schachfiguren und vieles mehr.

Ton, zu Vasen, Figuren und Gefäßen aller Art geformt, verdient einen Kennerblick.

Schmuck aus Silber, Gold und Edelsteinen ist wieder gefragt. Mit den peruanischen kommen die hiesigen Gold- und Silberschmiede noch nicht ganz mit.

Gemälde, die denen, die Sie in den Kirchen bewundert haben, bis auf den letzten Pinselstrich gleichen, werden Sie oft angeboten bekommen; ebenso verklärt blickende geschnitzte Heilige, komplett mit Rissen und Wurmstichen. Es sind ausnahmslos gekonnte Fälschungen, über die sich schon mancher Kunstfreund daheim grün geärgert hat. Wenn man sich auf einen gerechten Preis einigen kann, lohnen sie durchaus eine kleine Investition, denn auch für eine gute Kopie braucht es Talent.

Stoffe: Die Otavalo-Indios weben Tweed-Stoffe, wie man sie in London kaum besser finden kann. Hier kosten sie nur halb so viel wie an der Themse. Sie wären nicht der erste, der drei Meter für einen Anzug mitnimmt.

Wenn Sie nicht zu den berühmten Marktplätzen fahren sollten, schauen Sie sich in Quito rasch um. Eine gute Adresse: Akios, Calle Gorivar 236.

Transport in Quito

Taxis haben keinen Taxameter. Erfragen Sie den Tarif im Hotel und sprechen Sie den Preis mit dem Fahrer ab. Taxifahren ist hier so billig, daß Sie nicht ärmer werden, wenn der Fahrer an Ihnen seinen lächerlichen Lohn etwas aufbessert.

Colectivos sind hier keine Sammeltaxis, sondern flinke, billige Kleinbusse. Ihre Routen kann man sich leicht merken, da sie meist nur die Hauptstraßen hinauf und hinunter fahren.

Busse gibt es hier in zwei Versionen. Die mit der Aufschrift »Especial« nehmen nur soviel Fahrgäste mit, wie sie Sitzplätze haben. Wer 2 Pfennige sparen will, sollte die anderen nehmen. Dann kommt er mit den Indios in allerengste Tuchfühlung und muß auf seine Habseligkeiten achten.

Ausgangspunkt Quito

Zum Äquator – Rechtes Bein, linkes Bein

Im Jahre 1735 rammte hier Charles de la Contamine zufrieden einen Pflock in den Boden. Tagelang hatte er mit Kompaß, Sextanten und anderem komplizierten Gerät zur Himmelsbeobachtung den imaginären, nur auf Landkarten vorhandenen Strich gesucht, der die nördliche Halbkugel von der südlichen trennt. Jetzt stand er auf der 40 000 km messenden Taille unserer Mutter Erde.

Der von ihm gezogene Strich liegt 25 km nördlich von Quito und ist selbstredend die Attraktion in unmittelbarer Nähe der Hauptstadt. Auf einem gewaltigen Steinsockel ruht eine vergleichsweise winzige Erdkugel. Daneben steht ein kleines Museum, das man sowohl von der nördlichen als von der südlichen Halbkugel betreten kann. Darin sind Funde von nahen

Tempeln ausgestellt, in denen die Inkas ihren Sonnenkult zelebrierten. Und da ist natürlich der berühmte Trennungsstrich, über dem sich Tag um Tag die Besucher gleichermaßen aufbauen: ein Bein im Norden, ein Bein im Süden – bitte, recht freundlich und Klick für das Familienalbum.

Beinahe unglaublich, wie präzis der französische Edelmann mit den damaligen Instrumenten gemessen hat: Der mathematische Äquator, der wahre, erstreckt sich – wie 1949 von Astronomen nachgerechnet – nur 180 Meter weiter nördlich. Er ist bei der Ortschaft Cayambe nahe der Panamerican Highway markiert. Eine Plakette und ein kleines Denkmal, um die sich niemand so recht kümmern will, zeigen den Ort an, wo man, auf 0°0'0", mittags keinen Schatten mehr wirft. Mittag ist aber erst um 12.14 Uhr, wie die Astronomen ebenfalls herausgefunden haben.

Die Tradition hat den Vorrang vor der Genauigkeit. Der falsche Äquator zieht weiterhin die Massen an.

Otavalo – Verkaufsschlacht im Morgengrauen

Zur zweiten großen Attraktion in der Umgebung von Quito muß man 102 km weit nach Norden fahren. Die Fahrt, mit Bahn oder Bus, ist landschaftlich sehr reizvoll. Man schlängelt sich hinab in die Guallabamba-Schlucht und wieder heraus zum gleichnamigen Dorf, berühmt wegen seiner dunkelgrünen, festen Avocado-Früchte. Dahinter liegt eine öde, knochentrockene Andensteppe, an der Cayambe fast genau auf dem Äquator liegt. Dann geht es wieder hinab in eine Bilderbuchlandschaft mit Seen, Wiesen, Weiden und Dörfchen, genannt Imbabura, Heimat der Otavalo-Indios, eines erstaunlich hellhäutigen Stammes, der in der letzten Generation aus seiner Passivität herausgekommen ist und nun – ein in Lateinamerika überaus seltenes Ereignis – eine nie dagewesene Blüte erlebt. Aus eigener Kraft sind sie emporgekommen durch intensiven Handel, Landkäufe und unternehmerisches Geschick. Irgendwann muß ihnen mal ein Engländer über den Weg gelaufen sein, dessen Kleiderstoff sie begeisterte. Denn vor etwa dreißig Jahren begannen sie, Tweed-Stoffe herzustellen, die prompt zu einem Verkaufsschlager wurden.

Beladen mit dicken Stoffballen wandern Otavalo-Indios auch in den angrenzenden Ländern umher, um auf den Märkten dieses schöne Tuch in ihrer sanften Art feilzuhalten. Sie selbst aber kleiden sich traditionell: kurze weiße Hosen, rote oder blaue Ponchos.

Wie es sich für ein geschäftstüchtiges Völkchen gehört, ist ihre Hauptsiedlung Otavalo, 18 000 Einwohner, auf 2530 m gelegen, zu einem wichtigen Warenumschlagplatz geworden. Und da erfahrungsgemäß lateinamerikanische Märkte auch Ströme von Fremden anlocken, wurde Otavalo ein touristischer Hit.

Allerdings ist ein Marktbesuch etwas für Frühaufsteher. Wer sich urlaubsmäßig erst gegen neun aus den Decken pellt, hat das Beste schon verpaßt. Darum sollte man schon am Freitagnachmittag nach Otavalo fahren oder aber gleich nach dem Einschlafen wieder aufstehen, um in aller samstäglichen Herrgottsfrühe hier einzutreffen. Die erste Lösung ist vielleicht die bessere, denn so erlebt man noch die nächtlichen Vorbereitungen. Ein Heer von Händlern schleppt mit ameisenhaftem Eifer in stockdüsterer Nacht lastwagenweise Güter herbei und baut sie auf.

Sobald sich die Sonne erhebt – schlag sechs, denn hier ist sie immer pünktlich – beginnt ein Schachern wie in einem arabischen Souk. Doch ohne ein lautes Wort. Es wird zäh gerungen. Die sonst glatten Gesichter der Indios liegen in tiefen Sorgenfalten, ihre Hände umklammern angestrengt Geld und Ware. Blicke, die Bände sprechen, sollen den Gegner mürbe machen. Man muß sich einfach in unauffälliger Entfernung klein machen und zuschauen.

Im Grunde sind es drei Märkte. Einer für Wolle und Stoffe, auf dem sich die meisten verschlafenen Bleichgesichter drängen, der Viehmarkt und der Gemüsemarkt. Dazwischen zahllose Stände mit allerlei Nützlichem und Mitnehmenswertem.

Bringen Sie etwa doppelt soviel mit, wie Sie im Höchstfall ausgeben wollen. Es wird knapp reichen. Und machen Sie sich bereit, den Indios zu erklären, warum Sie als zivilisierter Mensch mit einem Poncho aus hochmodernen Synthetikfasern nichts anfangen können, sondern auf einem aus der veralteten Schafwolle bestehen, deren natürliche Herkunft man obendrein noch riechen kann. Das stellt die kleine Lebensphilosophie der Indios auf den Kopf, mit der sie Anschluß an die moderne Zeit finden wollen.

Zum verbalen Clinch um Preise ist zu dieser frühen Stunde nicht jeder bereit, man sollte sich aber Mühe geben. Denn der Höhepunkt der Verkaufsschlacht wird um sieben erreicht, um neun hat bereits das Beste den Besitzer gewechselt, um zwölf werden die Stände abgebaut. Nur auf dem Viktualienmarkt wird noch um Wagenladungen exotischer Früchte und Gemüsesorten gerungen.

Die Otavalo-Indios lassen die fremden Händler ungern mit gefüllten Taschen wieder ziehen. So haben sie auch für Vergnügungen gesorgt, bei denen diese einen Teil des Verdienstes im Ort lassen. Nach Mittagsmahl und Siesta beginnen die Hahnenkämpfe, bei denen jene Hinterhofgladiatoren, die noch einmal dem Kochtopf entronnen sind, unter Bravorufen und Flüchen ihren dünnen Lebensfaden verteidigen müssen. Ende Juni gibt es als besondere Attraktion reichlich provinzielle und darum sehenswerte Stierkämpfe sowie Regatten auf dem nahen San-Pablo-See.

Höhepunkt des Jahres aber ist die Fiesta del Yamor Anfang September, ein Fest, das tanzfreudige Indios von fern und nah anlockt. Und natürlich ganze Busladungen von Touristen, die sich bald in einem Meer von knallbunten Ponchos verlaufen.

Diese Betonkugel wenige Kilometer außerhalb von Quito, der Hauptstadt Ekuadors, kennzeichnet den 1949 festgelegten Verlauf des Äquators, von dem dieses Land seinen Namen abgeleitet hat. Das Monument auf dem unteren Bild steht dort, wo 1735 der Franzose Charles de la Contamine glaubte, den Äquator gefunden zu haben. Daß dieser Äquator der »falsche« ist – der Graf hatte sich damals allerdings nur um 180 Meter verrechnet – kann die Besucher nicht davon abhalten, hierher zu fahren und sich – ein Bein auf der nördlichen, das andere auf der südlichen Erdhalbkugel – fürs Familienalbum ablichten zu lassen.

Otavalo ist der meistbesuchte Markt in Ekuador. Jedes Wochenende zieht er Scharen von Indianern aus der Umgebung an, die hier nicht nur Waren, sondern auch Informationen austauschen; der Marktbesuch ersetzt den weitgehend analphabetischen Indios das Zeitunglesen. Die Frauen verstehen hier am besten, mit dem wenigen Geld umzugehen. Sie dürfen sich dann unter den mageren schwarzen Schweinen das beste aussuchen – für diese Menschen eine große Investition.

Am Markttag ändert sich Otavalo schlagartig. In den Arkaden werden Restaurants improvisiert, deren Speisekarte nur abgehärteten Naturen empfohlen werden kann, die auch mal gerne ein gebackenes Meerschweinchen probieren möchte. Wie überall in den Anden, trifft man auch hier Koka-Kauer. Apathisch vom Genuß der kokainhaltigen Blätter, scheinen sie das lebenspralle Treiben nicht mehr wahrzunehmen. Kinder sind auf dem Markt immer dabei und erfahren schon sehr früh die Bedeutung von Ware und Geld. Touristen kommen vor allem wegen der wundervollen Stoffe mit knallbunten Motiven.

Auf einer Höhe von 2880 m liegt Quito, die Hauptstadt Ekuadors. Was den Reichtum an Kolonialem angeht, ist sie zweifelsohne die schönste Hauptstadt Südamerikas.

Die Kathedrale von Cuenca, der drittgrößten Stadt Ekuadors, ist eines der vielen verschwenderisch ausgestatteten Gotteshäuser, für die Ekuador zu Recht berühmt ist.

Mitten auf dem Panecillo-Hügel in Quito thront diese gigantische Statue, bei deren Gestaltung es wohl mehr um schiere Größe denn um Schönheit ging. Sie hält ein drachenähnliches Gebilde an einer soliden Kette und soll die Stadt vor Unheil schützen. Die Öffnung in der Erdkugel ist die Tür zur Aussichtsplattform.

Das Andenhochland Ekuadors ist lieblicher als das von Peru und Bolivien. Sanftgewellte grüne Hügel, an die sich kleine Siedlungen schmiegen, verleihen ihm eine beschauliche Atmosphäre.

Am Osthang der Anden flacht Ekuador zum Amazonasbecken hin ab. Hier fließt träge der Rio Napo, der sein lehmschweres Wasser dem Amazonas zuführt. Dieses noch dünn besiedelte Gebiet ist vielversprechend: Der Boden ist sehr fruchtbar, und im Innern der Erde lagert außerdem Erdöl.

Dieser Indio mit dem typischen schwarzen Poncho kehrt dem Chimborazo, 6300 m, dem optisch eindrucksvollsten Berg Ekuadors, den Rücken. Mit dem Namen dieses Berges bereicherte Kurt Tucholsky die deutsche Sprache: eine Flegelei nannte er strafend einen »Chimborazo an Unhöflichkeit.«

Der Cotopaxi, mit 6005 m der höchste tätige Vulkan der Erde, liegt an der Straße, die das Hochland Ekuadors von Norden nach Süden durchzieht. Alexander von Humboldt wollte 1812 einen Blick in seinen Krater werfen; ihm ging jedoch kurz vor dem Gipfel die Puste aus.

Diese Indiokinder sitzen nur zum Spaß auf den treuen Lamas. Da sie nicht mehr als 30 Kilo tragen können, eignen sie sich nicht als Reittiere.

Ekuador verdient zu Recht die Bezeichnung »Bananenrepublik«. Hier wartet ein Teil der neuen Ernte auf die weite Reise nach Europa.

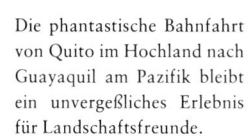

Die phantastische Bahnfahrt von Quito im Hochland nach Guayaquil am Pazifik bleibt ein unvergeßliches Erlebnis für Landschaftsfreunde.

Diese Schönheit vom Stamm der Colorado-Indianer hat sich für den Besuch der Stadt Santo Domingo fein gemacht. Die schwarzen Striche werden nur bei besonderen Anlässen aufgetragen.

Die Männer der Colorado-Indianer tragen mit Stolz eine aparte Haartracht, die sie mit einer Paste aus Achiote-Kernen formen, die den roten Farbstoff Bixin enthalten. Das hat ihnen den Namen »Colorados«, die Roten, eingetragen. Anders als der nebenstehende Hochland-Indio mit dem ebenmäßigen Gesicht, können die Colorado-Indianer in ihrer Heimat am Westhang der Anden auf einen warmwolligen Poncho verzichten.

Ihren Nachwuchs brauchen die ekuadorianischen Mütter nicht lange zu suchen. Beim Marktbesuch können die lieben Kleinen unerwartete Bekanntschaften schließen. Wenn besonders heftig gefeilscht wird, dienen Mutters Zöpfe als Haltegriffe.

Lamas, Vicuñas, Alpakas und Guanakos, äußerlich schwer von einander zu unterscheiden, sind entfernte Verwandte der Kamele und die wichtigsten Nutztiere in den Anden, da die Rinderzucht in diesen Höhen sehr mühselig ist. Sie liefern Fleisch, Milch und Fell. Außerdem wird ihr Dung als Brennmaterial verwendet.

Santo Domingo de los Colorados – Die Roten aus dem Urwald

Während man in Otavalo mit Indianern Bekanntschaft gemacht hat, die mit Riesenschritten dem 20. Jahrhundert nachsprinten, entdeckt man in Santo Domingo die Colorado-Indios, für die das Mittelalter noch ein unerreichbarer Traum ist.

Santo Domingo, 45 000 Einwohner, liegt 129 km westlich von Quito in nur noch 700 m Höhe, umgeben von Kaffee-, Kakao- und Bananenplantagen. Die Besucher wagen die landschaftlich begeisternde Fahrt nicht etwa, weil man hier eine Stadt findet, wie sie Graham Greene so packend schildern kann, viele düstere Bars mit Schwingtüren, Straßen, die sich im Regen in Schlamm-Meere verwandeln; auch nicht, weil sie mittlerweile zum wichtigsten Straßenknotenpunkt zwischen Hochland und Küste geworden ist. Sie kommen einzig wegen einer Gruppe Indios, die sich das Haar und andere Körperteile brandrot färben, weshalb sie auch Colorados, die Roten, genannt werden.

Sie wohnen im Urwald und wagen sich nur sonntags in die Stadt, um dort auf dem Markt die Achiote-Kerne zu verkaufen, die sie unter der Woche sammeln. Die Colorados sind vermutlich Nachfahren der Chibchas aus Kolumbien und gehören zu den wenigen Waldindianern westlich der Anden. Die Achiote-Kerne sind wichtiger Bestandteil ihres Lebens und ihres Kults. Sie enthalten den starken roten Farbstoff Bixin. Im Mörser werden sie zu einer dicken roten Paste zerrieben und statt Kleidung, die in dieser warmen Gegend ohnehin lästig ist, großzügig aufgetragen, was die Colorados erfolgreich davor bewahrt, von bösen Geistern überfallen zu werden. Anders als sonst üblich, treiben die Colorado-Herren einen größeren Aufwand als die Frauen. Sie benutzen die Paste als Pomade, die allmählich festtrocknet, und formen ihre Frisur sehr apart, indem sie das Seiten- und Stirnhaar nach oben biegen und die Ränder geradeschneiden. Zu besonderen Anlässen – so wie der moderne Herr eine Krawatte umbindet – vervollständigen sie ihren Habitus mit dicken schwarzen Streifen, die, je nach Wichtigkeit der Situation, mal so und mal so verlaufen.

Diese friedlichen Urwaldmenschen, die recht pathetisch wirken, wenn sie fast nackt, bestaunt und manchmal auch ein wenig belächelt, zwischen den hupenden Autos herumirren, sind natürlich eine Kuriosität ersten Ranges für Urlaubsphotographen. Vielleicht ist auch die mitunter respektlose Aufdringlichkeit der Touristen schuld daran, daß sie sich neuerdings nicht mehr so zahlreich auf dem Markt sehen lassen.

Wer sie aus der Nähe kennenlernen will, sollte ihnen in den Urwald folgen, zugegeben keine einfache und schon gar keine bequeme Angelegenheit. Taxifahrer werden Ihnen die Fahrt anbieten. Da heißt es feilschen und kostensparend zu mehreren fahren.

Es scheint, als hätten die Colorados ein in der zivilisierten Welt verkanntes Rauschmittel entdeckt: Nach einem erfolgreichen Markttag, so wird berichtet, genehmigen sie sich einen herzhaften Schluck Kerosen. Es ist nicht bekannt, ob sich die Colorados danach eine Zigarette anstecken.

Ambato – Großer Markt in der Gartenstadt

Die beiden Vulkane, für die Ekuador so berühmt ist, Cotopaxi und Chimborazo, und einige andere kann man auf einer Fahrt von Quito durch das Andenhochplateau in südlicher Richtung bewundern. Links neben der Panamerican Highway liegt der Cotopaxi, mit 6005 m der höchste noch tätige Vulkan der Erde. Tagsüber zeugt höchstens eine dekorative kleine Rauchwolke von seinem hitzigen Innenleben; nachts jedoch färbt der in seinem Krater wabernde See aus glühender Lava den hohen Wolkenmantel gespenstisch blutrot. Ein unvergeßlicher Anblick. 1812 wollte Alexander von Humboldt, der so ziemlich jeden Stein in Ekuador umgedreht hat, einen Blick in seinen Krater werfen. Ihm ging jedoch kurz vor dem Gipfel die Puste aus. Am Fuß des Cotopaxi – und einen Abstecher von der großen Straße wert – liegt der Ort Saquilisí, in dem am Donnerstag nicht der größte und nicht der schönste, aber der mit Abstand lauteste Markt im ganzen Land von 6 bis 12 stattfindet. Hier schaut man sich am besten nach Töpfereien und Geschnitztem um.

Bei km 130 erreicht man Ambato, 2570 m, mit 110 000 Einwohnern die viertgrößte Stadt. Viele Hauptstädter haben sich hier ein Wochenendhaus gebaut, weil die Stadt nach dem Erdbeben von 1949 großzügig wieder aufgebaut worden ist. Schöner könnte sie nicht liegen: mitten in einer grünen Senke am Fuß des mächtigen Chimborazo, des mit 6300 m höchsten Berges von Ekuador. Berühmt ist Ambato jedoch nicht wegen der leuchtenden Schneefelder des Bergriesen, sondern wegen des Montagsmarkts, im Frühjahr Ziel von bis zu 20 000 Indios aus der weiteren Umgebung. Auf elf Plätzen wird eifrig um allerlei Güter geschachert. Begehrteste Waren sind die »falschen« Panama-Hüte, Holzschnitzereien und die Wandteppiche mit farbigen Vogelmotiven, die von den Salasaca-Indios, erkennbar an ihren weißen Hosen und schwarzen Ponchos, verkauft werden.

Im Februar findet hier das große Fest der Blumen und Früchte statt, la Fiesta de frutas y flores, bei dem die sonst zum Ausspannen wie geschaffene Stadt für ein paar turbulente Tage Kopf steht.

Cuenca – Der Traum des Pater Crespi

Wenn man auf dem Landweg von Quito nach Peru fahren will, gelangt man –

immer in südlicher Richtung durch das faszinierende Hochtal zwischen den beiden Andenketten – nach 470 km zur schönen, ruhigen Stadt Cuenca, mit 150 000 Einwohnern drittgrößte Ansiedlung in Ekuador.

Die 1557 am Rio Tomebamba gegründete Stadt auf 2600 m hat noch weitgehend ihren kolonialen Charme bewahrt dank der vielen reichen Bürgerhäuser mit kunstvollen Balkonen aus dunklem Holz. Mitunter sind ihre dicken Mauern aus wertvollem Marmor, der in der Umgebung reichlich vorkommt.

Cuenca hat mehrere Kuriositäten, die man in dem angenehmen, frühlingshaften Klima anschauen kann, obwohl die grob gepflasterten Straßen die Füße ermüden. Cuenca ist eine der ganz wenigen Städte, die in den letzten Jahren eine neue Kathedrale bekommen haben. Sie liegt am Parque Calderón, dem Mittelpunkt der Stadt, an dem auch die alte Kathedrale noch steht. Niedergerissen wurde hingegen der alte Regierungspalast, in dem Alexander von Humboldt, des Lobes voll für diese Gegend Ekuadors, einige Nächte verbrachte. Dort steht jetzt das »Instituto de Folklore«. Sehenswert auch das städtische Museum, »Museo Municipal«, mit lokalem Kunsthandwerk und alten Funden.

In der Banco Central liegt ein Teil jener ominösen Sammlung von angeblichen Goldplatten, die der 1982 verstorbene Pater Crespi nur Eingeweihten gezeigt hat, und mit denen er seine Theorie untermauern wollte, die Phönizier seien über den Atlantik und den Amazonas hinauf bis nach Cuenca gelangt. Im kongenialen Erich von Däniken fand er einen dankbaren Abnehmer seiner Theorie, der diese auch noch reißerisch weiterstrickte und in hoher Auflage unter die Leute brachte. Es ist bezeichnend für die Faszination Südamerikas, daß man, nach all den phantastischen Entdeckungen der letzten Jahrzehnte, auch dies nicht für ausgeschlossen hielt. Und da Pater Crespi seinen angeblichen Goldschatz verschlossen hielt, war es für mißtrauische Wissenschaftler nicht einfach, diese Theorie zu entlarven. Als die vermeintlichen Reichtümer dann 1982 teilweise ausgestellt wurden, zerbröselte die abenteuerliche Hypothese. Die Platten sind aus dünnem, leichtem Messingblech und offenkundig erst vor wenigen Jahren von durchschnittlich begabten Künstlern mit den geheimnisvollen Elefanten und Pyramiden versehen worden. Mehr als die Platten selbst lohnt ihre Geschichte eine Besichtigung der Sammlung.

Beide Kathedralen verdienen einen Blick, einen weiteren die Kirche La Concepción, deren schöne Sammlung nur mit Erlaubnis des Bischofs besichtigt werden darf. Cuenca hat angeblich das beste Trinkwasser Ekuadors. Wer jedoch im Januar kommt, riskiert, mit Ballons voll ebendieses Wassers bombardiert zu werden, weil sich die fröhlichen Weihnachts- und Neujahrsfeiern weit ins neue Jahr hineinziehen. Dabei wird das alte Jahr als »hombre viejo«, als alter Mann, in Form einer Strohpuppe verbrannt. Bei den Umzügen führen die Bewohner Cuencas ihren Reichtum phantasievoll vor:

als Silberschmuck auf Eseln, Pferden und Autos, als Spanferkel mit Dollarscheinen in der Schnauze, mit Stapeln von Obst und mit Schnapsflaschen – mit allem, was sie für das neue Jahr brauchen werden. Eine Art vorgezogener Karneval.

Donnerstags ist Markt, zu dem auch die Indios aus den umliegenden Dörfern mit ihren schwarzen Ponchos kommen. Nach der Besichtigung empfiehlt sich ein Bad im schwefelhaltigen Wasser von Baños, 5 km südlich von Cuenca.

Ein lohnender Tagesausflug führt zu den rund 50 km nördlich gelegenen Ruinen von Ingapirca, den einzigen bedeutenden Inkaruinen Ekuadors. Was wie eine Festung aussieht, war wohl in Wirklichkeit ein weitläufiges Heiligtum und Sonnenobservatorium, das allerdings nicht mit den Ruinen in Peru konkurrieren kann. Die Busfahrt dorthin ist sehr beschwerlich. Da lohnt sich ein Taxi zu mehreren.

Puyo – Hinab in den Urwald

Wenn man bei Ambato nach Osten abbiegt, verläßt man die kühle Andenluft, und bald schlägt einem die feuchte Hitze des Tieflandes ins Gesicht. Erste Station ist Baños, zu deutsch Bäder, so genannt wegen der Thermalquellen, an denen sich viele Hauptstädter für ein paar Tage erholen und rücklings im Wasser treibend die Rauchfahne des nahen Vulkans Tungurahua, 5350 m, der aus den fruchtbaren Feldern herauszuragen scheint, bewundern. Örtliche Spezialität ist ein Feuerwasser, das aus den hier bestens gedeihenden Weintrauben destilliert wird. Viele verbinden die Erholung mit einem Besuch der wundertätigen Muttergottes in der Kirche, zu der Weihrauchschwaden und die Gebete der Pilger emporsteigen.

Auf dem Weg weiter nach Osten, vorbei an den Wasserschleiern des Agoyán-Wasserfalls, begleitet man den Pastaza, der am Cotopaxi entspringt und sich hier dem Amazonas zuwindet. Puyo, auf nur noch 950 m gelegen, ist seit der Entdeckung der Erdölvorkommen das wirtschaftliche Zentrum des Ostens. In der regenreichen Umgebung werden Zuckerrohr, Kakao und neuerdings auch Tee angebaut.

Das kleine Puyo erinnert verblüffend an eine Pionierstadt, wir wir sie aus alten Abenteuerfilmen kennen. Nur die dichte grüne Kulisse und die lärmenden Lastwagen wollen nicht so recht in dieses Bild passen. Ein gutes Hotel gibt es, dazu ein paar Läden mit falschen Schrumpfköpfen sowie ausgestopften und lebenden Urwaldtieren. Zunehmend wird Puyo zur Zwischenstation für Touristen, die von hier aus zum 93 km entfernten Puerto Napo fahren, um dort mit dem Urwald und seinen noch in der Steinzeit lebenden Bewohnern Bekanntschaft zu machen.

Von Puerto Napo startet man in Booten und Einbäumen den Rio Napo hinab nach Misahuallí, nach Santa Rosa und El Ahuano, entlang an der dichten Urwaldwand über lehmschwerem warmem Wasser, das in weiten Mäandern dem Amazonas zudrängt. In stickiger Hitze begibt man sich von dort aus zu den Yumbo-Indianern, zu den Aucas und den Jívaros, die hier, in relativer Zivilisationsnähe schon recht friedlich geworden sind und auch keine Schrumpfköpfe mehr machen. Die weiter östlich und südlich lebenden Aucas und Jívaros haben allerdings noch nicht ihren Schrecken eingebüßt. Regierungsvertreter, die sie zu guten Staatsbürgern bekehren wollten, mußten fluchtartig das Weite suchen, um nicht als Dekoration der Häuptlingshütten zu enden.

Wagen Sie mal ein kleines Abenteuer. Für einige Dollars organisiert man für Sie eine Urwaldexpedition entlang der Flüsse oder querurwaldein zu Gebieten, die möglicherweise vor Ihnen noch kein Weißer betreten hat. Nicht ganz ungefährlich, aber unvergeßlich.

Die Küste

Guayaquil – Touristen auf dem Friedhof

Erinnern Sie sich an die Zeiten, als eine Bahnfahrt noch ein Ereignis war? Als man noch nicht mit 140 Stundenkilometern über elektronisch gestellte Weichen zischte? Wenn Sie noch einmal das rhythmische Tack-Tack der Schienenfugen spüren und bei gemächlicher Fahrt jede Einzelheit des Panoramas bewundern wollen, dann sollten Sie sich auf dem Weg von Quito nach Guayaquil für die Bahnfahrt entscheiden, vielleicht die schönste von ganz Südamerika. Besorgen Sie sich beizeiten Ihre Fahrkarte für den dienstags, donnerstags und samstags fahrenden Triebwagen »Autoferro«, kaufen Sie ausreichend Verpflegung für die zwölfstündige Fahrt sowie Filme, und bereiten Sie sich seelisch darauf vor, um sechs Uhr morgens am Bahnhof sein zu müssen.

Die Strecke bis Ambato dürfte Ihnen mittlerweile bekannt sein, da sie parallel zur Straße verläuft. Erste Station ist Riobamba, wo, wie auch in Sibambe, aus Cuenca kommende Fahrgäste zusteigen können. Riobamba liegt in Sichtweite des qualmenden Vulkans Sangay, der hin und wieder einen knirschenden Mantel feiner Lavaasche über das Städtchen legt. Dann irren die Einwohner mit tränenden Augen und einem Taschentuch vor dem Mund am Bahnhof herum und bieten standfest ihre schönen winzigen Tagua-Schnitzereien an. Weiter geht es, immer in durchschnittlich 3000 m Höhe, nach Alausí. Nun wird es haarsträubend – wer schwache Nerven hat, wird oft wegschauen müssen. Abrupt verläßt der Schienenweg das Hochland, windet sich durch Tunnel und über das in die fast senkrechten Bergflanken hineingeschlagene Trasse in die wildzerklüftete Schlucht, in der, 300 m tiefer, der Rio Chanchán schäumt. Über spinnenbeinige, hautenge Brücken windet sich der Triebwagen der Nariz del Diablo, der hochaufragenden Teufelsnase zu, bei der es nun im Zickzack hinabgeht. Man bewundert die unerschrockenen Ingenieure, die diese Strecke bereits 1908 vollendeten. Mit einem maximalen Gefälle von 5,5 Grad geht es nun stetig hinab, und man überwindet auf nur 60 km einen Höhenunterschied von 2300 m. Dabei spürt man, wie sich die Lungen wohlig mit dichter, warmer, sauerstoffreicher Luft füllen. Jacken und Pullover werden ausgezogen, Krawatten verschwinden, Kragen werden geöffnet, und die Damen haben auf einmal Fächer in der Hand.

Das Land flacht ab, Kakao-, Kaffee- und Ananasplantagen lösen einander ab, und man fährt in die weite, von einem Netz glitzernder Flüsse mit bis zum Kentern beladenen Einbäumen durchzogene Niederung des Rio Guayas. Gegen sechs Uhr abends erreicht man Durán. Über die stolze neue Brücke oder mit der Fähre über den Rio Guayas erreicht man die Stadt Guayaquil am anderen Ufer. Dort sucht man sich ein Hotel und fällt bald in einen tiefen Schlaf, in dem man diese phantastische Eisenbahnfahrt noch einmal erlebt.

Guayaquil, heimliche Hauptstadt Ekuadors und wichtigster Hafen im Land, vermag den Besucher, obwohl sich ihre Einwohnerzahl rapide der zweiten Million nähert, nur wenige Tage zu fesseln. Denn hier haben Industrie und Handel den Vorrang. Seit ihrer Gründung im Jahr 1537 ist ihr Aufschwung immer wieder gestoppt worden. Piraten kamen in schöner Regelmäßigkeit die 50 Flußkilometer, die sie vom Meer trennen, heraufgesegelt und plünderten nach Herzenslust; Erdbeben ließen die Bauten einstürzen, die den gefräßigen Termiten und den Feuersbrünsten entgangen waren. So ist nur wenig aus vergangenen Jahrhunderten übrig geblieben.

Das Stadtbild ist überwiegend modern, mit breiten Straßen und großen Plätzen. Anziehungspunkt ist der Hafen, wo man den Schiffen zuschauen kann, deren stählerne Bäuche mit duftenden Säcken voll Kaffee und Kakao und grünen Bananenstauden beladen werden, und dem bunten Gewirr von Booten und Einbäumen, auf denen die Waren aus dem Hinterland Guayaquils den großen Fluß herab transportiert werden. Für die Sehenswürdigkeiten brauchen Sie nicht viel Zeit zu opfern:

Die *Kathedrale* im Zentrum überrascht mit einem erstaunlich reich dekorierten Innenschiff.

Der Stadtteil *Las Peñas* am Fuß des Santa-Ana-Hügels hat noch etwas koloniale Atmosphäre. Von der Hügelkuppe aus hat man einen schönen Ausblick. Dort stehen auch rostige Kanonen, mit denen man vergeblich versucht hat, den Piraten Angst einzujagen.

Die *Rotunda* ist jener hübsche Platz an der Uferpromenade, auf dem die beiden Befreier San Martín und Bolivar wahrheitswidrig in trauter Innigkeit dargestellt sind, denn bei ihrer Zusammenkunft in dieser Stadt zerstritten sie sich heillos.

Schließlich ist da noch der *Friedhof,* den Sie auch dann besichtigen sollten, wenn Sie nur wenige Stunden Zeit für Guayaquil haben. Wo man in anderen Städten geflissentlich einen weiten Bogen um die Gottesäcker macht, hat man den hiesigen Ciudad Blanca, die weiße Stadt, getauft und zur touristischen Attraktion erhoben. Nicht zu Unrecht, denn es ist ein blendend weißes Meer aus Gräbern und Mausoleen, durchzogen von Wegen mit bunten Blumentupfern, wo man dem Andenken der Verstorbenen in der ganzen Skala von stilvoll-verhaltener Feinfühligkeit bis zum bombastischen Kitsch in Stein, Gips und Marmor Dauer verliehen hat. Und während man verwirrt den Trauergemeinden im Weg steht, fragt man sich, wo die hiesigen Baumeister all die Einfälle her haben mögen.

Anders als im klimatisch und sittlich kühlen Quito ist hier der Lebensstil laut, beschwingt und locker. Bis spät abends sind die Straßen voller Menschen, bis morgens früh dröhnen heiße Rhythmen in den vielen Clubs. Die Anfeuerungsrufe im Stadion und auf der Pferderennbahn Santa Cecilia sind doppelt so laut wie in Quito, die Speisen – darunter natürlich viel Fisch – doppelt so scharf. Auf den Mini-Bühnen in kleinen Hafenbars fallen die Hüllen ebenso schnell wie der Alkoholpegel steigt.

Bootsfahrten hinab zur Insel Puná im Golf von Guayaquil und nach Norden in die Flüsse Babahoyo und Daule sind zwei Ausflugsmöglichkeiten. Erlebnisreicher sind Fahrten nach Norden. Während in den Geschäftshochhäusern von Guayaquil Computer die binär errechnete Zukunft des Landes auf endlose Papierbahnen tickern, leben an diesen Flüssen Indios noch wie ihre Vorfahren, die den Häuptling Quaya und seine Frau Quila verehrten, nach denen diese Metropole benannt wurde.

Am Pazifik

Nach so viel faszinierendem Hochland mit enigmatischen Indio-Gesichtern, nach so viel tropischem Barock und kühler, dünner Luft, in der man tapfer alle Besichtigungen durchgestanden hat, träumt man davon, sich für ein paar faule Tage an den Strand zu legen, sich die Sonne auf den Pelz brennen und den Sand durch die Finger rieseln zu lassen.

Da nun der Rio Guayas wirklich nicht zu einem Sprung ins erfrischende Naß einlädt, muß man sich ins Auto setzen und leider noch etliche Kilometer herunterspulen.

Der am nächsten liegende Strand ist der von Playas, 90 km von Guayaquil, dessen Name weiter nichts heißt als »Strände« und den Sachverhalt besser trifft als die alte Bezeichnung Villamil. Es ist ein volkstümlicher Badeort, dessen Sauberkeit schon ein wenig unter dem Ansturm an den Wochenenden gelitten hat. Die Heimkehr der Fischer am frühen Nachmittag ist das große Ereignis. Alle schauen zu, wenn sich ihre mit Segeln besetzten Balsaflöße dem Strand nähern. Für ein paar Münzen bekommt man bei ihnen ein tropffrisches Mittagessen, das man im Fall von großem Hunger gleich am Strand grillen kann. Natürlich kann man auch selbst den Fischen nachstellen. Hundert Dollar am Tag kostet ein modernes Boot mit Drehsitzen, vier Angelleinen, Besatzung und zwei bulligen Motoren, die selbst den wütendsten schwarzen Marlin abschleppen. Über den großen Fang auf offener See wird dann abends im Kasino gefachsimpelt, wo die hübschen Mädchen amüsiert miterleben, wie der ganz große Fisch mit jedem Drink um einen halben Meter länger wird.

Kasino, Boote und genügend Fische gibt es auch im unbestritten schöneren Salinas, einst ein sprichwörtlich verschlafenes Fischernest, das in wenigen Jahren zum bestbesuchten Seebad Ekuadors aufgestiegen ist. Es liegt 165 km westlich von Guayaquil. Die Straße dorthin führt lange durch eine heiße Ebene und kreuzt eine Pipeline, eine Stahlader, durch die das Schwarze Gold pulst, der neue große Reichtum. Die Strände von Salinas sind ausgezeichnet. Das Wasser ist klar und so fischreich, daß Sporttaucher mit Schnorchel und Harpune nie wissen, in welche Richtung sie zuerst zielen sollen. Abends gibt es genügend hübsche Plätzchen, wo man, mit einem eisigen Drink in der Linken, mit der Rechten ausladende Bewegungen machen kann, um die Größe des Fisches anzudeuten, bei dessen Ankunft die Harpune leider Ladehemmung hatte, oder wo man mit einem mörderischen Sonnenbrand um Mitgefühl werben kann. Und natürlich wird auch hier jenem schwarzen Marlin nachgestellt, für dessen Bild der Platz im Album schon reserviert ist. Lange noch klingt abends das ausgelassene Stimmengewirr von den Parties, die in den Villen der wohlhabenden Ekuadorianer gefeiert werden.

Eine direkte Straße führt von Quito über Santo Domingo de los Colorados in vier Busstunden hinab nach Esmeraldas, 120 000 Einwohner, am Pazifik, Mittelpunkt eines Küstenabschnitts, an dem viele Hauptstädter die Wochenenden verbringen – so in Suá und Atacames, deren schöne Strände jedoch nachts von Mosquito-Schwärmen heimgesucht werden. Hier lebt die schwarze Minderheit Ekuadors und pflegt ihre beschwingte musikalische Folklore.

Die Galapagos-Inseln

Ein Archipel als Arche Noah

Gewöhnlich werden fremde Gestade, so wenigstens haben wir es immer in Abenteuerbüchern gelesen, von ganzen Kerlen entdeckt, die man sich bärtig, unerschrocken und mit allen Wässerchen gewaschen vorstellt. Da nun aber die Galapagos-Inseln in nahezu jeder Hinsicht einzigartig sind, ist es wohl nur geschichtliche Gerechtigkeit, daß sie von einer völlig andersartigen Persönlichkeit entdeckt wurden. Es war der spanische Bischof Tomás de Berlanga, der sicherlich eher mit dem Weihwasser vertraut war als mit den salzigen Ozeanen. 1535 setzte er als erster Weißer seinen Fuß auf diese Mini-Welt, die aus den bis zu 1500 m über das Wasser ragenden Gipfeln gewaltiger vulkanischer Gebirge besteht und deren Fläche nichts weiter ist als riesige Mäntel vor Jahrmillionen erkalteter Lava. Noch heute leugnen sie ihren Ursprung nicht. Auf vielen von ihnen dampfen Fumarolen schweflig vor sich hin, und alle paar Jahre überschüttet ein Vulkan eine Insel mit einem lebenstötenden Glutregen.

Monsignore war von allem, was sein erlauchtes Auge traf, so verblüfft, daß er die Inseln Las Encantadas, »die Verzauberten« nannte und sie als bislang unbekanntes Territorium der spanischen Krone unterstellte. Er konnte nicht ahnen, daß hier schon weit früher jemand gelebt hatte. Indianer nämlich, die in grauer Vorzeit ihre Flöße in den Humboldtstrom steuerten, der auf der Höhe von Guayaquil nach Westen in den offenen Pazifik abbiegt, und sich mit einigen Lebensmitteln und endlosem Vertrauen in ihren geheimnisvollen Gott ins Ungewisse treiben ließen. Daß einige davon hier, nach einer Fahrt von 1000 Kilometern, an Land gingen, beweisen uns die Tonscherben, die man gefunden hat. Wieviele vorbeitrieben und in der endlosen Bläue auf ewig verschwanden, wird man nie erfahren.

Erst im 17. und 18. Jahrhundert wurden die Inseln wieder bewohnt. Diesmal von Piraten, die hier in aller Ruhe ihre Beute zählen und die Wunden, die bei ihrem riskantes Metier unumgänglich waren, auskurieren konnten. Als deren unbeliebter Beruf aus der Mode kam, wurden die Inseln verlassen und erst wieder 1835 betreten, vom berühmten Charles Darwin, der als Naturwissenschaftler auf dem Schiff Beagle durch die Magellan-Straße bei Feuerland gekommen war. Was er hier sah, setzte in ihm eine solche Gedankenflut frei, daß er der biologischen Abstammung auf den Grund ging und 1859 sein Werk über die Entstehung der Arten abfassen konnte. Der Wirbel um das Werk war so groß, daß der Begriff Darwinismus zum Schlagwort wurde und all jene, für die die Bibel auch als Biologiebuch galt, die Abschaffung der Inquisition zutiefst bedauerten.

Ebenfalls literarische Anregungen, diesmal anderer Art, gaben die Inseln einem gewissen Herman Melville, damals Seemann auf einem Walfänger, der hier 1841 vor Anker ging. Der Eindruck war so tief, daß der spätere Verfasser des Welterfolgs »Moby Dick« eine großartige Beschreibung dieser Inseln gab.

Gegen Mitte des 19. Jahrhunderts rammte hier feierlich der ekuadorianische General Villamil die Fahne seiner Heimat in den harten Boden der Inseln und nannte sie Archipiélago de Colón, Kolumbus-Archipel. Der erwartete Zustrom von Siedlern blieb jedoch aus, und so konnte der Abenteurer Manuel Cobos ungestraft die Insel San Cristóbal zum Freistaat ausrufen und ihr mit zwei Schiffsladungen gleichgesinnter Träumer ein karges Leben abtrotzen. Diesem freistaatlichen Spuk machte Ekuador 1935 ein Ende, erklärte die Inseln zum Nationalpark und brachte auch gleich die ersten unfreiwilligen Besucher mit: Strafgefangene, die in einer Kolonie ein menschenunwürdiges Dasein fristeten. Als der Touristenboom anbrach, wurde 1958 das Lager stillschweigend aufgelöst.

Eine kleine Abwechslung hatten die Gefangenen nur zwischen 1940 und 1945, als amerikanische Flugzeuge im blauen Himmel schwirrten. Es muß mit Abstand der langweiligste amerikanische Luftwaffenstützpunkt gewesen sein.

Zu den Farbabbildungen:

1. Blick über Machu Picchu auf den Huayna Picchu, Peru
2. Detail der Terrassen in Machu Picchu, Peru
3. Das Urubamba-Tal in der Nähe von Machu Picchu, Peru
4. Gasse im Kloster Santa Catalina, Arequipa, Peru
5. Alte Kirche in Julí, Peru
6. Strohhütten im Amazonastiefland, Peru
7. Slums am Cerro San Cristóbal, Lima, Peru
8. Der eisige Lauricocha-See, Peru
9. Fischer mit Binsenbooten in Huanchaco, Peru
10. Wellenreiter am Strand von Lima, Peru
11. Sobrebarriga, ein kolumbianisches Leibgericht
12. Eingang zum Goldmuseum, Bogotá, Kolumbien
13. Markt in Otavalo, Ekuador
14. Fischerkinder in Puerto Lopez, Ekuador
15. Indianerhütten im Urwald, Ekuador
16. Am Ufer des Rio Napo, Ekuador
17. Eselgefährt – dreispännig! Ekuador
18. Mutter und Kind beim Einkaufen, Ekuador
19. Riesenleguane der Galapagos-Inseln, Ekuador
20. So klein und schon einen Bowlerhut! Bolivien
21. Academy Bay, Galapagos-Inseln, Ekuador
22. Tiquina am Titicaca-See, Bolivien
23. La Paz, die höchste Großstadt der Welt, Bolivien
24. Markthalle in La Paz, Bolivien
25. Ein reines Gewissen, La Paz, Bolivien
26. Märkte sind auch Nachrichtenbörsen, wie hier in Bolivien
27. Die Qualität dieser Bowlerhüte ist ausgezeichnet, Bolivien
28. Maskentänze in Oruro, Bolivien
29. Das Kaffeepflücken erfordert geschickte Finger, Kolumbien
30. Schalenreste werden mechanisch entfernt
31. Die rote Schale fault beim Wässern ab
32. Die Kaffeebohnen werden an der Sonne getrocknet
33. Kolonialhaus auf Inkafundamenten, Cuzco, Peru
34. Insel Umayo im Umayo-See bei Puno, Peru
35. Gemüsemarkt in Lima, Peru

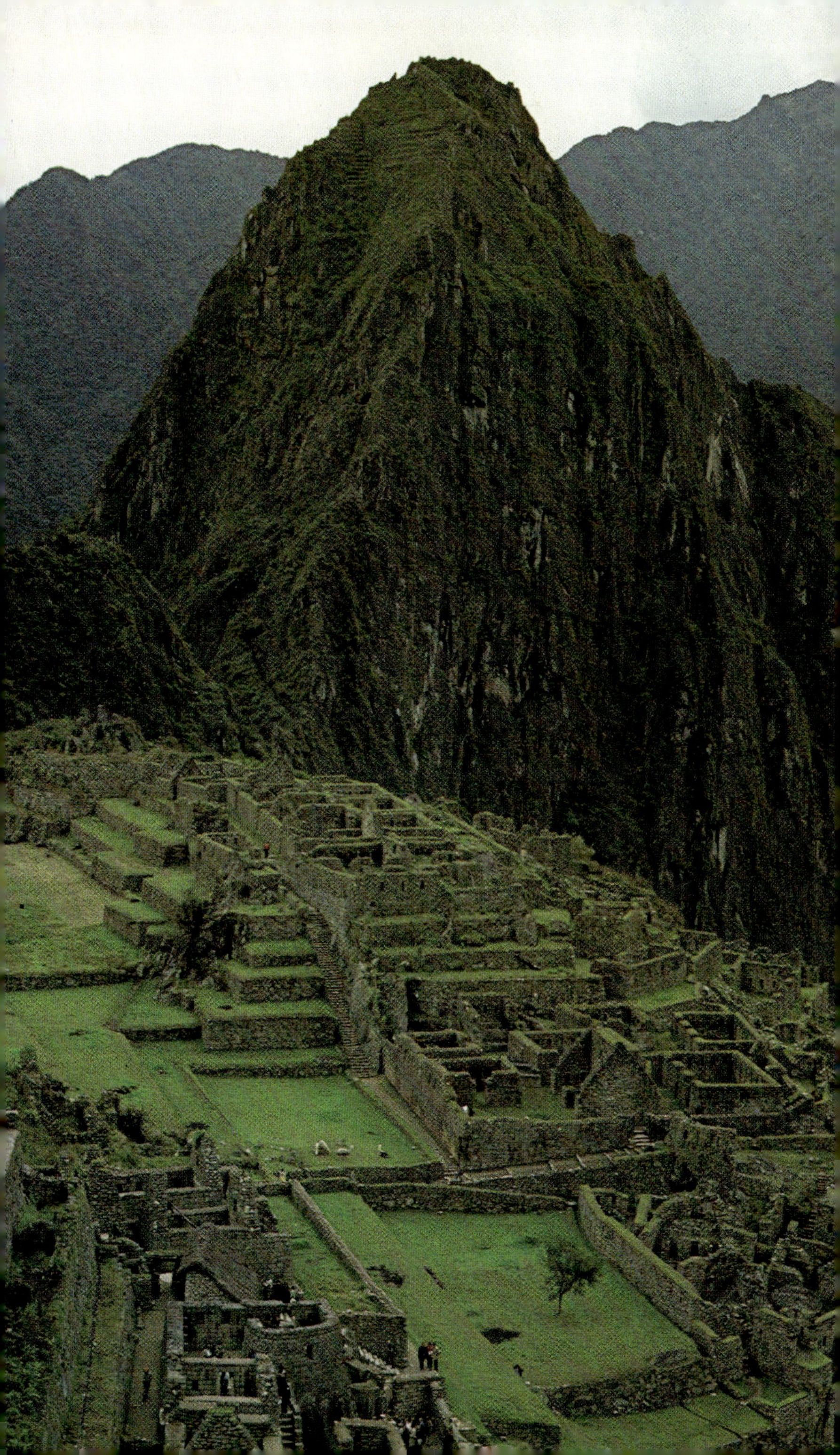

2

3

4

5

6

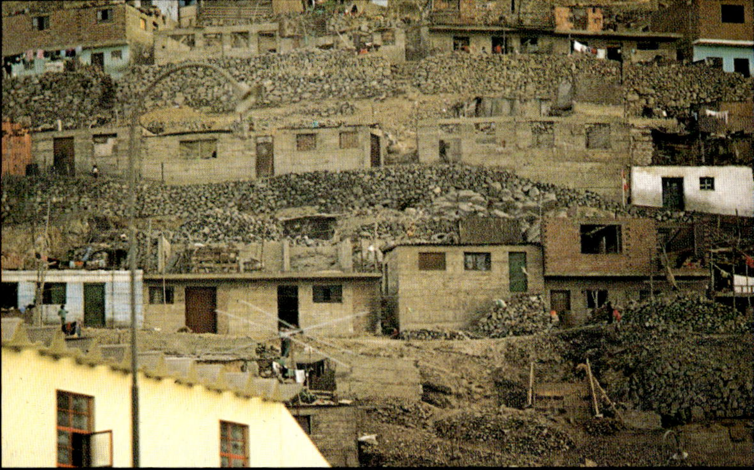
7

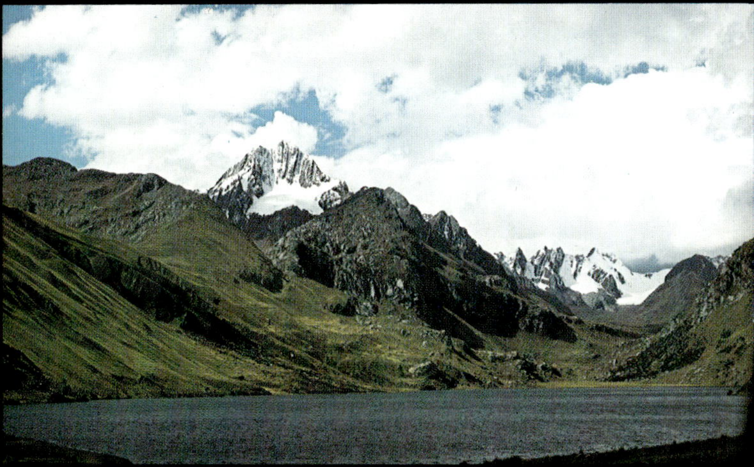
8

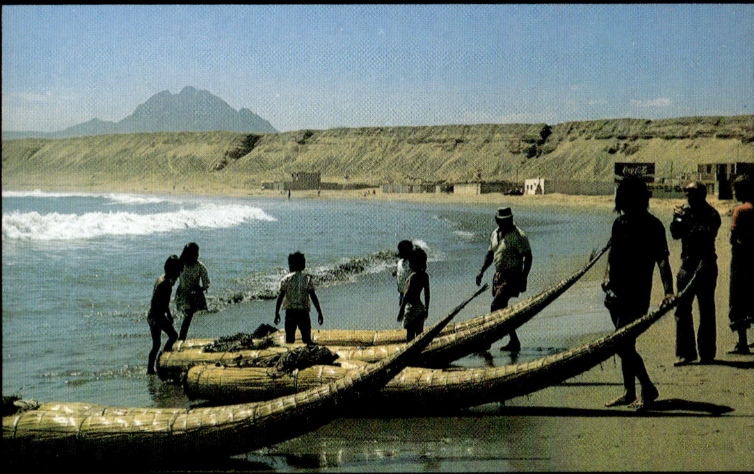
9

10

11

13

14

15 16

7   18   19

20

21

22

23

28

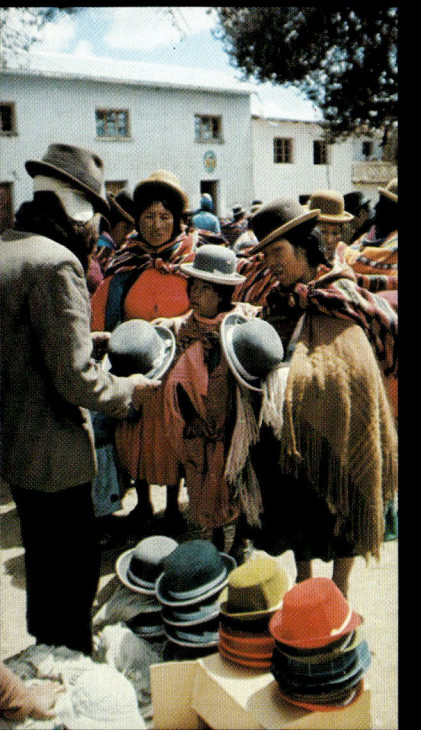

29

30

31

32

33
34

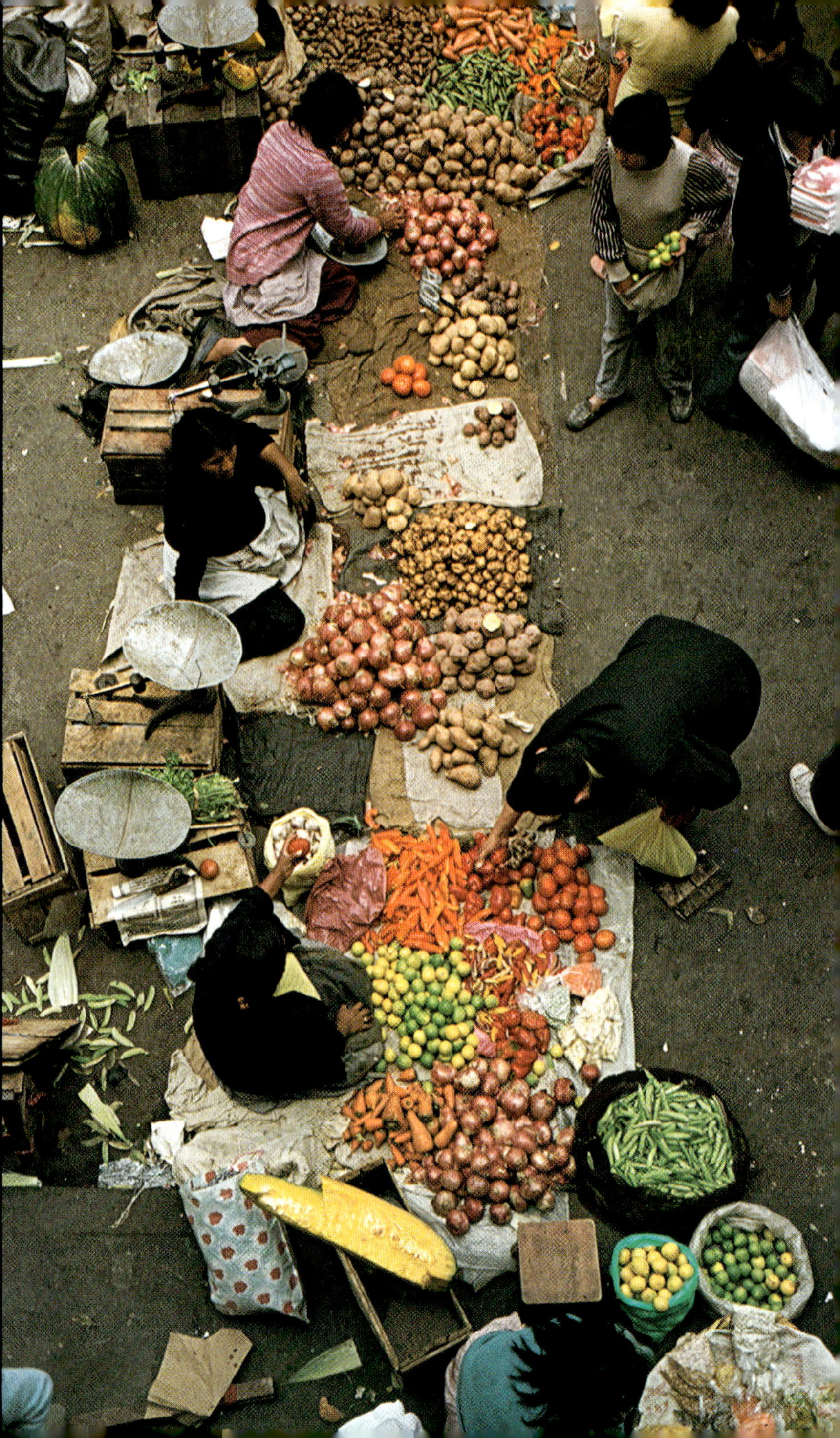

Der Kolumbus-Archipel, den der Entdecker Amerikas nie betreten hat und der besser bekannt ist unter dem Namen Galapagos-Inseln, besteht aus 13 Inseln, 17 Eilanden und 47 Felsen. Die gesamte Landfläche beträgt 7430 km² und wird von rund 3000 Menschen bewohnt. Der Hauptort ist Progreso auf der Insel San Cristóbal; die größte Insel, Santa Isabela, ist 120 km lang.

Diese Inselwelt ist nun die größte zoologische Attraktion der Erde geworden, eine letzte Bastion seltener Tierarten. Doch nicht nur als insularer Zoo hat sie Bedeutung: Für Biologen und Genetiker war und ist sie ein Paradies. Aller Wahrscheinlichkeit nach waren diese Inseln nie mit dem Festland verbunden, denn sonst hätten sich unweigerlich auf ihnen Landsäugetiere angesiedelt. Als sich die Vulkane aus dem Meer erhoben, scharten sich als erstes Fische um die Basaltsäulen unter Wasser, die von den Tauchern immer wieder bewundert werden. See- und Landvögel nisteten auf der Lavaasche, Seeschildkröten vergruben ihre Eier in ihr. Die Tierarten, die hier ein neues Lebensgebiet fanden, bildeten in Jahrmillionen eigene Varianten heran, die mitunter sehr stark von ihren auf dem Festland und an seinen Küsten verbliebenen Vettern abweichen. Der Wind und die Meeresströmungen haben Pflanzensamen herangetrieben, und nun ging auch die Flora eigene Wege. So entstanden letztlich Arten, die man nirgendwo sonst auf der Welt antrifft: die Hälfte aller Pflanzen, ein Viertel der in Ufernähe lebenden Fischarten, viele Vogelarten und fast alle Reptilien. Überdies haben sie sich auch noch auf den einzelnen Inseln verschieden entwickelt.

So sind die Galapagos gleichsam ein kleines Kapitel Erdgeschichte, weil auf ihnen, wie im Trias vor 225 Millionen Jahren, die Reptilien die wichtigsten Landtiere sind, die auf dem Festland danach von den Säugetieren verdrängt wurden. Wichtig ist auch, daß die Tiere hier erst vor erdgeschichtlich kurzer Zeit mit dem Menschen Bekanntschaft schlossen, der es auf den Kontinenten geschafft hat, in ihnen so beständig Angst zu erwecken, daß diese zum vererbten Instinkt wurde.

Hier herrscht noch, wenn man so will, die Unschuld des Gartens Eden. Man kann auf Armeslänge an die Tiere heran. Sie flüchten nicht. Zwar waren die Piraten gewiß keine Chorknaben und haben damals wahrscheinlich mit dem Raubbau am Tierbestand begonnen, dem erst vor einer Generation ein Ende gemacht wurde, als die Menschheit wegen der Abschlachtung der Tiere in aller Welt urplötzlich ein schlechtes Gewissen bekam und nun aufschrie, wenn einem Seehundbaby das begehrte Fell über die Ohren gezogen wurde.

Aber auch 300 Jahre sind für die Entwicklung der Arten eine sehr kurze Zeit, und sie haben nicht gereicht, um die begründete Furcht vor den Menschen zum Instinkt werden zu lassen. Und wenn bei Ihrem Besuch die Leguane, die stachelbewehrten Mini-Drachen, Reißaus nehmen, so nur, weil ihnen die aufdringlichen Gestalten, die tagtäglich vor ihren Nasen mit klickenden schwarzen Kästen herumhantieren, auf den Wecker fallen.

Hier eine kleine Kostprobe der Tierarten, die Sie sehen werden:
Sullivan Bay: Seelöwen und Seeschildkröten
Insel Fernandina: Seelöwen, flugunfähige Kormorane, Meerechsen, die sich von Algen ernähren, aber an Land leben, Pelikane, Pinguine, denen die feuchte Hitze nichts anzuhaben scheint, und Falken
James: Pelzrobben, Galapagos-Bussarde, Flamingos und Enten
Baltra: Seelöwen, Gabel- und Schwalbenschwanzmöwen, Fregattvögel, Pelikane und Reiher
Plaza: Seeleguane, Seelöwen, Möwen, Tölpel, Sturmtaucher und Tropikvögel
Española: Bunte Meerechsen, Drosseln, Maken- und Blaufußtölpel und von Mai bis Dezember Albatrosse
Floreana: Seelöwen, Pinguine, Pelzrobben und Schildkröten.

Höhepunkt ist der Besuch der Forschungsstation »Charles Darwin«, die 1959 zum hundertsten Jahrestag der Veröffentlichung seines Werkes mit Hilfe der UNESCO ins Leben gerufen wurde, auf der Insel Santa Cruz. Ihre Forscher kümmern sich vor allem um die Aufzucht der riesenhaften Galapagos-Schildkröten, nach denen diese Inseln benannt worden sind. 1,50 m lang und bis zu 200 kg schwer werden diese Kolosse, die letzten, zahmen Überlebenden einer längst vergangenen Zeit, deren Junge hier in Brutkästen unter den Augen der Besucher schlüpfen.

Die Galapagos erreicht man mit dem Schiff oder mit dem Flugzeug, bei denen man erst an Bord gehen kann, nachdem man eine Eintrittsgebühr von 30 Dollar berappt hat. Schöner ist die Schiffsreise, da man sich bei 1000 km Meer so recht auf die Inseln einstimmen kann.

Um die Passagen sollte man sich rechtzeitig kümmern, da Flug- und Schiffsreisen oft von Reisegesellschaften ausgebucht werden und die Regierung überdies die Zahl der Besucher kontingentiert hat, um den Tieren ein Minimum an Ungestörtheit zu garantieren. Man kann wählen zwischen regelmäßigen Linienflügen und den in Quito angebotenen teuren Pauschalreisen, zum Teil unter Führung von Wissenschaftlern.

Von der Insel Santa Cruz, in der Mitte des Archipels, starten die mehrtägigen Besichtigungsfahrten. Leider kommt man, wenn man einiges sehen will, kaum unter 100 Dollar allein für Bootsreisen davon. Überhaupt sind die Galapagos ein teures Pflaster. Die Nachfrage treibt die Preise der wenigen Zimmer in die Höhe, und das meiste muß vom Festland herbeigeschafft werden. Zeltplätze sind rar, und die Selbstversorgung, vom Rucksack-Set bevorzugt, ist ein wenig problematisch.

Aber das ist der Preis, den man bezahlen muß, will man diese Tiere, die mit viel Liebe vor dem Aussterben bewahrt werden, auf ihrer Arche Noah bewundern.

Badehose und Bikini nicht vergessen: Einige der Inseln haben schöne Strände. Sporttaucher werden hier ein Paradies vorfinden. Trotzdem ist Vorsicht geboten – zu der reichlich vorhandenen Fauna gehören auch Haie!

PERU

Während Kolumbien und Bolivien mit ihren Namen zwei illustre Männer ehren – Kolumbus und Bolivar –, verewigt Peru den Namen eines zweitrangigen Dorfhäuptlings, der irgendwo an der Pazifikküste Kolumbiens mit seinem Stamm hauste. Sein Name, Birú, wurde leicht abgewandelt bald zum Spitznamen für alle, die es an dieser Küste nach Süden zog, für alles, was dort entstand. Als Pizarro bei Hof von seiner Eroberung des Inkareiches berichten ließ, taufte der König offiziell das neue Gebiet »Levante-Küste«. Das klang zwar sehr schön, gefiel aber nicht. Der vom Volksmund benutzte, handliche Name setzte sich durch. Es blieb bei Peru.

Viele Besucher dieses Landes erleben eine Überraschung. Sie kommen vor allem der berühmten Inkastätten wegen und fahren heim, restlos begeistert von der grandiosen Landschaft, über die man bislang weit weniger berichtet hat als über die unbestreitbar großartigen Ruinen. Während man Zeugnisse alter Kulturen nur an bestimmten Orten vorfindet, drängt sich einem die Natur überall förmlich auf und wird nie zur flüchtig überflogenen Kulisse. Denn nicht nur sind die drei Regionen Perus grundverschieden, sie weisen auch Extreme auf, die man sonst nirgends so dicht beieinander findet.

Der zwischen 30 und 140 km breite Wüstenstreifen an der Küste ist so trocken und lebensfeindlich, daß die Spanier kurz nach der Eroberung Kamele herbringen ließen. Sie hielten sie für die einzigen Nutztiere mit sicheren Überlebenschancen. Die NASA schließlich jettete die für die Mondlandung bestimmten Astronauten her, damit sie in mondähnlicher Landschaft trainieren konnten.

Das Bergland, hinreichend bekannt wegen seiner himmelstürmenden Gipfel und dem kalten Hochplateau auf einer durchschnittlichen Höhe von 3800 m, hat noch weithin Unbekanntes zu bieten. Zum Beispiel das Majes-Tal im Süden bei Arequipa, fast doppelt so tief wie das Grand Canyon.

Der Urwald jenseits der Anden schließlich ist an manchen Stellen so dicht, daß selbst bestausgerüstete »Rangers« der peruanischen Armee, die nach einem Flugzeugabsturz Überlebende suchen sollten, sich verirrten und von Hubschraubern per Seilwinde gerettet werden mußten.

Gegensätze aber bestehen auch – von den meisten Besuchern freilich unbemerkt – zwischen den Menschen dieser drei Gebiete. Und nicht nur im Aussehen. Sie haben im Laufe der Jahre bis zur Gegnerschaft geführt; ein weiteres erschwerendes Element in der prekären politischen und wirtschaftlichen Situation Perus.

An der Küste, wo auch die Hauptstadt Lima liegt, leben überwiegend Mestizen, Indianer also mit einigen folgenschweren Tropfen fremden Bluts. Sie kommen in der sozialen Hackordnung an zweiter Stelle hinter den Criollos, im Land geborenen Nachfahren der spanischen Eroberer, die sich auf ihre Abstammung außerordentlich viel zugute halten und durchweg der begüterten Schicht angehören. Während diese ganz oben stehen, findet man die Mestizen auf jeder Sprosse der hohen gesellschaftlichen Leiter.

Viele Indios haben ihre kalte Hochlandheimat verlassen, sind nach Lima herabgekommen und – heruntergekommen; hier suchen sie Arbeit und die Verwirklichung der von den Parteien und der Regierung angefachten Träume. Sie sind in der sozialen Hierarchie die dritten. Nur wenige finden einen festen Arbeitsplatz oder eine Anstellung als Tagelöhner, die meisten nur Elend, Alkoholismus, gar Prostitution und Kriminalität. Sie bevölkern die Pueblos jóvenes, die »jungen Dörfer«, schamvolle Umschreibung für Elendsviertel ohne Strom und Wasser, in denen der Staat hilflos die größte Misere zu lindern sucht und die krebsartig wuchernd einen Ring aus Primitivbehausungen um die Stadt geschlossen haben.

Chinesen, deren Vorfahren zum Bau der Eisenbahnstrecken durch die Anden herbeigeschafft worden waren, sowie Japaner sind bildungsmäßig und beruflich in die Mittelklasse vorgedrungen, bleiben aber wegen ihrer Hautfarbe isoliert.

In den traditionellen Armenvierteln schließlich hausen die Neger, Nachfahren der Sklaven, und die Mischlinge zwischen Indianern, Negern und Chinesen. Diese letzten gehören keiner Gruppe mehr an und werden von keiner anerkannt. Sie sind die Ärmsten der Armen.

Erstaunlich für ein Land Lateinamerikas, präjudiziert hier – mehr noch als die Kluft zwischen Armen und Reichen, Gebildeten und Analphabeten – die Hautfarbe die Zukunftsaussichten der Menschen. Gern von der Presse vorgezeigte Ausnahmen bestätigen in ihrer Darstellungsart im Grunde nur diese Spannungen, die in Peru existieren, seit die Eroberer ihr feudalistisches System einführten.

Nur in den Anden ist die Welt noch weitgehend heil geblieben. Hier lebt die indianische Hälfte der Bevölkerung noch überwiegend in einem traditionell festgefügten Gesellschaftssystem und hält an altem Brauchtum fest. Zwar benutzen sie Busse und Telephon, und in Cuzco singen Kinder die Werbespots vom Fernsehen nach; anderseits aber wird nach wie vor in jedes Hausfundament ein getrockneter Lamafetus eingemauert. Das ist für die Indios wirksamer als jede Feuerschadenversicherung. Die volkswirtschaftliche Bedeutung dieser Bevölkerungsgruppe ist jedoch denkbar gering: Sie produzieren weitgehend für den Eigenbedarf, kaufen sehr wenig und investieren nichts. Die Hälfte der Bevölkerung Perus ist somit nicht ins Wirtschaftsleben integriert, eine schwere Hypothek für die Zukunft des Landes. Mit diesem Problem schlagen sich alle Länder Südamerikas herum.

Lediglich ein winziger Teil der Peruaner lebt im riesigen Urwaldgebiet, das ein knappes Viertel der 1 285 215 km² Perus ausmacht. Schätzungsweise hunderttausend Waldindianer, anzuschauen wie Fremde auf unserem Planeten, wohnen in völliger Abgeschiedenheit. Noch einmal so viele Mestizen versuchen, in diesem bislang unergiebigen, aber vielversprechenden Urwaldgebiet die Fundamente für eine große Zukunft zu legen. Erfolgreich sind bisher nur die Bohrtrupps der Erdölgesellschaften geblieben. Peru hat genügend Erdöl für den Eigenbedarf und rüstet für den Export.

Vor der Eroberung – Aufstieg der Barbaren

Die ältesten menschlichen Spuren in den Anden sind rund 10 000 Jahre alt. Sie wurden 1957 in der Lauricocha-Höhle an der Quelle des Rio Marañón gefunden. Die ältesten Zeugnisse menschlicher Anwesenheit an der Küste hingegen sind nur 6000 Jahre alt, was indirekt den Indianersagen Recht zu geben scheint, die das Hochland für die Wiege der Kulturen halten. Gegen 1500 v. Chr. entstanden die ersten Tempel; Mais, Baumwolle und Bohnen wurden angebaut. Um 800 v. Chr. erblühte die erste große Kultur: Chavín. Ihr Einflußbereich war damals halb so groß wie das heutige Peru. Gegen 300 v. Chr. folgte die Paracas-Kultur, die um 300 n. Chr. zugrunde ging. Sie hinterließ kostbare, brokatähnliche Stoffe, deren Schönheit bis heute erhalten geblieben ist, und die geheimnisvolle Totenstadt auf der Halbinsel bei Pisco.

Sie wurde abgelöst von der Mochica-Kultur, die zwischen dem 4. und 8. Jahrhundert einmalige Töpfereien hervorbrachte, komplizierte Kanal- und Bewässerungsanlagen schuf und die Küstenstadt Chan-Chan errichtete.

Über den gleichen Zeitraum etwa erstreckt sich die Nazca-Kultur im südlichen Küstengebiet, deren wichtigste Vermächtnisse Töpfereien mit grellen Farben sind, verziert mit realistischen Darstellungen ihres Alltags und einem katzenähnlichen Dämon, sowie die mysteriösen Scharrbilder in der Wüste.

Die nächste bedeutende Kultur erstarkte im 9. Jahrhundert im Hochland und wird, da ihre Werke Ähnlichkeiten mit den Funden aus der bolivianischen Tempelstadt Tiwanacu aufweisen, Huari-Tiwanacu genannt.

Im 12. Jahrhundert wurde sie überschattet vom Erblühen regionaler Kulturen. Die wichtigste davon war die der Chimús, welche die Mochica-Stadt Chan-Chan erweiterten und sich am entschiedensten gegen eine kleine barbarische Gruppe zur Wehr setzten, die aus dem Amazonastiefland in die Anden vorgedrungen war, gegen jene Inkas, die sich in nur zwei Jahrhunderten zum mächtigsten Stamm Südamerikas entwickelten. Dies schafften sie dank einer hochentwickelten Realpolitik, mit der sie ihrer Zeit um Jahrhunderte voraus waren. Barbaren aber waren sie dennoch: Ihren Gefangenen bohrten sie Löcher durch die Schultern, um die Stricke besser befestigen zu können.

Was sie noch vollbrachten, haben wir im Geschichtsteil gestreift.

Die Kolonialzeit – Der Erzengel mit dem Vorderlader

1555, nach der erfolgreichen Unterwerfung des Inkareiches, das ohnehin geschwächt war durch den mörderischen Bruderkrieg zwischen den beiden Thronnachfolgern Atahualpa und Huascar, ging in Callao bei Lima der erste Vizekönig mit einem Heer Verwaltungsbeamter tatendurstig an Land. Sie gingen derart beherzt ans Werk, daß in wenigen Jahren die neue Kolonie zur wichtigsten spanischen Niederlassung in ganz Amerika wurde. Und zur reichsten, nicht zuletzt dank der Silberminen von Potosí. Nun strömten auch Portugiesen und Italiener herein. Als ausgefuchste Geschäftsleute erwiesen sich die Portugiesen. Sie pickten sich konsequent die Rosinen aus dem Kuchen – bis sie 1635 alle der Inquisition zum Opfer fielen, die auf solch elegante Weise den Handel wieder in spanische Hand brachte.

Lima wurde zur märchenhaften »Stadt der Könige«, zu einer Metropole, die im spanischen Machtbereich an Glanz und Reichtum nur noch von Madrid übertroffen wurde. Das blieb sie bis zum Erdbeben von 1746, das vier Fünftel der Stadt zerstörte. Nur wenige Prachtbauten wurden wieder hergerichtet. Das schönste Stadtbild, das Lima je hatte, ist uns nur noch aus zeitgenössischen Berichten bekannt.

Doch nicht nur in Lima war eine denkwürdige Bauwut ausgebrochen. Im Vizekönigtum Neu Granada – von Venezuela bis Nordchile – waren im ersten Jahrhundert der Kolonialzeit 50000 Kirchen und 400 Klöster gebaut worden, die ersten noch weitgehend nach importierten Vorlagen. Durch die Mitwirkung indianischer Steinmetze und Künstler entwickelte sich allmählich ein eigener Stil, der in abgelegenen Gebieten höchst eigenwillige Formen annahm. Die Bezeichnung »kolonial« ist eigentlich nur ein Sammelbegriff für ein gutes Dutzend lokaler Varianten des mitunter von maurischen Motiven beeinflußten spanischen Stils.

Diese vielen Gotteshäuser und die Residenzen der Reichen mußten natürlich dekoriert werden. So strömten nach Händlern und Abenteurern auch italienische und spanische Maler ins Land. Überfordert von den Bestellungen, mußten sie auch Indianer in die Geheimnisse von Pinsel und Palette einweihen. Das geschah am gründlichsten in der Escuela Cuzqueña, der Schule von Cuzco. Besonders tat sich der Indio Quispe Tito hervor, der nunmehr feinfühlig flämische Landschaften nachmalte und in eigener Interpretation der Heiligen Schrift die gewöhnlich schwerttragenden Erzengel zeitgemäß mit Vorderladern ausrüstete. Diese Schule war derart bienenfleißig, daß sie beispielsweise die 423 von Don Daniel del Rincón bestellten Gemälde nach nur sieben Monaten ablieferte.

Doch nicht nur in der Kunst ging man eigene Wege. Der König von Spanien war weit weg, und man versuchte gegen den Widerstand des Vizekönigs und der gleichermaßen königstreuen Kirche allmählich eigene Anschauungen durchzusetzen. Die ersten Andersdenkenden konnten noch von der Inquisition mit dem Hinweis, wer den König nicht ehre, sei vom Teufel besessen, mundtot gemacht werden. Das Volk wagte die Rebellion nicht, weil es wußte, wie die spanischen Truppen die Indianeraufstände von 1780 und 1814 im Blut ersäuft hatten. Als es aber in den Nachbargebieten zu gären anfing, war hier der Boden bestens vorbereitet. Mit tatkräftiger Hilfe von Bolivar, Sucre und dem aus Chile herbeigeeilten Lord Cochrane wurden die Spanier, die sich inzwischen auch die letzten Sympathien verscherzt hatten, in der Schlacht von Ayacucho entscheidend geschlagen. Die kläglichen Reste verbarrikadierten sich in der Festung San Felipe in Callao, wo sie über ein Jahr lang belagert wurden.

Das freie Peru – Marxismus schon 1924

Nun begann eine schwierige Zeit. Ohne die präzise Machtmaschinerie des Vizekönigs verfiel die Autorität des jungen Staats zusehends. Großgrundbesitzer und ausländische Kapitalgeber bestimmten das Wirtschaftsgeschehen und beeinflußten damit die Politik nach ihren Vorstellungen – was nicht immer dem Land zugute kam. Präsidenten wurden mit schöner Regelmäßigkeit ein- und abgesetzt, Rebellionen und Bürgerkriege verhinderten eine rasche Entwicklung zum modernen Staat. Und wenn es innen ausnahmsweise mal ruhig war, dann gab es Krach mit den Nachbarn: 1839 zerschlug Chile mit Waffengewalt ein Bündnis zwischen Peru und Bolivien; 1866 gab es heftiges Säbelrasseln mit den Spaniern; 1879 sorgten die Chilenen im Salpeterkrieg wieder für eingeschlagene Köpfe.

Das zwanzigste Jahrhundert ist bislang nicht besser verlaufen. Drei Gruppen standen sich gegenüber: die Militärs, die Oligarchie, und die APRA, die »Alianza Popular Revolucionaria Americana«, eine 1924 von Haya de la Torre gegründete »übernationale« Bewegung, die nach eigener Aussage bereits damals »den Marxismus der indoamerikanischen Realität anpassen« wollte. In verbissenen parlamentarischen wie außerparlamentarischen Kleinkriegen bekämpften sie sich herzhaft, stellten abwechselnd die Präsidenten und betrieben mal eine Politik der Mitte, mal eine der extremen Rechten – von Marxismus keine Spur.

Bis 1968 blieb die Politik der reihum entstehenden Koalitionen gleichermaßen inkonsequent; man verwässerte notwendige Reformen, um der Opposition keinen Anlaß zum Stänkern zu geben. Die letzte Krise kam, als die USA am 17. Mai 1968 die unerläßliche Wirtschaftshilfe einstellten. Als dann noch ein vermeintlicher Bestechungsskandal auf höchster Ebene zugunsten einer amerikanischen Erdölgesellschaft aufgedeckt wurde, rasselten die Panzer auf den Regierungspalast zu. Präsident Belaúnde Terry mußte im Pyjama fliehen.

Die Militärjunta gab sich sozialistisch: Der verarmten indianischen Bevölkerung sollte geholfen, die Boden- und Wirtschaftsreform durchgeführt werden. Ländereien, manche halb so groß wie das Bundesland Hessen und mit eigenem Eisenbahnnetz, wurden zerstückelt, andere in Genossenschaften verwandelt. Großes sollte entstehen. Doch Erdbeben, schlechte Ernten, verweigerte Kredite, sinkende Rohstoffpreise und krasse Mißwirtschaft haben zum wirtschaftlichen Chaos geführt. Peru, Heimatland der Kartoffel, mußte die Knollen sogar aus Polen importieren. Kleinlaut gaben die Militärs die Macht ab; das Land kehrte zur Demokratie zurück. Die Wahlen im Mai 1980 brachten Belaunde Terry in den Nationalpalast zurück. Diesmal durfte er seine Amtszeit im April 1985 ungestört beenden. Die folgenden Neuwahlen brachten einen überwältigenden Sieg der APRA unter dem neuen Präsidenten Alan Garcia Perez.

Reichtum aus dem Meer – Bancheros Rache

Die Peruaner haben viel Geld mit drei Stoffen gemacht: mit einem edlen – Silber –, mit einem weit weniger edlen – Guano – und mit einem zappelnden – Anchovetas.

Da die Geschichte mit dem Silber derjenigen in Bolivien ganz ähnlich ist, wenden wir uns hier dem Guano zu. Frei nach dem Motto »non olet« haben die Peruaner schon zu Beginn des 19. Jahrhunderts unzählige Negersklaven und sogar Polynesier von der Osterinsel angestellt, die meterdicken Schichten des, wie das Lexikon feststellt, »phosphorreichen Düngemittels, Verwitterungsergebnis von Kot und Leichen von Seevögeln, das sich an regenarmen Küsten ablagert« abzubauen. Von wegen »non olet«! Aber was will man als Sklave schon machen.

Alle Devisen, die der Export von Guano einbrachte, verdankten die Peruaner letztlich dem Humboldtstrom, natürlich auf Umwegen. Gäbe es diese kalte Meeresströmung nicht, gäbe es darin auch nicht das Plankton, das bekanntlich eisiges Wasser bevorzugt. Ohne das Plankton, an dem sich auch kuttergroße Bartenwale mästen, hätten die Milliarden Anchovetas – eine Sardinenart – nichts zu fressen. Und ohne die Anchovetas würden die Huanays, die Kormorane, die man »fliegende Guanofabriken« nennt, die Wellen vergeblich abfischen und das Gebiet verlassen. Und ohne Huanays kein Guano.

Jahrelang florierte das Geschäft, was die Sklaven an der steigenden Zahl von Peitschenhieben feststellen konnten. Dann aber kam die große Ernüchterung. Synthetische Stickstoffverbindungen als Düngemittel, die das letzte Stündlein der chilenischen Salpeterstädte eingeläutet hatten, verdrängten nun auch den Guano vom Weltmarkt.

Sollte man am Meer nichts mehr verdienen können? Mit dem Plankton war nichts anzufangen, ebensowenig mit den Kormoranen. Also versuchte man es mit der Anchoveta. Man konnte sie braten, dünsten, zu Suppe verkochen – niemand wollte das biedere, 25 cm lange Fischlein auf dem Teller haben. Dann versuchte man es mit Kühen und Hühnern, denen man die zu

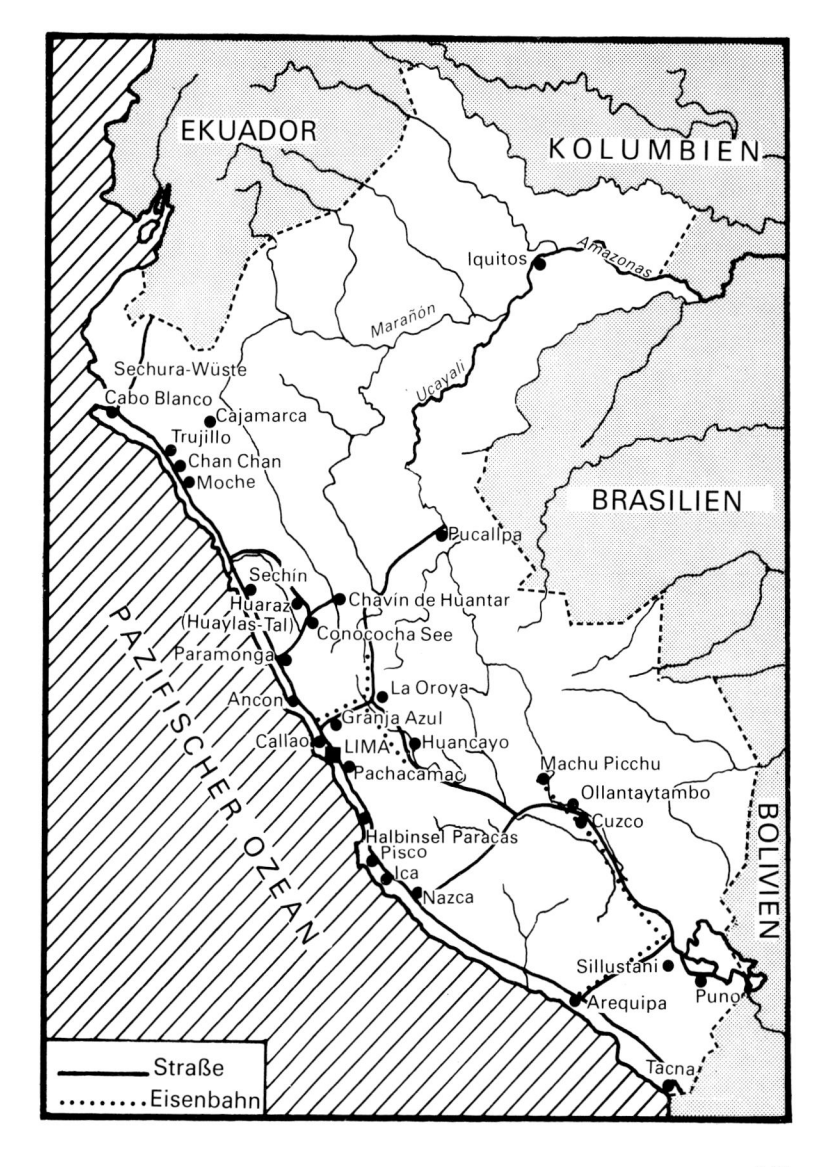

PERU

Fischmehl verarbeiteten Anchovetas als proteinstarkes Kraftfutter servierte.

Der Erfolg war durchschlagend, ein neuer Boom begann. 1947, im Jahr der großen Entdeckung, hatte man probeweise eine Tonne Anchovetas gefischt. Von da an stellte man den elektronisch georteten Fischschwärmen so konsequent nach, daß die Kormorane das Nachsehen hatten und Peru schließlich weit vor Japan zum wichtigsten Fischfangland der Welt wurde. 1971 war die Beute 12,5 Millionen Tonnen schwer. In den letzten Jahren wurde dieses Bombengeschäft von einem jungen Unternehmer namens Luis Banchero Rossi mit Geschick, Charme und Ellenbogen gemanagt. Als die Militärs 1968 an die Macht kamen, begannen sie bekanntlich mit der Verstaatlichung der Schlüsselindustrien. Der wichtigste Devisenbringer aber, der Fischfang, blieb weiterhin in Bancheros privater Hand. Jedenfalls bis 1972, bis zu seinem krimihaften Ende. In der Sylvesternacht wurde er angeblich von dem unzurechnungsfähigen Gärtner in seinem luxuriösen Landhaus ermordet – ein Fall, der monatelang Schlagzeilen machte.

Kurz darauf wurde sein Fischerei-Imperium verstaatlicht, und die nunmehr genossenschaftlich organisierten Fischer zogen ihre Netze durch den Pazifik. Sie blieben leer. Unerwartet war ein seltsames Naturphänomen eingetreten. Der wärmere Niño-Strom überlagerte den kalten Humboldtstrom. Und mit dem Plankton zogen auch die Anchovetas in für die Netze unerreichbare Tiefen.

Warum Banchero ermordet wurde, ist nie ganz geklärt worden. Warum der große Fang aber ausblieb, das wußte der Volksmund sofort: Es war Bancheros Rache.

Lima – Es war einmal eine Stadt der Könige…

Beim Anflug auf die peruanische Hauptstadt wird ein prachtvolles Andenpanorama geboten. Wenige Minuten vor der Landung aber verdüstert sich der Himmel – meistens jedenfalls. Von April bis Dezember wabert über Lima ein bedrückend grauer Hochnebelschleier, aus dem hin und wieder die Garúa niederrieselt, ein entnervender, hauchfeiner Sprühregen, der kaum die Straßen benetzt. Stärkeren Regen gibt es so gut wie nie. Darum auch ist Lima die einzige Hauptstadt Lateinamerikas ohne Regenwasserkanalisation. Die Häuser haben meist nicht abgedichtete Flachdächer, kein Auto hat Scheibenwischer aufgesetzt; man verstaut sie im Handschuhfach und setzt sie auf, wenn man ins Land fährt. Nur ab und zu – alle zwei Jahre vielleicht – geschieht es, daß eine der Regenwolken, die regelmäßig im nur vierzig Kilometer entfernten Chosica und in den nahen Andentälern die Straßen unter Wasser setzen, sich unvorschriftsmäßig über Lima entleert. Dann folgt Chaos: durch die Dächer rinnen ganze Bäche, in den Unterführungen bilden sich Seen, in denen Autofahrer zu ertrinken drohen; fliegende Händler verkaufen Scheibenwischer mit Notstandsaufschlag.

Trotz der wasserträchtigen Nebelschicht liegt Lima mitten in einer Wüste, weil sich die Feuchtigkeit entweder in den Anden oder über dem Humboldtstrom niederschlägt.

Beim Aussteigen eine weitere Überraschung, diesmal für die Geruchsnerven. Der Flughafen »Jorge Chávez«, benannt nach einem unerschrockenen peruanischen Flugpionier, der 1910 als erster die Alpen überflog – die Anden waren ihm damals doch zu hoch –, liegt in »Riechweite« der Fischmehlfabriken von Callao, dem Hafen von Lima.

Zur Innenstadt sollten Sie ein Colectivo, ein Sammeltaxi, nehmen, das Sie für einen Bruchteil des normalen Taxipreises ins Zentrum bringt, wo Sie ein Taxi bis zum Hotel nehmen können. Die Fahrt bietet düstere Einblicke. Sie führt teilweise durch ein Elendsviertel am Rio Rimac, das man mit Adobemauern und Pappwänden voll siegesgewisser Parolen zu kaschieren versucht. In dieser Barriada ist von der »Stadt der Könige«, wie sie einmal zu Recht genannt wurde und wie sie sich heute – trotz der revolutionären Gegenwart – inoffiziell noch gern nennt, nichts mehr zu sehen.

Gegründet wurde Lima 1535 an der Oase des Rio Rimac, etwa sechs Kilometer vom Pazifik entfernt. 1610 lebten in der Stadt 26000 Menschen, 1810 bereits 87000, nach dem mörderischen Befreiungskrieg waren es 1836 nur noch 55000, zu Beginn dieses Jahrhunderts allerdings schon 130000. Dann kam der gewaltige Sprung nach vorn: Heute sind es im Stadtgebiet rund 5 Millionen! Fast ein Drittel der Gesamtbevölkerung! Und da Lima auch die wichtigste Industriestadt Perus ist, strömen weiterhin monatlich Abertausende von Arbeitsuchenden herbei und enden unweigerlich in den Barriadas.

Lima ist zwar die größte und weltoffenste Stadt an der südamerikanischen Pazifikküste; einst aber war sie die Hauptstadt des spanischen Kolonialimperiums, in der 1551 die erste Universität Amerikas und 1558 die erste Druckerei gegründet wurden.

Hinter ihrer elf Kilometer langen Festungsmauer, die sie vor Piraten wirksam schützte, amüsierte sich eine sorgenlose Luxusgesellschaft vizeköniglich und nahm mitunter mehr Anteil an Skandalen und Skandälchen als an der großen Politik, wie die amüsante Geschichte mit der »Perrichoili« beweist. Die Komödiantin Micaelita Vargas, ein leichtlebiges Halbblut und folglich von den weißen Edelfrauen doppelt verachtet, verspürte den unbändigen Drang nach ganz oben. Unter Einsatz ihrer üppigen Mittel machte sie den Vizekönig Manuel de Amat y Junyent zu ihrem Geliebten. Dieser mietete für sie ein Theater, in das die schockierte Elite strömte, um sie gellend auszupfeifen. Verächtlich nannte man sie »Perrichoili«, was etwa »indianische Hündin« heißen sollte. Dafür rächte sie sich. Im nur seiner Hoheit vorbehaltenen vizeköniglichen Vierspänner ratterte sie sonntags über das limenische Katzenkopfpflaster und winkte mild lächelnd aus dem Fenster. Das war zuviel – heiße Liebe hin, heiße Liebe her. Der von den Ereignissen überfahrene Vizekönig mußte 1776 seine Krone nehmen. Diese Episode gab dankbaren Schreibern Stoff für ein halbes Dutzend Romane, inspirierte Jacques Offenbach zu einer Operette und bereicherte Thornton Wilders »Die Brücke von San Luis Rey« um eine farbenpralle Figur: die der Micaelita Vargas.

Nun, die Umfassungsmauer steht seit 1869 nicht mehr, und Lima – zwischen Pazifik und sandigen, braungelben Hügeln – ist zum endlosen buntscheckigen Häusermeer ausgeufert. Aus seiner Mitte ragen riesige Betonklötze empor, oft Seite an Seite mit den wenigen übriggebliebenen Kolonialbauten, den wichtigsten Attraktionen Limas.

Die Sehenswürdigkeiten – Im Oktober violett

Mittelpunkt der Stadt ist die *Plaza de Armas,* wörtlich der Waffenplatz, um den Tag und Nacht ein mittleres Verkehrschaos tobt, geschaffen von mehr alten als neuen Autos; von Bussen, in die doppelt soviel Menschen hineingepreßt werden, als die Polizei erlaubt, und von sonstigen Vehikeln, gegen deren Lärm die Straßenhändler in den Arkaden vergeblich anschreien. Um diesen Platz herum liegen fast alle kolonialen Sehenswürdigkeiten in bequemer Laufweite.

An ihm steht die mächtige *Kathedrale,* deren Grundstein bereits von Pizarro gelegt wurde, die aber nach dem Erdbeben von 1746 völlig neu erbaut werden mußte. Berühmt ist sie dank ihrer hervorragenden Schnitzereien und der – angeblichen – Leiche Pizarros, die einbalsamiert in einem Glassarg ruht. Gleich links neben der Kathedrale steht, im gleichen Stil errichtet, das *erzbischöfliche Palais* mit wundervollen geschnitzten Balkonen.

Weiter links in schwerer Neoklassik der *Palacio de Gobierno,* der Regierungspalast, auf den Fundamenten des ehemaligen Palastes von Pizarro. Sehenswert: der »Goldene Saal«, der »Saal Pizarros« und die bühnenreif kostümierte Präsidentenwache, deren vergoldete Helme weithin glänzen – sofern die Sonne scheint.

Gegenüber liegt die *Municipalidad,* das Rathaus, mit schönen Balkonen und einer kleinen Gemäldegalerie. Den Rest des Platzes nehmen die Arkaden vor einigen Geschäften ein und der nobelste Club Limas. Nicht weit entfernt davon finden Sie:

Die Kirche und das Kloster *La Merced*, ein weitläufiges Gebäude, 1639 in von indianischen Motiven unbeeinflußtem, reinem Kolonialstil vollendet. Sehenswert sind die teilweise gekachelten Wände und die »Muttergottes der Gnade«, über deren kostbarem Kleid das Band der Großmarschallin von Peru leuchtet. Es wurde ihr 1921 zusammen mit einem massiv goldenen

Szepter feierlich verliehen, da sie 1615 Lima vor einem drohenden Piratenüberfall geschützt und 1821 den Unabhängigkeitskämpfern entscheidend geholfen haben soll.

Die Kirche *Santo Domingo*, 1590 vollendet und später mehrfach verändert, bewahrt auf einem der Altäre die Urne mit der Asche der heiligen Rosa von Lima, Santa Rosa de Lima. Wegen ihrer Aufopferung für die Leidenden wurde sie als erste Lateinamerikanerin kanonisiert.

Das Heiligtum von Santa Rosa, genannt *El Santuario de Santa Rosa de Lima*, eine hübsche kleine Kirche und Ziel unzähliger Pilger, entstand über der Adobehütte, in welche die Heilige – die auch Schutzpatronin der Neuen Welt ist – sich zu ihren Gebeten zurückzog. Im Hof steht der Brunnen, in den sie den Schlüssel zum Schloß, das die Kette um ihre Taille zusammenhielt, hineinwarf. Heute schreiben Pilger ihre Sorgen und Wünsche auf einen Zettel und lassen ihn hoffnungsvoll in das 19 Meter tiefe Loch sinken.

Die Klosterkirche *San Francisco*, 1674 vollendet, weist in ihrem Barock einige maurische Elemente auf. Bewundernswert sind die Gemälde von Zurbarán und die kostbare Monstranz. Im Keller wird's leicht gruselig. Dort geht es hinab zu den Katakomben, in denen unzählige Seuchenopfer beigesetzt wurden. Die Mönche haben die Wände mit den Gebeinen dekoriert, ein erbaulicher Spruch ist aus lauter Schlüsselbeinen zusammengesetzt.

Die Kirche *San Pedro*, 1638 geweiht, ist letzte Ruhestätte mehrerer Vizekönige und eines der wenigen Gotteshäuser, die alle Erdbeben nahezu schadlos überstanden haben. Wundervolle Kachelarbeiten, vergoldete Altäre und Schnitzereien. Ihre Glocke, genannt »La Abuelita«, Großmütterchen, rief 1821 zum Unabhängigkeitskampf.

Der *Palacio Torre Tagle*, 1735 für eine reiche Familie erbaut und heute Sitz des Außenministeriums, ist wohl das berühmteste Kolonialbauwerk Limas. An seiner stilreinen Barockfassade hängen die schönsten geschnitzten Balkone der Stadt. Einige zur Besichtigung freigegebene Räume sind nicht mit Beamten, sondern mit sehenswerten Kolonialkunstwerken angefüllt. Im gepflasterten Innenhof steht eine leicht vom Zahn der Zeit angenagte Karosse aus dem späten 17. Jahrhundert, die als Nonplusultra der damaligen Auffassung von Luxus und Bequemlichkeit mit einem eingebauten Nachttopf ausgerüstet ist.

Die Kirche *Nazarenas* ist mit ihrem Bild des Señor de los Milagros, des wundertätigen Heilands, Mittelpunkt eines Kults, der beispielhaft ist für die Glaubensauffassung der Lateinamerikaner. Gemalt wurde es von einem freigelassenen Negersklaven auf eine Wand seines miserablen Slums, die bei dem verheerenden Erdbeben von 1655 als einzige stehenblieb. Das galt als erstes Wunder. Flugs errichtete man eine Kirche, in die man das abgelöste Bild brachte. Bei einer Flutkatastrophe im Hafen von Callao trug man das Bild betend den aufgewühlten Fluten entgegen. Das Wasser wich sogleich zurück. Wunder Nummer zwei. Im September und Oktober wird das Bild zu zahlreichen Prozessionen aus seiner etwas kalten, aber mit schönen Barocktürmen verzierten Kirche in die Straßen Limas geführt, in denen dann der Verkehr zusammenbricht. Hunderttausende folgen dem Heiland singend und betend, angeführt von der violett gewandeten Bruderschaft »Hermandad del Señor de los Milagros«. In dieser Zeit trägt jeder Gläubige zumindest einen violetten Gürtel, manche Frauen hüllen sich sechs Wochen lang in knöchellange violette Kleider. Aus Anlaß des Festes wird das Turrón de Doña Pepa gebacken, ein klebrig-süßer Teig mit bunten Zuckerperlen.

Einen mit all dieser kolonialen Pracht ausgefüllten Vormittag sollte man stilecht in schönster Umgebung mit der erforderlichen Stärkung beenden. Das Restaurant »Trece Monedas«, »13 Münzen«, ist eine luxuriöse Residenz aus dem 18. Jahrhundert, in deren Eingang eine prachtvolle alte Kutsche steht. Die Bewirtung ist gut, die Speisekarte bietet auch lokale Spezialitäten. Wenn Sie gerade hier sind: nur einen Steinwurf entfernt steht die *Casa de la Inquisición*, die 1813 nach Abschaffung der Inquisition vom rachwütigen Mob verwüstet wurde. Legen Sie eine Gedenkminute ein für die Tausende, die unter diesem grausamen Moralgericht litten, und schauen Sie sich die liebevoll wiederhergerichtete Folterkammer an – falls Ihnen das nicht zu sehr auf den Magen schlägt.

Wenn Sie Zeit haben, sehen Sie sich in diesem Viertel noch an:

El Puente de Piedra, die »Steinbrücke« hinter dem Regierungspalast, die erste Brücke über den Rio Rimac. Sie entstand 1610 und hat bis heute allen Fluten und Erdbeben getrotzt. Ihr Geheimnis: Der Mörtel ist mit dem Weißen von Hunderttausenden von Eiern angerührt worden.

Die *Plaza de Acho*, die Stierkampfarena mit einem Stierkampfmuseum in ihrem massigen Unterbau.

Den *Paseo de Aguas*, die Wasserpromenade, einen mit allegorischen Marmorfiguren, die jeweils einen Monat darstellen, verzierten länglichen Platz, den Vizekönig Amat für seine »Perricholi« anlegen ließ. Früher Tummelplatz der eleganten Welt, ist das Viertel um ihn heute so heruntergekommen, daß man ihn vorsichtigerweise nur noch am Tage besuchen sollte.

Und nun zu den Museen, die alle außerhalb des Zentrums liegen:

Das *Museo de Arte*, das Kunstmuseum, bietet einen lückenlosen Einblick in die Geschichte Perus. Es ist im Ausstellungspalast untergebracht, erbaut nach einem Entwurf des französischen Ingenieurs Gustave Eiffel und aus diesem Grunde ebenfalls sehenswert.

Das *Museo de Antropología y Arqueología* liegt in einem der traditionellen Viertel Limas. 85 000 Fundstücke, Huacos genannt, sind dort ohne Firlefanz in schlichter Umgebung ausgestellt: Töpfereien, kostbare Stoffe aus Paracas, ein Modell der Andenstadt Machu Picchu und – in einer nur vormittags geöffneten Abteilung – teilweise mit Smaragden besetzte Goldfunde.

Das *Museo Rafael Larco Herrera* ist eine phantastische Privatsammlung, angelegt vom sammelwütigen Rafael Larco Herrera, der unter anderem

55000 Tonsachen zusammengetragen hat. Und natürlich auch Goldenes, darunter zwei Brustplatten, die erstaunlich an ägyptische Funde erinnern. Und auch wertvolle Stoffe: Ein Tuch von der kleinen Chincha-Kultur aus dem 14. Jahrhundert hat pro Zentimeter 157 Fäden. Das ist ein bislang unüberbotener Weltrekord. Notorisch aber ist diese Sammlung wegen der »pornographischen Huacos«, die in einer gesonderten Abteilung ausgestellt sind. Hunderte von Tongefäßen belegen auf derart naturalistische Weise die erotischen Phantasien und Wirklichkeiten der frühen Indios, daß man sich wundert, warum ihre Gottheiten solche Ausschweifungen nicht mit einem Feuer- und Schwefelregen à la Sodom und Gomorrha geahndet haben.

Das *Museo del Oro,* das Gold-Museum am Stadtrand, ist ebenfalls eine Privatsammlung, zusammengetragen diesmal von Gabriel Mujica Gallo. Im Erdgeschoß kann man eine eindrucksvolle Waffensammlung bewundern. Im Keller aber betritt man durch die Panzertür eine atemberaubende, märchenhaft reiche Schatztruhe, bis an die Decke vollgestopft mit funkelndem Gold: Masken mit rundgeschliffenen Smaragden als Tränen, kiloschwere Kultgefäße, Priesterroben, eine davon aus 16000 Goldplättchen, verziert mit einem bunten Meer von winzigen Federn aus dem Amazonasgebiet – insgesamt 10000 Fundstücke, eines erstaunlicher als das andere. Diese Sammlung wird auf der Welt nur noch überboten von jener im Gold-Museum von Bogotá.

Wenn Sie vom lauten, staubigen, verkehrsverstopften Zentrum von Lima, wo die Trottoirs vor fliegenden Händlern überquellen und man immer ein sehr waches Auge auf seine Habseligkeiten richten muß, enttäuscht sind, sollten Sie etwas Luft schöpfen und dabei das moderne Lima kennenlernen, die Viertel San Isidro und Miraflores, zu denen die Avenida Arequipa führt.

Auf diesem Wege erreichen Sie auch die Strände von Lima, zwischen Dezember und April die eigentliche Attraktion der Stadt. La Herradura, Chorrillos und Barranquito gehören zu den bestbesuchten und sehen am Wochenende aus wie ein Strand auf Mallorca. Zwischen den wenigen, die sich ins kalte Wasser wagen, zischen gelenkige Wellenreiter auf ihren glitschigen Brettern hindurch, deren Hauptquartier der »Club Waikiki« ist, einer der vielen Strand-Clubs, von denen nur der »Club Unicornio« für fremde Besucher zugänglich ist. Am Strand spürt man die Volksseele, besonders die der unteren Mittelklasse, für die ein Strandbesuch fast die einzige Abwechslung bedeutet und die – so jedenfalls will es scheinen – ihren Haushalt kurzerhand an den Strand verlagert. Was man mitzubringen vergessen hat, bekommt man bei dem Heer der Händler: lokale Delikatessen, die man als Fremder besser in Restaurants probieren sollte, und das Nationalgetränk Inka-Cola.

Kleine Warnung: Sollte die Sonne mal am Strand nicht scheinen, verzichten Sie trotzdem nicht auf ein starkes Sonnenschutzmittel! Der Hochnebel läßt nämlich die tückischen UV-Strahlen ungehindert durch, und man bekommt den schönsten Sonnenbrand.

In den anderen Monaten ist es zu kalt zum Baden, und man muß mit anderen Zeitvertreiben vorliebnehmen. Mit dem Stierkampf beispielsweise in der Plaza de Acho, wo die Preise ebenso hoch sind wie die Stimmung und sich von Oktober bis November die besten spanischen Toreros mit den spitzhörnigen schwarzen Riesen messen.

Ganzjähriges Blutvergießen gibt es bei den Hahnenkämpfen, zu denen den biederen Hühnerstall-Paschas Rasiermesser an die Beine gebunden werden und die erst enden, wenn einer der Gegner in einem Haufen fliegender Federn zu Boden sinkt. Diese Peleas de gallos beginnen mit einem folkloristischen Tanzwettbewerb und erreichen in den von angriffslustigem Kikeriki übertönten flinken Wettabschlüssen zwischen den Zuschauern ihren Höhepunkt. Eine gute Adresse: Coliseo de Gallos Sandía. Sollte Sie der erste Kampf sichtlich mitgenommen haben, dann können Sie sich an Ort und Stelle mit ein paar Gläsern Pisco – pur oder mit Zitronensaft – die rechte Kampfbegeisterung antrinken.

Pferdefreunde werden in Lima verwöhnt. Die großartige Pferderennbahn »Hipódromo de Monterrico« mit je einer riesigen Tribüne für die Mitglieder des noblen Jockey-Clubs und für die normalen Sterblichen ist das zweite Zuhause der Heerschar an Pferdenarren, die hier viermal in der Woche die Familienfinanzen gefährden dürfen. Mit gutem Grund: Die einheimischen Galopper gehören zu den besten Südamerikas.

Tiere, diesmal weder geritten, abgestochen noch entfedert, darf man im *Parque de las Leyendas,* dem Märchenpark, bewundern, einer gelungenen Mischung aus Park, Zoo und Souvenirmarkt. Typische Landschaften aus Anden und Urwald sind täuschend echt nachgebaut und mit Lamas, Tapiren und Alligatoren bevölkert worden. Hier kann man ohne weiteres einen ganzen Tag verbringen.

Zum Schluß ein Tip für Insider: Anticuchos, gegrillte Herzspießchen sind eine echte limenische Volksspezialität, aber nicht jedermanns Sache. Wer sie zu schätzen weiß, bekommt die besten in dem kleinen Park hinter dem Stadion.

Lima by night

Den Weg ins abendliche Getümmel beginnt man am besten mit einer kleinen kulinarischen Expedition, für die Lima eine dankenswerte Menge Oasen bietet. Die bittere Pille vorweg: Auf jeder Rechnung erscheinen unweigerlich zwischen 17 und 23% Steuern und Service, die man beim Blick auf die Speisekarte schon einkalkulieren sollte.

Beginnen wir mit dem Restaurant »Carlin«, Avenida La Paz 646, einer attraktiven Verbindung von gutem Ambiente und exzellenter Küche.

Das schöne »Trece Monedas« haben wir bereits unter den Sehenswürdigkeiten erwähnt. Es wird nur noch übertroffen vom »El Tambo de Oro«, Calle Belén 1066, einem der Spitzenrestaurants von Lateinamerika. Es ist eine geschmackvoll umgebaute und restaurierte Residenz aus dem 17. Jahrhundert. Ausgesuchte Speisen, in einer Handvoll verschieden dekorierter Räume serviert, sind der Höhepunkt eines stilvollen Abends, den man mit einem Pisco-Sour-Cocktail beginnen sollte. Danach haben Sie die Qual der Wahl, was die »comida criolla« angeht. Die einheimische Kochkunst steht nämlich in Peru – außer in den chinesischen Restaurants – mit auf der ersten Seite der Speisekarte. Da gibt es den Ceviche de corvina oder Ceviche mixto, Corvina-Fisch oder verschiedene Meeresfrüchte in Zitronensaft mariniert; Ají de gallina, scharf gewürztes Hühnerfrikassee; Anticuchos mixtos, gemischte Fleischspießchen vom Grill, und vieles mehr.

Den besten Überblick über die peruanische Küche erhalten Sie bei einem »piqueo criollo« mit rund einem Dutzend Kostproben des Allerbesten. Genießen Sie es, und lassen Sie sich erst beim Kaffee erklären, was Sie da alles gegessen haben. Spezialisten für das »piqueo« sind das traditionsreiche »Rosita Ríos«, Avenida El Altillo 100, und ein weiteres Dutzend der rund hundert für Touristen geeigneten Restaurants in Lima.

Wo Meer so nahe ist, dürfen Fischrestaurants nicht fehlen. Das »Todo Fresco«, Miguel Dasso 116, im Stadtteil San Isidro, war noch vor einigen Jahren der Tempel maritimer Feinschmecker. Das ist es zwar nicht mehr, aber die Langusten und Austern sind immer noch ausgezeichnet. Ebenfalls tropffrische Köstlichkeiten aus dem Meer bekommt man im schickeren »La Barca«, Avenida del Ejército 2159, von als Seeleute verkleideten Kellnern serviert. Es gibt überraschend viele China-Restaurants in Lima. Das »Lung-Fung«, Avenida Limatambo 3165, ist zwar nicht das allerbeste, aber als möglicherweise größtes seiner Gattung auf der Welt eine abendliche Sehenswürdigkeit: 1000 Gäste haben in dem phantasievoll-exotisch angelegten Riesen-Gartenrestaurant Platz, durch das – bitteschön! – ein ausgewachsener Bach fließt. Kleinere und bessere »chifas« sind das »El Dorado«, Avenida Arequipa 2450, und das »Mandarín«, Juan de Arona 887.

Und nun hinein ins Nachtleben. Wer für lebenspralle Folklore ist, sollte ohne zu zögern zum »El Chalán« fahren, Avenida Limatambo 3091. Um 23 Uhr beginnt die Show, ein zweieinhalbstündiger folkloristischer Wirbelwind, ein farbenfroher Musik-Cocktail, nach Varieté-Art gemixt aus Tänzen von der Küste, leicht modernisierten Indio-Reigen zu klagenden Quena-Klängen und Koloraturgesang im Stil der unvergessenen indianischen Sängerin Ima Sumac und mit einem Schuß zeitgemäßer Unterhaltung serviert. Am meisten wird der »Alcatraz« beklatscht, ein Negertanz, bei dem die mit einer brennenden Kerze bewaffneten Tänzer einen Stoffetzen am Gürtel des Vordermannes in Brand zu stecken versuchen. Die rhythmische Untermalung wird von einem Cajón – einer Holzkiste –, von Gitarren und Eselsunterkiefern geliefert. Im Chalán kann man übrigens gut, aber nicht gerade billig essen und – wenn die Künstler das Feld geräumt haben – bis zum Umfallen tanzen.

Während vor wenigen Jahren bei der Jugend von Lima und vor allem bei der tonangebenden jeunesse dorée alles Einheimische und Folkloristische im Ruf stand, hausbacken zu sein, und die englische Popmusik das höchste der Gefühle war, gibt es jetzt eine erfreuliche Rückbesinnung auf die reiche künstlerische und vor allem musikalische Folklore Perus, die man zu unrecht als Unterhaltung für die unteren Klassen abgetan hat. Natürlich gibt es im weltoffenen, mondänen Lima immer noch Diskotheken und Privatclubs, wie man sie auch in Paris findet, und sie sind immer noch sehr gut besucht. Parallel dazu ist aber Typisches wieder im Kommen. Bunt, laut, ausgelassen und vor allem billig sind die ›peñas‹, in denen sich vor allem Studenten bei Huayno- und Cumbiaklängen austoben. Mitunter gibt es eine kleine Show dabei und danach kleine Schau-Einlagen vom begeistert mitgehenden Publikum. Es ist das Vergnüglichste, was Lima an abendlicher Unterhaltung zu bieten hat, und eine sehr gute Gelegenheit, mit dem interessanteren Teil der Jugend Limas in Kontakt zu kommen. Es ist stadtbekannt, in welcher der unprätentiös eingerichteten Folklore-Kneipen gerade am meisten los ist. Die englischsprachige »Peruvian Times«, die in allen Touristen-Hotels ausliegt, listet das Was-wann-wo auf. Das kann in dieser Riesenstadt an manchen Tagen wenig, sonst aber mit Theater, Konzerten, Ballett usw. verwirrend viel sein. Auch das Programm der zwanzig guten Kinos steht darin. Ausländische Filme laufen grundsätzlich im Original mit Untertiteln, das ist gut für die Englischkenntnisse. Außerdem klingt John Wayne auf englisch eben doch kerniger.

Rotlichtdistrikte sind überall in Lateinamerika für Ausländer ein gefährlich heißes Pflaster. Lima ist da keine Ausnahme. Wer Völkerverständigung auf diese Weise sucht, sollte es sich zweimal überlegen und sich vom Portier eines guten Hotels gegen ein gutes Trinkgeld ausführlich beraten lassen. Rotlicht bedeutet automatisch hochkarätige Kriminalität.

Shopping

Kaufen Sie Ihre Souvenirs am besten schon in den ersten Tagen – aber nur nach eingehenden Preisvergleichen – und nicht fünf Minuten vor dem Rückflug auf dem Flughafen, wo man doch nur übers Ohr gehauen wird.

Eine touristische Pflichtübung ist der Besuch der »Feria Artesanal«, Avenida de la Marina; ein Markt für Kunsthandwerk, auf dem in 30 von Indios geleiteten Ständen alles geboten wird, was Peru an Mitnehmenswürdigem produziert. Leider haben die Standbesitzer in gutnachbarlicher Manier ihre Preise abgesprochen und sind durch die amerikanischen Touristen, die höchst ungern feilschen, schon so verwöhnt, daß man höchstens mit Rabatten um die 15% rechnen kann. Trotzdem sind die Preise fair.

Das gleiche Angebot, nur etwas teurer, findet man im Stadtzentrum in den Straßen Jirón de la Unión, Camaná, Colmena-Derecha, Ocoña, Cailloma und Augusto-Wiese. Empfehlenswert ist ein Besuch der »EPPA – Empresa Peruana de Promoción Artesana«, Avenida Orrantia 610, im Stadtteil San Isidro, einer staatlichen Verkaufsstelle, über die auch der Export von peruanischem Kunsthandwerk geleitet wird. Schöne Sachen zu noch vernünftigen Preisen.

Einen kleinen Souvenirmarkt findet man auch am Eingang des bereits erwähnten Parque de las Leyendas.

Kupfer wird zu Aschenbechern, Leuchtern und Gefäßen aller Art verarbeitet, gelegentlich auch zu Masken.

Pan de Oro, das »goldene Brot«, ist eine peruanische Besonderheit, bei der Brotteig barock geformt, getrocknet und mit Goldfarbe bemalt wird. Holz beispielsweise wird damit bleibend verziert: Bilderrahmen, Schmuckkästchen usw.

Spiegel aus Cajamarca sind etwas für Connaisseurs. Der breite gläserne Rahmen wird von der Unterseite mit herrlichen Ornamenten bemalt.

Wolle liefern die Lamas, Alpakas und Schafe. Verarbeitet wird sie zu Ponchos, Pullovern, Taschen, Kissenbezügen, Wandteppichen, Mützen... Am schönsten fühlt sich die Alpakawolle an – glänzend, weich und geschmeidig. Lamawolle ist etwas länger, rauher und glanzlos. Am billigsten ist die Wolle vom Schaf – die erkennen Sie am Geruch.

Möbel im Kolonialstil, fast schwarz gebeizt und mit geschmackvoll geprägtem Leder bezogen, sind ebenso schön wie als Mitbringsel unhandlich.

Silber sollte auf der Rückseite immer den Stempel »925« tragen. Unendlich viel Verführerisches wird daraus geschaffen: vom Ring bis zum Teeservice. Unübertroffen ist der exklusive Silberschmied Camusso, Avenida Mariscal Benavides 679.

Gold, oft zusammen mit Silber und Halbedelsteinen verarbeitet, ist billiger als in Europa und fast ebenso artistisch geschmiedet. Favoriten sind schwere Armbänder.

Ton, der traditionelle Werkstoff der Indios wird viel verwendet. Man macht aus ihm Gefäße, Figuren und vor allem die kleinen, hübsch angemalten Stiere aus Puno. Tonsachen mit äußerster Sorgfalt verpacken! Sonst haben Sie daheim abendfüllende Puzzlespiele.

Felle von Lamas und Alpakas geben herrliche Bettvorleger, Läufer und Wandteppiche. Am preiswertesten sind runde oder viereckige Läufer aus verschiedenfarbigen kleinen Fellstücken. Weiße oder braune Alpaka-Felle sind seltener und auch teurer. Achten Sie auf den Unterschied: Alpaka ist kurz, seidig und dicht, Lama leicht gekräuselt, lang und matt. Vicuña-Felle sind eine begehrte Seltenheit, weil diese hochbeinigen Vettern der Kamele unter Naturschutz stehen. Widerstehen Sie der Versuchung: Verkauf und Kauf dieser Felle werden gleichermaßen streng bestraft.

Präkolumbianische Kunst ist relativ teuer, weil 1000 Jahre alte Kostbarkeiten aus Ton, Stoff oder gar Gold eine Menge Liebhaber haben. An den Kauf sollte man mit viel Sachverstand und Vorsicht herangehen. Eine Adresse: »Casa Paracas«, Jirón de la Unión 713. Übrigens: Offiziell ist der Export von Fundstücken verboten.

Bemalte Stoffe, wie sie schon die Nazca-Indios vor 1500 Jahren herstellten, sind wieder im Kommen, diesmal aber zu Blusen, Hemden und Krawatten zusammengenäht. Apart und – wenn man den Aufwand bedenkt – gar nicht so teuer. Zu haben bei »Silvania Prints«, Colmena 714.

Sonstiges: Einheimische Zigaretten sind recht gut und billig, ebenso der Pisco, ein klarer Trester, der vorzugsweise aus dem Weinanbaugebiet Ica stammen sollte. Der einheimische Wein ist es allemal wert, probiert zu werden. Preiswert läßt sich auch in Peru die Urlaubsgarderobe ergänzen.

Transport in Lima

Taxis sind zwar nicht ganz so billig wie in den Nachbarländern, dennoch erfreulich günstig. Da sie kein Taxameter haben – und wenn doch, dann funktioniert es nicht –, müssen die Preise bei längeren Fahrten zuvor ausgehandelt werden. Beim Empfangschef des Hotels erfahren Sie die zur Zeit üblichen Tarife. Feste Fahrpreise bestehen nur für die Fahrten innerhalb der Stadt.

Colectivos sind Sammeltaxis, die bis zu sechs Fahrgäste aufnehmen und gleichbleibende Routen, meist die Hauptstraßen, hinauf und hinabfahren. Wenn man sich nach ein paar Tagen auskennt, sind sie die ideale Lösung.

Micros sind Kleinbusse und die zweitpraktischste Lösung, da in ihnen mitunter ein zünftiges Gedränge herrscht.

Busse sind spottbillig und das Transportmittel des biederen Volks. Das Gedränge ist enorm und das Risiko, ohne Brieftasche auszusteigen, beträchtlich.

Ausgangspunkt Lima

La Granja Azul – Die lasterhafte Jungfrau

Eine touristische Erfahrung ganz neuer Art bietet das Urlaubsdorf Granja Azul, wörtlich der »Blaue Landhof«, 25 km außerhalb von Lima auf dem

Weg in die Anden. Über mehrere Hektaren Wald- und Rasenflächen erstreckt sich der schönste Urlaubskomplex Perus, in dem es wenig zu sehen, aber, wenn man mitmacht, eine Menge zu genießen gibt: Golf, Reiten, Tennis mit und ohne Flutlicht, Sauna, drei Swimming-pools, drei Bars, vier Restaurants, eine Diskothek und eine herrlich entspannte Atmosphäre.

Untergebracht wird man entweder im geschmackvoll eingerichteten Haupthaus oder im kolonialen Bungalowdorf, dessen bessere Häuschen einen eigenen Swimming-pool haben. Nicht nur ist dieser mondäne Tummelplatz bei weitgereisten Connaisseurs hoch im Kurs, sondern auch bei den begüterten Limeniern, die sich am Wochenende mit Vorliebe hier einfinden. Man entspannt sich, widmet sich der erlesenen Speisekarte oder riskiert für eine Pauschale, sich an einer beliebigen Zahl Hähnchen zu überfressen.

Zur Berühmtheit der Granja Azul haben vor allem die exotischen Cocktails beigetragen, die in aussagestarken Gefäßen kredenzt werden, jedes passend zum explosiven Inhalt. Einer der wirksamsten nennt sich vielversprechend La Virgen Viciosa, die lasterhafte Jungfrau.

Übrigens: Anders als im meist bedeckten Lima kann man hier fast das ganze Jahr hindurch mit Sonne und badegerechten Temperaturen rechnen.

Callao – Letzter Widerstand der Spanier

Ebenfalls eine halbe Stunde vom Stadtzentrum entfernt, diesmal in entgegengesetzter Richtung, liegt der Hafen von Lima, heute im Grunde ein Teil der Stadt, so wie Piräus nunmehr zu Athen gehört. Pizarro gründete ihn als Puffer zwischen dem Meer und Lima. Recht hatte er: Mehrere Piraten, darunter solche Experten wie die Mannen von Sir Francis Drake, konnten seine Befestigungsanlagen nicht überwinden.

Heute wirkt die planlos und nachlässig angelegte Stadt mit einer halben Million Einwohner ziemlich heruntergekommen. Einzige Sehenswürdigkeit des wichtigsten Hafens von Peru ist die 1774 erbaute Festung San Felipe, in der nach der Unabhängigkeit der Rest der spanischen Truppen über ein Jahr lang belagert wurde. Heute wohnt darin ein Regiment. Zur Besichtigung freigegeben sind einige Räume mit militärhistorischen Sammlungen, offiziell »Museo Militar« genannt.

Ancón – Bei bewölktem Himmel auf Gräbersuche

Wenn die Limenier weg von ihrer lauten Stadt und den in der Saison überfüllten Stränden wollen, fahren sie nach Ancón. 38 km weit führt die Straße parallel zur Küste durch eine braungelbe Wüstenlandschaft, unterbrochen hier und da von kleinen bewässerten Flecken, auf denen Mais, Wassermelonen und Bohnen gedeihen. Im eleganten Badeort Ancón quartieren sie sich in den 10 bis 12 Stockwerke hohen Appartmenthäusern an der Uferpromenade ein oder im vornehmen Hotel Playa Hermosa mit Kasino und einem fabelhaften Blick über die schöne Bucht, in der schneeweiße Jachten dümpeln, über die langen hellen Strände und das tiefblaue Wasser, in dem sich an manchen Tagen mehr Delphine als Badegäste tummeln.

Diese Bucht haben offenbar schon die Ureinwohner Perus vor einigen tausend Jahren schön gefunden. Man hat überall Muschelhaufen entdeckt, die von ihrer zwangsläufigen Vorliebe für Meeresfrüchte zeugen. Aber auch später muß sich hier einiges abgespielt haben, denn in dem flachen Wüstenhinterland Ancóns sind Hunderte von Gräbern mit zum Teil kostbaren Beigaben gefunden worden, meist von Amateuren. Gelegentlich kann man diese Grabsucher bei der Arbeit antreffen. Mit einer langen Eisenstange, die sie immer wieder tief in den Sand rammen, wandern sie im Zickzack durch die Gegend. Wenn die Stange plötzlich fast ohne Widerstand einsinkt, haben sie ein Grab gefunden. Und wenn nicht gerade ein Auge des Gesetzes sie überwacht, gehört die Beute ihnen. Diese von den echten Archäologen verfluchten »huaqueros« sind in Peru besonders zahlreich. Wenn die Sonne nicht scheint, widmen sich auch gelangweilte Badegäste dieser aufregenden Abwechslung, die wohl kein anderer Badeort der Welt zu bieten hat.

Pachacamac – Die große Angst vor dem großen Regen

»Das Gebäude befand sich auf einem von Menschenhand zusammengetragenen Hügelchen aus Adobe und Erde«, notierte 1548 der spanische Chronist Cieza de León, »es hatte viele Türen, die – wie die Wände – mit Bildern wilder Tiere bemalt waren. Im Tempel mit dem Abbild des Götzen befanden sich die Priester. Und wenn sie Opfer vor der versammelten Menge vollzogen, wandten sie sich den Türen zu, mit dem Rücken zum Götzen, den unsteten Blick zu Boden gesenkt … Vor dem Abbild dieses Teufels opferten sie Tiere und manchmal auch Menschen.« – Das ist lange her.

Die Tempelstadt Pachacamac, wörtlich »Schöpfer des Universums«, erreicht man nach 31 km Fahrt von Lima in südlicher Richtung über die moderne Autobahn, die einen denkwürdigen Ausblick bietet. Rechts liegen weite Felder, bedeckt mit dem übelriechenden Abfall des Molochs Lima, durch den ständig ein Haufen gebeugter, in Fetzen gehüllter Menschen wandert auf der Suche nach Lumpen und Papier, mit deren Verkaufserlös sie die größte Misere ihres Daseins ein wenig lindern. Hunde balgen sich um das bißchen Verwertbare mit mageren schwarzen Schweinen, die hier in Rudeln gezüchtet werden. Ihr Fleisch ist das einzige, das sich die Bewohner der nahen Elendsviertel leisten können. Wenige Kilometer weiter ragt links die hochmoderne Parabolantenne in den verwaschenen Himmel, erbaut für den

Empfang von Telefongesprächen und Live-Übertragungen von Fußballspielen aus Europa.

Rechts endlose Strände und überall Sand so weit man sehen kann. Und mitten darin Pachacamac, ein gigantischer Haufen aus halbverfallenen Adobemauern, den man von der großen Pyramide auf dem Hügel am besten überblickt. Da liegt der mit Zement eher entstellte als restaurierte Tempel der Sonnenjungfrauen, man erkennt noch die einstigen Prachtstraßen, dahinter das kleine Museum, in dem die große alte Stadt im Modell dargestellt ist.

Von 1350 an bis zur Ankunft der Spanier war Pachacamac das wichtigste Heiligtum an der peruanischen Küste, zu dem Pilger von weither strömten, um das Orakel zu befragen. Als die Inkas die Küste eroberten, stellten sie neben die hier angebeteten Gottheiten ihren Sonnengott Inti und ließen zu seinen Ehren eigens für diesen Zweck aus den Anden herbeigeschaffte Frauen und Mädchen opfern. Man hat sie in Massengräbern gefunden, alle noch mit ihrer heimischen Tracht bekleidet und allesamt erwürgt.

Entsetzt über diese barbarischen Riten ließ Hernando Pizarro, ein Bruder des Eroberers, alle Priester abschlachten, die Gottheiten zerschlagen und die Schatzkammern dieser großen Stadt plündern.

Pachacamac ist unweigerlich dem Untergang geweiht. Die Adobemauern aus sonnengetrockneten Lehmziegeln zerbröckeln beim bloßen Anfassen zu Staub. Jeder seltene kleine Regen richtet kaum behebbare Schäden an. Ein verregneter europäischer Novembermonat würde die Stadt fast dem Erdboden gleichmachen.

Die Küste

Nach Norden – Streifzug durch die Frühgeschichte

Diese Fahrt mit dem Bus oder dem Auto entlang der Panamerican Highway, die man auch die »Traumstraße der Welt« genannt hat, wird jeden faszinieren, der in dem zarten Farbenspiel zwischen dem Meer zur Linken, der braunen bis gelben Wüsteneinöde und den rechts immer in Sichtweite liegenden Andenausläufern, deren Spitzen sich bräunlich-grün färben und allmählich im Dunst verblauen, den einzigartigen Reiz dieser Landschaft erkennt.

Kilometer 132. Huaura in der Nähe des Hafens Huacho wurde 1967 bei einem Erdbeben fast vollständig zerstört. Stehen blieb die einzige Sehenswürdigkeit, der Balkon, von dem aus der Befreier San Martín 1821 zum Freiheitskampf aufrief.

Kilometer 189. Hier führt eine Straße rechts hinauf in die Anden zum Callejón de Huaylas, einer der großartigsten Landschaften Perus. Mehr darüber später.

Kilometer 195. Paramonga heißt das Ruinenfeld neben dem gleichnamigen Industriekomplex. Kernstück ist ein achtstufiger Bau, vielleicht eine Festung, der die südlichste Grenze des Chimú-Reiches markiert. An einigen Adobewänden sind noch Reste von Malereien zu bewundern.

Kilometer 355. Sechín, vermutlich eine alte Tempelstadt, ist die archäologische Sensation der letzten Jahre. 1937 entdeckt, hat sie die Archäologen bislang mehr verwirrt als belehrt, denn sie ist weitgehend aus dem an der Küste seltenen Baumaterial Stein errichtet worden. Vermutlich stammt die Stadt aus der Chavín-Zeit, etwa um 1500 v. Chr., ihre Bauwerke gehörten also zu den ältesten an der Küste. In dem Areal sind bisher mehrere hundert Monolithe gefunden worden mit reliefartigen Darstellungen von Folter- und Kampfszenen von unerhörter Grausamkeit.

Chan-Chan – Die größte Adobestadt der Welt

In der Nähe von Trujillo, einer hübschen Stadt mit 700 000 Einwohnern und angenehmer Kolonialatmosphäre, liegt 545 km nördlich von Lima die atemberaubende Hauptstadt des Chimú-Reiches, die bedeutendste Fundstätte und einst wohl größte Stadt an der südamerikanischen Pazifikküste.

Über 8 km² erstreckt sich ein wahres Meer aus Adobebauten, unterteilt in mehrere Viertel, die ursprünglich wohl den verschiedenen Berufsgruppen zugedacht waren. Dazwischen sind Tempel, Paläste und der Rest eines Bewässerungssystems sichtbar. Wie prächtig muß diese Stadt einst gewesen sein, vor einem Jahrtausend noch von 50 000 Menschen bevölkert, die sich hinter der 8 km langen, weit vorgelagerten Stadtmauer und den 12 m hohen Wällen sicher fühlen konnten.

Doch Mauern und Wälle konnten nicht die Inkas zurückhalten, die gegen 1450 die brillante Kultur der Chimús zerschlugen, die Stadt plünderten und die Überlebenden als Sklaven ins Hochland verschleppten.

Was den Inkas entgangen war, gruben die Spanier aus den Ruinen und Gräberfeldern: Schätze, die nach heutiger Berechnung mehrere Millionen Dollar wert gewesen sein müssen, darunter ein Sessel ganz aus Gold.

Damit hörte die Zerstörung nicht auf. Sparbewußte Häuserbauer aus der Umgebung trugen im Lauf der Jahrhunderte Millionen der ohnehin nicht für die Ewigkeit gedachten Adobeziegel ab, Verwitterung tat ein übriges, und schließlich kleisterten wohlmeinende, aber amateurhafte Restauratoren viele wichtige Bauten mit einigen hundert Tonnen Zement zu.

Dennoch bietet Chan-Chan überwältigende Anblicke: Die Tempel sind verziert mit höchst aparten, aus feuchtem Lehm geschnittenen Reliefs, geometrisch-großflächigen Ornamenten oder mythologischen Figuren, Vögeln, Blumen und Gottheiten von rustikaler Schönheit. Man trifft sie überall in dem insgesamt 28 km² großen Fundgebiet, das übersät ist mit von der Zeit rundgeschliffenen Adobetempeln, von denen die Huaca-Esmeralda am geschicktesten restauriert worden ist.

Die Chimús, die das Wasser und den Mond mit der gleichen Inbrunst verehrten wie die Inkas die Sonne, haben den Bewohnern dieser Gegend Perus einen Bootstyp hinterlassen, der schon bei ihren Vorgängern, den Mochicas, bekannt war. Es sind kleine, spitz zulaufende Binsenflöße, Caballitos de mar, »Seepferdchen«, genannt, mit denen die Fischer im nahen Huanchaco hinausfahren und wellenreitend zurückkehren. Sie werden aus der gleichen Binsenart gefertigt, die man an den Ufern des Titicaca-Sees und in den Kratern auf der Osterinsel mitten im Pazifik findet.

Das eigentliche Kultzentrum der Chimús waren die Pyramiden von Moche, wenige Kilometer südlich von Trujillo. Die größere ist die Sonnenpyramide, wobei diese Bezeichnung höchstwahrscheinlich falsch ist. Denn die Chimús hielten den Mond für mächtiger, weil er jederzeit die Sonne überdecken und außerdem auch am Tage erscheinen kann. Diese Pyramide gilt als das größte präkolumbianische Bauwerk Südamerikas. Sie war ursprünglich 228 m lang, 135 m breit und 48 m hoch. Die Mondpyramide, vermutlich älteren Datums, war ca. 80 m lang, 60 m breit und 21 m hoch. Zusammen bestehen beide aus etwa 50 Millionen Lehmziegeln. Die Anlage der Tempel, die Landschaft ringsherum und die Reste von Wandmalereien verfehlen auf keinen Besucher ihre Wirkung.

Auch eine Art zu forschen: Um an die im Innern der Pyramide vermuteten Schätze heranzukommen, leiteten unbekannte »huaqueros« in einem grandiosen Einfall das Wasser des nahen Flüßchens Rio Moche gegen die Flanke des Bauwerks. Steter Tropfen ...

Cajamarca – Einen Kaiser gegen ein Zimmer voll Gold

Auf dem Weg nach Norden, der durch die Sechura-Wüste führt, die auf spanisch treffend »Despoblado de Sechura«, das entvölkerte Gebiet von Sechura, heißt, vorbei an Cabo Blanco, einem Sportfischerparadies, wo man, festgezurrt in einem Schalensitz, einen schwarzen Marlin oder 300 tobende Kilo Thunfisch an der Angel haben kann, sollten Sie hinter Pacasmayo etwa bei Kilometer 666 einen Abstecher nach Cajamarca machen.

192 km weit führt der Weg zuerst allmählich ansteigend und später in haarsträubender Kurverei hinauf in die Anden zur 2750 m hohen Kolonialstadt Cajamarca, deren 30 000 Einwohner in einer bilderbuchhaften Umgebung leben.

In Cajamarca haben die Kirchen keine Glockentürme, weil diese Leute sparsam waren und auch noch sind. Der König von Spanien kassierte auf jede fertiggestellte Kirche eine Steuer, wobei ein turmloses Gotteshaus als unfertig galt. Seitdem schwingen die Glocken in Nischen in den Fassaden. Zwar mußte sich auch hier herumgesprochen haben, daß der König schon seit geraumer Zeit tot war, als man 1960 die Kathedrale vollendete; trotzdem verzichtete man auf den Glockenturm.

Die Sehenswürdigkeit Cajamarcas ist El cuarto del rescate, das »Zimmer des Lösegeldes«, in dem ein denkwürdiger Handel stattfand. In diesem 60 m² großen Raum hatte Pizarro den Inka-Kaiser Atahualpa am 16. November 1532 eingesperrt. Da dieser die Goldgier der Spanier kannte, bot er einen Tausch an. Gegen seine Freilassung würde er das Zimmer bis zur Höhe seines ausgestreckten Arms mit Goldgefäßen und Schmuck füllen. Bei einer kurzen Überschlagrechnung ergibt das ein Volumen von über 140 Kubikmetern. Der Goldwert dieses legendären Schatzes wird auf 170 Millionen Dollar geschätzt! Das höchste Lösegeld der Geschichte. Pizarro nahm an. Ein endloser Strom von Indios schleppte die Kostbarkeiten herbei. Seine Zusage aber löste Pizarro nicht ein. Er hielt Atahualpa weitere neun Monate gefangen und ließ ihn am Ende hinrichten.

Sehenswertes nahebei: die Baños del Inca, die »Bäder des Inka«, ein bereits von den Inkas errichtetes Thermalbad, mit dessen schwefelhaltigem warmem Wasser Atahualpa vor der Ankunft der Spanier seinen Häuptlingsstreß fortspülte und die Wunden aus dem mörderischen Kampf gegen seinen Halbbruder Huascar auskurierte.

Cumbemayo ist ein beachtliches Bauwerk der Cajamarca-Indios, die auf 3700 m Höhe lange vor der Zeit der Inkas einen etwa 1000 m langen Kanal durch den Fels geschnitten haben, um Wasser zu ihren Siedlungen zu leiten. Er diente wohl auch kultischen Zwecken: Dieses Meisterwerk früher Ingenieure ist mit einem Thron und zwei Opfertischen ausgestattet.

Nach Süden

Die Fahrt über die Panamerican Highway von Lima aus nach Süden ist ein Erlebnis für Wüstenfreunde. Sie führt durch ein sanft gewelltes Meer aus braungelben Hügeln und Dünen, immer in Sichtweite der Andenausläufer. Hin und wieder führt das heiße Asphaltband durch leuchtend frische Oasen an Flußläufen, durch bewässerte Felder, auf denen beste Baumwolle und alles, was man so braucht, wächst – sogar Wein. Dann wieder stundenlang trostlose Einöde, unterbrochen hier und da von einer Tankstelle, von einem verstaubten Dorf mit ungewaschenen Kindern und räudigen Hunden. Diese offenkundige Misere hindert viele daran, der Faszination dieser immer in grelles diffuses Licht getauchten Landschaft zu erliegen.

Rechts schäumt der kalte Pazifik, aus dem vereinzelte Inseln auftauchen, grau, nackt, belagert von Scharen schlanker Kormorane und Tölpel. Dort, wo die Anden nahe an die Küste herankommen und sich die Straße vom Meer entfernt, zieht bisweilen ein Kondor seine einsamen Kreise.

Nach den zahllosen Erdbeben seit ihrer Gründung sind in Lima, der ehemaligen »Stadt der Könige«, nur noch wenige Kolonialbauten stehen geblieben; so zum Beispiel das Erzbischöfliche Palais neben der Kathedrale, dessen Balkone aus dunklem Holz zu den schönsten im ganzen Land gehören. Rechts der Innenhof des Palacio Torre Tagle, in dem heute einige Abteilungen des Außenministeriums untergebracht sind.

Cuzco ist nach wie vor das indianische Zentrum der Anden – auch wenn heute vor dem Haucaipata, dem Platz der Freuden, die Kathedrale auf den Fundamenten des Viracocha-Palastes der Inkas steht.

Die hervorragenden Holzschnitzer der Kolonialzeit, meist Indianer, haben sich nicht nur auf sakrale Kunst beschränkt. Man braucht nur den Blick zu heben, um allenthalben wundervolle Balkone selbst an ärmlich wirkenden Häusern zu entdecken. Hier ein Beispiel aus Cuzco.

Die schöne Kathedrale von Cuzco ist im Grunde das sehenswerteste Museum der Stadt.

Rechts eine der vielen malerischen Straßen Cuzcos. Hier scheint die Zeit seit einigen Jahrhunderten stehen geblieben zu sein.

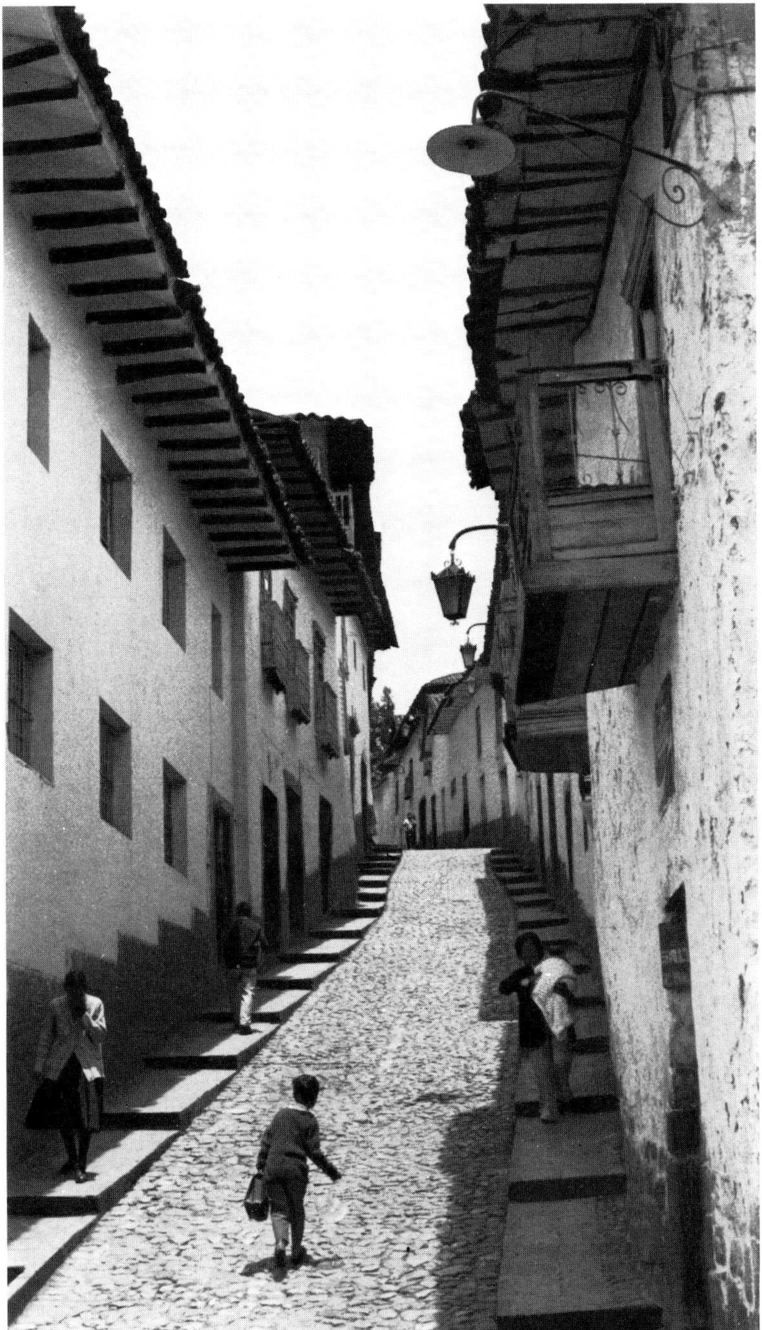

Christliche und heidnische Baukunst traut vereint: Die Apsis der Kirche Santo Domingo in Cuzco ruht sicher auf einer alten Rundmauer des Coricancha, des Sonnentempels der Inkas, dessen Wände bis zur Plünderung durch die Eroberer mit Goldplatten behängt waren. In diesem obersten Heiligtum der Inkas wurden die Kaiser nach ihrem Tod einbalsamiert und wie Statuen aufgestellt. Diese Mauern, in deren Fugen die berühmte Stecknadel wirklich nicht hineinpaßt, wie hier in der Calle Triunfo, wurden von den Spaniern stehen gelassen und als Grundmauern für ihre Kolonialbauten benutzt. Man kann es symbolisch sehen: Die Spanier haben die alte Kultur nie verdrängen können; sie mußten auf ihr aufbauen.

Die größte Blüte der Welt: Die puya raymondii (pourretia gigantea) wächst nur in Peru und Bolivien auf Höhen über 4000 m. Diese botanische Einmaligkeit wird bis zu 14 m hoch und hat bis zu 10 000 Einzelblüten. Die abgebildeten Exemplare stehen in der Cordillera Blanca. Im Hintergrund der Schneeriese Pongos.

Chan-Chan, oben ein kleiner Ausschnitt, wurde von den Mochicas erbaut und von den Chimús, ihren Nachfolgern, zur größten Stadt der Welt aus sonnengetrockneten Lehmziegeln erweitert. Sie liegt unweit der schönen Küstenstadt Trujillo, deren Hauptplatz, Bild Mitte, das Herz der Stadt ist. Unten ein Relief aus Chan-Chan. Es wurde aus feuchtem Lehm geschnitten und hat die vielen Jahrhunderte erstaunlich frisch überstanden.

Arequipa, die zweitgrößte Stadt, wird auch die »weiße Stadt« genannt. Viele Häuser sind aus dem hellgrauen Tuffstein Sillar gebaut, der sich zur Freude der Künstler relativ leicht bearbeiten läßt. Hier das Familienwappen über dem Tor einer herrschaftlichen Residenz aus der Kolonialzeit.

Diese typische Küche aus der Kolonialzeit steht im Kloster Santa Catalina in Arequipa, dessen Tore erst vor wenigen Jahren für Besucher geöffnet wurden. Santa Catalina war eine »Stadt in der Stadt«, in der 400 Nonnen und 2000 Christen sich vollständig von der Welt abgekapselt hatten, um sie nie mehr lebend zu betreten.

Pisac, in der Nähe von Cuzco, ist eines der meistbesuchten Dörfer Perus. Am Sonntag treffen sich hier die festlich gewandeten Alcaldes, die Dorfhonoratioren, um in ausgiebigen Palavern die Lokalpolitik zu besprechen. Sie sind, noch vor den Ministern, die meistgeknipsten Persönlichkeiten Perus.

Doch nicht nur ihretwegen sollte man Pisac besuchen; der Sonntagsmarkt unter den beiden gigantischen Bäumen ist eine echte – wenn auch nicht ganz billige – Fundgrube für Reiseandenken.

Überall in diesem Land steht die Kirche fest mitten im Dorf, denn laut Statistik sind 95% der Peruaner Katholiken. In der Religion haben sich noch viele heidnische Elemente halten können, die im 16. Jahrhundert übernommen worden waren, um die Indios in die Kirchen zu locken.

Julí und Puno, beide am Ufer des Titicaca-Sees gelegen, haben – oftmals im Verborgenen – viele schöne Beispiele an Kolonialkunst zu bieten. Das aparte Fenster mit dem ungewöhnlichen tiefen Goldgewände und dem reichen Goldrahmen ist noch bester »tropischer Barock«; an den Reliefs merkt man jedoch sogleich die Hand der indianischen Steinmetze. Sie waren gelehrige Schüler der Spanier, gingen aber bald ihre eigenen künstlerischen Wege.

Da der Callejón de Huaylas etwas abseits der Touristenpfade liegt, ist er noch relativ wenig besucht. Viele Kenner halten diese Gegend für die schönste Perus.

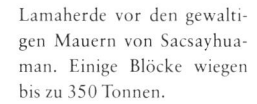

Lamaherde vor den gewaltigen Mauern von Sacsayhuaman. Einige Blöcke wiegen bis zu 350 Tonnen.

Blühender Ginster im Callejón de Huaylas. Dahinter die Cordillera Blanca, die weiße Kordillere.

Tsantsas heißen die Kopftrophäen der Jívaro-Indianer. Die echten sind immer seltener, da der Hersteller bei der Beschaffung von »Rohmaterial« zwanzig Jahre Zuchthaus riskiert. Dieser hier ist aus Affenfell, wie die meisten, die man heutzutage angeboten bekommt.

Im Parque de las Leyendas in Lima hat das Wasserflugzeug »Amauta« einen endgültigen Landeplatz gefunden, nachdem von ihm aus in zwanzig Jahren das Amazonastiefland Perus kartographiert worden ist. Amauta ist ein Quechua-Wort. So nannten die Inkas die Träger von wichtigen Nachrichten und die höfischen Geschichtserzähler.

Die kleinen Anchovetas-Fische haben Peru zur wichtigsten Fischfangnation der Welt gemacht. 1972 wurden 12,5 Mill. Tonnen davon zu Fischmehl verarbeitet. Jeder dunkle Punkt auf diesen Felsen ist ein Huanay, ein Kormoran. Man nennt sie »fliegende Guano-Fabriken«, denn Guano ist nichts anderes als verdaute Anchovetas.

Ancón, 38 km nördlich von Lima, ist der beliebteste Badeort Perus – und der exklusivste. Wenn mal die Sonne nicht scheint, kann man sich hier einem einzigartigen Sport widmen: der Suche nach Gräbern von vergangenen Indianerkulturen im Wüstenhinterland Ancóns.

Paracas – Gobelins aus der Wüste

Bei Kilometer 237 erreicht man den Ort Pisco, dessen Name den Peruanern anregende Abende mit einem Glas ihres Lieblingsgetränks verspricht. Pisco ist das Weinbauzentrum Perus. Aus dem in Oasen reifenden Wein wird der berühmte Trester hergestellt, der die Stadt auch in Bolivien und Chile berühmt gemacht hat, wo man dieses Getränk erfolgreich nachahmt.

Berühmt aber ist Pisco auch wegen der nur 15 km entfernten Halbinsel Paracas. Obwohl auf diesem völlig vegetationslosen Landvorsprung kein Tempel, keine Pyramide aufragt, war er dennoch Mittelpunkt einer geheimnisumwitterten Kultur, deren wahrer Name bislang unbekannt ist. Man gab ihr den Namen dieser Halbinsel: Paracas. Fischer hatten zufällig Gräber entdeckt, deren Erforschung Unerwartetes zutage brachte. In den Gräbern lagen bestens erhaltene Mumien, eingewickelt in die kostbarsten Tücher, die man je gesehen hatte, manche bei einer Breite von vier Metern bis zu 20 Meter lang. Mehrere Jahre mußten die Indios an diesen Mantos, diesen Leichentüchern, gearbeitet haben. Es sind Brokate, Kelims, luftige Schleier, sogar Gobelins von bislang unübertroffener Schönheit, geschaffen von absoluten Meistern der Webkunst.

Auch anderes fand man: Einige Schädel zeigten gut verheilte und mitunter mit Goldplatten abgedeckte Narben von Trepanationen. Das haben die Inkas auch gemacht, doch erst viel später. Hier wurden Eingriffe ins Gehirn bereits zwischen 700 vor und 150 nach Christus vorgenommen.

Schließlich wurde auch das Geheimnis des Überlebens dieser Indios in der Wüste gelüftet. Sie hatten »mahamaes«, breite tiefe Gräben, im Sand ausgehoben und ihre Pflanzungen in der grundwasserhaltigen Schicht angelegt.

Über die Gräberfelder von Paracas und die Funde im kleinen Museum dort kann man bestens im schönen Hotel Paracas nachdenken und von da aus kleine Ausflüge zu Flamingo- und Seelöwenkolonien in den Buchten und auf den vorgelagerten Felsen unternehmen.

Nazca – Flugpioniere vor 1000 Jahren?

Bei Kilometer 427 liegt die kleine Stadt Nazca, bereits vor 1700 Jahren ein bedeutendes indianisches Siedlungsgebiet, wie die über ein Areal von 5000 km² verstreuten Funde beweisen. Weltbekannt wurde Nazca dank der für Archäologen wie Laien gleichermaßen verwirrenden Scharrbilder in der Pampa colorada, der roten Ebene wenige Autominuten vor der Stadt. Auf der geröllbedeckten Ebene überschneiden sich geometrisch präzise Quadrate, Rechtecke, Kreise mit bis zu acht Kilometer langen, schnurgeraden Linien und riesenhaften Abbildungen von Affen, Kolibris, Spinnen, Kondoren und vielem mehr. Entstanden sind sie durch knietiefes Abtragen der bräunlichen Geröllschicht, unter der leuchtend heller Sand hervortritt.

Die erste Reaktion auf diese Scharrbilder, die man im Grunde von Nordchile bis Nordperu an der Küste finden kann, nirgends jedoch so ausdrucksvoll und klar wie hier, war Verblüffung. Wozu das ganze? Und für wen, wo man doch die Figuren erst aus luftiger Höhe richtig erkennen kann? Phantasiebegabte Amateure wurden durch die Bilder zu gewaltigen Gedankensprüngen verführt. Man hat sie unter anderem auch als Landeplätze für Weltraumschiffe ausgeben wollen, auf denen Wesen von fremden Sternen gelandet seien.

Unerwartet abenteuerlich wird es erst, wenn man an diese bis zu 150 m großen Tierfiguren mit wissenschaftlicher Akribie herantritt. Das tat die deutsche Mathematikerin Maria Reiche. Die Ergebnisse ihrer Berechnungen waren sensationell. Sie erkannte, daß viele Linien zu dem Punkt führen, an dem die Sonne beispielsweise bei der Sommersonnenwende am Horizont versinkt. Sie untersuchte daraufhin die restlichen Linien und stellte fest, daß sie auf Winter- und Sommersonnenwenden vergangener Jahrhunderte hinwiesen. Anhand eines astronomischen Kalenders, der die allmähliche Verschiebung der Erdachse berücksichtigt, konnte sie nun belegen, daß die Linien zwischen 600 v. Chr. und 1400 n. Chr. angelegt worden sind. Die Wüste als astronomisches Observatorium!

Wer aber hat diese Figuren entworfen, ihre Einzeichnung überprüft? Eine Inkasage berichtet von Antarqui, der seine Heere aus der Luft an den strategisch richtigen Punkt geleitet haben soll. Diese Sage aber wurde wie die anderen als bloßes Hirngespinst abgetan. Der Jesuitenpater Bartolomeu de Gusmão glaubte daran und hielt die Augen auf, sah Erstaunliches und berichtete daheim in Lissabon, er habe Indios gesehen, die mit Schiffen in den Himmel gefahren seien. Da ihm niemand glauben wollte, fertigte er ein Modell dieser »Schiffe« an und ließ es, mit einem kleinen Kohlefeuer zur Erzeugung von Heißluft, zur Klosterdecke aufsteigen. Das bekam ihm denkbar schlecht. Die phantasielose Inquisition beharrte darauf, daß man nur mit Gottes gnädiger Hilfe gen Himmel aufsteigen könne, und setzte diesen Pionier der Modellfliegerei auf den Scheiterhaufen.

Weitere Indizien: Reliefs auf Nazca-Tempeln zeigen oft fliegende Menschen mit Kondorschwingen; die Mochicas im Norden Perus haben häufig Menschen dargestellt, die auf einem mächtigen Kondor sitzen; einige Stoffe, die man in den Gräbern von Paracas gefunden hat, eignen sich durchaus zur Herstellung der Hülle eines Heißluftballons; die auch an der Küste bekannten Totora-Binsen ermöglichen die Anfertigung einer leichten Gondel.

Auch die Wetterfrösche haben Positives zu vermelden. Sie bestätigen, daß die windarme Nazca-Ebene wie geschaffen ist für Ballonflüge.

Arequipa – Die Stadt in der Stadt

Will man sich in die Herzen der Arequipeños einschmeicheln, so muß man ihnen sagen, die Hauptstadt Perus sei an der falschen Stelle gegründet worden. Man gibt den Bewohnern dieser Stadt, die sich mit den Limeniern ebenso liebevoll bekriegen wie Preußen und Bayern, eine kleine Streicheleinheit und braucht dabei nicht einmal zu lügen. Schöner nämlich kann eine Stadt nicht liegen, jedenfalls in Peru. Begeisternd schön und frisch ist das Quilpa-Tal. Und unglaublich fruchtbar: Weizen bringt pro Hektar einen Ertrag von 40 Tonnen und wird das ganze Jahr hindurch angebaut; während auf einem Feld die Pflanzen kniehoch stehen, wird nebenan gerade geerntet, auf dem dritten Feld gesät. Auf Aymara hieß diese Siedlung ursprünglich »Ariquepa«, das bedeutet »jenseits des spitzen Berges«. Gemeint ist damit der schneegekrönte Vulkan Misti, der mit seinen 5843 m und einer ebenmäßigen Kegelform den fernöstlichen Renommierberg Fujiyama nicht gerade zum Maulwurfshügel deklassiert, aber fast. Arequipa selbst liegt auf 2400 m.

Hier, 172 km vom Meer und 1216 km von Lima entfernt, haben sich die Spanier 1539 angesiedelt, und bereits zehn Jahre später war Cieza de León des Lobes voll: »Die Stadt Arequipa ... wird gut mit Nahrungsmitteln und anderen Gütern aus Spanien versorgt, ein großer Teil der Schätze von Los Charcas [gemeint ist damit das Silber aus Potosí] kommt hier durch und wird im Hafen von Quilca auf Boote geladen, die sie zur Stadt der Könige bringen ... Die Lage ist gut gewählt und das Klima so mild, daß man es für das gesündeste von Peru und das beste zum Leben hält.«

Davon sind die 700 000 Einwohner überzeugt, die sich daran gewöhnt haben, jedes Jahr eine größere Anzahl Touristen in ihrer »weißen Stadt« zu begrüßen, so genannt, weil die fabelhaften Kolonialbauten aus dem weißen vulkanischen Tuffstein Sillar errichtet worden sind und der wegen Erdbebengefahr niedrig gebauten Stadt einen Hauch von bodenständiger Anmut verleihen.

Erlebenswert ist die entkrampfte Atmosphäre, die befreiende Frische des Tals, an dessen Hängen sich die winkligen Gassen der volkstümlichen Viertel emporwinden und das abgeschlossen wird vom Misti und zwei weiteren Bergen: dem Chanchani, 6069 m, und dem Pichu Pichu, 5669 m.

Sehenswert sind die mächtige, gedrungene Kathedrale, die Jesuitenkirche La Compañia, in der stark indianisch gefärbter Barock sich heftig mit den später jeweils nach den Erdbeben hinzugefügten Elementen streitet, sowie eine Handvoll Klöster und ein gutes Dutzend herrlicher Residenzen aus früher Zeit. Alle sind aus dem leuchtenden Sillar errichtet und vielfach mit Kuppeldächern versehen – eine lokale Besonderheit –, die den häufigen Erdbeben am ehesten trotzen.

Die Attraktion Arequipas ist das Kloster Santa Catalina, durch dessen schwere Pforte man stracks in die Vergangenheit eintritt. Es ist eine Stadt in der Stadt. Auf einer von mächtigen weißen Mauern umgebenen Fläche von 20 426 m² ist ein pittoreskes Gewirr von gepflasterten Gäßchen angelegt, gesäumt von braun und blau angestrichenen Häusern, unterbrochen von winzigen Plätzen, über denen der Duft von Blumen liegt.

In dieser zwischen 1631 und 1651 entstandenen Mini-Stadt, um die sich im Laufe der Jahrhunderte die seltsamsten Sagen rankten, lebten einst 450 Nonnen und 2000 weitere Bewohner völlig abgetrennt von Zeit und Umwelt. Vor wenigen Jahren haben sich die Tore auch für Neugierige geöffnet. Die Häuser sind hingebungsvoll restauriert und mit alten Möbeln stilgenau eingerichtet worden. In den Galerien, wo früher betende Klosterfrauen wandelten, hängt nun eine wertvolle Gemäldesammlung.

Cañón de Majes – Tiefer als das Grand Canyon

Sollten Sie einige überschüssige Dollars in der Reisekasse haben und einen Magen, der heftigen Turbulenzen widersteht, dann müssen Sie über das Hotel oder ein Reisebüro in Arequipa eine Sportmaschine samt ortskundigem Piloten mieten und ins noch weitgehend unbekannte Majes-Tal fliegen. Nach einer halben Flugstunde erreichen Sie das Tal des Rio Colca, der sich zwischen die verschneiten Massive des Corupuna, 6425 m, und des Ampato, 6310 m, tosend eingefressen hat. Siebzig Kilometer lang ist diese Cañón de Majes genannte Schlucht, die in einem zyklopischen Gewühl von fast fünfzig Vulkanspitzen endet.

Der Anblick dieses Naturwunders macht sprachlos. Das Tal ist dermaßen zerklüftet, daß man es zu Fuß kaum durchqueren kann. Von den weißen Höhen geht es rasend steil hinab zum schäumenden Rio Colca, an vielen Stellen 3000 m weit. – Das Grand Canyon in den USA ist an der photogensten Stelle »nur« 1800 m tief.

Das Andenhochland

La Oroya – Stippvisite in der Welt der Anden

Wenn Sie in Lima sind und voraussichtlich nicht in den Genuß kommen werden, das Andenhochland nach Herzenslust auszukundschaften, dann machen Sie eine Tagesfahrt nach La Oroya. Kaufen Sie sich in einer Apotheke ein Mittel gegen die Höhenkrankheit Soroche – Sie brauchen nur das Wort zu sagen, der Apotheker weiß schon Bescheid –, und setzen Sie sich in einen Bus, ein Sammeltaxi oder den Zug. Mit den beiden ersten schaffen Sie die Hin- und Rückfahrt an einem Tag spielend, nicht so mit der langsamen Eisenbahn, doch ist die Fahrt mit ihr weitaus schöner. Eine Lösung: morgens mit der Bahn hinauf, abends mit dem Colectivo-Taxi zurück.

Bei Chosica, 38 km von Lima entfernt, ist man schon auf 860 m. Die Landschaft wird grüner, die Luft kühler. Dann beginnt das Tal des Rio Rimac, in dessen Schlucht es rapide aufwärts geht. Bei Surco, nach 76 km, ist man schon auf 2034 m, bei San Mateo, 106 km, auf 3215 m. Nach 143 km auf der Straße schließlich erreicht man nach den letzten 50 im wahrsten Sinn des Wortes atemberaubenden Kilometern endlich den Ticlio-Paß, 4884 m hoch, höher noch als die Spitze des Montblanc. Vor dem Schild mit der Höhenangabe ist schon so manches Erinnerungsbild von und mit hechelnden Urlaubern gemacht worden. Sollten Sie Zweifel an Ihrer Kondition haben, verzichten Sie lieber auf diese Fahrt, die physische Belastung durch den rapiden Anstieg ist enorm.

Die Fahrt, die unter den großen Attraktionen Südamerikas eine bevorzugte Stelle einnimmt, ist mit der Eisenbahn noch eindrucksvoller. Weil die Bahn nicht ganz so steil steigen kann, hat sich der geistige Vater dieser Linie, der amerikanische Ingenieur Henry Meiggs, 1870 eine Menge einfallen lassen. Er ließ 59 Brücken, 66 Tunnel und 22 Stellen anlegen, wo die Schienen im Zickzack die steilen Bergflanken hinaufführen. Keine ganz einfache Arbeit in dieser heillos zerklüfteten Bergwelt, die nach jedem Tunnel, nach jeder Biegung neue Aus- und Einblicke schenkt, die von den Erstreisenden mit lauten Ohs und Ahs begrüßt werden, worüber sich die Indios diskret, aber von Herzen amüsieren.

23 Jahre brauchten Tausende von Chinesen, die man wegen ihrer Zähigkeit und Anspruchslosigkeit mit Vorliebe überall in Amerika beim Eisenbahnbau einsetzte, um dieses Meisterwerk zu vollenden, dessen höchste Stelle der Bahnhof Galera ist: 4781 m. Eine Nebenstrecke erreicht im Bergbaugebiet La Cima volle 4829 m und hält damit den Höhenweltrekord für Normalspurschienen.

Jenseits der Pässe beginnt die Welt der Anden. Die Luft ist kalt und ungewohnt dünn, jeder Schritt wird zur Anstrengung. Manche Besucher sind nur noch aufs ruhige, gleichmäßige Atmen bedacht und vergessen darüber sogar das Knipsen. Fassungslos starren sie auf die Sportplätze vor den Bergarbeitersiedlungen, wo in der Mittagspause oder nach Feierabend die Indios heiße Fußballschlachten austragen. Vorbei geht es an stillen, fast möchte man meinen leblosen Seen, in denen sich die Bergriesen mit ihren gleißend hellen Schneemänteln spiegeln, vorbei an Lamas, die mitunter schauen können wie beleidigte Gräfinnen.

La Oroya ist beim besten Willen nicht schön und schon gar nicht beispielhaft für ein Andenstädtchen; eine funktionelle, von Schlackenstaub bedeckte Bergarbeiterstadt. Hier hält man sich nur auf, um den Bus oder den Zug zurück nach Lima zu erwischen. Oder man begibt sich hier – was sehr häufig vorkommt – ins Krankenhaus, um mit Hilfe der dort am Eingang aufgestellten Sauerstoffflaschen endlich das elende Schwindelgefühl aus dem Kopf zu vertreiben. Mit der Krankenschwester kommt man auch ohne viel Worte klar. Sobald sie ein Bleichgesicht hereinwanken sieht, weiß sie Bescheid.

Wer mehr Zeit hat, kann von hier aus noch 120 km nach Huancayo fahren, einer zauberhaften Kolonialstadt, auf deren Sonntagsmarkt Kenner ihre Mitbringsel aus Wolle oder Fell bei den Indios erstehen.

Von Huancayo sind es dann noch 835 km durch das Andenhochland nach Cuzco, der Kaiserstadt der Inkas. Die drei- bis sechstägige Busfahrt ist nur Leuten mit ausgezeichneter Kondition und einem Schuß Abenteuerlust zu empfehlen.

Callejón de Huaylas – Die Schweiz hoch zwei

Bedauerlich, daß der Callejón de Huaylas, die »Gasse von Huaylas«, das mit Abstand landschaftlich schönste Eckchen Perus, so wenig bekannt ist und so selten besucht wird. Schuld daran ist die Lage, 500 km von Lima und 1600 km vom touristischen Schwerpunkt Cuzco/Titicaca-See entfernt. Viele mögen diese Tatsache jedoch begrüßen, hier hat man noch seine Ruhe.

Hinter Pativilca biegt man von der an der Küste nach Norden verlaufenden Panamerican Highway nach Osten ab und fährt das Tal des Rio Fortaleza hinauf. Über einen Paß auf 4080 m gelangt man ins Dorf Conococha, in dessen Nähe der gefeierte Gletschersee Coñicocha liegt, der »warme See«, so genannt, weil ihm heiße Quellen sprudeln. Allerdings erfordert ein Bad in 4020 m Höhe doch einiges an Mut und Stehvermögen.

Dann öffnet sich das Tal des Rio Santa, auch Callejón de Huaylas genannt, ein 120 km langer tiefer Einschnitt zwischen der westlichen Cordillera Negra, der schneefreien »schwarzen Kordillere«, deren Spitzen rund 5000 m erreichen, und der östlichen Cordillera Blanca, der »weißen Kordillere«, in der – neben einem Dutzend Sechstausender – auch der zweithöchste Berg Südamerikas, der Huascarán, aus dem Tal bis auf 6768 m emporragt. Ähnliche Landschaften findet man auch in der Schweiz, hier allerdings ist alles doppelt so groß und hoch.

Die Cordillera Blanca hat die größten Gletscher der tropischen Zone. Früher reichten sie einmal bis ins Tal und haben bei ihrem Rückgang zahlreiche wundervolle Cochas, Gletscherseen, hinterlassen, eisige, dunkelblaue Wasseraugen zwischen weiten Schneefeldern in vielfach unzugänglichen Gebieten. Ein grandioser Anblick!

Seltsamerweise »hängen« die Gletscher in 5000 m Höhe förmlich an den Gipfeln in so steiler Lage, daß sie bei einem Erdbeben herabdonnern können. Eine Gefahr sind auch die Cochas, die sich meist an den Endmoränen aufstauen. Wenn der Druck zu groß wird, gibt das Geröll der Moräne nach. Katastrophen hat es hier darum auch schon mehr als genug gegeben, allein fünf in diesem Jahrhundert: 1932, 1936, 1941, 1962 und 1970. Bei den ersten drei rasten Gletscher in die Cochas unter ihnen, die Endmoräne barst, Millionen Tonnen Wasser, Eis und Geröll donnerten ins Tal. Auf diese Weise wurde 1962 das Städtchen Rancahirca von der Oberfläche getilgt. Keiner der 6000 Einwohner überlebte. Am schlimmsten aber war es 1970, als ein gewaltiges Erdbeben dieses Tal und weite Küstenstriche durchschüttelte. Gletscher wurden losgerissen, Seen öffneten sich, und was den ersten Erdstößen noch standgehalten hatte, wurde von den herabstürzenden Eis- und Schlammlawinen verschüttet. In Yungay blieb kein Haus mehr stehen. In Huaraz, der wichtigsten Stadt im Tal mit 20 000 Einwohnern, ragte nur noch der Turm der Kathedrale aus dem Schlamm.

Heute ist Huaraz notdürftig aufgebaut und wieder Ausgangspunkt für Ausflüge ins Tal, in die einsamen Seitentäler und zu den Gletscherseen. Hier finden sich auch die Bergsteiger ein, da dieses Gebiet zu den beliebtesten Bergsteigerregionen gehört. Wenn Sie selbst einen Sechstausender erklimmen wollen, sollten Sie Ihre Ausrüstung mitbringen und über das Touristenbüro in Lima alles in die Wege leiten. Hier findet man nur noch die unerläßlichen Bergführer.

Die einzige Attraktion von Huaraz, auf 3028 m gelegen, ist das kleine Museum mit den Monolithen der hier beheimateten Recuay-Kultur. Es sind große, etwas ungeschlachte Steinfiguren, in denen manche Ähnlichkeiten mit den Moais von der Osterinsel sehen wollen. Am besten wohnt man im wenige Autominuten nördlich von Huaraz erbauten Hotel Monterrey, in dessen von Thermalquellen gespeistem Swimming-pool man großartig entspannen kann.

Das Tal bietet auch einen archäologischen Leckerbissen: Chavín de Huantar, von der Ortschaft Recuay durch das gewundene Tal des Rio Mosna zu erreichen, gilt als das älteste steinerne Bauwerk von Peru und gab der Chavín-Kultur ihren Namen, die als erste, so um 1000 v. Chr., einen markanten eigenen Stil entwickelte und alle nachfolgenden Kulturen Perus beeinflußt hat.

Dieser gigantische Bau, vermutlich ein Heiligtum, beeindruckt auch durch seine aparte Bauweise. Das festungsartige Geviert »El Castillo« ist aus dem Berg gemeißelt und aus riesigen Quadern so geschickt vervollkommnet, daß im Innern ein drei Etagen tiefes Labyrinth aus Kammern, Gängen und kompliziert angelegten Lüftungsschächten entstand, zu dessen Besichtigung man sich mit einer Taschenlampe oder Fackel bewaffnen und seine Platzangst zuhause lassen sollte.

Die zahlreichen Stelen, darunter der 4,5 m hohe Koloß »El Lanzón«, und die Granitplatten an den Wänden sind geschmückt mit hochstilisierten Abbildungen von Schlangen, Vögeln und vor allem Jaguaren, denen hier offenbar die gleiche religiöse Verehrung zuteil wurde wie bei den geheimnisvollen Olmeken in Mexiko. Zwischen deren Kultur, die etwa zur gleichen Zeit blühte, und Chavín de Huantar bestehen stilistische Ähnlichkeiten, weshalb man geneigt ist, eine wie auch immer geartete Verbindung zwischen beiden zu vermuten.

Cuzco – Judas als Indianer

Der Besuch Cuzcos gehört zu jeder Südamerikareise wie das Amen zum Gebet. Wie die touristischen Pfade heute, so führten zu jener Zeit, als Cuzco Hauptstadt des Inkareiches war und »Nabel der Welt«, alle Straßen hierhin.

Auf 3500 m Höhe in dem fruchtbaren Vilcanota-Tal gelegen, das schon damals die 100 000 Einwohner ernähren konnte, ist Cuzco weiterhin das indianische Zentrum der Anden, Hauptstadt eines Menschenschlages, der sich in Jahrtausenden körperlich perfekt auf die Lebensbedingungen in den sauerstoffarmen Höhen eingestellt hat. Das Blut der Indios hat pro Kubikmillimeter bis zu 8 Millionen rote Blutkörperchen, das der Flachlandbewohner höchstens 5,5 Millionen. Die Indios haben bis zu zwei Liter mehr Blut in den Adern, einen großen, runden Brustkorb, ihr etwas vergrößertes Herz schlägt langsamer, leistet aber pro Schlag bis zu 20% mehr Pumparbeit.

Mehrere kleine Stämme haben bereits in grauer Vorzeit diese Region bewohnt. Die ersten, von denen die Sagen berichten, sind die Tampus aus der Völkergruppe der Quechuas. Sie sollen die ersten Menschen der Welt gewesen sein – älter seien nur noch die Götter.

Die Inkas schrieben die Gründung ihrer Stadt dem göttlichen Lehrmeister Manco Kapak und seiner Schwester Mama Oqllo zu, im Zweifelsfall aber den Ayar-Geschwistern, die vom Titicaca-See Salz, Pfefferschoten und gerösteten Mais ins Tal gebracht haben sollen. Wann das war, darüber schweigen die Sagen. Immerhin soll die Stadt schon früh zweigeteilt gewesen sein. In Hanan Cuzco wohnten die alteingesessenen Familien, in Hurin Cuzco das arme Volk und die Zugereisten. Zuverlässigere Daten liegen erst seit der Amtszeit von Pachacutec Inca Yupanqui vor, der während seiner Regentschaft von 1438 bis 1471 Cuzco zum zweiten Mal gründete. Er schickte alle Einwohner in die Dörfer, ließ die ganze Stadt abreißen und von 50 000 Arbeitern neu errichten. Er befahl auch den Bau der Festung Sacsayhuaman oberhalb der Stadt, über die der Schreiber Inca Garcilaso de la Vega berichtet, sie sei das Meisterwerk der Inkabaukunst, »dessen Maße dergestalt sind, daß jene, die sie nicht gesehen haben, sie nicht glauben können.« Stadt und Festung gelangen so prächtig, daß man sich in den Fernen des Reiches erzählte, die Straßen seien dort mit Gold und Silber gepflastert. Ihren Abglanz wähnte man auf jedem Reisenden, der aus ihr kam, und man grüßte ihn ehrfürchtig. Nun, die Straßen waren nicht mit Edelmetallen gepflastert – nur die Tempel dieser Metropole, in die der Kaiser hohe Würdenträger unterlegener Stämme rief und sie mit wichtigen Verwaltungsfunktionen betraute; ein geschickter politischer Schachzug, um für Ruhe in dem nach den vier

Himmelsrichtungen aufgeteilten Reich zu sorgen. Diese Würdenträger, die ihre Götterbilder mitbringen durften, Künstler, Denker und Wissenschaftler sollten helfen, die Inkaherrschaft noch mächtiger und bis in alle Ewigkeit dauerhaft zu gestalten.

Die Ewigkeit war nur von kurzer Dauer. Am 15. November 1533 ritten spanische Truppen durch die Straßen von Cuzco. Sie durften die Stadt noch in ihrer ganzen Pracht sehen. Dann aber benahmen sie sich wie alle Sieger, sie plünderten, brandschatzten und rissen Tempel und Häuser ab. Was ihrer blinden Wut entgangen war, wurde beim Aufstand der Indios 1535 zerstört. Ärger noch wüteten die grauenvollen Erdbeben. So ist nicht umsonst die wichtigste Prozession am Ostermontag jene des Señor de los Temblores – »Heiland der Erdbeben« –, doch auch diese Prozessionen konnten weder das Beben von 1650, das die restlichen Prachtbauten der Inkas und die neuen Kirchen von den Fundamenten riß, noch das von 1950 verhindern, bei dem Cuzco zu 90% zerstört wurde.

Seitdem sind unter großen Opfern die meisten kulturhistorisch bedeutenden Bauten restauriert oder neu errichtet worden. Allen Verwüstungen haben als einzige die Grundmauern der Inkas widerstanden, jene architektonischen Meisterwerke aus kissenförmig abgerundeten Steinquadern, die ohne Mörtel so präzis aneinandergefügt sind, daß in die Fugen nicht einmal eine Stecknadel paßt. Auf ihnen bauten die Spanier ihre Kirchen und Paläste, Klöster und Residenzen. Das mag man als Symbol dafür sehen, daß die Spanier letztlich ihre überlegene Kultur hier nicht durchsetzen konnten und sich begnügen mußten, auf dem bereits Vorhandenen aufzubauen. Auch ihre Sprache blieb weitgehend ungesprochen. Die 200000 Einwohner des heutigen Cuzco sprechen zueinander noch in der alten Kaisersprache Quechua.

Mittelpunkt der Stadt ist die *Plaza de Armas,* auf Quechua Haucaipata, Platz der Freuden. Hier wurden schon in vorspanischer Zeit alle öffentlichen Zeremonien abgehalten. Hier sollten Sie – nach einigen Stunden Ruhepause, falls Sie mit dem Flugzeug gekommen sind – die Stadtbesichtigung beginnen. Am besten macht man sie zu Fuß, denn so groß ist Cuzco eigentlich nicht. Das sollten Sie sich anschauen:

Die *Kathedrale* ist im Grunde das schönste Museum Cuzcos. Sie ist 86 m lang, 46 m breit, und ihre Türme sind 33 m hoch. 1654 wurde sie als Barockbau an dem Ort vollendet, wo früher der »Viracocha-Palast« stand, erlitt aber bei jeder Wiederherstellung neue Veränderungen. Hier wird der »Heiland der Erdbeben« bewahrt, und hier ist die Kapelle der La Linda – »Die Schöne« –, eines Marienbildes mit äußerst anmutigen Gesichtszügen. Besonders zu beachten sind das geschnitzte Chorgestühl im besten churrigeresken Stil, die Gemälde der Cuzco-Schule und das kostbar geschmiedete Gold und Silber, das in jeder Ecke leuchtet.

La Compañía ist die zweite Kirche an diesem Platz, 1652 in Form eines lateinischen Kreuzes erbaut. Sie hat einen beachtenswerten Barockaltar, zahlreiche Gemälde und steht auf den noch erkennbaren Mauern des einstigen Schlangentempels.

Die Klosterkirche *La Merced* liegt gleich daneben. Sie ist eines der wichtigsten Kolonialbauwerke Lateinamerikas, errichtet zwischen 1540 und 1600. Ihre architektonische Besonderheit sind die zwei Fassaden. In dieser Kirche sind Diego de Almagro, sein gleichnamiger Sohn und Gonzalo Pizarro, ein Bruder des Eroberers, begraben. Versuchen Sie, um 17 Uhr hier zu sein. Dann wird die großartige Monstranz gezeigt, gearbeitet aus 21 spanischen Pfunden Gold und verziert mit 168 Perlen und 687 Diamanten. Das *Kloster* dahinter hat eine bewundernswerte hölzerne Kassettendecke im maurisch beeinflußten Mudéjar-Stil. Im doppelstöckigen Kreuzgang hängen einige Gemälde der Cuzco-Schule.

Die Klosterkirche *Santo Domingo* ist eher als Inkabauwerk denn als Gotteshaus sehenswert. Sie entstand auf den bestens erkennbaren Ruinen des Inti-Huasi oder Coricancha genannten Sonnentempels, von dem George Ephraim Squier einmal schrieb, er sei »das bedeutendste Bauwerk, nicht nur in Cuzco, sondern in ganz Peru – vielleicht in ganz Amerika. Die Berichte von der Pracht und den Schätzen, die uns die Eroberer hinterlassen und darin alle Superlative ihrer grandiosen Sprache erschöpft haben, sind so oft wiederholt worden, daß sie jedem intelligenten Leser vertraut sein sollten...« Am eindrucksvollsten ist Santo Domingo von außen. Ihre Apsis steht genau auf einer halbkreisförmigen Mauer des alten Heiligtums.

Die Kirche *San Blas* ist berühmt; Altar und Kanzel muß man sitzend betrachten, sonst dreht sich einem der Kopf vor so viel Pracht und Kunst. Leider ist über den indianischen Schnitzer dieser beiden monumentalen Kunstwerke nichts bekannt – sonst hätte man ihm längst ein Denkmal errichtet.

La piedra de doce ángulos, der »Stein mit den zwölf Ecken«, ist ein kleines Wunderwerk an Präzisionsarbeit, geschaffen von einem anonymen Inkasteinmetzen; zu bewundern im zweiten Block der Calle Triunfo mitten in der Wand.

Das *Museo de Arqueología* zeigt Mumien, Töpfereien und sonstiges aus vorspanischer Zeit sowie einige Gemälde. Prunkstücke sind die meist unter Verschluß gehaltenen Goldfunde und kleine, aus Türkisen gearbeitete Figuren.

Belén de los Reyes, eine Kirche im südlichen Außenbezirk Cuzcos, zeigt, wie weit die indianischen Maler der Cuzco-Schule auch menschlich von den europäischen Lehrmeistern geformt worden sind. Das Abendmahl, wahrscheinlich gemalt von Diego Quispe Tito, stellt Jesus und die Jünger mit noblen spanischen Zügen dar. Bis auf Judas: Er ist der hinterlistig blickende Indio.

Lassen Sie sich möglichst viel Zeit für Cuzco. Nichts ist schlimmer, als von einer Attraktion zur andern hasten zu müssen. Flanieren Sie gemächlich durch die Straßen und über die Märkte, um den Menschen beim Leben zuzuschauen, um diese einzigartige Stadt, in der sich Rassen, Stile, Kulturen und Religionen vermischt und überlagert haben, zu »erfühlen«.

Für Touristen ist leidlich gesorgt, nur fehlt es noch an moderneren geräumigeren Hotels, um den wachsenden Besucherstrom unterzubringen. Restaurants aller Preisklassen – vom besseren »Sumak« bis zu den volkstümlichen Comedores am Markt – sind ausreichend vorhanden. Sogar Nachtleben wird geboten. Jeden Abend gibt es in diesem beliebtesten Touristenort Lateinamerikas irgendwo Musik und Folklore. Schnell findet man einen Ort, in den man aus der Abendkühle der Straßen fliehen kann. Junge Touristen gibt es in Cuzco ganzjährig in hellen Scharen. Eine neue Bekanntschaft darf man da ruhig mal typisch begießen: mit der »chicha«, dem Maisbier der Indios. Privat gebraut, wird es in den Häusern mit dem roten Fähnchen verkauft.

Sacsayhuaman – 350 Tonnen ohne Rad und Rolle

Pedro Sancho schrieb 1533: »Diese Wälle sind die großartigsten im ganzen Land, sie bestehen aus so großen Steinen, daß keiner glauben mag, sie seien von Menschenhand dorthin geschafft worden – sie sind wie Felsvorsprünge von Bergen... Keiner davon ist klein genug, um von drei Wagen weggefahren zu werden... Weder der Aquädukt von Segovia noch irgendein anderes Bauwerk von Herkules oder den Römern kann damit verglichen werden...«

Und wohl auch heute noch nicht, fast viereinhalb Jahrhunderte später. Was Sancho veranlaßte, selbst Herkules und dessen Werke zum Vergleich zu bemühen, ist die Festung Sacsayhuaman, 3 km oberhalb von Cuzco auf einem Felsplateau gelegen. Auf Geheiß von Pachacutec haben 30000 Arbeiter 70 Jahre lang an ihr gebaut. Ihre Ausmaße sind verblüffend: Die drei im Zickzack parallel laufenden Wälle sind 600 m lang und waren einst mit 21 Bastionen gekrönt. Der äußere Wall ist 9 m hoch, der zweite 10 bis 12 m, der dritte 4,5 m. Alle drei sind aus zyklopischen, unglaublich präzis behauenen Quadern zusammengefügt. Der größte Stein ist 9 m hoch, 5 m breit und 4 m dick. Sein Gewicht: mindestens 350 Tonnen. Es braucht nicht viel Phantasie, um sich auszumalen, welche Mühe der Transport dieser Giganten aus dem mehrere Kilometer entfernten Steinbruch gekostet haben muß, weil die Inkas weder das Rad noch die Rolle benutzten. Wie sie es genau angestellt haben, ist bislang noch nicht schlüssig geklärt. Heutige Ingenieure gäben einiges, um hinter die Transporttechnik der Inkas zu kommen. Sie selbst wären nämlich kaum imstande, etwas ähnliches zu bauen.

Hinter den drei Wällen liegt der große Platz. 5000 Spanier samt Kanonen und Pferden fanden dort ausreichend Raum; heute wird jeweils am 24. Juni das Inti Raimi, das Sonnenfest, mit Pomp, Musik und Präsidentenbesuch darauf abgehalten, bei dem sich Hunderte als Inkas kostümierte Tänzer aus ganz Peru verausgaben. Diese folkloristische Monstershow wird von vielen Folklore-Puritanern nicht ganz ernst genommen, ist trotzdem aber ein photogenes Ereignis.

Hinter dem Platz ragt der Rodadero, ein gewaltiger, von Gletschern abgeschliffener Felsbuckel, aus dem Berg. In sein graues Gestein hat man Stufen und Sitze hineingeschlagen. Die Rillen, durch die vermutlich bei den Inkas Maisbier-Opfer rannen, dienen heute den Kindern als Rutschbahn. Von den kleineren Bauten, deren handlichere Steine zum Wiederaufbau Cuzcos abgetragen wurden, ist nur noch das Fundament des Muyamarca übriggeblieben, ein sternförmiges Rund mit einem Durchmesser von einem Dutzend Metern, dessen Bedeutung noch nicht zweifelsfrei geklärt ist.

Von den Wällen, auch sie mit senkrechten Rinnen für Maisbier-Opfer versehen, hat man den schönsten Ausblick über Cuzco und das Vilcanota-Tal.

Tampu Machay – Das Bad des Inka

Tampu Machay, die heilige Quelle, auch Baño del Inca, das »Bad des Inka«, genannt, liegt wenige hundert Meter von Sacsayhuaman entfernt. Obwohl ihr Name wörtlich »Herberge an der Felsspalte« bedeutet, war sie möglicherweise ein Wasserheiligtum. Ebenso unbekannt wie der Zweck dieses Bauwerks ist die Herkunft des Wassers, das seit Jahrhunderten ununterbrochen direkt aus dem Fels sprudelt.

Kenko – Der kaputte Puma

Das Heiligtum Kenko, ebenfalls wenige Autominuten von Sacsayhuaman entfernt, läßt sich am besten mit einem riesigen Stück Gruyères oder einem anderen löcherigen Käse vergleichen. Dieser riesenhafte Fels ist auf kuriose Weise bearbeitet worden. Natürliche Nischen und Spalten wurden künstlich erweitert und mit Gängen verbunden, durch die man zu den aus dem Fels gemeißelten Sitzen und Altären in den geheimnisvoll verzierten Räumen im Innern gelangt. In dieses steinerne Gewirr führt eine Rinne von der oberen Plattform. Durch sie rann vermutlich bei Opferzeremonien Maisbier oder Tierblut. Auf der Plattform steht, ebenfalls aus dem Fels gemeißelt, ein fast fünf Meter hohes Standbild, in dem man erst bei näherem Hinschauen die groben Umrisse eines großen Pumas zu erkennen glaubt. Diese einst sicherlich beeindruckende Gestalt wurde von den Spaniern als vermeintliches Abbild des Höllenfürsten unter großem Aufwand unkenntlich gemacht.

SÜDPERU

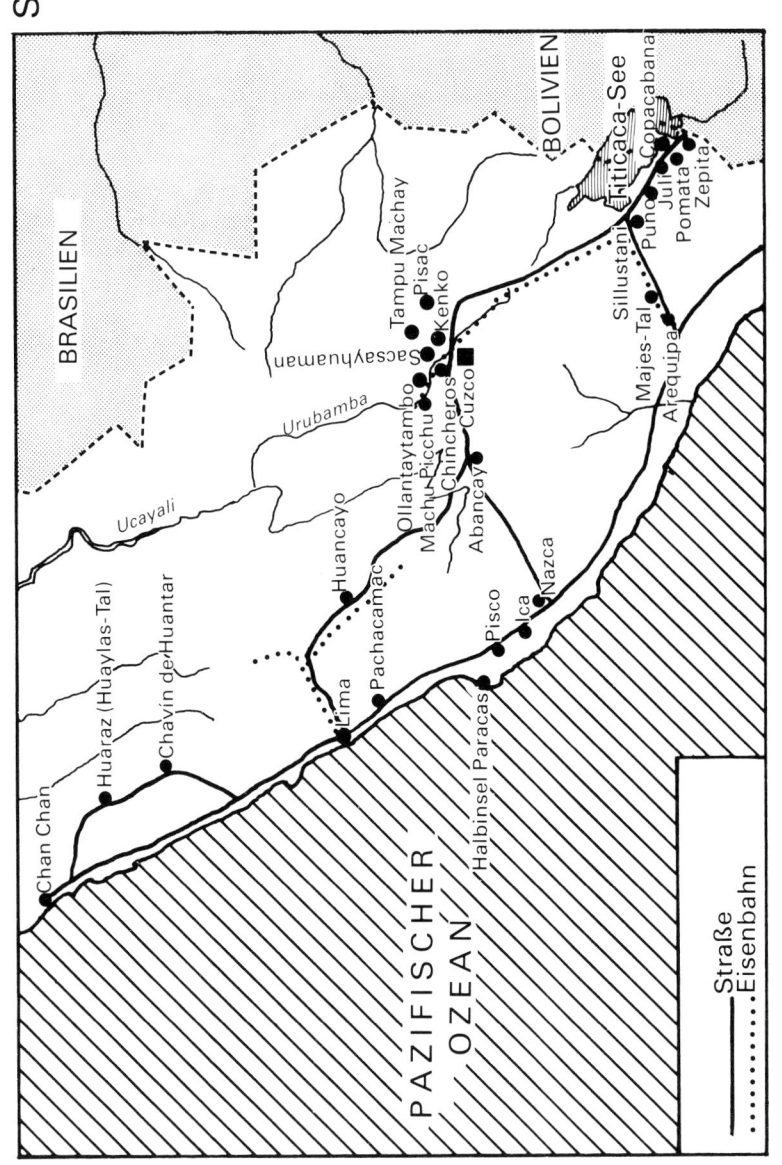

Chingana Grande – Neugierige büßten mit dem Leben

Noch eine Nummer gewaltiger als Kenko – und nicht weit davon entfernt – ist der Fels Chingana Grande, auf dem ein drei Meter hoher Altar steht. Der Sage nach soll der Fels von 20 000 Sklaven herbeigeschleppt worden sein; beim Transport habe er sich losgerissen und 3000 von ihnen erschlagen. Daraufhin habe man ihn liegenlassen und an Ort und Stelle bearbeitet, genau wie den Fels von Kenko.

Seine Masse scheint dem Inka-Architekten nicht genügt zu haben, und er ließ die endlosen Gänge, die Nischen und Galerien gleich mehrere Etagen tief in das darunterliegende Gestein bohren. Bei einer Besichtigung wird man den Verdacht nicht los, der Erbauer und etliche Arbeiter seien nach der Vollendung dieses Heiligtums in eine Irrenanstalt eingeliefert worden – falls es bei den Inkas so etwas gegeben hat. Dieser Wahnsinnsbau ist nämlich dermaßen kompliziert angelegt, daß sich schon mehrere Besucher darin verirrt haben und glatt verhungert sind.

Da man dieses ruhmlose Ende den devisenträchtigen Touristen ersparen will, hat man den verrücktesten Teil abgesperrt.

Puca Pucara

In der Nähe dieser letztgenannten Zeugen aus der Inkazeit können Sie zum Abschluß noch die kleine Festungsruine Puca Pucara mit ihren Terrassen und Resten von Türmen bewundern. Hier waren Soldaten stationiert, welche die Straße von Cuzco nach Calca überwachten und vermutlich Sonderdienst hatten, wenn der Kaiser in Tampu Machay ein erfrischendes Bad nahm, wie es die blumige Sage will.

Pisac – Die meistgeknipsten Menschen Perus

Jeden Sonntagmorgen erlebt das Dorf Pisac, 32 km hinter Cuzco im Urubamba-Tal gelegen, einen touristischen Überfall. Der unbestritten schöne Sonntagsmarkt, der bereits mittags zu Ende geht, ist das Ziel fast aller Besucher, die sich gerade in Cuzco aufhalten und die hier von den Indios ihre Souvenirs erstehen wollen. Sie meinen, hier seien die billiger. Diese Überlegung haben die Indios längst durchschaut und belegen die Waren stillschweigend mit einem »Folklore-Aufschlag«. Ein Blick auf die Auslagen unter dem riesigen Baum auf dem Marktplatz lohnt sich trotzdem. Mitunter werden kostbare alte Ponchos und Koka-Taschen angeboten.

Die zweite sonntägliche Attraktion: Unter lautem Geheul aus zu Signalhörnern umfunktionierten Muscheln schreiten die Alcaldes, die Dorfältesten, feierlich in knielange schwarze Hosen und rote Ponchos gewandet, den flachen Hut auf dem Haupt und den silberbeschlagenen Stab in der Hand, zur Messe und lassen sich selbstbewußt bestaunen. Und auf Zelluloid bannen. Sie sind mit Abstand die meistphotographierten Menschen Perus, noch vor den Mitgliedern der Regierung.

Ein noch schöneres Erlebnis ist die freilich etwas beschwerliche Besichtigung der drei fabelhaften Inkaruinen oberhalb von Pisac. Ganz oben auf dem Hügel, strategisch perfekt der Topographie angepaßt, thront die Festung, deren Quadermauern noch ebenmäßiger bearbeitet sind als in Cuzco. Diese Anlagen sind nicht viel kleiner als in Sacsayhuaman und zu Unrecht weniger berühmt. Hier muß einmal eine wichtige Inkastadt gestanden haben, denn die Gräberfelder erstrecken sich über vier Kilometer.

Chincheros – Nur für Frühaufsteher

Weniger Touristen und folglich auch mehr unverfälschtes Lokalkolorit findet man im Dorf Chincheros, das man von Cuzco aus nach zwei Stunden rüttelnder Lastwagenfahrt über dürftige Straßen erreicht. Dafür wird man reich belohnt. Der Sonntagsmarkt findet vor der malerischen Kulisse alter Inkamauern statt und verkauft wird dort, was vor allem die Indios und weniger die Besucher brauchen können. Die Atmosphäre verzaubert jeden, und der schlichte Gottesdienst in der auf einer Tempelruine erbauten Kirche ist ein Erlebnis. Diese kleine Episode abseits der großen Urlaubertrecks hat auch ihren Preis: Man muß früh aus den Federn, der Lastwagen fährt um halb sechs am Markt von Cuzco ab.

Machu Picchu – Binghams aufschlußreicher Einfall

Die Spanier begannen allmählich, an Gespenster zu glauben. Nach der Unterwerfung des Inkareiches hatten sie in weiser Voraussicht Manco Inca zum Strohmann-Kaiser gemacht, um die Indios nicht noch mehr gegen sich aufzubringen. Als dieser das Manöver durchschaute, zettelte er 1535 den mörderischen Indianeraufstand an und verschwand spurlos, als dieser niedergeschlagen wurde. Die Spanier suchten das Gebiet um Cuzco nach ihm ab, als ginge es um die sprichwörtliche Nadel im Heuhaufen. Vergebens. In unmittelbarer Nähe von Cuzco aber mußte er sich versteckt halten, denn immer wieder fielen Horden von Indios über spanische Konvois her. Und jedesmal verlief sich ihre Spur im Urubamba-Tal, das dann zum x-ten Male umgekrempelt wurde. Immer wieder tauchten Hunderte von Indianern auf, später sogar mit dem neuen Kaiser Tupac Amaru. Und wieder lösten sie sich nach jedem Handstreich in Luft auf. Bis 1572 hielten sie die verzweifelten Spanier zum

Narren, bis eines Tages Tupac Amaru in die Netze ging und nach einem vergeblichen hochnotpeinlichen Verhör hingerichtet wurde. Die geheimnisumwitterte Stadt blieb verschollen. Bis 1911.

Der Amerikaner Hiram Bingham, Sohn eines Missionars, Archäologe und später Senator, ging die Suche mit wissenschaftlichem Gespür an. Den vermutlichen Namen dieser Stadt, Vilcapampa, zerlegte er und stellte fest, daß er sich aus Huilca, einer Pflanzenart, und Pampa, Ebene, zusammensetzt. Daraufhin suchte er eine Ebene, auf der diese Huilcas möglichst zahlreich wachsen. Die fand er am Rio Urubamba, der später unter dem Namen Ucayali in den Amazonas mündet. Aus dem engen Tal, über dem manche Gipfel bis zu 5500 m emporragen, führte ihn schließlich ein kleiner Junge zu einer fast bis zur Unkenntlichkeit überwucherten Stadt auf einem Bergsattel 500 m über dem tosenden Fluß auf 2300 m Höhe. Sie war so geschickt angelegt, daß sie vom Tal aus nicht zu sehen war und 4000 Inkas darin von den Spaniern unbehelligt leben konnten. Die Sensation war perfekt.

Machu Picchu ist etwas für Frühaufsteher, denn der Zug fährt bereits morgens um 7 Uhr in Cuzco ab. Die Fahrkarte sollten Sie schon am Tag vorher lösen und darauf verzichten, mit den Reisegesellschaften zu fahren, die mindestens das Fünffache dafür verlangen, daß sie Ihre Fahrkarte holen, Ihnen ein Picknick-Paket in die Hand drücken und Sie im Trab durch die Ruinen jagen. Wer übrigens auf die Eisenbahn verzichten will – und das sind nicht wenige Mitglieder des Rucksack-Sets – kann Machu Picchu über eine alte Inkastraße zu Fuß erreichen (Näheres im Info-Teil, S. 24).

Der Zug windet sich im Zickzack am Berg hinauf, überwindet ihn, rattert durch eine fruchtbare Ebene und taucht dann, wieder im Zickzack, hinein ins brodelnd warme Urubamba-Tal. Eine wichtige Station dort ist Ollantaytambo. Hier stehen ebenfalls sehenswerte Ruinen, Reste einer Festung, die Cuzco vor einem Angriff der wilden Stämme aus dem Antasuyu – aus diesem Namen wurde das Wort Anden abgeleitet – schützen sollte. Das Panorama ist wahrlich eindrucksvoll! Unten im Tal der von tropischer Vegetation überwucherte Rio Urubamba, an den Hängen die geschickt angelegten Terrassen aus der Inkazeit, auf denen Mais und Kartoffeln wachsen, darüber die Festung mit dem Heiligtum, in dem die Eingeweide der Inka-Kaiser beigesetzt wurden – der einbalsamierte Rest blieb im Sonnentempel von Cuzco. Dieser Tempel gibt uns ein schier unlösbares Rätsel auf: Auf ihm stehen bis zu 50 Tonnen schwere Monolithe aus rötlichem Granit, die ein wenig an Tiwanacu in Bolivien erinnern; der rote Granit aber wurde nachweislich auf der anderen Talseite aus dem Berg gebrochen, und man kann sich beim besten Willen nicht vorstellen, wie es die Tempelbauer geschafft haben sollen, diese Riesenblöcke an der zum Verzweifeln steilen Felswand hochzutransportieren.

Falls Sie keine Zeit haben, zu den Ruinen zu klettern, sollten Sie wenigstens das Baño de la Nusta sehen, das »Bad der Prinzessin«, eine kunstvoll

Obwohl die Spanier schon 1535 ihre Existenz vermuteten, wurde die »verlorene Stadt der Inkas« erst 1911 vom amerikanischen Forscher Hiram Bingham unter einem dichten Vegetationsmantel entdeckt. Machu Picchu ist nie von Feinden eingenommen oder zerstört, nie geplündert worden. Denn sie ist nicht vom Tal des Rio Urubamba aus zu sehen, jenes schäumenden Flusses, der den U-förmigen Bergvorsprung umfließt, auf dem sie liegt. Im Grunde weiß man heute noch sehr wenig über diese Stadt – nicht einmal ihren richtigen Namen. Man hat ihr den Namen des »großen Berges« gegeben, an dem sie liegt: Machu Picchu.

Durch diesen Eingang blickt man auf den Huayna Picchu, den »kleinen Berg«, der bis zur Spitze mit Terrassenfeldern bebaut ist.

Dieser imposante Rundbau in Machu Picchu heißt »El Torreón«, der Festungsturm. Obwohl vor mehr als 500 Jahren ohne Mörtel zusammengefügt, haben die vielen Erdbeben die Steine nicht verrücken können. Noch heute paßt keine Stecknadel in die Fugen zwischen ihnen. Mit Mörtel wurden lediglich die Häuser des gemeinen Volks zusammengefügt, das sich wohl nicht so großartige Steinmetze leisten konnte und deshalb mit weniger kunstvoll bearbeiteten Steinen vorlieb nehmen mußte.

Es scheint, als müsse man die Häuser von Machu Picchu lediglich neu eindecken, um sie wieder für Indios bewohnbar zu machen. Auch Wasser ist reichlich vorhanden, das alte Leitungssystem der Inkas funktioniert noch.

Bingham, der scharfsinnige Entdecker Machu Picchus, hielt diese in den Fels gemeißelte Pforte für den Eingang zum Mausoleum der Könige.

Der Sonnenstein Inti-Huatana erinnert an eine moderne Skulptur. Er wurde zu astronomischen Berechnungen benutzt.

Überall, wie hier an dieser Wasserrinne, wird die Kunst der indianischen Steinmetze sichtbar.

Dieser Felsblock mit herausgemeißelten Stufen steht oberhalb von Machu Picchu. Er diente einst kultischen Zwecken.

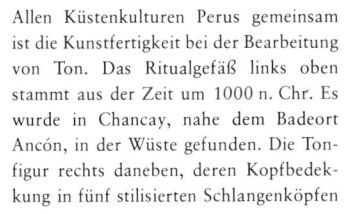

Allen Küstenkulturen Perus gemeinsam ist die Kunstfertigkeit bei der Bearbeitung von Ton. Das Ritualgefäß links oben stammt aus der Zeit um 1000 n. Chr. Es wurde in Chancay, nahe dem Badeort Ancón, in der Wüste gefunden. Die Tonfigur rechts daneben, deren Kopfbedeckung in fünf stilisierten Schlangenköpfen endet, ist etwa 500 Jahre älter. Typisch ist die Bemalung in grellen Farben. Die absoluten Meister der Töpferkunst aber waren die Mochicas, die zwischen 100 v. und 700 n. Chr. die Stadt Chan-Chan in Nordperu besiedelten und ihr Leben – und auch ihr Liebesleben – aussagestark, mitunter humorvoll, in Ton festhielten.

Priestergewand der Mochicas. Auf einem groben, aber präzis gewebten Baumwollstoff sind Abertausende von pfenniggroßen Goldplättchen um eine Abbildung der Sonne befestigt. Es ist nicht schwer, sich vorzustellen, in welchem Glanz die Priester erstrahlt haben mögen.

Viel einfacher ist dieses Gewand aus Baumfasern, das die Zauberer der Yucuna-Indianer im Amazonastiefland bei besonderen Anlässen tragen.

Bereits um 700 n. Chr. schufen die Küstenkulturen Perus Stoffe von bislang unübertroffener Qualität und Schönheit, darunter Gobelins, Kelims und luftige Schleier. Dieses bemalte Baumwollgewebe stammt aus Mittelperu.

In der alten Inkafestung Sacsayhuaman, oberhalb von Cuzco, findet jedes Jahr am 24. Juni das Inti Raimi, das Sonnenfest, statt. Hunderte von Tänzern kostümieren sich nach alten Vorlagen und lassen in einer gigantischen Folklore-Show das Reich der Inkas auferstehen.

Die Ruinen von zwei verschiedenen Kulturen: In der Mitte ein Blick über Chan-Chan in der Küstenwüste; unten Tampu Machay, ein von den Inkas erbautes Wasserheiligtum bei Cuzco.

Die Urus sind ohne Zweifel das kurioseste Völkchen Perus. Nach eigener Aussage ist ihr Blut schwarz, was sie unsinkbar und unempfindlich gegen Kälte machen soll. Sie leben in perfekter Simbiose mit dem Titicaca-See: Sie wohnen auf Binseninseln, bauen ihre Hütten aus Binsen und essen zum Fisch auch Binsen als Gemüse.

eingefaßte Quelle und möglicherweise ein Wasserheiligtum in einem kleinen Garten im Ort Ollantaytambo.

Nach vier Stunden Fahrt, die letzten zwei parallel zum schäumenden Urubamba durch das gewundene hautenge Tal, erreicht man die Endstation an einer Flußbiegung: Machu Picchu. Man kann sich den Hals verrenken wie man will, man sieht nichts, wie die Spanier. In zwanzig Minuten wird man mit kleinen VW-Bussen in Serpentinen hinaufkutschiert, bezahlt seinen Eintritt – und man bekommt vor Staunen die Augen nicht weit genug auf.

Auf einem U-förmigen Bergvorsprung mit fast 45 Grad steilen Hängen, an drei Seiten umflossen vom Rio Urubamba und an der vierten geschützt durch den Berg Machu Picchu, liegt das Ziel der Reise, überragt vom Berg Huayna Picchu, der aussieht wie der Zuckerhut und an dessen Spitze Terrassenfelder kleben. Und alles vom Tal aus vollkommen unsichtbar. Während unten rachsüchtige Spanier durch das Lianengestrüpp irrten, konnten sich die Indios hier oben ins Fäustchen lachen. Über endlos lange Treppen auf und ab wandernd, entdeckt man nach und nach diese Stadt, in der alles aus Stein ist: die Paläste und Tempel aus genau geschnittenen und geschliffenen Quadern ohne Mörtel haltbar ineinander verschachtelt, die Häuser aus weniger liebevoll behauenen Steinen. Da steht der mächtige Rundbau El Torréon am Rande des Abgrunds; mitten in der Stadt das in den Fels gehauene »Mausoleum der Könige«; im Tempelviertel der Sonnenstein Intihuatana, anzuschauen wie ein modernes Kunstwerk, dessen Winkel und sorgsam geschliffene Flächen vermutlich zu astronomischen Berechnungen dienten – zwei seiner Seiten jedenfalls weisen auf jene Punkte der gegenüberliegenden Bergkette, wo die Sonne jeweils bei der Winter- und Sommersonnenwende aufgeht. Hier oben wohnten die Priester; dem Kaiser und seinem großen Gefolge war die andere Flanke des Sattels zugedacht. Weiter hinten wohnten die Handwerker und das niedere Volk. Auch ein Gefängnis fehlt nicht.

In dieser Stadt hat niemand geplündert. Die Vegetation hat ihren Dornröschenschlaf mit einem grünen Mantel bedeckt. Bei den vielen Erdbeben sind nur wenige Steine verrutscht. Man braucht eigentlich nur die Häuser zu decken, und die Stadt wäre wieder für die Indios bewohnbar. Sogar Wasser ist noch ausreichend vorhanden. Aus dem uralten ausgeklügelten Kanalisationsnetz wird heute das kleine Hotel ausreichend versorgt.

Und dann fragt man sich unweigerlich nach dem Sinn dieser Stadt. Sollte sie eine Gegenhauptstadt zu Cuzco werden? Dazu war sie viel zu klein. Sollte sie das Urubamba-Tal schützen? Wohl kaum, sie hat keine Befestigungsanlagen. Vielleicht war sie ein Heiligtum, wie man aus der Tatsache schließen mag, daß man in den Gräbern zehnmal so viele Skelette von Frauen als von Männern gefunden hat und bekanntlich Frauen viel lieber geopfert wurden als Männer. Doch dafür war sie eigentlich zu groß. Fragen über Fragen um diese Stadt, von der man noch nicht einmal den Namen kennt. Denn das wahre Vilcapampa – wie sich später herausgestellt hat – ist ganz woanders gefunden worden.

Der Zug ruft zur Abfahrt. Durch die Haarnadelkurven geht es bergab, während kleine Indiojungen barfuß durch das Gestrüpp den steilen Hang hinab jagen und winkend wieselflink über den Weg huschen. Völlig außer Puste sind sie noch vor den Bussen am Bahnhof und bieten lächelnd mit verschwitzter Hand einige Postkarten an. Und niemand bringt es übers Herz, diese halsbrecherische Leistung nicht zu honorieren.

Während sich die Nacht senkt und man in ratterndem Schlingern zurück nach Cuzco fährt, die Postkarte des kleinen Indio achtlos in einer Tasche verstaut, wird einem erst richtig bewußt, daß man das archäologische Juwel Südamerikas, das Schönste und Geheimnisvollste, was die präkolumbianischen Kulturen dieses Kontinents zu bieten haben, gesehen hat. Der Tag hat sich gelohnt.

Puno – Hafen am »Andenmeer«

Rund zehn Stunden dauert die Fahrt von Cuzco nach Puno über 387 Kilometer ausgeleierte Schienen. Gönnen Sie sich ein Erste-Klasse-Billett, damit Sie die Landschaft komfortabler bewundern können.

Das Vilcanota-Tal wird nach und nach schmaler, die ausgezackten Bergriesen werden höher und rücken näher heran, die Erde wird trocken und öd. Nach links biegt bald die Straße nach Puerto Maldonado an der heißen Ostflanke der Anden ab, die über den höchsten Paß Amerikas, den Hualla-Hualla, 5268 m, und durch das Vilcanota-Massiv führt, dessen höchster Berg der 6384 m hohe Ausangate ist. Bald erreicht man Sicuani, in dessen Nähe die beachtlichen Ruinen des »Tempels von Viracocha« liegen. Der höchste Punkt der Fahrt ist der 4313 m hohe La-Raya-Paß mitten in einer lieblichen Wiesenlandschaft, aus der dampfend heiße Quellen hervorsprudeln. Dann öffnet sich die weite, sandige Collao-Landschaft, deren Mittelpunkt der Titicaca-See ist.

Den See umgibt ein relativ fruchtbarer Boden. Hier lebt der größte Teil der ländlichen Bevölkerung Perus unter zwar harten, aber letztlich doch gesunden Bedingungen. Die meisten Krankheiten und sogar graue Haare sind bei ihr unbekannt. Die hiesigen Indios stammen von den Collas ab, die zu den in Bolivien lebenden Aymaras gehören.

Puno, eine etwas langweilig anmutende Stadt mit 40 000 Einwohnern, ist der wichtigste Hafen auf der peruanischen Seite des »Andenmeeres«, direkt am großen blauen Spiegel des auf 3812 m gelegenen höchsten schiffbaren Sees der Welt. 8300 km² ist er groß, hat einen Umfang von 900 km und eine größte Tiefe von 230 m, wie schon die Spanier feststellten, die ihn bereits im 16. Jahrhundert auf Brigantinen erkundeten.

Sehenswert sind in Puno die schlichte, 1754 beendete Kathedrale und die farbenprallen Märkte mit vielen ansprechenden Souvenirs. Sollten Sie übrigens nach Bolivien fahren wollen, warten Sie noch mit dem Kauf. Jenseits der nahen Grenze ist alles billiger. Für die Reise gibt es Bus, Eisenbahn oder Schiff bzw. Kombinationen davon. Beispielsweise mit Bus-Schiff-Bus nach La Paz. Da die Strecke auf eigene Faust beschwerlich sein kann, lohnt sich hier eventuell ein Pauschalarrangement Puno–La Paz, mit Verpflegung, Seeüberfahrt im Tragflügelboot und Stop in Copacabana. Das ist schneller und interessanter als die Busfahrt um den Südzipfel des Sees herum mit den entnervenden Grenzformalitäten (siehe auch S. 218).

Die Urus – Unsinkbare Menschen auf sinkenden Inseln

Die Attraktion Nummer eins von Puno liegt mitten in der Chucuito-Bucht vor der Stadt. Es sind die schwimmenden Inseln der Urus, die sich in ihrer Sprache Kot-Suns, »Seemenschen«, nennen. Soviel vorweggenommen: Die letzten reinrassigen Urus starben 1955, die heutigen haben bereits ein paar Tropfen Aymara-Blut in den Adern, die ihnen jedoch nicht die Eigenarten genommen haben. Und die waren so ausgeprägt, daß selbst die herrschsüchtigen Inkas, die nach der Eroberung des Collao hier ab 1445 einen frischen zivilisatorischen Wind wehen ließen, nichts mit den Urus anzufangen wußten. Einerseits halten diese sich für Untermenschen, andererseits für etwas ganz Besonderes, nämlich für die wahren Herrscher über den See und das Wasser. Und das bewirkt nach ihrer Aussage Erstaunliches: Es hindert sie daran, zu ertrinken oder sich in den nur 10 Grad kalten Fluten zu erkälten. Tatsächlich hat man festgestellt, daß sie folgenlos spärlichst bekleidet in dem eisigen Nachtnebel spazierengehen können; ein Leichtsinn, der jedem anderen sofort eine Lungenentzündung beschert.

Die Urus halten es für unter ihrer Würde, das Festland zu betreten, und verbringen ihren Tag beim Fischfang und der Herstellung von Totoras, Binsenbooten, auf denen alle Fischer auf dem See ihrer nassen Beute nachstellen. Sie leben in perfekter Symbiose mit dem See: Sie bauen ihre Häuser aus Binsen, essen Binsen als Gemüse und leben auf künstlichen Inseln aus meterdicken Binsenschichten. Sobald die unterste Schicht abfault und die Insel abzusinken droht, wird eine neue Schicht aufgetragen. So einfach ist das. Die Urus halten sich allerdings auch Schweine, und die fressen hin und wieder Löcher in den Inselboden, die dann schleunigst zugestopft werden müssen. Kein Wunder, daß dieses Wasser-Völkchen Besucher in hellen Scharen anlockt. Man setzt im Boot zu ihnen über, bestaunt sie und darf sie nur knipsen und filmen, wenn man etwas bezahlt oder ihnen Obst als willkommene kulinarische Abwechslung mitbringt.

Julí – Maler im Schlachthaus

In der nahen Umgebung von Puno kommen nicht nur Landschaftsfreunde auf ihre großen Kosten, die sich am samtblauen Seeteppich, an dem überwältigenden Andenpanorama unter der gleißend hellen Sonne erfreuen. Auch wer sich für die Malkunst begeistern kann, wird reichlich verwöhnt. Denn in Julí, am Ufer des Sees, erfahren Sie, mit welchem Einsatz Peru seine kolonialen Kunstwerke zu erhalten gedenkt. Hier ist eine Schule für Restauratoren gegründet worden, deren Gesellenstücke, zur alten Pracht wieder auferstandene Gemälde, man in den Kirchen des kleinen Ortes bewundern kann. Es sind überwiegend Indios, die mit Schaber, Lackentferner und Pinsel hingebungsvoll arbeiten, Indios wie die Meister, die vor drei Jahrhunderten die Gemälde der Cuzco-Schule schufen. Wer noch keine Beziehung zur Malerei gefunden hat, wird auch ohne viel Worte einiges von ihnen lernen, während er über ihre Schultern schaut. Befremdlich wirkt nur die Umgebung: Man hat die Schule im alten Schlachthaus von Julí am Ortsrand untergebracht.

Sillustani – Ruhe sanft im fünften Stock

Eine halbe Autostunde von Puno entfernt liegt der schöne Umayo-See, der auf seiner Halbinsel Sillustani und der Insel Umayo mit weiteren Kuriosa aufwartet: mit Turmgräbern, rund oder viereckig und je nach Rang und Reichtum des Verstorbenen aus Lehm und groben Steinen oder aus exakt gemeißelten Quadern fürs ewige Andenken errichtet. Man findet diese Chullpas überall im Collao, die schönsten aber stehen hier in der erhabenen Einsamkeit, in der nur das sanfte Gleiten des Windes und die verhaltenen Stimmen der Besucher zu hören sind.

Wie alt die Chullpas genau sind, vermag niemand mit Bestimmtheit zu sagen. Die Aymaras jedenfalls hielten sie für die Behausungen ihrer Vorfahren, die bereits lebten, noch bevor die Sonne am Firmament erschien. Für die darin gefundenen Grabbeigaben hatten sie eine einleuchtende Erklärung: An die Sonne nicht gewöhnt, verbrannten diese Urmenschen unter ihren ersten Strahlen.

Cieza de León aber, der Vielzitierte, wußte es schon 1549 besser: »… Um die Städte lagen die Gräber dieser Indianer, gebaut wie kleine Türme… es schien mir, diese Gräber hätten Türen nach Osten… und sie töteten die Frauen, die Kinder und die Säuglinge, die sie mit dem Verstorbenen schicken mußten, und diese zusammen mit einigen Lamas und anderen Dingen aus seinem Haus, und sie begruben im gleichen Grab auch entsprechend ihrer Sitten einige lebende Menschen…« Fast möchte man sagen, »genau wie bei den Chaldäern in Ur«, die allerdings einige tausend Jahre vorher gelebt haben.

Das eindrucksvollste Turmgrab ist die Chullpa del Lagarto, die Chullpa mit der Eidechse, ein 12 m hoher, sich nach oben verbreiternder runder Turm aus mächtigen Quadern, der am Oberteil mit einem Eidechsenrelief verziert ist. Hier fand sicherlich ein mächtiger Fürst seine letzte Ruhe, umgeben von seiner bis in den Tod treuen Dienerschaft. Die Chullpa ist zwar von der Zeit, den Erdbeben und den Schatzsuchern etwas mitgenommen, man erkennt jedoch, daß sie innen fünf Etagen hatte.

An ihrem Fuß machte man 1971 eine sensationelle Entdeckung: In einem Meter Tiefe lag ein 4 Kilo schwerer, aus 501 Stücken bestehender Goldschatz – einer der wenigen, die den Spaniern und den »huaqueros« bis dato entgangen waren.

Ganz in der Nähe der Chullpas ein weiteres Kuriosum, ein Sonnenkreis, dessen steinernes Rund von etwa 16 m Durchmesser eine verblüffende Ähnlichkeit mit den Sonnenheiligtümern der Druiden im vorchristlichen England aufweist.

Der Urwald

Iquitos – Hochseefrachter 3700 km vom Meer entfernt

Wer auf dem Flug von Lima zur Urwaldstadt Iquitos Zeitung liest, ist entweder ein Mensch von großer Gleichgültigkeit und Kälte oder einer, der diese Strecke schon auswendig kennt. Denn was in der Lektürezeit einer guten Sonntagsausgabe unter den Tragflächen abrollt, ist das schönste Panorama Südamerikas mit drei Extremformen der irdischen Topographie.

Zuerst geht es hinaus über das Meer, um Höhe zu gewinnen, und in einer weiten Schleife zurück zur Küstenwüste, die an Trockenheit ihrer großen Schwester Sahara kaum nachsteht und nur dort grüne Tupfer in der gelbbraunen Einöde aufweist, wo Menschenhand das Wasser der wenigen Flüsse auf die Felder geleitet hat. Bald tauchen die ersten Hügel auf, erste Ausläufer der Kordillere; ihre Spitzen überzieht bereits der grüngraue Schleier spärlicher Vegetation. Die Täler zwischen ihnen werden immer enger und steiler. Hier lassen bereits Wolkenbrüche monströse Schlammlawinen herabdonnern, die mit schöner Regelmäßigkeit die Straßen in die Anden wegfegen. Plötzlich sind die Berge schon über 5000 m hoch, die ersten Schneegipfel ziehen vorüber, öde und von eisiger Majestät. Braun und rötlich sind ihre Flanken, manchmal auch grau. Dazwischen blitzen kleine Seen auf, dann wieder leuchten winzige Wiesen und Wäldchen. Rechts, hinter einem zyklopischen Gewühl ineinanderverschlungener Massive, verschmilzt die Hochebene in endloser Ferne mit dem Himmel. Greifbar nahe der Yerupajá, 6632 m, wenige Minuten später der höchste Berg Perus, der 6768 m hohe Huascarán. Nun wühlen sich von Osten her dunkelgrüne Täler, durchflossen vom feuchten Gluthauch des Amazonastieflandes, zwischen die schneebedeckten Berge; das Gelände flacht in kolossalen grün überwucherten Windungen ab, und der Urwald beginnt, jener samtige, tiefgrüne Teppich aus Baumriesen, über dem eine milchige Dunstschicht wabert, durchzogen von einem labyrinthischen Netz von Flüssen mit lehmschwerem Wasser.

Erst am Atlantik endet der Urwald. Bis dorthin sind es noch 3000 km, so weit wie von Berlin bis Tel Aviv. Die Maschine beginnt abzusinken, man erkennt die ersten Bäume, ein einsames Boot irgendwo auf einem Fluß, ein Reiher, der über die Wipfel huscht, die vibrierende Hitze über glitzernden Sümpfen. Spätestens am Fuß der Flugzeugtreppe ist man in Schweiß gebadet: 35 Grad, 95% relative Luftfeuchtigkeit.

Übrigens kann man Iquitos auch anders erreichen. Von Lima führt eine Straße quer durch die Anden und nach 847 km hinab in die unschöne Urwaldstadt Pucallpa, einen Vorposten der Zivilisation mit 55 000 Einwohnern, der erst dank der Erdölfunde wirtschaftliche Bedeutung bekommen hat und dessen einzige Attraktion der nahe Yarinacocha-See ist. In Pucallpa besteigt man ein Boot – manche haben spartanisch eingerichtete Kabinen für ein Dutzend Passagiere, andere bieten lediglich Haken, an denen man die mitgebrachte Hängematte befestigt –, und dann geht es eine Woche lang jenen Ucayali hinab, den Sie schon bei Machu Picchu als Urubamba kennengelernt haben, in den Amazonas, an dem Iquitos liegt. Eine Reisevariante für Leute mit Sinn für kleine Abenteuer.

Iquitos, diese nur per Schiff oder Flugzeug erreichbare Enklave, in der 200 000 Menschen an der Zukunft des peruanischen Urwaldgebietes werkeln, hält einen Weltrekord: Es ist der am weitesten vom Meer entfernte Flußhafen, der noch mit Hochseeschiffen zu erreichen ist. Er ist 3700 km von der Mündung des Amazonas entfernt und wird von Frachtern bis zu 5000 BRT angefahren. Es ist eine überdurchschnittlich stark motorisierte Stadt, obwohl die Straßen spätestens nach 12 km entweder an einem Fluß oder an einer grünen Baumwand enden. Auf die Taxis, die sich hupend anbieten, kann man getrost verzichten und die breiten, von höchstens zweistöckigen Häusern in grellen Farben gesäumten Straßen entlanggehen zur Sehenswürdigkeit Belén. Dieses Stadtviertel liegt zur Hälfte im Fluß. Die elenden Holzhäuser stehen auf Pfählen oder auf Flößen, damit das in der Regensaison bis zu 12 m ansteigende Wasser nicht in sie eindringt. Hier spielt sich der Verkehr auf flachen Einbäumen ab oder über wacklige Bretterstege von einem Haus zum andern. Es mutet an wie ein primitives Amazonas-Venedig.

Sehenswert sind das Museo Amazónico, das Amazonas-Museum, dessen Schaustücke halten, was der Name verspricht; das Aquarium mit einer Auswahl der schönsten Zierfische und der bissigsten Pirañas; ferner das Tiergehege, in dem Urwaldexoten bis zu ihrer Verschiffung in ferne Zoos untergebracht werden.

Es gibt eine Handvoll passabler Hotels und ebenso viele Restaurants mit

Spezialitäten aus dem Urwald: frische Palmherzen, Wildschweinbraten, Flußfisch und tropfsaftiges Obst.

Empfehlenswert sind Tagesfahrten den Amazonas hinab zu den Waldindianern. Die Jívaros, weltberühmte Schrumpfkopf-Hersteller, darf man mitten im Dschungel besuchen, ohne gleich um den Kopf bangen zu müssen. Sie lassen sich wehrlos bestaunen und führen gegen ein kleines Trinkgeld zirkusreife Treffsicherheit mit ihren 1,50 m langen Blasrohren vor, deren Mundstücke meist aus Menschenknochen geschnitzt sind. Ihre Nachbarn sind die Yaguas mit den hübschen Baströcken, die gar nicht so recht zu ihren ewig schmollenden Gesichtern passen wollen. Ihre Kunst besteht darin, den verschwitzten Fremden einen kleinen Affen oder einen handzahmen Tukan anzudrehen, mit denen dann niemand etwas anzufangen weiß. Der Zoll gestattet ihre Ausfuhr nicht.

Für jene, die nun erst recht auf den Geschmack kommen, organisieren die Reiseagenturen Expeditionen ins grüne Unbekannte von jeder beliebigen Länge mit jeder gewünschten Menge Aufregung.

Die Fahrt nach Iquitos aber lohnt sich erst wirklich wegen der einmaligen Urwaldatmosphäre. Und die kann man nicht beschreiben. Die muß jeder selbst fühlen.

Wer mit dem Flugzeug gekommen ist, kann von Iquitos weiter mit dem Schiff nach Pucallpa und von dort aus hinauf in die Anden und weiter nach Lima fahren. Oder, stromabwärts, nach Leticia in Kolumbien und/oder Manaus in Brasilien. Letzteres kann bis zu zwei Wochen dauern und ein denkwürdiges Erlebnis bzw. Abenteuer werden. Wer in letzter Minute Bedenken hat, kann alle genannten Orte von hier aus auch im Flugzeug erreichen.

BOLIVIEN

Die gegenwärtige Lage des Landes könnte man stark vergröbert so formulieren: Die Bolivianer sitzen auf einer Schatztruhe und leben am Rand des Existenzminimums. Die Schätze in der Truhe: Silber, Kupfer, Eisen, Zinn, Erdöl, Erdgas; Weidegebiete im Südosten, auf denen Millionen Rinder Platz hätten; fruchtbare Täler, in denen alles wachsen könnte, was das Herz erfreut, den Magen nahrhaft füllt und – exportiert – den Staatssäckel prall rundet.

Doch die Erze werden nur unzureichend abgebaut, das Öl erst seit kurzem gefördert, die Rinderzucht steckt in zagen Anfängen, zu den fruchtbaren Tälern führt kaum ein Weg.

Der Schlüssel heißt, wie überall auf der Welt, Kapital. Und daran hapert's. Gemessen am Pro-Kopf-Einkommen, ist Bolivien hinter Haiti das zweitärmste Land Amerikas. Das war nicht immer so, wie ein Blick auf die merkwürdige Geschichte dieses Landes zeigt, das immer nur kleiner geworden ist und nebenbei auch einen Weltrekord an Regierungswechseln aufgestellt hat.

Es begann alles vielversprechend. Von Cuzco aus drangen neugierige Spanier 1535 in die Gegend südlich vom Titicaca-See, stolperten über die monumentalen Ruinen von Tiwanacu und erkundigten sich verdutzt nach deren Urhebern. Die stillen Aymaras waren überfragt. Das mysteriöse Volk, das hier zwischen dem ersten und zehnten Jahrhundert scheinbar mühelos mit Steinquadern von 100 Tonnen Gewicht hantieren konnte, war ihnen unbekannt.

Schließlich aber waren die Spanier keine Touristen und interessierten sich infolgedessen nur am Rande für alte Steinhaufen. Dann schon eher für Gold und Silber, die sie denn auch wie bestellt fanden. 1545 raste ein atemloser Bote nach Cuzco: Man hatte einen ganzen Berg aus Silber gefunden! Flugs überrumpelte man die Aymaras, annektierte das Gebiet, nannte es Alto Peru, Ober-Peru, und besah sich diesen Cerro Rico, den reichen Berg. Man hatte kaum übertrieben. Aus dieser geologischen Einmaligkeit wurde genug Silber herausgeschafft, um Spanien zwei Jahrhunderte lang reichlich mit dem blanken Metall zu versorgen und am Fuß des Berges eine blühende Stadt entstehen zu lassen. In der spanischen Sprache ist noch heute das Wort Potosí ein Synonym für unermeßlichen Reichtum.

Auch hier führten die Spanier ein rauhes Regiment. Denn nicht nur der ferne König sollte Silber bekommen, auch der Vizekönig in Lima und seine örtlichen Statthalter wollten sich bereichern. Die häufigen Indianeraufstände wurden blutig niedergeschlagen, ihre Anführer kurzerhand geviertelt.

Die Unabhängigkeit – Eisenbahn als Reuegeschenk

Die selbstherrliche Macht des Vizekönigs und seiner korrupten Corregidores wurde mit der Zeit auch den Kreolen, in Amerika geborenen Spaniern, zuviel, weil sie nicht in höhere Ämter aufsteigen durften. Nur allzu gern ließen sie sich von dem Sturm eines neuen Selbstbewußtseins, der über die Kolonien fegte, mitreißen.

Anders als die Indianer wußten sie ihre Sache nicht nur mit Waffen, sondern auch mit schlagenden Argumenten zu verfechten.

Ihr Land barg unermeßliche Bodenschätze. Das mußte reichen für eine gesicherte, freie Zukunft. Vierzehn Jahre dauerte der Kampf, von 1810 bis 1824, als der Volksheld General Sucre die königlichen Truppen bei Ayacucho in Peru vernichtend schlug. Um ganz sicher zu gehen, trennte man sich im Jahr darauf von Peru und ließ von der Nationalversammlung einen Präsidenten bestimmen. Die Wahl konnte nicht besser ausfallen! Man trug dieses ehrenvolle Amt dem vergötterten Befreier Simon Bolivar an und benannte den frischgebackenen Staat, um dem Volkshelden das Amt schmackhaft zu machen, auch noch in República de Bolívar um – eine wahrhaft seltene Ehre. Und damit der General Sucre nicht auf dumme Gedanken kommen möge, packte man ihn bei der Eitelkeit. Man taufte die Stadt Chuquisaca in Sucre um und machte sie zur offiziellen Hauptstadt.

Unter solch blendenden Voraussetzungen mußte die Zukunft wahrlich paradiesisch sein!

Weit gefehlt. Denn gänzlich unerwartet begann nun eine Zeit, deren Besprechung heute selbst die aufmerksamsten Schüler im Geschichtsunterricht restlos überfordert. Jeder fühlte sich plötzlich bei der Verteilung des Machtkuchens übervorteilt. Banale Eifersüchteleien gegen den jeweiligen Präsidenten oder Diktator wurden zu politischen Plattformen hochideologisiert. Mord, Selbstmord und parlamentarische Prügeleien bestimmten den politischen Alltag. Kaum hatte der neue Machthaber liebevoll seine Gänsekiele auf dem protzigen Schreibtisch verteilt, da saß er schon wieder vor der Tür. Zahllose feurige Antrittsreden voll tugendhafter Versprechungen blieben ungehalten. Wenn die Nachricht von einem gelungenen Putsch bis in die hinterste Provinz gedrungen war, hatte schon längst ein neuer Usurpator die Macht des alten Usurpators usurpiert. Rasant rotierte das politische Karussel, und alle, alle purzelten herunter. Ein Weltrekord: Von 1826 bis 1984 trugen sich 201 Präsidenten, Diktatoren und Juntas in das Geschichtsbuch ein, 1979 auch eine Frau, Lydia Gueiler. Schon 1980 wurde sie durch einen Militärputsch verjagt.

Während somit alle Augen auf das kräftezehrende Ämtergerangel in der Hauptstadt gerichtet waren, konnten sich die Nachbarn fast unbemerkt und unbestraft mit bolivianischem Territorium bedienen. Damals reichte Bolivien noch bis an den Pazifik und verfügte an der Küste über ein trostloses, aber reiches Gebiet. Zusammen mit Peru verlor Bolivien 1883 den »Pazifikkrieg« gegen die Chilenen, die diese Provinzen besetzten, zu graben anfingen und mit dem dort lagernden Salpeter ein Vermögen verdienten. Das schlechte Gewissen jedoch ließ die Chilenen nicht ruhig schlafen. Aus lauter Reue bauten sie eine Eisenbahn von La Paz bis zur Hafenstadt Arica und räumten den Geschädigten Freihafenrechte ein.

Dieser Trick sprach sich alsbald herum. Die Nachbarn annektierten ebenfalls und bezahlten mit einigen hundert Kilometern Bahnstrecke: Argentinien nahm einen Teil des südöstlichen Chaco, Brasilien das Acre-Gebiet. Beglichen wurde mit Dampfloks und Schienen. Etwas Neues ließen sich die Paraguayer einfallen. Nach dem Chaco-Krieg von 1928 bis 1935 annektierten sie drei Viertel dieses wertvollen Flachlandes. Sie bezahlten mit einem Zugang zum Paraguay-Fluß.

Das unbekannte Land – Bevölkerung am falschen Platz

Schmerzlich war für die Bolivianer lediglich das Fehlen des Zugangs zum Meer – wichtig für den Export der Erze und Metalle. Die anderen Verluste hatten höchstens die nationale Eitelkeit etwas angekratzt. Denn diese Gebiete waren menschenleer. Und auch heute haben die 5,5 Millionen Bolivianer auf ihren 1 098 581 km² Boden reichlich bemessenen Platz; 90% leben auf nur einem Viertel des Territoriums, nämlich in den Anden; im Rest des Landes kommen fast 1,3 km² auf einen Einwohner.

Es muß einmal gesagt werden: Die gängigen Bilder und Darstellungen von Bolivien entsprechen nicht der geographischen Wahrheit! Immerfort bekommt man Lamas, Indianer, die Einöde des Hochplateaus und verschneite Gipfel gezeigt. Und nur selten ein Bild vom dreimal so großen Rest, kaum eines vom wilden Norden, dem südlichsten Teil des dumpf-heißen Amazonasbeckens, und schon gar nichts vom endlosen Chaco im Südosten, dem flachen Wald- und Weidegebiet. Wußten Sie, daß die Hälfte des Landes vom Urwald überwuchert ist?

Warum sich diese Tatsache noch nicht herumgesprochen hat, liegt auf der Hand. Weder im Norden noch im Osten gibt es Städte oder Sehenswürdigkeiten, die Touristen anlocken könnten. Folglich wird nicht darüber berichtet. In den Urwald im Norden haben sich die Bolivianer nie hineingetraut; in den Südosten nur die Jesuiten, die dort ihre Reducciones – eine Art Landgüter – errichteten und 150 Jahre lang unbehelligt und mit großem Erfolg bewirtschafteten. Bis ihre Aktivitäten, in die sie wie eh und je niemand seine Nase hineinstecken ließen, suspekt wurden und man sie hinauswarf.

Besuche dieser Regionen sind heute nur jenen zu empfehlen, die wirklich vor nichts zurückschrecken und nach dem Motto »je einsamer, desto schöner« reisen. Wenn Sie nicht auf Komfort verzichten wollen: den Chaco

BOLIVIEN

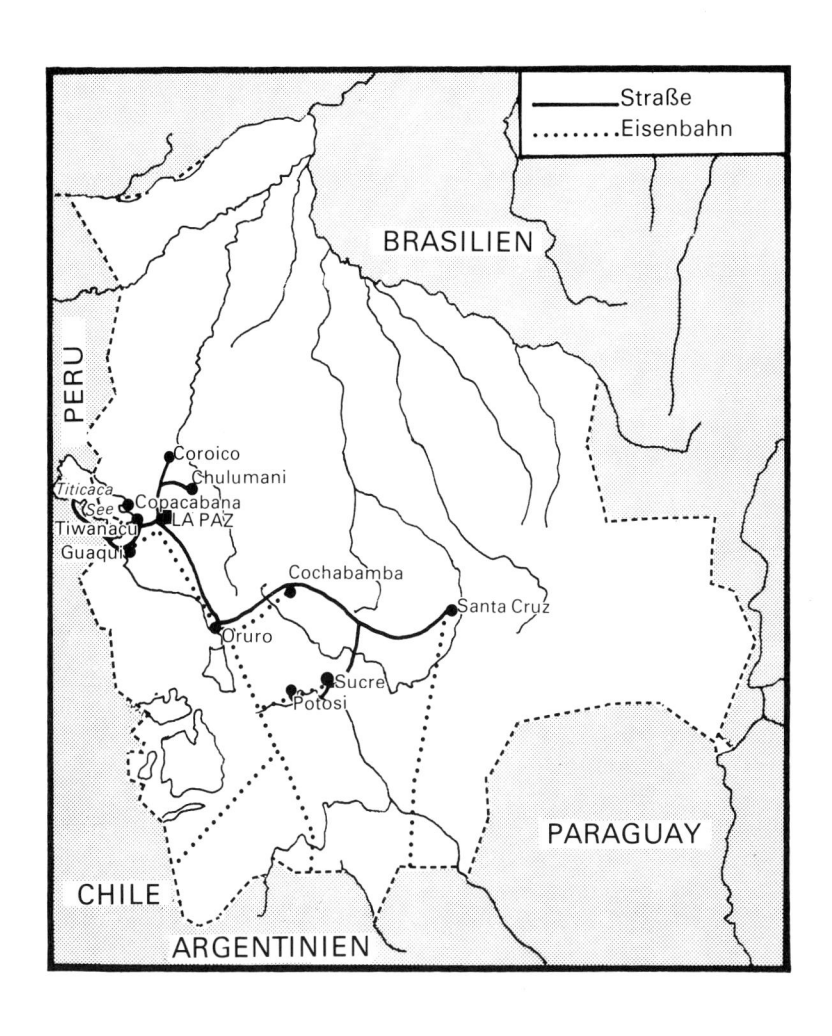

Entfernungen in km (Straße)

La Paz–Santa Cruz	903	La Paz–Oruro	239
La Paz–Sucre	740	La Paz–Copacabana	140
La Paz–Potosí	574	La Paz–Coroico	95
La Paz–Cochabamba	403	La Paz–Tiwanacu	71

können Sie in Paraguay ungleich bequemer kennenlernen, den Amazonasurwald in Peru oder Brasilien.

Beschränken wir uns also auf das Andengebiet, denn dort gibt es wirklich eine Menge zu sehen. Der Altiplano, das durchschnittlich 3800 m hohe Herz der bolivianischen Anden ist 850 km lang und 150 km breit. Es ist jene kleine Region, in der drei Viertel der Bevölkerung leben, diesem trostlosen, lebensfeindlichen Gebiet mit dem trockenen Boden ihre karge Nahrung abtrotzen und vor lauter Verzweiflung Kokablätter kauen. Gelehrte Geister werden eines Tages ergründen, warum diese Bevölkerung sich starrköpfig weigert, nur zweihundert Kilometer weiter noch Osten zu ziehen, wo sie am Osthang der Anden paradieshafte Fruchtbarkeit erwartet. Noch nie war auf der Welt das richtige Volk so eindeutig am falschen Ort.

Eine kleine Ausnahme mag das Gebiet rund um den Titicaca-See sein, der zur Hälfte zu Bolivien gehört. Der Volksmund behauptet, daß die Namenshälfte Titi zu Bolivien gehöre, die andere zu Peru. Wie erwartet, wird dieser Kalauer jenseits der Grenze anders herum erzählt. Hier jedenfalls gibt es fruchtbare Äcker und, da der See als Wärmespeicher dient, geringere Temperaturschwankungen; die Nachtfröste sind seltener. Die majestätische Andenlandschaft wird durch die grünen Tupfer der Felder um einiges lieblicher.

La Paz – Vom Flugzeug ins Bett

Könnte Boliviens Nationalmannschaft Fußballweltmeister werden? Nichts leichter als das. Man braucht den Weltverband nur davon zu überzeugen, daß La Paz der Austragungsort sein muß. Warum es dann wie von selbst geht, merken Sie spätestens beim Verlassen des Flugzeugs.

Der normale Kabinendruck eines Jet entspricht dem Luftdruck in 2000 m und wird vor der Landung auf die Höhe des Zielortes abgestimmt. Vor der Ankunft in der bolivianischen Hauptstadt muß er also verringert werden, denn der Flughafen, der zu Recht den Namen »El Alto«, der Hohe, trägt, liegt auf 4100 m. Da verzichten sogar Geizhälse auf das Koffertragen, nachdem sich nach wenigen Schritten unter voller Last die ersten Anzeichen des Soroche einstellen: Atemnot, Schwindel, fliegender Puls und Kopfschmerzen.

Lassen Sie sich unverzüglich zu einem Hotel fahren. Wenn Sie noch nicht wissen sollten, zu welchem, geben Sie als allgemeine Richtung den Prado an, die Hauptstraße von La Paz, an der die meisten Hotels liegen. Atmen Sie auf der 15 km langen Fahrt ruhig durch, und wenn es Ihnen nicht besser gehen sollte, wird der Empfangschef Ihnen gerne Tropfen oder Tabletten geben. Feinere Herbergen stellen den Gästen handliche Sauerstoffflaschen zur Verfügung, an denen man sich laben kann. Man hat schließlich Verständnis für die verweichlichten Ausländer.

Und dann nichts wie ins Bett, wenn nötig einen ganzen Tag lang. Essen Sie in den ersten Tagen möglichst wenig, und gehen Sie mit den abendlichen Drinks sparsam um, Sie vertragen hier höchstens die Hälfte der gewohnten Menge. Meiden Sie unnötige Anstrengungen, schließlich ist der Körper vollauf damit beschäftigt, mehr rote Blutkörperchen zu bilden, um genügend Sauerstoff aus der dünnen Luft aufzunehmen und ihn anschließend dorthin zu bringen, wo er am dringendsten gebraucht wird: zum Gehirn, das die großartigen Eindrücke aufnehmen, speichern und verwerten soll.

La Paz ist eine verkehrte Stadt. Wo normalerweise die schicken Viertel der besseren Luft und des Ausblicks wegen möglichst hoch über dem volkstümlichen Gewühl liegen, befinden sie sich in diesem Tal, das nachts vom Rand des Altiplano aus gesehen wie eine Schale voll Diamanten mit dem gestirnten Himmel um die Wette funkelt, möglichst weit unten. Zwischen den Indio-Vierteln am oberen Rand und den vornehmen Wohngegenden Obrajes, Calacoto und La Florida liegen gute 600 m. Hier ist die gute – weil dichtere – Luft unten.

Gegründet wurde La Paz 1548 vom Kapitän Alonzo de Mendoza – der nur deswegen geschichtsnotorisch ist – auf den Fundamenten des zweckdienlich geschleiften Indianerdorfes Chuquiapú, was auf Aymara so viel heißt wie »großes Goldfeld«. In dem gleichnamigen Flüßchen, das sich noch heute durch La Paz windet, konnte man die Nuggets mit der Hand aufsammeln. Das war der erste Grund für die Platzwahl, der zweite die verständliche Abneigung des Militärmannes gegen den eisigen, staubgeladenen Wind, der über das Hochland heult. Dieser Kessel, 500 m unter dem Rand der Hochebene, lag geschützt, die Luft war nicht ganz so dünn, und für das Gold brauchte man sich bestenfalls zu bücken, wenn gerade kein Indio da war, der es aufheben mußte. Mehr konnte man wirklich nicht verlangen!

Bis in die Mitte des 18. Jahrhunderts profitierte die Ciudad de nuestra Señora de la Paz, die Stadt unserer Lieben Frau des Friedens, wie sie damals vollmundig hieß, von den immensen Reichtümern, welche die Indios aus dem reichen Berg von Potosí klauben mußten.

Dann kam die plötzliche Wende. In Peru und in Mexiko wurde ebenfalls Silber gefunden, der Chuquiapú gab auf einmal kaum noch Nuggets her. Die Zeit der kleinen Brötchen war gekommen. Wer Ansehen und das nötige Geld hatte, zog hinab in das mondäne Lima, wo der Vizekönig verschwenderisch Hof hielt, wer nicht, in die fruchtbaren Täler und Ebenen und widmete sich der sträflich vernachlässigten Landwirtschaft. La Paz verödete zur zweitrangigen Provinzstadt, in der die einzigen Abwechslungen darin bestanden, der alten Pracht nachzutrauern und die hitzige Polit-Folklore zu diskutieren.

Erst Mitte des vorigen Jahrhunderts kam wieder Leben in den Talkessel. Für die Industrialisierung von Europa und Nordamerika brauchte man dringend Metalle. Ebenso für die späteren Weltkriege. Bolivien hatte sie: Kupfer, Zinn, Blei, Antimon, Wolfram, Wismut... In La Paz gab es wieder Wohlstand, ja Reichtum. Bester Beweis dafür ist die Zinn-Familie Patiño, die einstmals auf ihren Konten mehr Geld hatte, als Bolivien in der Staatskasse, und damit nicht gerade sparsam umging. Im Wirtschaftskatastrophenjahr 1929 drückte der legendäre Simón Patiño dem begeisterten jungen Mann, der seine Tochter Elena zum Traualtar führte, einen Scheck über 22 400 000 Dollar in die feuchte Hand. Die bisher größte – bekannte – Mitgiftstrecke. Noch heute ist Patiño ein im Jet-Set gern gehörter Name.

La Paz de Ayacucho, der Friede von Ayacucho, wie die Stadt nun hieß, wurde faktische Hauptstadt, obwohl Sucre offiziell als solche galt. In La Paz aber spielt sich das Wirtschaftsleben ab, und hier spielen die Herren Botschafter fremder Mächte Golf. Hier residiert der jeweilige Präsident im Palacio Presidencial, besser bekannt als Palacio Quemado, der verbrannte Palast, weil er vom Funkenflug der heißen Politik schon zweimal in lodernden Flammen stand. Da muß jemand nachgeholfen haben, denn normalerweise kommt ein Feuer in dieser sauerstoffarmen Luft nicht weit. So hat La Paz denn erst vor zehn Jahren knallrote Feuerwehrautos bekommen, die bislang überwiegend blankgeputzt bei Umzügen zum Einsatz gekommen sind.

Zwar ist das ehemalige Chuquiapú, heute mit einer knappen Million Einwohner, in seiner Anlage eindeutig kolonialen Ursprungs, noch immer aber sind die meisten Einwohner Indios, die am liebsten in ihrer traditionellen Tracht einherspazieren. Besonders auffällig sind die Frauen gekleidet, namentlich sonntags und an Feiertagen: über derben Sandalen, wogt ein Meer aus langen Röcken in knallfröhlichen Farben – ein Streifen elektrisierendes Türkis, daneben grelles Fuchsia, augenschonend von einander nur durch einen schmalen weißen Streifen abgesetzt. Über den Rücken tragen sie ein oft kostbar gewebtes Tuch, das vor dem Bauch verknotet wird. Es dient sowohl als Rucksack für den Wocheneinkauf wie auch als Trage für einen zappelnden kleinen Indio. Gekrönt wird das Ganze durch einen Stroh- oder hartrandigen Bowlerhut, den man in London nicht gediegener finden kann. Er sitzt trophäengleich auf einer dichten Matte blauschwarzen Haars – mit farbigen Bändern zu Zöpfen geflochten, die dem Nachwuchs bei hastigen Bewegungen als Haltegriffe dienen. Mit den Polleras genannten Röcken, die wochentags eher unifarbig sind, führen die Frauen ihren Wohlstand vor, denn jeder neue Rock wird einfach über die alten gezogen. Zwölf Polleras sind ein Zeichen dafür, daß man es zu etwas gebracht hat. So weiß also der Mann bereits beim ersten Rendezvous, ob er eine gute Partie vor sich hat. Weniger auffällig kleidet sich – wie üblich – das männliche Geschlecht: rotgrundige Ponchos, Hosen von undefinierbarer Farbe, ein Stroh- oder Filzhut, oft auch ein Chuyo, die gestrickte Wollmütze mit Ohrenklappen.

Im Stadtzentrum sieht man diese unaufdringlichen Menschen, die vordergründig einen mißmutigen Eindruck machen, eher westlich gekleidet; denn wer den Aufstieg schafft, kleidet sich modern, um sich von der ärmlichen Masse abzuheben.

Bevor Sie nun Ihr Hotel verlassen, sollten Sie einen Pulli oder eine Jacke mitnehmen, auch wenn die Sonne noch so sticht. Die kleinste Wolke reicht bereits, um die Luft bis zur Gänsehaut abzukühlen. Zwischen Dezember und März sollten Sie dazu noch einen Regenschutz parat haben, um nicht bei jedem kleinen Guß eine Kirche besichtigen zu müssen.

Beginnen Sie Ihre Besichtigung mit einer Taxifahrt hinauf zu den Indianervierteln, zur *Avenida Buenos Aires*, der indianischen Einkaufsstraße. Und vergessen Sie auf keinen Fall ihr Gerät zum Knipsen und Filmen. Hier erleben Sie die Indioseele pur. Alles was Herz und Magen der Indios erfreut oder ihren Haushalt vervollständigt, liegt auf Plastikplanen, Tüchern und Ponchos ausgebreitet, um die sich ein photogener Menschenbrei wälzt, der so verbissen um jeden Maiskolben feilscht, als wären alle Händler Halsabschneider und das Geld morgen nur noch die Hälfte wert. Wer ein Auge für lebenspralle Szenen hat, wird meisterhafte Bilder machen.

Schließen Sie einen kleinen Bummel durch die Straßen dieses Viertels an, und werfen Sie einen Blick auf die leicht verstaubt wirkende Stadt im Tal, auf die wildwogende Bergkulisse und den 6447 m hohen Illimani mit seinen drei leuchtend verschneiten Spitzen. Der Weg bergab zum Zentrum ist angenehm zu laufen. Versuchen Sie, mit den Riesenschritten der Indios mitzuhalten; gar nicht so einfach.

Noch ein sehenswerter Markt: der *Mercado Camacho*, 100 Meter vom *Parque Central* entfernt. Wochentags ist es hier relativ ruhig. Am Sonntag jedoch strömen die Indios aus der Umgebung zusammen, um das magere Familienvermögen anzulegen oder zu vermehren. Dann ufert dieser Markt plötzlich aus und Mini-Stände bedecken mehrere hundert Meter Trottoir. Das Angebot ist erstaunlich: Altes und Neues, Geklautes und Geschmuggeltes, zum Essen, Anziehen oder zum an die Wand Hängen. Lassen Sie sich nicht verleiten, gleich beim ersten Durchgang ihre Mitbringsel zu kaufen. Erst beim dritten. Und vergessen Sie nicht zu feilschen. Das Beste aber bekommt man hier gratis, eine berauschende Symphonie an Farben, Gerüchen und Lauten.

An der nahen *Plaza Murillo* steht der bereits erwähnte *Palacio Quemado*, daneben der *Kongreß*, das Abgeordnetenhaus, und die relativ moderne *Kathedrale*. Bewundern Sie den hübschen italienischen Renaissancestil des Präsidentensitzes, und legen Sie eine Gedenkminute ein für Gualberto Villaroel, der 1946 vom tobenden Mob direkt vom Amtssessel an den nächsten Laternenpfahl befördert wurde. Der Pfahl ist leicht zu erkennen. Er wird stets mit Blumen geschmückt.

Nahebei liegt die koloniale *Residenz des Marquis de Villaverde* – wahrlich ein romanhafter Name –, in der Gemälde aus der Kolonialzeit und eine volkskundliche Sammlung zum Verweilen einladen.

Sehenswerteste Kirche dieser Stadt, in der leider nicht mehr viel Koloniales erhalten blieb, ist die Hauptkirche des Klosters *San Francisco*. Sie wurde

1748 im besten tropischen Barockstil vollendet und mit einem aparten Kuppelturm gekrönt. Vor ihr findet sonntags ebenfalls ein Markt statt, auf dem man sogar einen getrockneten Lamafetus erstehen kann, der als rituelle Feuer- und Sachschadensversicherung in jedes Hausfundament eingemauert wird. Eines werden Sie bald merken: Hier geht es nicht nur um den Tausch von Ware gegen Geld. Der Markt ist eine hauptamtliche Informationsbörse. Ein hier verbrachter Sonntag ersetzt den weitgehend analphabetischen Indios zwei Monate Zeitungslesen.

Katholizismus und Aberglaube traut vereint: Samstags werden in dieser Kirche Indio-Hochzeiten zelebriert, vormittags so gegen zehn. Ob ein Bund fürs karge Leben geschlossen wird, sehen Sie an der Tür. Wenn ja, dann hängt dort eine Wolldecke mit traditionellen Symbolen; ein Fisch für Fruchtbarkeit, eine Puppe für Kindersegen und die rotnasige Gottheit Ekkeko für unversiegbares Glück.

Wenn die Frischvermählten – sie mit einem Dutzend Röcken, Schal und Melone, er fahnenschwingend im Straßenanzug – einen leicht angeschlagenen Eindruck machen, dann aus gutem Grund. Sie und die heitere Gefolgschaft nebst wankendem, aber ohrenbetäubend blasendem Orchester haben schon eine Woche konsequenten Feierns hinter sich. Diese Einstellung ist im Grunde logisch: Getanzt und gebechert wird vorher, die Trauung ist dann der Höhepunkt. Unter lautem Aymara-Geschwatze und einem Konfettiregen geht es heimwärts, im Volksmund der »Marsch der Jungfrau«.

Auf diesem Platz werden vor Ostern die Diabladas abgehalten, getanzte Mysterienspiele, die »Teufeleien«. Hier treiben schrecklich maskierte Höllenfürsten ihr Unwesen. Keine Bange, das Gute siegt doch.

Machen Sie es wie die Paceños. Flanieren Sie am Sonntag die Prachtstraße *Prado* hinab, wundern Sie sich über die großartigen Lungen der Bläser, die mit ihrer Kapelle dröhnend gegen den Autolärm ankämpfen, und besuchen Sie in der Calle Tiahuanacu das *Museo de Tiwanacu*, das archäologische Museum, erbaut im nachempfundenen Tiwanacu-Stil. Hier lagern die sehenswertesten Funde aus dieser Tempelstadt und anderen Gebieten Boliviens. Leider ist es sonntags nur am Vormittag geöffnet.

Ein empfehlenswerter Spaziergang führt weiter südlich durch ein hübsches Wohnviertel zum *Mirador de Sopocachi*, zum Ausblick im Montículo-Park. Von hier aus sieht und knipst man die Stadt samt Illimani am besten.

Bevor Sie nach Tiwanacu fahren, was Sie sicherlich vorhaben, müssen Sie ins *Museo Arqueológico al Aire Libre,* das Freilichtmuseum vor dem Miraflores-Stadion. Unter Einsatz modernster Mittel hat man aus der Tempelstadt beim Titicaca-See die schönsten Steinkolosse herangeschleppt, bei deren Anblick man sich wirklich wundert, wie die Indios sie in grauer Vorzeit haben herstellen und vor allem transportieren können. Prunkstücke sind die beiden Monolithe, die vormals das Tor des Sonnentempels bewachten. Wenn aus dem Stadion markiges Gebrüll erschallt, dann wissen Sie, daß die Heimmannschaft – wie gewohnt – auf einen Sieg zurennt. Weitere Sehenswürdigkeiten:

Die *Pinacoteca Nacional*, mit schöner Gemäldesammlung, untergebracht im Haus der Grafen von Arana, *Casa de los Condes de Arana*, an der Plaza Murillo.

Das *Museo Murillo*, in der gleichnamigen Straße, zeigt Möbel und Trachten aus der Kolonialzeit.

Das *Museo Minero*, das Bergbaumuseum, ist eine Fundgrube für Geologie-Adepten. Es liegt im dritten Stock der *Banco Minero*. Machen Sie nach dem Geldwechseln eine Stippvisite bei Steinen, Erzen und Metallen.

Folklore gefällig? Im *Coliseo Cerrado*, einer Festhalle mit 1500 Sitzen in der Calle Mexico, wird garantiert unverkitschte Folklore geboten, denn sie ist nicht für Touristen gedacht; Tänzer, Sänger und Orchester verausgaben sich allein für die sachverständigen Einheimischen. Den ganzen Sonntagnachmittag wird für Geldpreise und Begeisterungsstürme bis zum Umfallen getanzt, gesungen und geblasen. Hier werden Sie sich von der vibrierenden Volksseele anstecken lassen. Für eine lächerliche Summe können Sie bleiben, so lange Sie wollen. Auch Sparsame brauchen nicht auf dieses Spektakulum zu verzichten. Ab 18 Uhr ist der Eintritt frei.

La Paz by night

Nach einem erlebnisreichen Tag und wenn man fest vorhat, in das Nachtleben zu steigen, ist eine Stärkung unbedingt erforderlich. Soviel vorweggenommen: weder ist La Paz ein Treffpunkt internationaler Gourmets, noch verfügt es über einen denkwürdigen Rotlichtdistrikt. Dafür gibt es die einmaligen Peñas.

Für ein unkompliziertes Mittag- oder Abendessen finden Sie entlang der Avenida 16 de Julio eine gute Auswahl an Restaurants und Snackbars.

Wer dinieren will, muß sich bis 20 Uhr gedulden. Dann nämlich erst gehen die Paceños essen und suchen auf der Speisekarte Abwechslung von Mutters Kochkünsten, sehr zum Leidwesen der Touristen, die als lokale Spezialitäten meist nur Picantes – Fleisch, Fisch oder Huhn in feuerscharfer Soße – oder Chuño – eine Art Fleischragout mit kleinen, gelben Kartoffeln – finden. Typisches bekommt man eher auf den Märkten serviert: getrocknetes Lamafleisch oder würzige Meerschweinchen. Doch dafür braucht's einen kampferprobten Magen.

Also bleibt man besser bei Altgewohntem, Gegrilltem oder – warum nicht – Chinesischem.

Die Chinesen haben hier die Eisenbahnen gebaut und die Küche dankenswert bereichert. Auch hier gibt es rund ein Dutzend guter bis ausgezeichneter chinesischer Restaurants.

Auswärts essen gehen ist im eher langweiligen La Paz eine gute Gewohnheit der Einheimischen, die internationale Küche als Abwechslung zur eigenen schätzen. Und wenn eine Show dazu geboten wird, darf es auch etwas mehr kosten – für eine Kochkunst, die nicht immer Rahmen und Preis gerecht wird. Das haben die großen Hotels erkannt, die sich den kleinen Hauch von großer Welt honorieren lassen. Übrigens dienen die Preise auch dazu, das Publikum zu selektieren. Man bezahlt die Exklusivität. Und noch bis zu 23% Bedienung und Steuern dazu.

Möglichst viel bloße Haut fürs Geld, das bekommt man in La Paz kaum. Dazu sind die Paceños allemal zu puritanisch, wie sie überhaupt immer zweimal nachdenken, ehe sie etwas Neues übernehmen. Musik aber und die notwendige Dunkelheit für einen gefühlvollen Slow bekommt man hingegen ausreichend geboten, so daß man in der Handvoll guter Diskotheken Mühe hat, im dünnen Licht glimmender Zigaretten nicht über Tische und Gäste zu stolpern. Popmusik überwiegt noch, doch sind die heißen lateinamerikanischen Rhythmen unwiderstehlich auf dem Vormarsch. Pech für Alleinreisende, man wird immer nur zu zweit hineingelassen. Weil die Gunst des Publikums oft schwankt, sollte man sich nach dem gerade beliebtesten Treffpunkt erkundigen, um einen Reinfall zu vermeiden.

Wenn Sie das bißchen verbliebene Puste nicht in der lärm- und rauchgeschwängerten Finsternis lassen wollen, sei Ihnen im nächtlich kalten La Paz der Besuch einer Peña Folclórica wärmstens empfohlen. Peñas sind Mini-Volksfeste in summarisch eingerichteten, hautengen kleinen Clubs außerhalb des Zentrums. Freitags und samstags, so gegen 22 Uhr, bricht vor dichtgedrängtem Jungvolk – meist Studenten oder jeunesse dorée – ein heißer Sturm aus Farben und Klängen los. Schauerliche Teufelsmasken-Tänze, taschentuchwedelnde Cuecas und alles, was das jubelnde Völkchen gerade fordert, wird mit Trommeln, verschiedenen Flöten wie Quenas, Zampoñas, Rondadores, Pinkillos und mit der Charango-Mandoline schwungvoll zelebriert. Wenn die Tänzer die Waffen strecken, übernehmen die Gäste die Show. Nach einer Flasche bolivianischen Weins sind auch Sie dabei. Gute Kondition erwünscht. Dieses lärmende Vergnügen dauert bis 5 Uhr früh. Beste Adresse: Club »Kori-Thika«, Juan de la Riva 1435. Zweite Wahl: Club »Naira«, nahe der Kirche San Francisco.

Shopping

Bereits auf den Märkten werden Sie die ersten hübschen Sachen finden: Ponchos, Decken aus gewebter Schaf- oder Lamawolle, Bettvorleger aus Fell… Machen Sie Ihr Shopping in den ersten Tagen nur mit den Augen.

Merken Sie sich die Preise, und ergründen Sie, wie weit man die Indios herunterhandeln kann. Denn die Markthändler sind ausnahmslos gute Geschäftsleute und gehen überdies von der berechtigten Annahme aus, die hellhäutigen Fremden seien reicher als sie selbst und könnten einen Aufschlag von 50% verkraften.

Gehen Sie vor dem Kaufentschluß in die »Artesanías Titicaca«, Avenida Sanchez Lima 2320, wo Sie lokales Kunsthandwerk – von der Rohrflöte über Silberschmuck bis zum Pelzmantel – zu Genossenschaftspreisen bekommen. Der Erlös der Waren geht an die Indianer in den Dörfern zurück. So umgehen Sie die saftigen Gewinnspannen rühriger Händler und tun noch etwas Gutes. Beliebte Mitbringsel:

Keramik in Form von Gefäßen aller Art finden Sie auf den Märkten, Nachbildungen von indianischen Gottheiten in den Andenkenläden.

Musikinstrumente sind überall zu haben. Meist sind es Flöten – Quenas, Zampoñas, Pinkillos, Sarkas, Sikus; teils schlicht, teils hübsch verziert. Vielfach findet man auch Charangos, die Mandolinen, deren Resonanzkörper der Panzer eines Gürteltiers ist, aus dem – kurios aber wahr – die Borsten eine Zeitlang weiterwachsen.

Silber gibt es hier natürlich in unendlichen Mengen, und man macht alles mögliche daraus, vom Ohrring bis zum Teeservice. Renner der Saison sind kleine Abbilder des Glücksgottes Ekkeko. Achten Sie auf den Sterling-Stempel.

Spielzeug darf nicht fehlen, wo die Bolivianer doch so vernarrt in ihre Kinder sind. Mini-Lamas mit echtem Fell, Puppen aus Holz und Stoff erfreuen Kleine wie Große.

Ponchos sind »das« Mitbringsel. Kaum zu glauben, wie gut so eine Bettdecke mit dem Loch in der Mitte vor dem eisigen Wind schützt, ob uni oder mit vertrackten Ornamenten verziert, ob aus Lama- oder Schafwolle von Hand gewebt. Liebhaberstücke sind relativ dünne, reich gemusterte Decken, oftmals 100 und mehr Jahre alt, Erbgut, das von bedrängten Familien auf dem Markt für die Hochzeit der Tochter versilbert wird. Die Qualität ist hervorragend, die Decken halten bestimmt noch einmal so lange, weil meistens eine Indio-Oma vier Jahre daran gearbeitet hat. So schöne Stücke werden heute nicht mehr gemacht; zumindest nicht zum Verkaufen.

Felle, zu Decken, Bettvorlegern oder Läufern Stück um Stück vernäht, sind begehrt. Das lange, etwas glanzlose Fell stammt von den Lamas. Das dichtere, kurze, seidig weiß schimmernde von den Alpakas. Lassen Sie sich nicht das eine für das andere aufschwatzen. Vicuña-Felle sind äußerst rar und ebenso teuer wie schön. Verzichten Sie auf das kostbare, unter der Hand angebotene Stück. Diese wildlebenden Vettern der Lamas stehen unter Naturschutz. Der herzlose Zoll kann Ihnen das Fell bei der Ausreise wieder abnehmen und Sie obendrein bestrafen. Eine gute Adresse: »Tourist Fourier«, Calle Loayza 239.

Transportmittel in La Paz

Taxis sind spottbillig und eine Notwendigkeit in dieser Höhe. Es empfiehlt sich, vor dem Einsteigen den Preis auszuhandeln.

Trufis sind Sammeltaxis, auf die man umsteigen kann, wenn die Taxis zu teuer werden. Sie nehmen bis zu fünf Fahrgäste mit und fahren immer bestimmte Straßen hinauf und hinunter.

Busse bringen Sie fast umsonst ans Ziel, sind aber kein echtes Vergnügen. Außerdem weiß man bei ihnen nie, wo man schließlich landet.

Ausgangspunkt La Paz

Das Tal des Mondes – Pilze aus Stein

Ein hübscher kleiner Abstecher zu einer geologischen Skurrilität der Mutter Natur führt durch die schicken Vororte in das Tal des Mondes, Valle de la Luna, im Tal des La-Paz-Flusses.

Wind und Regen haben in Jahrmillionen aus rötlichem und grauem Gestein einen tektonischen Alptraum geschliffen: steile, schmale Grate, zu Säulen verdünnte Sockel, auf denen Felsblöcke prekär balancieren und die wie gigantische Pilze anmuten, steile Wände, kantig ausgezackt, kurzum ein Paradies für Kletterer, eine trostlose Mondlandschaft, deren Besichtigung zu jeder besseren Stadtrundfahrt gehört.

Tiwanacu – Älteste Siedlung Amerikas?

Wenn man den Namen dieses Ortes auf verschiedene Arten geschrieben findet – Tiwanacu, Tihuanacu, Tiahuanacu –, so sind die Bolivianer selbst daran schuld, die nicht wissen, wie sie diesen wohlklingenden Aymara-Namen schreiben sollen. Phonetisch richtig jedenfalls ist Tiwanacu, eine Schreibweise, die sich allmählich offiziell durchsetzt.

Was sich nun dahinter verbirgt, erfahren Sie nach 71 km Fahrt hinab zum Titicaca-See, entweder mit den überwiegend teuren organisierten »Tours« oder mit dem volkstümlichen Bus in Richtung Guaqui, den Sie an der Plaza Kennedy erwischen und der Sie durch das Dörfchen Laja führt, in dessen Kirche ein reich mit Silber beschlagener Altar steht.

Dann ist es soweit: Da liegt das scheinbar endlose Ruinenfeld von Tiwanacu, einer der faszinierendsten Fundorte der Welt. Auf 450 000 m² verteilt liegen zyklopische Quadern aus grauem Andesit und rotem Sandstein wie von Riesenhand durcheinandergewürfelt in der braunen Ebene unter einem tiefblauen Himmel, der am Horizont mit der Bläue des 20 km entfernten Sees verschmilzt. Wenn diese Reste Sie begeistern, dann stellen Sie sich für ein paar wehmütige Augenblicke vor, wie es hier noch vor einem halben Jahrtausend ausgesehen haben mag. Denn von der Mitte des 16. Jahrhunderts an bis etwa 1940 wurde dieses Ruinenfeld systematisch geplündert. Wer immer etwas bauen wollte – Kirche, Haus oder Stall – fand hier einen schier unerschöpflichen Vorrat an geometrisch präzis behauenen Steinen, Quadern und Wasserrinnen. Gratis. Zuletzt holte man sie lastwagenweise ab. Haushohe Mauern wurden mit Dynamit in handliche Steinhaufen verwandelt. Jeder ansehnliche Bau in La Paz ist wenigstens teilweise damit errichtet worden. Das internationale Lamento der Archäologen fruchtete lange nichts. Während es um sie herum krachte, mußten sie hastig Skizzen anfertigen von den Resten, die für die bequemen Bauherren schließlich doch zu unhandlich waren.

Und diese Reste sind noch eindrucksvoll genug. Gewissenhaft durchgeführte Grabungen haben den Archäologen gezeigt, daß hier oben vielleicht schon vor 18 000 Jahren Menschen gelebt haben könnten. Das wäre der früheste Beleg für die Anwesenheit des Homo sapiens in Amerika, von dem man ja weiß, daß er nicht hier heimisch war, sondern vor etwa 25 000 Jahren in einer gigantischen Völkerwanderung aus der Mongolei über die Bering-Straße kam. Seit dem 1. Jahrhundert diente Tiwanacu als Tempelstadt, großzügig aufgebaut auf den Resten der alten Siedlungen. So im 6. Jahrhundert etwa wurde sie erweitert und zum Heiligtum, zum Wallfahrtsort geweiht, den man natürlich möglichst groß und imposant gestalten wollte, um die Präsenz des Gottes oder der Götter augenfällig zu beweisen. Ort des weihevoll zelebrierten Zwiegesprächs mit dem Jenseits blieb sie bis ins 11. Jahrhundert hinein. Dann schwand aus irgendeinem Grund das Interesse an ihr. Sie verwaiste, verfiel. Niemand lebte mehr dort, als die Inkas um 1445 das Seegebiet besetzten.

Mittelpunkt Tiwanacus ist die Sonnenwarte Kalasasaya. Kurios ist, daß ihr Zentrum in einem vertieften Hof liegt und nicht etwa sonnennah auf einem Hügel oder einer Pyramide. Durch ein massives Steintor gelangt man über Stufen hinab zu den erstaunlichen Stelen – erstaunlich deshalb, weil sie bärtige Männer darstellen, obwohl die Indianer selbst keinen Bartwuchs haben. Ein Rätsel so recht à la von Däniken. Ein ungutes Gefühl, hier drin zu stehen: Unfreundlich wird man von Dutzenden in die Wände eingelassener Steinmasken angestarrt.

Vor der Kalasasaya ruht als majestätisches Quadrat die Attraktion Tiwanacus: das graue Sonnentor, gemeißelt aus einem einzigen $3 \times 3{,}75$ m großen Andesitblock. Seine phantastische, im Relief gestaltete Vorderseite hat es Archäologen wie Laien angetan. In der Mitte ein Abbild des Sonnengottes, sein Haupt umgeben von Strahlen, die in stilisierten Jaguarköpfen enden, Symbol seiner Macht. Über das Antlitz rinnen Tränen, Symbol der Fruchtbarkeit. Zu beiden Seiten scharen sich, geometrisch präzis angeordnet, 148 geflügelte Wesen mit Vogel- oder Menschenköpfen, den Blick auf den Sonnengott oder gen Himmel gerichtet. Sie haben mangels einleuchtender Erklärung schon zu den ausgefallensten Hypothesen verleitet. Wichtig für die Wissenschaft sind diese Ornamente schon deshalb, weil man eine solche kalte, geometrisch durchstilisierte Darstellungsart an der Küste von Peru bis Nordchile gemeißelt, getöpfert und gewebt gefunden hat. Demzufolge muß jene mysteriöse Kultur einen beträchtlichen Einfluß auf alle präkolumbianischen Stämme gehabt haben.

Einen Steinwurf entfernt liegt auf einem 15 m hohen, künstlich aufgeschütteten Wall die Acapana, vermutlich ein Tempel, von dessen klobigen Steinblöcken aus man dieses geschichtsträchtige Areal am besten überblickt.

Zehn Minuten entfernt liegt auf einem Hügel der Puma Cuncu, ein majestätisches Bauwerk aus immensen Steinplatten, wahrscheinlich ein unvollendetes Mausoleum. Dank der steinernen Eckpfeiler, die auch der muskulöseste Steindieb nicht fortschleppen konnte, ist der Grundriß noch klar erkennbar. Hier haben die Steinmetzen den besten Beweis ihrer Kunst geliefert. Millimetergenau sind die bis zu 100 Tonnen schweren Bodenplatten geschliffen und mit rätselhaften Reliefs verziert worden.

Davor liegt eine Anlage, die auch ein ungeschultes Auge als doppeltes Hafenbecken erkennt. Verstärkt wird diese Annahme noch durch die darin eingemeißelten Fische. Nun aber liegt das Ufer des »Andenmeers« gute 20 km entfernt. – Geo- und Klimatologen wissen die Antwort: Früher hat es hier häufiger geregnet. Der Wasserspiegel lag folglich um 35 m höher. Demnach kamen wohl die Pilger auf Schilfbooten herbei. Hier betraten sie ehrfürchtig das Heiligtum, wo heute wollige Lamas das struppige Gras rupfen.

In der Ebene darunter stehen einige Stelen aus rotem Sandstein, geschaffen in der zweiten, um das Jahr 1000 zu Ende gegangenen Periode. In einer gefälligeren, weniger aggressiven, aber auch weniger ausgefeilten Stilart sind jene bärtigen Männer mit über der Brust verschränkten Armen dargestellt, bei deren Anblick man sich beim besten Willen nicht vorstellen kann, wer den Indios vor so langer Zeit dafür Modell gestanden haben mag. Bedenken Sie bei Ihrer Planung, daß Tiwanacu keine Übernachtungsmöglichkeit bietet.

Chacaltaya – Was, hier noch skilaufen?

Sind Sie ein Skifan? Dann werden Sie wohl den gleichen Ausruf hervorbringen, wenn Sie, gespannt auf Pulverschnee und rasante Pisten, die Skistation Chacaltaya erreichen. Eine ganze Stunde braucht der Bus bis zu diesem 35 km von La Paz entfernten Mekka der bolivianischen Schneeflitzer an der Flanke des mächtigen Chacaltaya, dessen stolzer Gipfel strahlend in den postkartenblauen Himmel ragt – das sagt einiges über die Beschaffenheit dieser Straße. Endstation ist auf sage und schreibe 5200 m, mitten in einem Skiparadies mit vielen sanften, glatten Hängen, ideal für eine atemberaubende Schußfahrt. Bis auf eine Höhe von 5570 m hat man das Skigebiet erschlossen, und man sieht einige Einheimische frohgemut herunterwedeln. Doch selbst die Brettl anzuschnallen, dazu hat plötzlich keiner mehr Lust. Das Gehen ist anstrengend, manche verlieren schon im Stehen die Puste. Da muß man schon eine Bombenkondition haben, um hier noch sportliche Leistungen zu vollbringen. Beste Skizeit: November. Leihski gibt es in La Paz.

Die Bolivianer preisen Chacaltaya als das höchste Skigebiet der Welt an. Nun, skilaufen kann man zur Not auch auf dem Mount Everest. Eine Ski-Weltmeisterschaft hier oben, und die Bolivianer würden vom Medaillenregen erdrückt werden.

Eine Fahrt hierher sollten Sie dennoch wagen. Chacaltaya wird dann zum Höhepunkt Ihrer Reise im wahrsten Sinne des Wortes. Der Blick reicht unendlich weit über die Anden und den Titicaca-See. Die Nähe zum dunklen, blauvioletten Himmel beflügelt die Gedanken, und plötzlich glaubt man zu spüren, warum die Indios den Sitz ihrer Götter in diesen eisigen Höhen und am Firmament wähnten. Einen Sonnenauf- oder -untergang vor diesem Panorama werden Sie nie vergessen.

Aus gutem Grund hat man hier ein Strahlenobservatorium eingerichtet. Die Strahlen, deren Wirkung Sie bei der Rückkehr am deutlichsten spüren werden, sind die von allen Urlaubern begehrten UV-Strahlen, jene, die so schön bräunen. In dieser Höhe aber können sie gefährlich werden. Sonnenbaden ist hier ein Sport für Lebensmüde. Da hilft nur noch eine fingerdicke Schicht Sonnencreme.

Übrigens: der Huayna Potosí ist relativ leicht zu besteigen. Wenn Sie Gipfelstürmer spielen wollen, wenden Sie sich an den Club Andino, Avenida 16 de Julio 1473.

Die Yungas – Kleine Reise in den Regenwald

Wenn nach einigen Tagen im Altiplano, dieser nach Tibet zweitgrößten Hochebene der Welt, das erste Staunen, die erste Ergriffenheit verflogen sind, wenn das Panorama vor dem Fenster allmählich ein wenig vertraut wird, sehnt man sich unwillkürlich nach erfrischendem, sattem Grün, nach Luft, die man in den Lungen spürt.

Auch das bietet Bolivien. Und nicht nur im fernen Süden und Osten, sondern drei Stunden von La Paz entfernt. Zwei Stunden lang geht es noch über rostfarbene Erde mit spärlichem, verstaubtem Pflanzenwuchs. Plötzlich, kurz nach dem Überschreiten des 4725 m hohen La-Cumbre-Passes, taucht man unvermittelt in die wohlige, warme Welt des Urwalds.

Yungas nennt man hier diese tiefen, leuchtend frischgrünen Täler, die das Schmelzwasser der Bergriesen in das 400 km entfernte Amazonasbecken führen und sich bis auf 80 km an La Paz heran in die Ostflanke der Kordilleren hineingefressen haben.

Die erste Station, der Ort Coroico, liegt zwar noch nicht ganz so tief – 1525 m –, doch welche Wohltat! Man schmeckt auf einmal die vielen Düfte der Natur, spürt das Atmen und auf der Haut die lebensvolle Schwere der warmen Luft. Es ist wie ein Wiedersehen. Das Tal des Rio Coroico ist ein kleines Paradies und versorgt wie die andren Yungas La Paz mit frischem Obst und Gemüse. Kaffee wird hier angebaut, Bananenstauden schwenken ihre dunklen Wedel im warmen Wind, Kokasträucher rascheln, und überall glänzt der frisch aufgebrochene Boden in feuchter Fruchtbarkeit.

Hier wie im tiefer gelegenen Canaravi haben sich viele Europäer und Mestizen vor allem des Klimas wegen niedergelassen. Sie betreiben Landwirtschaft und kleine Hotels, in denen sich die Hauptstädter übers Wochenende am Sauerstoffreichtum laben. Indianer findet man selten. Viele hat man hergelockt in der Annahme, daß sie hier doppelt so leistungsfähig sein würden. Weit gefehlt! In der »dicken Luft« wurden sie apathisch und sehnten sich nach der belebenden Kühle ihrer Heimat.

Der Landschaft wegen lohnt sich diese Fahrt allemal. Von eisigen Höhen in wenigen Kilometern hinab in den Regenwald – das erinnert an die Fahrt über die Alpen in den sonnigen Süden Europas.

Copacabana – Wallfahrtsort am Inka-Meer

Von Tiwanacu sind es nur noch 20 km bis Guaqui, dem letzten Ort vor der peruanischen Grenze in der Nähe der eisigen Fluten des Titicaca, des höchsten schiffbaren Sees der Welt: 3812 m. Nebenbei ist er auch das größte Binnengewässer Südamerikas mit 8300 km². Manche Historiker wie auch viele Indianersagen sehen hier die Wiege der Andenkulturen.

Zwar liegen die berühmtesten Sehenswürdigkeiten auf der peruanischen Seite des Sees, doch sollte man nicht versäumen, auch die bolivianische kennenzulernen. Dort nämlich liegt der Wallfahrtsort Copacabana, vielleicht der wichtigste Lateinamerikas.

Mehrere Wege führen nach Copacabana. Wer sparen will, kann mit dem Bus über Guaqui fahren, dann nach Peru hinein und über Yunguyo wieder in bolivianisches Hoheitsgebiet, da dieser Ort auf einer Halbinsel liegt, die zur Hälfte zu Peru gehört. Sechs Stunden dauert die Hinfahrt, so daß mit einer Übernachtung in einfachen, aber zumutbaren Hotels gerechnet werden muß.

Wer nicht sparen will oder muß, kann den See auf denkwürdige Weise kennenlernen. Von dem Hafen Huatajata aus startet jeden Morgen ein Tragflügelboot, das Sie in rasendem Flug über das tiefe Blau des Wassers ans Ziel bringt. Welch ein Kontrast! Auf den Schilfbooten, den Totoras, die heute noch auf die gleiche Weise zusammengebündelt werden wie vor 2000 Jahren, sitzen fischende Indios mit zeitlosen Gesichtern und registrieren kaum noch, wie zehn Tonnen hochmoderne Technik an ihnen vorbeidonnern. Eigene Vergangenheit, importierte Gegenwart. Es ist wahrlich zu verlockend, dieses Bild als Symbol für die jetzige Lage Lateinamerikas zu werten.

Doch ehe man diesen Gedanken gefaßt hat, ist man schon an ihnen vorbeigehuscht und eilt auf die 2 km breite See-Enge von Tiquina zu, wo Reisende auf wackligen Holzfähren übersetzen, später vorbei an der zum Straflager umfunktionierten Mondinsel Coatí mit Inkaruinen, die man nur noch besichtigen darf, wenn man eine Bank ausgeraubt oder jemand umgebracht hat. Dann erscheint die heilige Sonneninsel, Isla del Sol, mit den malerischen Ruinen des Sonnentempels, des Palastes und des Klosters der Sonnenjungfrauen. Auf ihr steht jener verwitterte, schmucklose Puma-Felsen, der auf Aymara Titi-Kak heißt und dem See seinen Namen gab. Hier soll die Gottheit Viracocha, nach einer der vielen Inkasagen, in ähnlicher Reihenfolge wie in der Bibel aufgezählt das Weltall, die Erde, das Licht, Tiere und schließlich den Menschen geschaffen haben.

Dieses oberste Heiligtum, das weder Menschen noch Tiere berühren durften, und die dazugehörende Höhle sollen einst ganz mit Silber, Gold und kostbaren Fellen verkleidet gewesen sein. Nichts erinnert mehr daran. Das Seepanorama aber macht die Platzwahl der Inkas verständlich.

Der Ort Copacabana trägt auf ungeklärte Weise den gleichen Namen wie der berühmteste Strand der Welt im Schatten des Zuckerhuts von Rio. Womöglich hängt das mit der wundertätigen dunklen Jungfrau von Candelaria zusammen, die hier seit dem 16. Jahrhundert von Pilgerscharen um kleine und große Gefallen angerufen wird. Sie steht in der im 17. Jahrhundert erbauten Wallfahrtskirche, um die sich die flachen, rotgedeckten Häuser wie die Küken um die Glucke scharen. An ihrem mächtigen, von Weihrauch erfüllten Schiff liegen vier reich ausgestattete Kapellen, die von dem prunkvollen Hauptaltar aus Gold und Silber weit in den Schatten gestellt werden. Ringsherum eine Fülle von Heiligenstatuen und von der Zeit und vom Weihrauch dunkel gebeizte Gemälde, meist im 17. und 18. Jahrhundert von Indianern der Cuzco-Schule geschaffen.

Gönnen Sie sich die Spezialität Copacabanas, eine Forelle blau direkt aus dem Titicaca-See, die nach einem vorteilhaften Umweg durch die Küche auf Ihrem Teller dampft.

Gern besucht wird diese Halbinsel von Jägern, die den Wildenten nach dem Leben trachten, von Freunden des Segelsports und von Fischern, bei denen hin und wieder mal ein pfundschwerer Seefrosch anbeißt, der aber postwendend wieder ins klare Naß befördert wird. Badegäste sind eine vielbestaunte Rarität. Kein Wunder, jahraus jahrein ist das Wasser klamme 10 Grad kalt.

Segeln, fischen und Enten morden kann man auch beim Ausgangspunkt Huatajata und im nahen Chúa. Von Huatajata aus fahren kleine Boote oft nach Suriqui, wo die unsinkbaren Schilfboote hergestellt werden.

Vielleicht die schönste Art nach Copacabana zu gelangen, jedenfalls was die unübertreffliche Aussicht anbelangt, ist der Flug von La Paz aus mit einer wackligen Einmotorigen, ein 40-Dollar-Luxus, den man sich leisten sollte.

Sollten Sie von hier aus nach Cuzco weiterfahren wollen, so bieten Ihnen die Reisebüros in La Paz für einen Pauschalpreis folgendes Arrangement: mit dem Bus nach Huatajata, mit dem Tragflügelboot nach Copacabana, mit dem Taxi nach Puno und mit dem Zug nach Cuzco, Essen und Schlafen inbegriffen.

Wer's auf eigene Faust versuchen will, findet in Guaqui Schiffe, die in elf Stunden direkt nach Puno fahren.

Nach Süden und Osten

Oruro – Der Teufel ist los

Genauso hoch wie La Paz – auf 3800 m – liegt an einem Hügel die schmucklose Stadt Oruro, 210 km von der Hauptstadt entfernt. Zwei Dinge rechtfertigen eine Fahrt dorthin.

Erstens die Anreise über das von Schneeriesen eingerahmte Hochland, vorbei an Lama-Karawanen, die mit leichten Bündeln auf dem Rücken hochnäsig dreinschauend dahertrotten, vorbei an buntgescheckten Feldern, auf denen ein wenig Gemüse und Quinoa, eine Getreideart, wächst, durch erdfarbene Dörfer voll unbewegter Gesichter mit schwarzen Augen unter Stroh- und Bowlerhüten.

Zweitens die Diabladas, die diese Stadt von 160 000 Einwohnern unter Folklore-Fans weltberühmt gemacht haben. Diese Mysterienspiele aber finden nur in der Karnevalszeit statt – und nur dann lohnt sich der Besuch wirklich. Denn während der 51 restlichen Wochen des Jahres sucht der Tourist in dieser Industrie- und Bergbaustadt, die immerhin 20 000 Tonnen Zinn jährlich produziert, vergeblich nach einer Augenweide. Sehenswert ist dann eigentlich nur der frappante Mangel an Sehenswertem. Nicht so am Samstag vor Aschermittwoch. Dann nämlich ist hier der Teufel los, genauer gesagt: die Teufel. In guten Jahren bis zu 6000. Die halbe Stadt läuft zum Karneval als Teufel verkleidet herum!

Ihren Ursprung haben diese Maskeraden in einer Ausrede. Als die Spanier kamen und die Indios unsanft zur Mita – zur Fron – in den Bergwerken anhielten, um schnell an das Silber heranzukommen, erklärten diese lakonisch, das ginge nicht, unten im Berg säße der Teufel. Die mißtrauischen

Spanier stiegen zur Inspektion hinab, und prompt kamen wüst schreiende Gestalten mit grauenerregenden Masken auf sie zugesprungen. Fluchtartig rasten die Fremden die düsteren Stollen hinauf.

Lange aber ließen sie sich nicht an der edlen kastilianischen Nase herumführen. Die Mita, die nur mit Kokablättern gedopt zu ertragen war, blieb unerbittlich hart. Als einzige Konzession durften die Indios diese Masken an bestimmten Tagen tragen – nicht mehr zum Schrecken der Spanier, vielmehr zum allgemeinen Gaudium. Allmählich wandelte sich dieser listige Spuk zum ausgewachsenen Volksfest, bei dem es die entmachteten Indios den neuen Herrschern mit Ironie, der einzigen Waffe des Unterlegenen, heimzahlten. Sie karikierten mit kunstvoll gearbeiteten Kostümen das höfisch-gestelzte Getue der Eroberer – ein Scherz, der nur zur Karnevalszeit unbestraft blieb.

Das ist bis heute so geblieben. Dem großen Umzug am Samstag gehen Bär und Kondor voran, dicht gefolgt vom Erzengel Gabriel, der seine gesamte Tugend aufwenden muß, um den prallen Verlockungen der China Supay, der Frau des Satans, zu widerstehen, die ihrerseits vom hinterdreinstolzierenden Gatten und seinem Busenfreund Luzifer taktische Anweisungen bekommt. Dichtauf folgt ein Schwarm Engel, bereit, bei einem drohenden Sieg des Bösen unbarmherzig aufzuräumen.

Auf der drei Kilometer langen Strecke zum Stadion drängen sich der nichtverkleidete Rest der Stadt und eine jährlich wachsende Anzahl von Besuchern – auch aus dem Ausland. Stimmgewaltig, mit dröhnenden Trommeln, wehmütigen Quena-Klängen und dem quirligen Gesang der Panflöte, wird jede schöne Maske oder eine besonders eindrucksvolle Gebärde gefeiert. Denn nun kommen die sechs großen Zünfte mit je 200 Tänzern in Kostümen, die bis zu 50 Kilo schwer und mit echtem Gold und Silber durchwirkt sind. Darüber die Masken aus Holz oder Gips, mit geschwungenen Hörnern und wippenden Ohren, inkrustiert mit buntem Glas und Spiegeln, bemalt in grellen Farben. Wandelnde Kunstwerke! In dieser monumentalen Choreographie, in der heidnische, christliche und historische Motive zu einer sinneberauschenden Orgie aus sonnenheißen Farben, Flötenklängen, Menschenjubel, dem Klirren der Masken und fliehenden Tanzfiguren verwoben werden, offenbart sich die Seele der Indios. Wieviel Mystik lodert darin, welcher Glaube an die Mächte der Natur und des Jenseits, an Gottheiten, die noch heute den Lauf ihres Lebens bestimmen und eigentlich nie von der erzwungenen Christianisierung und dem bißchen »Zivilisation« haben verdrängt werden können.

Neben dem im Tanz dargestellten, ewigen universellen Kampf von Gut gegen Böse, Engeln gegen Teufel klingt auch Wehmütiges an. Mit geschwärzten Gesichtern treten die Negritos auf, jene armseligen Negersklaven, die in die Bergwerke verschleppt wurden, um die Indios, die an dieser Arbeit zugrundegegangen waren, zu ersetzen, und die nun ihrerseits jämmerlich verreckten.

Und Ironisches: In der Morenada wird das Hofleben Philipps III. von Spanien und seiner Hofschranzen pointenreich illustriert. Federgeschmückt tanzen mit martialischem Schritt die Tobas auf, einst ein kriegerischer Stamm aus dem Amazonasgebiet, dessen beste Kämpfer von den Inkas wie Vieh ins Hochland getrieben worden waren. In der Llamerada erscheinen die pfeifenden Lamahirten und schwingen die Schleudern, mit denen sie ihre Tiere antreiben.

Dahinter kommt das Volk. Aufgepeitscht von Tänzen und Klängen stellt es dar, was ihm gerade einfällt, verkleidet oder nicht. Was ihm an Tanzkunst oder Kostümierung fehlt, macht es allemal durch Begeisterung wett. Die tanzende Menschenschlange windet sich ins Stadion. Die besten Musikanten spielen auf, die besten Tanzgruppen oder Solisten begeistern erneut das Publikum. Hier wird noch einmal der edle Inkaherrscher vom goldgierigen Pizarro ermordet, noch einmal der Oberteufel samt bocksfüßigem Gefolge aus der Gemeinschaft der Menschen verjagt.

Im Stadion, wo nach einer bewegten Woche der Karneval seinen Paroxysmus erreicht, ist auch bei klarem Wetter ein Regenschutz wärmstens zu empfehlen. Aus Behältern aller Art, am liebsten aber aus prall gefüllten Ballons, überschütten sich die Zuschauer gegenseitig mit Wasser. Was ursprünglich wohl als rituelle Waschung oder Opfer für den Gott der Fruchtbarkeit gedacht war, ist heute zu einem feuchtkühlen Volksgeplantsche entartet, bei dem so mancher Ausländer gezielt eine Dusche abbekommt. Es beginnt eigentlich erst richtig, wenn auf dem mitgenommenen Rasen die Akteure allmählich die Waffen strecken.

Auch die Seele wird gereinigt. Nach dem Tanz begeben sich die Teufelsdarsteller demütig zur Muttergottes der Mine, der Virgen del Socavón, die gewissermaßen als Schiedsrichter das Urteil im Kampf Gut gegen Böse spricht – das traditionell immer gleich ausfällt. Sie macht den für sie erkämpften Sieg aktenkundig, reinigt die Darsteller der finsteren Gesellen von einer möglichen Infektion und verzeiht ihnen die Vermummung.

Danach kehrt wieder für 51 Wochen Ruhe in Oruro ein. Dann wird in den Hütten und Zunfthäusern der nächste Karneval vorbereitet, der noch schöner, noch farbenreicher werden soll.

Das aparteste Andenken, das man aus Bolivien mitbringen kann, ist zweifelsohne eine kostbare Maske aus Oruro. Leider aber sind sie kaum zu finden. Und wenn ein Tänzer seine hergeben sollte, dann nur gegen eine stattliche Summe. Falls Sie noch etwas Zeit haben: Ganz in der Nähe liegt der schöne Uru-Uru-See, der bei der Verlegung des Rio Desaguadero, der den Titicaca-See mit dem Poopó-See verbindet, entstand. Hier beißen wohlschmeckende Pejerrey-Fische gerne an.

Eine Eisenbahnfahrt führt 108 km weit in das Minendorf Uncia, nur deshalb berühmt, weil hier der »Zinnkönig« Patiño dieses Metall fördern ließ und mit dem Export märchenhaft reich, aber nicht geizig wurde. Ein Teil

Eine unbeschwerte Kindheit, wie in Europa, kennen die wenigsten Kinder in Lateinamerika. Sie werden von den Großmüttern behütet, während die Eltern auf dem Feld arbeiten. Estéban, acht Jahre alt, muß mit anpacken. Hoch zu Esel durchstreift er täglich sechs Stunden lang die Wüsteneinöde im bolivianisch-chilenischen Grenzgebiet und sammelt Wurzeln und Gestrüpp für den Herdbrand des nächsten Tages. Erstaunlich, daß er dabei das Lachen nicht verlernt hat.

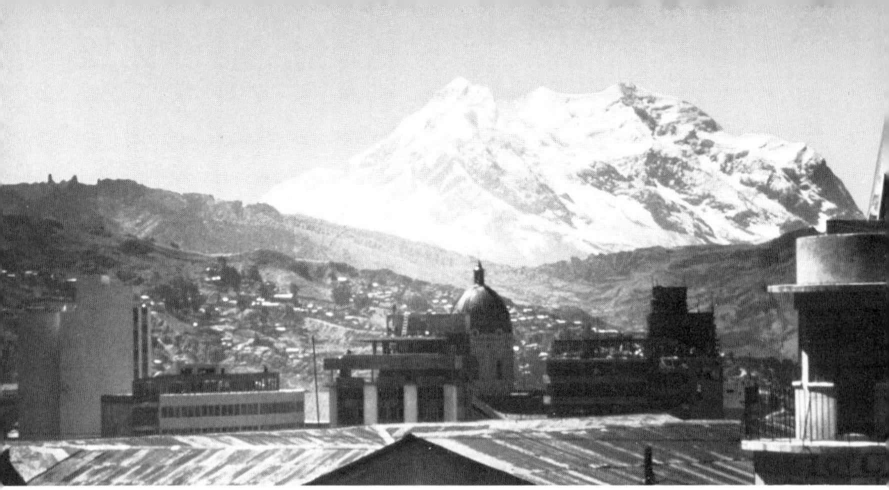
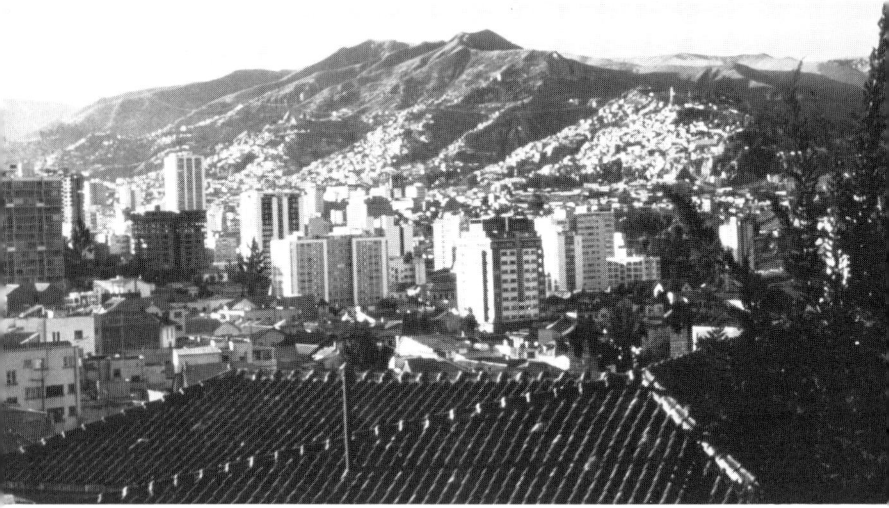
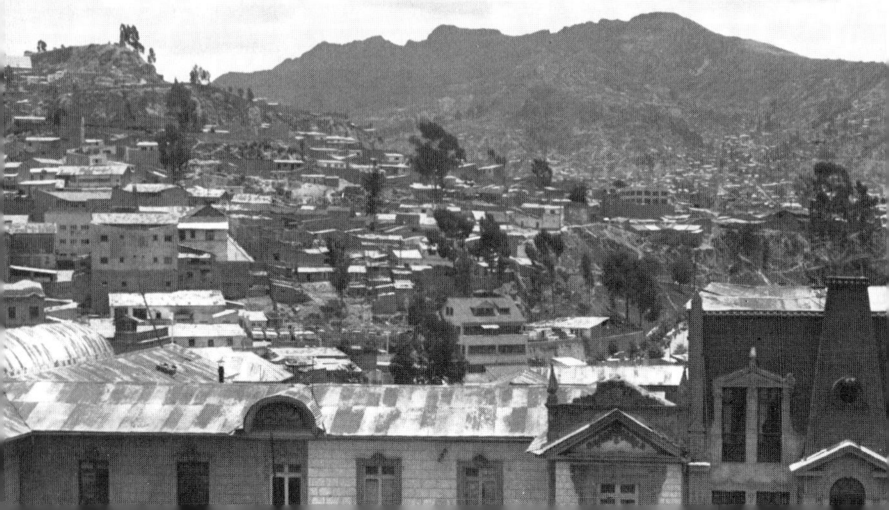

La Paz, die inoffizielle Hauptstadt Boliviens und höchstgelegene Großstadt der Welt, liegt auf rund 3800 m Höhe in einem Talkessel, beschützt von ihrem Hausberg, dem 6562 m hohen Illimani. In La Paz ist so manches anders: Die besseren Viertel liegen der besseren – weil dickeren – Luft wegen möglichst weit unten im Tal. Dort ist sie aber immer noch so dünn und enthält so wenig Sauerstoff, daß Brände selten sind. Deshalb wurde die städtische Feuerwehr erst vor zehn Jahren gegründet, obwohl die Stadt damals schon eine halbe Million Einwohner hatte.

Das Tal des Mondes, el Valle de la Luna, heißt dieses 25 km von La Paz entfernte Kuriosum. Wind und Regen haben in Jahrmillionen das Gestein zu abenteuerlichen Formen geschliffen.

Die Sonnenwarte Kalasasaya in Tiwanacu, Bolivien. Kurioserweise ist sie nicht überhöht, sondern vertieft. Von den Wänden starren eingelassene Steinmasken die Besucher an.

Das Sonnentor von Tiwanacu ist das archäologische Wahrzeichen Boliviens. Es ist aus einem 3 × 3,75 m großen Andesitblock gearbeitet und mit einem kunstvollen Relief verziert.

Diese eindrucksvollen Statuen der Tiwanacu-Kultur entstanden vermutlich zwischen 500 und 1000 n. Chr. Die linke steht vor dem Fußballstadion in La Paz, die rechte in den Ruinen von Tiwanacu.

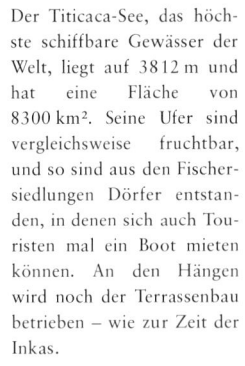

Der Titicaca-See, das höchste schiffbare Gewässer der Welt, liegt auf 3812 m und hat eine Fläche von 8300 km². Seine Ufer sind vergleichsweise fruchtbar, und so sind aus den Fischersiedlungen Dörfer entstanden, in denen sich auch Touristen mal ein Boot mieten können. An den Hängen wird noch der Terrassenbau betrieben – wie zur Zeit der Inkas.

Eingebettet zwischen pyramidenähnlichen Hügeln liegt am Titicaca-See der Wallfahrtsort Copacabana, eines der wichtigsten christlichen Heiligtümer Lateinamerikas. Meist aber sind die Ufer des Titicaca flach und vermitteln das rechte Gefühl für die erhabene Weite des »Andenmeeres«. In Bolivien erzählt man übrigens, die Namenshälfte Titi gehöre zu Bolivien, die andere zu Peru. Jenseits der Grenze lautet dieser Kalauer erwartungsgemäß umgekehrt.

Markt in Tiquina, Bolivien. Die meisten Frauen tragen Bowlerhüte, wie man sie in London nicht gediegener finden kann.

Von Markt zu Markt wandern auch die Friseure, die diesmal ihre Barbierstühle in Santa Cruz aufgebaut haben. Für ein paar Pfennige bekommt man einen Schnitt, der dann garantiert drei Monate hält.

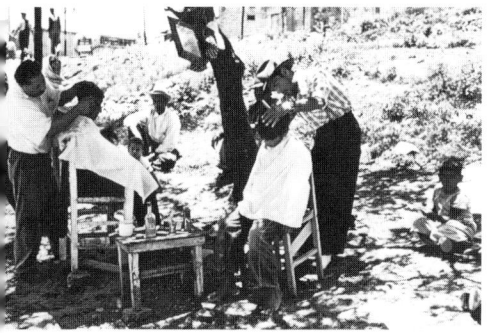

Teufelsmaske aus Oruro, Bolivien. Diese Kunstwerke aus Holz, Gips und Glas werden nur zu den Teufelstänzen, den Diabladas, getragen.

Chacaltaya, in der Nähe von La Paz, ist mit 5200 m der absolut höchste Skisportort der Welt. Seine Pisten reichen bis auf 5570 m! Hier finden nur noch Einheimische die notwendige Puste zum Skilaufen. Dafür hat der Besucher einen großartigen Blick zum Huayna Potosí, mit 6088 m einer der Giganten Boliviens, und über die verschlungenen Massive der Zentralanden.

Kaum 100 km von Chacaltaya entfernt liegt die flache Landschaft des Collao, wo Schafe das spärliche Büschelgras weiden. Die Stapel bestehen aus sonnengetrockneten Lehmziegeln, dem wichtigsten Baumaterial der Indios.

Die Vogelwelt der Anden ist nicht besonders artenreich. Dieser Falke jagt seine Beute im rasenden Sturzflug vornehmlich in den tieferen Tälern, wo er hin und wieder wilde Meerschweinchen findet.

Mit drei Metern Spannweite und 10 kg Gewicht ist der Vultur gryphus der größte Geiervogel der Welt. Besser ist er unter dem Namen Kondor bekannt, der vom Quechua-Wort »kuntur« stammt.

Die Atacama-Kultur im bolivianisch-chilenischen Grenzgebiet hat ihre Toten überwiegend in Tonurnen beigesetzt. Die Grabbeigaben entsprachen dem Rang des Verstorbenen. Pfeilspitzen aus Obsidian und steinerner Halsschmuck sollten den Toten Schutz und Jagdglück im Jenseits geben.

Wie die Häuser, so werden auch die Gräber der Indios noch heute aus Lehm gebaut. Kindergräber werden, als Zeichen der Unschuld, weiß gestrichen. Mit ihren massiven, abgerundeten Formen wirken die Gräber der Indios wie kleine Festungen für die Toten.

seines Vermögens wird noch heute dazu verwendet, begabten Bolivianern – ohne jede Verpflichtung – ein Studium im Ausland zu ermöglichen, vorzugsweise in Genf, wo die Patiño-Stiftung ein komfortables Wohnheim für 60 Studenten errichtet hat. Ein für Lateinamerika wahrlich seltenes Beispiel.

Potosí – Der Berg der 30 000 Löcher

Knapp 4000 m hoch liegt die einstmals reichste Stadt Amerikas, 335 szenisch schöne Kilometer südöstlich von Oruro. Acht Stunden dauert die Busfahrt, auf die man, sofern die Reisekasse das zuläßt, zugunsten eines raschen Fluges verzichten sollte. Aus Gipfelhöhe darf man den 3620 m hoch gelegenen und 2500 km² großen Poopó-See bewundern, der mit dem Titicaca durch den 320 km langen Rio Desaguadero – wörtlich: Entwässerungsgraben – verbunden ist. Verwunderlich, daß dieser See, obschon fast fünfmal so groß wie der Bodensee und an landschaftlicher Schönheit dem Titicaca-See ebenbürtig, nahezu unbekannt ist.

Die Spanier jedenfalls ließen ihn rechts liegen und eilten nach Potosí, um mit eigenen Augen die Silberschätze zu sehen, die die Indios aus dem 4829 m hohen Berg Sumac Orko herausschleppten. Verblüfft nannten sie dieses geologische Phänomen Cerro Rico, Reicher Berg, denn er enthält außerdem noch Kupfer, Zinn und Blei in großen Mengen, und gründeten davor am 10. April 1546 die Stadt Potosí.

Kaum vorstellbar, welche Mengen Silber unter spanischer Knute aus seinem Innern herausgeschlagen wurden. Kaum vorstellbar auch, wie viele Indios dabei zugrunde gingen, erschlagen von Einbrüchen der dürftig abgesicherten Stollen oder mit der Spitzhacke in der Hand zusammengebrochen, nachdem sie jahrelang geschuftet hatten, unterernährt mit nur einer Handvoll geröstetem Mais am Tag und um den Verstand gebracht von den Kokablättern, die Hunger, Kälte und Erschöpfungsgefühle betäuben. Mit Sicherheit ist ihre Zahl fünfstellig.

Doch nicht nur in diesem mörderischen Berg ließen die Indios ihr Blut. In den nahen Berggebieten von Kari-Kari und Chalviri liegen 43 »Todesseen«, riesige künstliche Wasserreservoirs, aus denen die Silberhütten das kostbare Naß erhielten. Sie wurden in 43 Jahren von 20 000 Indianersklaven angelegt. Ihre himmelspiegelnden Fluten und die bröckelnden Umfassungsmauern in der Einöde lassen kaum ahnen, daß hier einem Volk das Wichtigste genommen wurde: das Selbstwertgefühl.

Währenddessen florierte die Stadt. In Pomp, Prunk und Verschwendung lebten hier die Fremden, bauten sich traumhafte Villen und ließen in der Moneda, der Münze, schimmernde Dublonen mit dem Bild Philipps II. oder Philipps III. von Spanien schlagen, um damit das unersättliche Mutterland zu bereichern. Aber es blieb noch genug Silber in der Stadt – genug jedenfalls, um einen für jene Zeit unfaßbaren Strom von Zuwanderern anzulocken. In nur zwei Generationen wurde aus einem Indiodorf eine Stadt mit 200 000 Einwohnern! Die spanische Sprache wurde um ein Wort bereichert: statt »Reichtum« konnte man nun auch »Potosí« sagen.

Der Fall kam unerwartet. In Mexiko und Peru wurde ebenfalls Silber gefunden, der Reiche Berg verarmte, die Nomaden des Glücks wanderten ab. Anfang des 19. Jahrhunderts war Potosí fast eine Geisterstadt. In ihren verfallenden Straßen hausten nur noch 10 000 Menschen. Dann setzte ein mäßiger Aufschwung ein, als Zinn plötzlich begehrt war. Die Stadt wurde der wichtigste Umschlagplatz für Erze und Handelszentrum dieses unendlich reichen Gebiets. Heute zählt sie bereits wieder 100 000 Einwohner.

Die Vergangenheit ist überall in den schachbrettförmig angeordneten Straßen sichtbar, die teilweise zum Cerro Rico führen, in den man schon 30 000 Stollen hineingetrieben hat, ohne seinen Reichtum zu erschöpfen. Von dessen Höhe proklamierte der Befreier Simon Bolivar die Unabhängigkeit – so jedenfalls wollen es die blühenden Ranken der Landesgeschichte.

Überall sieht man geschlossene hölzerne Balkone, teils mit reichen Schnitzereien verziert, dann wieder Familienwappen über schweren alten Toren. Doch die kolonialen Viertel müssen dem »Stil der neuen Zeit« weichen, der die Städte der Welt auf gleiche einfallslose Art verschandelt. Unberührt sind bislang nur die Kirchen. Die wichtigste ist die um 1700 erbaute, massige Jesuitenkirche La Compañia mit ihrem Glockenturm in Form eines überhöhten Giebels. Auf ihrer überladenen Barockfassade entdeckt man eine Skulptur, die für sich selbst spricht: Der steinerne Racheengel ist als grimmiger Indio dargestellt.

Kern der Stadt ist die Plaza 10 de Noviembre. Dort liegen die wenig interessante neuzeitliche Kathedrale, die Cajas Reales – die Königlichen Kassen –, wo der Schatzmeister des Königs die Dublonen zählte, und das ehemalige Rathaus, das Cabildo.

»Die« Sehenswürdigkeit ist jedoch die Moneda, ein Palast, der allgemein als das wichtigste profane Kolonialbauwerk Lateinamerikas gelobt wird. Erst 1773 wurde dieser monumentale Bau vollendet. Die obligatorische Besichtigung führt in den gepflasterten Innenhof mit einem Springbrunnen, über dem eine kuriose, grinsende Maske von eineinhalb Metern Durchmesser hängt, die überhaupt nicht zu der kühlen Schwere der Mauern passen will. In den zahllosen Hallen ist allerlei Anschauenswertes untergebracht: die alten Prägestöcke, eine Pinakothek mit rund tausend alten und neuen Gemälden, Münzsammlungen, historische Dokumente und vieles mehr.

Machen Sie einen kleinen Abstecher zur Villa des längst verstorbenen Bergwerkbesitzers José de Quiróz, um sich an die vergangene Pracht des 16. Jahrhunderts erinnern zu lassen, und zu der Einkaufsstraße Calle Bustillos, wo Sie die schönsten und preiswertesten Silbersachen Boliviens bekommen.

Sind Sie gut in Form? Dann empfiehlt sich die Erkundung einer Zinnmine im Cerro Rico – wahrlich kein Spaziergang, aber ein unvergeßliches Erlebnis. Gänzlich unerwartet ist die Hitze im Berginnern. Wer an Platzangst leidet, sollte dankend verzichten. Der Empfangschef des Hotels gibt Ihnen Auskunft über die kostenlosen Führungen. Die im Bergwerk verlorene Kondition können Sie dann auf sehr angenehme Art in den nahen Thermalbädern des Sees Laguna de Tarapaya wiederherstellen.

Sucre – Hauptstadt ohne Bedeutung

Sollten Sie mit dem Bus nach Potosí gefahren sein, dann sollten Sie dort auf den Ferrobus, einen Triebwagen, umsteigen, denn selbst die ausgeleierten Schienen sind noch leichter zu ertragen als die Schlaglöcher auf der 175 km langen Straße nach Sucre.

Hier finden Sie noch viel kolonialen Charme, der sich nur deshalb halten konnte, weil die einst Chuquisaca genannte Stadt – auf »nur« 2970 m Höhe – durch ihre ungünstige Lage seit dem vorigen Jahrhundert so gut wie bedeutungslos ist. Folglich blieb ihr die teure »Modernisierung« erspart.

Ihren Namen verdankt sie, wie schon erwähnt, dem Freiheitskämpfer und Weggenossen Bolivars, José Antonio Sucre, zu dessen Ehre sie Hauptstadt wurde. Laut Verfassung ist sie es noch, faktisch aber hat ihr La Paz diesen Rang schon vor über 100 Jahren abgelaufen. So ist sie nun wieder die hübsche mittelgroße Provinzstadt mit 100 000 Einwohnern. Ihre bedächtige Atmosphäre ist so recht für das Genießen der kolonialen Architektur und Kunst geeignet.

Beides finden Sie in der *Kathedrale* aus dem 16. Jahrhundert mit der schönen Kapelle der Muttergottes von Guadalupe. Lassen Sie sich vom Padre tesorero, dem Pater Schatzmeister, den Weg zeigen. Sie werden unglaubliche Reichtümer sehen: Das Marienbild ist aus einer zollstarken Goldplatte geschmiedet, den Mantel der Muttergottes bedecken funkelnd 19 000 Perlen, eine Handvoll Brillanten und Dutzende anderer Edelsteine; die Monstranz ist eine absolute Meisterleistung der Goldschmiedekunst; ringsherum glitzern Edelsteine, schimmern kostbares Gold und Silber – man weiß gar nicht, wohin man zuerst schauen soll.

Die Kirche *San Francisco,* 1540 erbaut, besticht durch ihre Alfarjes-Kassettendecke im maurischen Stil aus dem frühen 17. Jahrhundert und hat auch Historisch-Anekdotisches zu bieten: die nunmehr stumme Freiheitsglocke. Während einer kleinen Revolution 1809 wurde sie von den Umstürzlern so stürmisch geläutet, daß sie sich kurzerhand spaltete.

Die 1538 erbaute Kirche *San Miguel* ist das älteste Gotteshaus Südamerikas. Sie wurde kürzlich mit viel Geschick restauriert. Was die Ausstrahlung und die Stilreinheit anbelangt, ist sie sicherlich die schönste Kirche von Sucre.

Unter vielem anderen Schönen bietet das Kloster *Santa Teresa* auch eine erfreuliche Aussicht vom Dachbalkon aus über die roten Ziegeldächer, über Gärten mit Palmen und die Hügel mit schimmernden Eukalyptusbäumen. Auf einem steht das Wahrzeichen der Stadt, ein überdimensionierter Heiland.

Mehr Koloniales erwartet Sie in der *Casa de la Independencia,* dem Haus der Unabhängigkeit, in dem Bolivar selbige zum soundsovielten Male ausrief, auch im Kolonialmuseum der Universität und im übrigen – weil Sie ja mittlerweile einen geschulten Blick dafür bekommen haben – an jeder zweiten Straßenecke.

Last but not least eine geballte Ladung Pomp aus der reichen »Silberzeit« Boliviens, zu besichtigen im *Privatmuseum der Familie des Dr. Alfredo Guiterrez Valenzuela.* In den überladenen Salons tobt eine wahre Orgie von Samt, vergoldeten Barockmöbeln, Spiegeln, zentnerschweren Kristallüstern, echtem und nachempfundenem Sèvres-Porzellan und was des Guten mehr ist. Des Guten fast zuviel.

Solcher Reichtum war und ist kein Einzelfall. Noch heute kann man sagenhafte Silberschätze in Privatbesitz sehen, wenn man an Sonn- und Feiertagen vor der Fastenzeit bei der Kathedrale spazierengeht. Auf Eseln, Maultieren und in Autos werden in langer Prozession tonnenweise Silbergegenstände herangeschleppt – zur Feier des Tages blendend blank geputzt –, um sie für das kommende Jahr segnen zu lassen. Und wohl auch, um mit den Erbstücken ein wenig vor den anderen zu protzen.

Nicht nur Sucre, dessen neue Häuser laut Stadtverordnung alle weiß gestrichen werden müssen, hat noch viel Lokalkolorit, auch die Städtchen und Dörfer der Umgebung sind mitunter sehr pittoresk. Zu den reizvollsten zählt wegen seines vielbesuchten Marktes der kleine Ort Tarabuco. Gute zwei Stunden fährt man mit dem Lastwagen von Sucre aus, halb so lange mit dem Taxi. Da die Übernachtungsmöglichkeiten dort beschränkt sind, sollte man den Besuch als Tagesausflug planen.

Cochabamba – Seit der Bodenreform provinziell

Von Sucre aus führt eine ebenso reizvolle wie streckenweise schlechte Straße hinab in die Puna, jene ruhige, grünende Landschaft, die sanft zu den grasigen, sumpfigen Ebenen des Chaco abfällt. Dann steigt sie wieder leicht und führt über einen Paß in das liebliche Cochabamba-Tal, in dem auf 2560 m die mit 280 000 Einwohnern drittgrößte Stadt Boliviens liegt.

Weder die anmutige Natur, die erstaunliche Fruchtbarkeit des Bodens noch der diskrete Charme der Stadt hat die begüterten Familien hier halten können. Bei der Agrarreform von 1952 gingen sie ihrer riesigen Besitztümer verlustig, packten ihre Sachen und zogen fort.

Seitdem ist es hier still geworden. Die pompösen Landsitze verfallen, die Residenzen mit den tiefen überhängenden Dächern im Stadtzentrum stehen verlassen, alles wirkt ein wenig vernachlässigt. Um die Plaza 14 de Septiembre stehen die Kathedrale und das Regierungsgebäude, beide durchschnittlich interessant. Dann lohnt schon eher eine Stippvisite der Kirche La Compañía, die durch ihre unaufdringliche Ausstattung angenehm besticht.

Wer Lokalkolorit sucht, sollte zum Indiomarkt La Cancha fahren, zu den Bergen von frischem Obst und Gemüse und zu all den Dingen des indianischen Alltagsgebrauchs, die Fremde immer wieder faszinieren.

In den Geschäften der Innenstadt hingegen verlocken hübsche Sachen aus Wolle und Fell von Lamas und Alpakas zum sträflichen Überziehen des Urlaubsbudgets.

Der »Zinnkönig« Patiño hat sich hier den Palacio Portales bauen lassen, einen großartigen Landsitz, in den er jedoch nie einzog und der gegenwärtig als kleines Museum für Ausstellenswertes aus der Umgebung dient, als Tagungsort und hin und wieder als Herberge für besondere Gäste. So 1964, als der Verkünder gallischer Grandeur, General de Gaulle, in einem eigens für seine Größe angefertigten Sonderbett hier staatsbesuchend nächtigte.

Einen prächtigen Ausblick über die sanft geschwungenen Hügel, sattgrüne Felder und das buntscheckige Häusermeer genießt man vom nahen San-Sebastián-Hügel. Wer höher hinaus will, sollte sich warm anziehen und auf den 5180 m hohen Cerro Tunari fahren. Unvermittelt einsetzendes Schneetreiben ist dort keine Seltenheit.

In Cochabamba kann jeder gut ausspannen. Der Corani-Stausee läßt die Herzen der Forellenangler höher schlagen, die 18-Löcher-Anlage am Angostura-See jene der Golfspieler.

Santa Cruz – Die heimliche Hauptstadt

Wenn Sie sehen möchten, was man in Lateinamerika unter rosigen Zukunftsaussichten versteht, dann müssen Sie nach Santa Cruz kommen. Wenn es jemals eines Beweises für die Tatsache bedurfte, daß seit der Kolonialzeit mindestens die Hälfte aller Bolivianer am falschen Ort – nämlich auf dem Altiplano – lebt und werkelt, dann erbringt ihn diese Stadt. Folglich ist sie auch ein ideales Forschungsobjekt für Soziologen, Politologen, Wirtschaftswissenschaftler und sonstige Gelehrte.

Das kam so: Seit der Gründung 1561 war Santa Cruz eine Enklave der Jesuiten, die mit eiserner Hand die Indios antrieben, einen relativen Wohlstand zu schaffen. Als man die sittenstrengen Gottesmänner hinauswarf, verkümmerte die Stadt zum bedeutungslosen Provinznest am Ende der Welt. Das blieb sie über zwei Jahrhunderte lang. Bis eines Tages, trotz der vielen Machtwechsel, ein Politiker mal Zeit fand, an etwas anderes als die nächste Revolution zu denken, und den Bau einer Straße einleitete, die entlang der Maultierpfade 500 km weit vom gemäßigten Cochabamba in die Puna und auf 473 m hinab zum heißen Santa Cruz am Rande der wasserreichen Llanos de Chiquitos führen sollte.

Als sie 1954 fertiggestellt wurde, wohnten hier noch 25 000 Menschen. Und dann ging es los. Allein schon die ungeheure Fruchtbarkeit des Bodens lockte viele an, die sich um das leibliche Wohl der Mitmenschen verdient machen wollten, ohne dabei selbst zu kurz zu kommen. Zuckerrohr, Mais, Baumwolle, Reis und alles, was das Herz begehrt, wächst hier bilderbuchmäßig. Man trieb die verwilderten Rinderherden zusammen und begann mit ihrer planmäßigen Aufzucht. Aber es sollte noch besser kommen. Unter der lebensprallen Bodenkrume, in der selbst ein Kochlöffel wieder Blätter treibt, lagert noch mehr Reichtum: Erdöl und Erdgas bei Caranda, Eisenerz und Magnesium bei Puerto Suarez – kein Spatenstich war umsonst.

So viel Reichtum und so wenig Menschen. So etwas sprach sich sofort herum. Geschäftsleute und gewohnheitsmäßige Glückssucher ließen im dünnluftigen La Paz alles stehen und liegen, um sich eine Scheibe der rosigen Zukunft von Santa Cruz abzuschneiden. Selbst Hochlandindios fanden den Weg in die »dicke Luft«, wo 32 Grad im Schatten keine Seltenheit sind. In knapp 30 Jahren explodierte die Zahl der Einwohner auf 400 000. Das sieht man: Altes ist kaum noch zu sehen, nur noch im malerischen Herzen der Stadt rund um die Plaza. Im übrigen platzt sie aus den Nähten. Weitläufige neue Siedlungen mit viel Grünfläche schießen in allen Himmelsrichtungen aus ihr hinaus. Und ein Ende des Wachstums ist noch nicht abzusehen, denn Neuzugänge sind weiterhin herzlich willkommen. Verständlich: In diesem zukunftsträchtigen Gebiet, mit 370 621 km² größer noch als die Bundesrepublik Deutschland und die DDR zusammen, wohnt bislang nur eine halbe Million Menschen – so viel wie in Duisburg.

Nach Santa Cruz ziehen alle gern. Vergessen ist die eisige Luft der Anden, in deren Schatten sich Frohsinn und Extrovertiertheit nie heimisch fühlen konnten; vergessen sind die verschlossenen Gesichter der Indios und die dürren Steppen. Hier ist die Heimat des Carnavalito, eines lebenssprühenden Rhythmus, der bereits über die Grenzen Boliviens bekannt ist und bei jedem noch so banalen Anlaß bis zum Umfallen gespielt, getanzt und gesungen wird. Besonders heftig natürlich beim Karneval und bei der Fiesta de la Cruz, zwei Gelegenheiten, bei denen es sich wirklich lohnt, diese unerwartet freundliche und offene Stadt zu besuchen.

In naher Zukunft – ein anderer Zeitabschnitt zählt für die Cruzeños nicht – rechnet man auch mit einem wahren Touristenheer: In den Urwäldern gibt es jagdbares Wild, in den vielen Flüssen warten exotische Riesenfische auf den Köder an der Angel, und die Seen warten auf Segelboote und Wasserski.

Die Überzeugung dieser Optimisten kann man allenthalben hören, auch ungefragt: In zwanzig Jahren wird die Hauptstadt Boliviens nicht mehr Sucre heißen. Und auch nicht La Paz. Auch wenn der übliche Lokalpatriotismus mitschwingt – sie könnten durchaus recht haben. Denn Santa Cruz ist bereits die reichste Stadt Boliviens, sie ist Mittelpunkt des Kokaanbaus und des Kokainhandels, dem das weiße Pulver zu Umsätzen von vielen Milliarden Dollar verhilft. Das beschert diesem Landesteil eine beneidenswerte Prosperität, während sich die Wirtschaftslage des Hochlandes und die Regierungsfinanzen drastisch verschlechtert haben. Die großen Drogen-Bosse sind namentlich bekannt und schützen sich und ihren Handel mit Privatarmeen und in einem Fall sogar mit einer eigenen Luftwaffe.

Higueras – Die seltsamen Methoden des Dr. Guevara

Daß er einmal zum Posteridol werden wollte, hat sich der argentinische Arzt Dr. Ernesto Guevara ganz gewiß nicht träumen lassen, als er eine Tagesfahrt von Santa Cruz entfernt in den fünfziger Jahren eine kleine Leprastation leitete. Er half dort den Leidenden, wie es sein hippokratischer Eid verlangte.

1966 kam er erneut in diese Gegend, diesmal allerdings zu einer anderen Heilslehre bekehrt. Statt neue Wunden zu heilen, riß er alte wieder auf. Den von einer Handvoll Großgrundbesitzern dürftig entlohnten Landarbeitern versprach er das baldige Ende der jahrhundertealten Abhängigkeit. Da er nun – ungemein photogen – Vollbart, Zigarre und Khakikleidung trug, ließ man den Titel fallen und gab ihm den Spitznamen aller Argentinier in Lateinamerika: Ché. Am 9. Oktober 1967 jedoch wurde seine kleine Guerilla-Truppe von bolivianischen Soldaten eingekesselt, er selbst bei einem Feuergefecht tödlich verwundet. Seinem Freund und Gönner Fidel Castro, in dessen Regierung er Leiter der Nationalbank von Kuba und Industrieminister gewesen war, konnte er den Wunsch nicht erfüllen, in Lateinamerika »ein, zwei, viele Vietnams« zu schaffen.

In Europa verhalf er findigen Posterdruckern zu einem satten Geschäft, in Lateinamerika den Polit-Romantikern zu einer romanreifen Märtyrerfigur. Doch die gefühlvollen Lieder, in denen sie seine Taten verherrlichten, dudeln heute zwischen zwei Waschmittelreklamen aus den Transistorradios an den Ohren der Indios. Im winzigen Dorf Higueras, 150 km südwestlich von Santa Cruz, wo seine zerschossene Leiche aufgebahrt worden war, erinnert nichts mehr an ihn.

Auch im restlichen Bolivien hat sich seitdem nichts geändert.

INFORMATIONEN KOLUMBIEN BIS BOLIVIEN

SO REISEN SIE RICHTIG 3
Die Reisegarderobe 4 – Das liebe Geld 6 – Wie kommt man hin? 6 – Wie kommt man herum? 7 – Photo- und Filmtips 9 – Die Slums – Vorsicht! 10 – 500 Worte Spanisch 11 – Achtung: Diebe! 19 – Ein paar wohlgemeinte Tips vom Arzt 20 – Sportmöglichkeiten 22 – Kleines Überlebens-Brevier für den Rucksack-Set 29

KOLUMBIEN 41
Kolumbien auf einen Blick 41 – Klima 41 – Einreiseformalitäten 42 – Hotels 42 – Stromspannung 43 – Trinkgeld 43 – Trinkwasser 43 – Ein kleiner «Vorgeschmack» auf Kolumbien 43 – Wichtige Adressen 44

EKUADOR 46
Ekuador auf einen Blick 46 – Klima 46 – Einreiseformalitäten 47 – Hotels 47 – Stromspannung 48 – Trinkgeld 48 – Trinkwasser 48 – Ein kleiner «Vorgeschmack» auf Ekuador 48 – Wichtige Adressen 49

PERU 51
Peru auf einen Blick 51 – Klima 51 – Einreiseformalitäten 52 – Hotels 52 – Stromspannung 53 – Trinkgeld 53 – Trinkwasser 53 – Ein kleiner «Vorgeschmack» auf Peru 53 – Quechua – Eine Mini-Sprachlehre 54 – Wichtige Adressen 59

BOLIVIEN 60
Bolivien auf einen Blick 60 – Klima 60 – Einreiseformalitäten 61 – Hotels 61 – Stromspannung 62 – Trinkgeld 62 – Trinkwasser 62 – Ein kleiner «Vorgeschmack» auf Bolivien 62 – Wichtige Adressen 63

SO REISEN SIE RICHTIG

Der Kontinent der traumhaften Wirklichkeit, Südamerika, ist in den letzten Jahren auch in Reichweite der schmaleren Geldbeutel gerückt, nicht zuletzt wegen der trotz allem erstaunlich preiswerten Pauschalreisen. Manchmal kosten drei Wochen »alles inklusive« weniger als ein normales Rundflugbillet.

18 Millionen Quadratkilometer ist dieser Erdteil groß. Da gibt es Faszinierendes in Hülle und Fülle für jeden Geschmack: für Sonnenanbeter, Sportfischer, notorische Faulenzer, Archäologie-Fans, Freizeitbotaniker, Bergsteiger und neugierige Laien, die gleichermaßen auf ihre Kosten kommen und überdies Dinge sehen und erleben, mit denen sie gewiß nicht gerechnet haben.

Die Vorfreude auf eine Reise ist in sich schon ein Erlebnis, man stimmt sich auf das Kommende ein. Und während draußen mieses Novemberwetter herrscht, läßt es sich mit dem Finger auf der bunten Landkarte und dem Kuli zwischen zwei Seiten des Reiseführers wunderschön planen: am 10. La Paz, am 12. Cuzco, am 13. Machu Picchu, am 15. Lima... Das ist natürlich richtig, denn wer plant, hat mehr von der Reise.

Dennoch, damit auch der Besuch zu einem Erlebnis wird und nicht zu einem Abenteuer, müssen ein paar Kleinigkeiten berücksichtigt werden. Soviel vorweggenommen: eine Erholungsreise wird es in den seltensten Fällen. Da wäre erst einmal der Zeitunterschied, den der Körper erst nach einigen Tagen voll verarbeitet hat. Dann die klimatischen Unterschiede. An einem frostklirrenden Morgen abzufliegen und 14 Stunden später in Barranquilla bei 35 Grad zu landen, ist nicht jedermanns Sache. Dazu der Höhenunterschied. In Cuzco oder La Paz auf 3800 m Höhe werden auch die Unternehmungslustigen in den ersten Tagen nur mit größter Mühe ihr geplantes Pensum schaffen. Schließlich ist da die ungewohnte Nahrung, die auch eine Zeit der Anpassung erfordert.

All das ist inzwischen hinlänglich bekannt, das kann man einplanen. Es gibt aber noch anderes: die Sprachschwierigkeiten, die Unpünktlichkeit, die vermeintliche Unzuverlässigkeit, die unterschiedliche Auffassung von Sauberkeit, die organisatorischen Pannen, der barocke Fahrstil auf mörderischen Andenstraßen, und was der entnervenden kleinen Dinge mehr sind. Wenn sich das alles summiert und unerwartet kommt, dann ist plötzlich der begeistert zusammengesparte Urlaub nur noch halb so schön, die gute Laune halbwegs futsch. Sehr schnell wird die »Heute hier – morgen da«-Methode nach sorgsam ausgetüfteltem Plan zum Schlauch.

Nehmen Sie sich deshalb nicht übermäßig viel vor. Planen Sie getrost ein paar Tage »Luft« mit ein, schon damit eine gebrochene Busachse mitten in der Wüste 300 km vor Lima oder der vom Nebel vereitelte Flug Ihr Konzept nicht über den Haufen wirft. Auch der einzelne Tag sollte nicht überladen sein. Der normale Tagesablauf in diesen Breitengraden ist schon anstrengend genug; um so anstrengender ist die ununterbrochene Reiserei und das Konzentrieren auf Sehenswürdigkeiten. Und wenn man es womöglich so macht wie jene, die daheim am Tag kaum mehr als ein paar hundert Meter zu Fuß gehen und sich im Urlaub plötzlich stundenlange Gewaltmärsche und endlose feuchtfröhliche Streifzüge durch das Nachtleben zumuten, dann rächt sich das nach ein paar Tagen.

Machen Sie es wie die Einheimischen: Strecken Sie am frühen Nachmittag alle Viere von sich und verzichten Sie zugunsten ihrer Laune schon mal auf diese Kirche oder auf jene Ruine. Wenn man abgehetzt ist, unausgeschlafen, gereizt und Blasen an den Füßen hat, ist auch der grandioseste Inkatempel nichts weiter als ein großer Haufen alter Steine. Suchen Sie Qualität statt Quantität! Bemühen Sie sich nicht, möglichst viele Sehenswürdigkeiten in den Plan hineinzuquetschen; picken Sie sich ein paar ausgesuchte Raritäten aus, und bewundern Sie diese in aller Ruhe.

Und vor allem: Vergessen Sie, daß Sie aus einem zivilisatorisch schon etwas überdrehten Kontinent kommen. Vergessen Sie alles, was Sie bislang über Südamerika an Meinungen gelesen, gehört und gesehen haben, seien Sie »offen« für alles Fremde und Neue. Und schrauben Sie ihre Ansprüche zurück. Der Kellner, der sich in La Paz redlich bemüht, Ihr Chateaubriand kunstgerecht zu tranchieren, ißt möglicherweise selbst mit den Fingern. Vergleiche anzustellen, bei denen dieser Kontinent naturgemäß schlecht aussehen kann, ist unfair. In den erdfarbenen Dörfern, durch die Ihr Bus mit einer Staubfahne fegt, leben und denken die Menschen noch wie vor 500 Jahren.

Widmen Sie sich auch den Menschen. Und nicht nur als exotisch gekleideten Kuriositäten, die bestaunt und geknipst werden. Ein gemächlicher Spaziergang über einen Markt, nicht zum Einkaufen – nur so, zum Schauen, das Miterleben eines Gottesdienstes, einer Prozession, einige Stunden am Sonntagnachmittag in einem volkstümlichen Park – daraus lernt man mehr als aus vielen Büchern. Was die Inkas und später die Spanier geschaffen haben, ist die sehenswerte Vergangenheit dieser Länder. Ihre Menschen sind die erlebenswerte Gegenwart.

Die Reisegarderobe

Nehmen Sie nicht zuviel mit. Ein Koffer macht das Reisen umständlich genug – mit zwei Koffern und einer bleischweren Photoausrüstung wird es zur Strapaze. Bedenken Sie auch, daß die vielen Mitbringsel noch Platz finden müssen.

Packen Sie für vier Jahreszeiten ein, was, zugegeben, keine ganz einfache Sache ist. Sie dürfen nicht vergessen, daß es nachts in Cuzco – in 3800 m Höhe – bitterkalt wird und man für einen warmen Pulli und eine wetterfeste Jacke dankbar ist. Packen Sie robuste Sachen ein, die eine Urwaldexpedition ohne nennenswerten Schaden überstehen, zu der Sie trotz der Hitze lange Ärmel tragen sollten. Nackte Arme sind der bevorzugte Landeplatz von Moskitos. Es macht keinen Spaß, ständig wie ein Ventilator um sich zu schlagen, um die Blutsauger loszuwerden.

Wählen Sie den Rest nach praktischen Gesichtspunkten aus: bequeme Sachen, die nicht kneifen, keine allzu neuen, damit es nicht schade um sie ist, und Stücke, die sich überdies abends im Hotel mal leicht dank des mitgebrachten Tütchens Seifenpulver auswaschen lassen.

Wenn Sie vorhaben, unter die Leute zu gehen, müssen Sie sich herausputzen. Denn hier wird beim abendlichen Ausgehen mit teurem Stoff, Schminke und Duftwassern nicht gespart. Wenn Sie das leise Gefühl haben, »overdressed« zu sein, haben Sie den richtigen Ton getroffen. Was man trägt, ist hierzulande noch ein Zeichen des Wohlstands. Schlecht gekleidet geht nur, wer sich nichts Besseres leisten kann. Ferner sind die Südamerikaner Puristen. Der Tourist in beuteligen Shorts, mit kurzen Socken, Sandalen und einem zusammengeknoteten Taschentuch stramm über dem verschwitzten Haupt, ist hier denkbar fehl am Platz. Ein richtiger Mann trägt eben keine kurzen Hosen. Auch eine Eva nicht – es sei denn sie hört gerne deftige Bemerkungen.

Sollten Sie den Vorzug genießen, diese Länder geschäftlich zu bereisen, brauchen Sie unbedingt ein paar elegante Anzüge. Man hat eine tiefe Abneigung, große Zahlen in Hemdsärmeln zu diskutieren. Man beurteilt eine ausländische Firma anfänglich nach dem Savoir-vivre ihrer Repräsentanten und dann erst nach den Bilanzen.

Zum Schuhwerk: Auf den atemberaubenden Ruinen von Sacsayhuaman mit hochhackigen Ausgehschuhen herumzustaksen, ist ein gar fragwürdiges Vergnügen und obendrein ein gefährliches. Darum flache Schuhe, die nicht zu neu sein sollten, sondern »eingelaufen«, da Sie wahrscheinlich mehr gehen werden als zu Hause. Sandalen wären bei den Temperaturen eigentlich das Ideale, nur hat man in ihnen bei Kletterpartien wenig Halt, und sie schützen nicht vor einem möglichen Skorpionstich.

Die Damen sollten stets ein kleines Kopftuch für Kirchenbesichtigungen dabei haben. Barhäuptig einzutreten, gilt vielerorts als Mangel an Respekt. Im Notfall tut es auch das Taschentuch des Begleiters.

Last but not least gehört ein Taschenschirm oder ein faltbarer Regenumgang in den Koffer. Die werden Sie zwar nicht völlig vor den plötzlich herabklatschenden Wolkenbrüchen in den tropischen Gebieten schützen, aber Sie halbwegs trockenen Leibes bis zum nächsten Dach hinüberretten.

Das liebe Geld

Reiseschecks sind die beste Erfindung seit dem Papiergeld. Kaufen Sie sich vor Reiseantritt einen ausreichenden Vorrat an Traveller-Cheques in Dollar, und zwar solche, die man bei Verlust zurückerstattet bekommt. Verlangen Sie Nennwerte von 20, 50 und 100 Dollar, die lassen sich leichter wechseln als die größeren. Nehmen Sie dazu einen Vorrat an baren Dollars mit, die, privat gewechselt, Ihnen schnell aus der Patsche helfen, wenn keine Bank in Reichweite ist. Wechseln Sie nach Möglichkeit Ihren genau kalkulierten Bedarf an Landeswährung in der Hauptstadt, da wegen der strengen Devisenkontrolle nicht alle Provinzbanken wechseln dürfen. Natürlich nehmen viele Hotels gerne Dollars und tauschen sie auch ein; die Hotelkasse aber behält in der Regel einen saftigen Schnitt für sich.

Bewahren Sie alle Belege vom Geldwechseln sorgsam auf. Die müssen Sie vorzeigen, wenn sie überflüssige Landeswährung wieder in Dollar konvertieren wollen.

D-Mark oder Franken in bar oder als Reiseschecks mitzunehmen, hat wenig Sinn; die hiesigen Banken sind nur mit Dollars vertraut. Bei anderen Währungen ist die Umtauschprozedur langwierig und kompliziert.

Lassen Sie sich übrigens nicht verwirren: Vielfach werden die Preise in Landeswährung mit dem Dollarzeichen ausgeschrieben.

Wie kommt man hin?

Mit dem Flugzeug Wenn Sie auf eigene Faust – also nicht in der Gruppe – nach Südamerika fliegen wollen, haben Sie die Qual der Wahl: fünf südamerikanische und zehn europäische Fluggesellschaften reißen sich in vierfarbigen Anzeigen darum, Sie auf stählernen Flügeln über den Atlantik tragen zu dürfen; alle zu den gleichen Preisen, versteht sich. Denn die Preise werden von der IATA festgelegt, die ebenfalls bestimmt, daß die Cola an Bord ein Lächeln, das Bier aber einen Dollar kostet. Da sich die meisten dennoch hin und wieder Sondertarife einfallen lassen, lohnt es durchaus, sich bei ihnen direkt zu erkundigen.

Eine weitere Möglichkeit, preiswert über den großen Teich zu kommen und vor allem länger zu bleiben als die 21 bis 45 Tage, die man bei der offiziellen »excursion-fare« zugestanden bekommt, ist das »Auskoppeln«. Man bucht mit einer Reisegesellschaft die billigste Pauschalreise und »koppelt« sich nach der Ankunft aus, verzichtet auf Hotel und andere Leistungen des Veranstalters. Dafür kann man mitunter zwei bis drei Monate dort bleiben. Leider machen nur wenige Reiseveranstalter dieses »Auskoppeln« mit, und wer es tut, hängt es nicht an die große Glocke.

Schließlich gibt es da noch die vieldiskutierten Charterflüge, organisiert von kleinen, aber erfindungsreichen Reiseveranstaltern, mit denen Jahr um Jahr mehr Urlauber nach Südamerika und in alle Welt fliegen. Zwar muß man an Bord auf den sonst üblichen Komfort teilweise verzichten, weil die Sitzreihen so eng wie möglich placiert sind; doch dafür bekommt man meist einen gewaltigen Preisvorteil gegenüber dem Normalflug. Diese Billigst-Tarife sind nur möglich, weil die Charter-Maschinen zu mindestens 90% ausgelastet, Linienmaschinen aber im Schnitt nur zu rund 55% belegt sind. Die Flugkosten sind für beide die gleichen. Sollten Sie an einen Charter-Flug denken, so müssen Sie schon einige Monate vor der Abreise die Anzeigen in Zeitungen und Zeitschriften suchen und vor allem die Preise vergleichen, denn es gibt bisweilen bei der gleichen Gesellschaft erhebliche, saisonbedingte Preisunterschiede. Falls Sie in einer Universitätsstadt wohnen, können Sie Näheres in den Studenten-Reisebüros erfahren – mehr jedenfalls als in den großen Reisebüros.

Mit dem Schiff   Schade, die Ära der stolzen weißen Schiffe mit vielen hundert Passagieren, der rauschenden Feste in noblen Salons und der feuchten Äquatortaufen im Swimming-pool an Bord ist vorbei. Die letzte romantische Reiseart, bei der man in drei Wochen Meer so recht das Gefühl für die Weite der Welt bekam und fern vom Alltagskram eine seelische »Runderneuerung« vornehmen konnte, ist, auf einer Handvoll Kreuzfahrtschiffen, zum beinahe unerschwinglichen Luxus geworden. Heute muß man mit Frachtern vorliebnehmen, die neben Lastwagen, Kisten und Fässern auch einige Passagiere befördern, die für dieses Vergnügen auch noch etwa 20% mehr zahlen dürfen als für die vergleichbare Flugreise. Die Eleganz ist dahin, die Romantik aber noch in Ansätzen erhalten.

Außerdem braucht man für Schiffsreisen außerordentlich viel Zeit. Nicht nur für die dreiwöchige Reise. Die Passage muß man mindestens zwei Monate im voraus buchen, und dann darf es bei der Abfahrt nicht auf eine Woche mehr oder weniger ankommen. Am ehesten erreicht man die kolumbianische Atlantikküste: Cartagena oder Barranquilla. Wenn Sie durch den Panama-Kanal nach Callao oder Guayaquil fahren wollen, haben Sie nur noch die Wahl zwischen den italienischen »Lauro Lines« und der polnischen Reederei »Polish Ocean Lines«. Die beste Variante ist eine Schiffsreise nach Kolumbien und von dort aus der Weiterflug an Ihr Ziel.

Wie kommt man herum?

Die Entfernungen in Südamerika sind gewaltig und nehmen – so man mit dem beliebtesten Verkehrsmittel des Kontinents fährt – für ihre Bewältigung unerwartet viel Zeit in Anspruch. Für die rund 2200 km von Lima nach Quito beispielsweise braucht der Bus zwei volle Tage, kostet aber nur um die

60 Dollar. Das Flugzeug schafft es in zwei Stunden – kostet jedoch das Vierfache. So stellt sich immer wieder die Frage, ob man Zeit oder Geld sparen will.

Wer sich für das *Flugzeug* entschließt, ist gut beraten. Denn in diesen Ländern ist nahezu jeder Ort über 10 000 Einwohner per Luft zu erreichen – ob mit einer wackligen Einmotorigen oder einem vierstrahligen Jet. Wo kein planmäßiger Verkehr besteht, ist es fast immer möglich, im örtlichen Aero-Club ein Kleinflugzeug samt Pilot aufzutreiben, mit dem man geduldig den Preis aushandelt. Überdies sind Flugreisen innerhalb des Landes oder ins Nachbarland weitaus billiger als in Europa.

Der *Bus* ist das zweitschnellste Verkehrsmittel. Man trifft alle Sorten an: vom kilometermüden Veteranen, der nur noch von Draht und viel gutem Willen zusammengehalten wird und auf dem die Sparsamen für den halben Preis auf dem zugigen Dach fahren, bis zum »Landstraßen-Jet« mit getönten Scheiben, Klimaanlage, WC und lächelnder Stewardeß. In den größeren Städten fahren die Busse vom Busbahnhof ab, in den kleineren vom Markt. Da die Langstreckenbusse meist schnell ausgebucht sind, empfiehlt es sich, das Billet schon einige Tage vorher zu kaufen.

In dünn besiedelten Gebieten, wirtschaftlich unbedeutend und abseits vom großen Touristenstrom, wo keine Busse mehr verkehren und nur noch Andeutungen von Straßen bestehen, muß man auf *Lastwagen* zurückgreifen, die hoch auf der schwankenden Last auch Fahrgäste mitnehmen, mit deren Unkostenbeitrag der Fahrer sein mageres Gehalt aufbessert. Man findet sie am Markt der kleinen Ortschaften oder stoppt sie mit dem universell bekannten erhobenen Daumen am Dorfrand.

Die Peruaner haben einen glänzenden Einfall gehabt: Langstreckentaxis, *Colectivos* genannt, die fünf bis sechs Fahrgäste in relativem Komfort befördern. Sie sind teurer als Busse, gegen die sie nur bestehen können, indem sie deren Fahrzeiten beträchtlich unterbieten. Somit sind sie nur für Europäer mit hervorragenden Nerven geeignet – besonders auf den haarsträubenden Andenstrecken.

Einen internationalen Führerschein müssen Sie dabei haben, wenn Sie den unbekannten Kontinent am Steuer eines teuren und nicht immer zufriedenstellend gewarteten *Mietwagens* erkunden wollen. Ein großer Nachteil: Man muß den Wagen stets am Ausgangsort abliefern.

Die Überlandreise von einem Land ins andere erfordert ein gerüttelt Maß an Geduld, denn die Zollformalitäten an den Grenzen gleichen in ihrer Kompliziertheit oft einer mit todernster Miene gespielten Farce. Protestieren hilft nichts, dann nämlich schalten die Grenzer auf stur, und es dauert doppelt so lange. Auch hier verändert eine Uniform den Charakter der Menschen auf wundersame Weise.

Mit der *Eisenbahn* zu fahren, hat allemal hohen Abenteuerwert – ist aber nicht jedermanns Sache. Nicht allen behagt es, daß sich die müde Lok und die

Holzklasse-Wagen, die aus einem guten Western stammen könnten, im Walzer- oder Tangorhythmus endlose Stunden mit der atemberaubenden Geschwindigkeit von 40 Stundenkilometern über die ausgeleierten Schienen wiegen. Empfindsame Gemüter wissen es jedoch zu schätzen, daß der Lokführer an die Schienen gebunden ist und nicht die gewagten Manöver der Bus-Piloten nachvollziehen kann. Hier hat man Zeit, sich mit einem bunten Querschnitt der Bevölkerung radebrechend auseinanderzusetzen und aus dem Fenster garantiert unverwischte Bilder zu machen. Vor allem aber gibt es hier Strecken, die an szenischer Schönheit auf der Welt wohl kaum ihresgleichen haben. Von Lima nach La Oroya, von Quito nach Guayaquil oder von La Paz nach Arica sollte man getrost mit der Bahn fahren. Und schön sind auch die Preise: geschenkt – sogar in der wärmstens empfohlenen Ersten Klasse. Auf die Bahn sollten Sie auch immer dann zurückgreifen, wenn die Landstraße zum Ziel nicht geteert ist. Der Schienenweg ist zwar langsamer, hat aber keine Schlaglöcher und staubt nicht.

Noch ein Wort an die *Tramper:* zwei Herren, ja; zwei Damen, nicht empfehlenswert; eine Dame, sträflicher Leichtsinn. Im übrigen muß man meist fürs Mitnehmen zahlen.

Photo- und Filmtips

Es wäre eine Sünde, Südamerika ohne Photo- und Filmkamera zu besuchen. Denn photogen ist hier alles: von der erhabenen Endlosigkeit der Wüsten mit ihren faszinierenden Farbnuancen über die Farbsymphonien der Märkte zum satten Grün des Urwalds und zur Majestät der Bergriesen unter eisig blauem Himmel. Gleichgültig ist es auch, ob Sie mit einer Instamatic Schnappschüsse machen oder mit einer bleischweren Spiegelreflexausrüstung ausstellungsreife Bilder komponieren wollen, es lohnt sich allemal.

Damit daheim das entwickelte Ergebnis auch Ihren Erwartungen entspricht, sollten Sie folgende Punkte beachten: Bei Schwarzweiß-Aufnahmen darf man getrost einen Film mit niedriger Din-Zahl verwenden, da die sehr helle Sonne kurze Verschlußzeiten erlaubt. Ein Gelb- oder Orangefilter ermöglicht auch im Smog der Hauptstädte gute Kontraste und verschärft die Umrisse der Bergriesen.

Bei Farbaufnahmen sollte stets ein UV-Filter verwendet werden, um unerwünschte Farbabweichungen zu vermeiden. Ein polarisierender Filter schaltet Reflexe aus und läßt die Farben hell und satt leuchten, ist aber sehr teuer. Es empfiehlt sich, stets geringfügig unterzubelichten, da die Filme meist auf europäische Lichtverhältnisse abgestimmt sind und die Farben sonst leicht verwaschen erscheinen.

Unerläßlich ist ein gutes Tele- oder Zoomobjektiv, um die Einheimischen von fern unbemerkt auf den Film bannen zu können und somit ihrem Mißfallen zu entgehen. Vor allem die Indios lassen sich nur ungern photographieren. Sie empfinden es als ungebetenes Eindringen in ihre Privatsphäre oder widersetzen sich aus Aberglauben. Sie fürchten, daß mit ihrem Konterfei auch ein Teil ihrer Seele festgehalten würde.

Wenn Sie eine Gruppe Indios besonders reizt, bitten Sie vorher um Erlaubnis: »Me permite?« – und zeigen Sie ihnen den Apparat. Sollte die Antwort negativ ausfallen, dann halten Sie sich auf jeden Fall daran und speichern Sie das unvergeßliche Bild in Ihrem Gedächtnis. So vermeiden Sie Unannehmlichkeiten und schädigen den mancherorts prekären Ruf der Touristen nicht noch mehr.

Beim Knipsen und Filmen aus dem fahrenden Bus, Zug oder Auto nie aufstützen, sondern die Bewegungen mit angewinkelten Armen abdämpfen und die Kamera »mitziehen«. Bei allen Aufnahmen sollten Sie die Sonne schräg hinter sich haben, das gibt größere Plastizität dank der Schatten. Menschen und vor allem Kinder sollte man stets aus der Hocke knipsen, damit die Proportionen gewahrt bleiben. Kamera und Filme staubfrei, trocken und möglichst kühl aufbewahren und nie länger als nötig in der Sonne stehen lassen. Beim Filmen ist ein Ein-Bein-Stativ sehr wertvoll. Es ist leicht, unkompliziert und erlaubt große Bewegungsfreiheit. Keine Szene sollte unter fünf Sekunden lang sein, sonst wirkt der Film unruhig.

Die Slums – Vorsicht!

Kein Dokumentarfilm im Fernsehen, keine Reportage in einer Illustrierten verzichtet, wenn es um diese Länder geht, auf einige Bilder krassester Armut und tiefen Elends, aufgenommen in den Barriadas, den Elendsvierteln, die wie Krebsgeschwülste die Großstädte Südamerikas umwuchern. So ist denn der Wunsch vieler Besucher verständlich, nicht nur die »Schokoladenseiten« dieser Länder zu sehen und zu photographieren, sondern auch die Barriadas, die ja ebenso bezeichnend sind für diesen Kontinent wie alles andere auch. Viele Studenten beispielsweise wollen in diese Labyrinthe aus menschenunwürdigen Behausungen aus Lehm, Pappe, Blech und Plastikplanen hineinschauen, um sich – aus Neugier oder humanitären Erwägungen – ein objektiveres Bild der Problematik zu machen.

Wenn auch Sie vorhaben sollten, in die Barriadas zu gehen, überlegen Sie es sich bitte ganz genau. Es könnte ein höchst gefährlicher Besuch werden, bei dem Sie nicht nur den Verlust der Armbanduhr, der Brieftasche und des Photoapparates riskieren... Was Sie im Fernsehen oder in den Illustrierten nicht sehen: Hinter der Kamera stehen meist mehrere Menschen, darunter vielleicht ein Arzt, ein Sozialhelfer, ein Pfarrer oder andere Personen, die in dem betreffenden Slum bekannt sind. Um nichts fürchten zu müssen, ist man auf deren Unterstützung angewiesen. Denn in diesen Vierteln herrschen andere Gesetze.

In ihnen leben die Menschen gewissermaßen in einer »Notgemeinschaft«. Arbeitslosigkeit, Kriminalität, Prostitution, Alkoholismus, Armut und geringe Lebenserwartung bestimmen das Milieu. In vielen Barriadas ist der »Mensch des Menschen Wolf«. Wenn es ums schiere Überleben geht, wird kaum Rücksicht auf die Moral oder die Gefühle genommen. Ohne auf die soziologischen und psychologischen Ursachen dieses Phänomens eingehen zu wollen, wirkt die Aggressivität dieser Menschen durchaus verständlich. Bei ihnen scheinen die Nervenenden auf der Haut bloßzuliegen. Sie reagieren sofort höchst emotional auf jeden Fremden, der aus einer anderen Lebenssphäre kommt, zu der sie keinen Zugang haben, in der sie nicht anerkannt werden, der sie zu Recht oder zu Unrecht die Schuld an ihrer Misere zuschieben. Nur in dieser Hinsicht zeigen sie Solidarität untereinander. Viele sind vor verständlicher Verbitterung so blind, daß sie auch eine neutrale Haltung oder Wohlwollen nicht erkennen können – und sie werden es auch zeigen. Denn im Fremden sehen sie wohl nicht a priori den Menschen, sondern vielmehr ein Symbol jener Welt, die sie nicht haben will. Hier in ihren Quartieren allerdings sind sie die Starken, sind sie in der Überzahl, hier wollen sie allein gelassen werden. Kein Wunder, daß dem Eindringling sogleich die Feindseligkeit, ja Verachtung auffällt, die sich mindestens in Pfiffen und Gejohle ausdrückt. Da reicht schon eine kleine Ungeschicklichkeit, eine unbedachte Erwiderung, um angegriffen zu werden.

Dann dürfen Sie nicht die geringste Hilfe erwarten, nicht von diesen Menschen und nicht von der Polizei, die fast immer einen weiten Bogen um solche Viertel macht.

Wenn Sie aus welchen Gründen auch immer darauf bestehen, in die Elendsviertel zu gehen, sollten Sie sich im Rathaus, der Municipalidad, der jeweiligen Stadt informieren, wer Sie gegebenenfalls begleiten könnte oder Ihnen zumindest sagen kann, welche Armenviertel noch relativ ruhig sind.

500 Worte Spanisch

Sollten Sie des schönen Spanisch nicht mächtig sein, das auf diesem Kontinent anders gesprochen wird – fließender, melodiöser – als im ehemaligen Mutterland, und auch nicht der Indiosprachen Quechua und Aymara, so tun Sie gut daran, Ihr leicht angestaubtes Schulenglisch wieder aufzupolieren. Denn in allen Stationen der großen Touristen-Trecks wird man allgemein mit einem freundlichen »Good morning« und einem noch freundlicherem »May I help you?« empfangen. So in den Hotels, besseren Restaurants und Andenkenläden im Zentrum.

Sollten Sie jedoch die Urlaubs-Trampelpfade verlassen, nutzt auch das

Englisch nichts mehr. Dann muß man sich in der Sprache der Eroberer üben und das Mitzuteilende einem vorsorglich mitgebrachten Sprachführer entnehmen. Es empfiehlt sich, das Gesagte zu wiederholen, da man hierzulande Ausländern gegenüber oft freundlich sein will und bereitwillig die umständlichsten Auskünfte gibt – auch wenn man kein Wort verstanden hat. Bei mißverständlicher Aussprache sollte man dem Zuhörer das Buch unter die Nase halten. Dabei kann es passieren, daß man an einen Analphabeten (ca. 40% der Bevölkerung) gerät oder an einen Indio, der ebenso wenig Spanisch kann wie Sie. Dann hilft nur noch, munter drauflos zu reden und das Gesagte mit ausladender Gestik – dem internationalen Touristenesperanto – zu verdeutlichen, auch auf die Gefahr hin, eine Spur lächerlich zu wirken.

Bei vertrackten Verhandlungen auf dem Markt um den begehrten wolligweichen Poncho sind Kuli und Zettel als Diskussionsunterlage außerordentlich nützlich.

Falls Sie auf einen Sprachführer verzichten wollen oder vergessen haben, sich vor dem Abflug einen zu besorgen, so möchten wir Ihnen mit den folgenden 500 Worten Spanisch eine kleine Kommunikations-Hilfe geben. Der Einfachheit halber haben wir weitgehend darauf verzichtet, komplette, grammatikalisch korrekte Sätze aufzuschreiben, die sich zwar sehr schön anhören mögen, die aber letztlich schwer zu sprechen und noch schwieriger zu merken sind. Wir haben ein einfacheres System gewählt. Statt zu sagen »Geben Sie mir bitte eine Schachtel Streichhölzer!«, was auf spanisch heißt »Deme una caja de fósforos, por favor!«, empfehlen wir Ihnen, beim Einkaufen einfach den Gegenstand zu nennen und »bitte« daran zu hängen, beispielsweise: »Streichhölzer, bitte« = »Fósforos, por favor«. Das spart Zeit und Nerven. Und das Schönste daran ist, daß man meist besser verstanden wird, weil man weniger falsch machen kann!

Diesen Abschnitt haben wir unterteilt in: *Allgemeines, Im Hotel, Im Restaurant, Beim Einkaufen, In der Stadt, Transportmittel, Rund ums Auto, Landschaft, Zahlen, Einige Verben.* Sie werden erstaunt sein, wie viel man mit dieser scheinbar geringen Anzahl von Wörtern erreichen kann. Wenn Sie bedenken, daß der Wortschatz des Alltags kaum mehr als 5000 Worte umfaßt, ist das gar nicht so wenig.

Die spanische Aussprache ist nicht schwierig. Meistens spricht man die Worte so aus, wie sie geschrieben werden. Hier die Ausnahmen:

ce	wie sse		
ch	tsch wie in Kutsche	ñ	wie nj
ci	wie ssi	que	wie ke
h	wird nicht ausgesprochen	qui	wie ki
j	ch wie in kochen	s	wie ss
ll	j wie in jeder	z	wie ss

Allgemeines

ich	yo	früh	temprano
du	tu	spät	tarde
er	el	vorher	antes
sie	ella	nachher	después
wir	nosotros	ja	si
sie (plural)	ellos, ellas	nein	no
Mann	hombre	vielleicht	talvéz
Herr	señor	wie	cómo
Frau	mujer	wie bitte?	cómo dice?
Frau (Anrede)	señora	was?	que?
Fräulein	señorita	wo?	adonde?
Kind	niño	wann?	cuando?
Junge	niño	wo ist?	adonde está?
Mädchen	niña	wo sind?	adonde están?
Ehemann	esposo	was ist das?	que es eso?
Ehefrau	esposa	hier	aquí
Freund	amigo	da	allá
Freundin	amiga	oben	arriba
mein, meine	mi, mis	unten	abajo
ich habe	tengo	vorne	adelante
ich habe nicht	no tengo	hinten	atrás
ich bin	soy	links	izquierda
ich bin nicht	no soy	rechts	derecha
wir kommen aus…	venimos de…	sehr	muy
		viel	mucho
wir fahren nach…	vamos para…	wenig	poco
fahren sie nach…?	va para…?	kalt	frio
		warm, heiß	caliente
Deutschland	Alemania	gut	bueno
Schweiz	Suiza	schlecht	malo
Österreich	Austria	sauber	limpio
Geld	dinero	schmutzig	sucio
Zeit	tiempo	groß	grande
gestern	ayer	klein	pequeño
heute	hoy	schön	bonito
morgen	mañana	häßlich	feo
Tag	día	ganz	entero
Nacht	noche	kaputt	arruinado
Morgen	mañana	neu	nuevo
Mittag	mediodía	gebraucht	usado
Nachmittag	tarde	jung	joven
Abend	noche	alt	viejo

lustig	alegre	Finger	dedo
traurig	triste	Bauch	barriga
mehr	mas	Magen	estómago
weniger	menos	Bein	pierna
genug	suficiente	Fuß	pié
ausreichend	bastante	Hunger	hambre
schnell	rapido	Durst	sed
langsam	lento	wichtig	importante
für	para	herein!	adelante!
und	y	Vorsicht!	cuidado!
von	de	Uhr	relój
mit	con	wie spät ist es?	que hora es?
laut	ruidoso	Stunde	hora
leise	silencioso	Minute	minuto
ruhig	tranquilo	richtig	correcto
Lärm	ruido	falsch	equivocado
Stille	silencio	Toilette	baño
lebend	vivo	bitte	por favor
verletzt	herido	bitteschön	de nada
tot	muerto	danke	gracias
Schmerz	dolor	hallo	hola
Auge	ojo	guten Tag	buenos dias
Nase	naríz	guten Abend	buenas tardes
Mund	boca	gute Nacht	buenas noches
Zahn	diente	wie geht's?	como está?
Haar	pelo	Entschuldigung!	disculpe!
Ohr	oído	ich verstehe nicht	no comprendo
Kopf	cabeza	ich spreche kein	
Hals	cuello	Spanisch	no hablo español
Hand	mano	auf Wiedersehen	adiós

Im Hotel

Empfang	recepción	Licht	luz
Zimmer	habitación	Heizung	calefacción
Einzelzimmer	habitación simple	Bett	cama
Doppelzimmer	habitación doble	Kissen	almohada
Dusche	ducha	Laken	sábana
Bad	baño	Decke	frazada
Toilette	baño	Telephon	teléfono
Toilettenpapier	papel higiénico	Tisch	mesa
Handtuch	toalla	Stuhl	silla
Schlüssel	llave	Koffer	maleta

Fenster	ventana	Lift	elevador
Balkon	balcón	Rechnung	cuenta
Kakerlaken	cucarachas	Trinkgeld	propina

Im Restaurant

Frühstück	desayuno	Salat	ensalada
Mittagessen	almuerzo	Steak	bistec
Abendessen	cena, comida	gegrillt	a la parilla
Teller	plato	gebraten	asado
Tasse	taza	gekocht	cocido
Messer	cuchillo	Wasser	agua
Gabel	tenedor	Tee	té
Löffel	cuchara	Kaffee	café
Teelöffel	cucharita	Kakao	chocolate
Serviette	servilleta	Kartoffeln	papas
Tischdecke	mantél	Spaghetti	espagueti
essen	comer	Reis	arróz
trinken	tomar	Zucker	azucar
Essen	comida	Salz	sal
Getränke	bebidas	Pfeffer	pimienta
Brot	pan	Cayenne-Pfeffer	ají, chile
Suppe	sopa	Wein	vino
Fleisch	carne	Mineralwasser	agua mineral
Rind	res	Cola	coca
Kalb	ternero	Saft	jugo
Schwein	chancho, cerdo, puerco	Kuchen	keke, pastél
		Obst	fruta
Lamm	cordero	Eis	hielo
Huhn	pollo	Speiseeis	helado
Fisch	pescado	Nachtisch	postre
Gemüse	verduras	Rechnung	cuenta

Beim Einkaufen

wieviel kostet das?	cuanto cuesta eso?	Zahnpasta	pasta dental
		Zahnbürste	cepillo de dientes
haben Sie…?	tiene…?	Kamm	peine
das da	eso	Bürste	cepillo
Zigaretten	cigarrillos	Seife	jabón
Streichhölzer	fósforos	Seifenpulver	detergente
Postkarten	postales	Papiertaschen-	
Briefmarken	sellos	tücher	Kleenex

Zeitung	periódico	Obst	frutas
Zeitschriften	revistas	Orangen	naranjas
Landkarte von…	mapa de…	Bananen	plátanos, bananos
Luftpostpapier	papel aéreo	Äpfel	manzanas
Briefumschlag	sobre	Ananas	piña
Bleistift	lapiz	rot	rojo
Kuli	bolígrafo	grün	verde
Bücher	libros	blau	azul
Strümpfe	medias	gelb	amarillo
Schuhe	zapatos	braun	café
Schampoo	champú	violett	morado
Creme	crema	weiß	blanco
Rasierklingen	hojas de afeitar	schwarz	negro
Sonnenöl	loción solar	hell	claro
Schuhcreme	pasta de zapatos	dunkel	oscuro
Nähnadel	aguja de coser	billig	barato
Nähseide	hilo de coser	teuer	caro
Schnur	cuerda	zu teuer	demasiado caro
Film	película	Tiefstpreis	último precio
Kekse	galletas	das gefällt mir	me gusta
Bonbons	dulces	das gefällt mir	
Kaugummi	chicle	nicht	no me gusta

In der Stadt

Straße	calle	Post	correos
Platz	plaza	Rathaus	municipalidad
Park	parque	Bank	banco
Gebäude	edificio	Krankenhaus	hospital
Restaurant	restaurante	Arzt	médico
Bar	bar	Zahnarzt	dentista
Diskothek	discoteca	Kirche	iglesia
Kino	cine	Kloster	monasterio
Theater	teatro	Markt	mercado
Stadion	estadio	Geschäft	tienda
Museum	museo	Reinigung	lavado en seco
Hotel	hotel	Wäscherei	lavandería
Pension	pension, hospedaje	Schuster	zapatería
		Tankstelle	gasolinera
Reisebüro	agencia de viajes	Werkstatt	tallér
Botschaft	embajada	Garage	garage
Polizeiwache	comisaría	Schwimmbad	piscina
Polizist	agente	Stadtplan	plano de la ciudad

Transportmittel

Flugzeug	avión	Fahrschein	boleto
Auto	coche	Flugbillet	billete de avión
Taxi	taxi	Straße	carretera
Bus	bus	Weg	camino
Straßenbahn	tranvía	Gepäck	equipaje
Lastwagen	camión	Zoll	aduana
Eisenbahn	tren	Außen-ministerium	ministerio de relaciones exteriores
Kollektivtaxi	colectivo		
Schiff	barco		
Abfahrt	salida	Paß	pasaporte
Ankunft	llegada	Visum	visa
Bahnhof	estación de tren	Einwanderungs-behörde	migración
Busbahnhof	terminal de buses		
Flughafen	aeropuerto	wann fährt… nach…?	cuando sale… para…?
Haltestelle	parada de bus		

Rund ums Auto

Auto	coche	Zündkerze	bujía
Benzin	gasolina	Treibriemen	correa
normal	corriente	Vergaser	carburador
super	super	Luftfilter	filtro de aire
voll	lleno	Zündung	encendido
Öl	aceite	Gaspedal	acelerador
Reifen	neumático	Bremse	frenos
Reifendruck	presión de neumáticos	Kupplung	embrague
		Achse	eje
Batterie	batería	Stoßdämpfer	amortiguador
Motor	motor	Licht	luz
Windschutz-scheibe	parabrisas	Scheinwerfer	farol
		Auspuff	escape
Scheibenwischer	limpia-parabrisas	Nummernschild	placa
Kofferraum	maletera	Führerschein	licencia, brevete
Ersatzreifen	neumático de repuesto	Tankstelle	gasolinera
		kaputt	arruinado
Werkzeug	herranientas	nachstellen	ajustar

Landschaft

Berg	montaña	Fluß	rio
Tal	valle	Ebene	planicie
Wasserfall	catarata	Himmel	cielo

Erde	tierra	Dorf	pueblo
Wüste	desierto	Stadt	ciudad
Meer	mar	Ruine	ruina
See	lago	gutes Wetter	buen tiempo
Strand	playa	schlechtes Wetter	mal tiempo
Wiese	prado	Schnee	nieve
Feld	campo	Regen	lluvia
Gras	grama	Hitze	calor
Blumen	flores	Kälte	frio
Baum	arbol	Mond	luna
Fels	roca	Sonne	sol
Stein	piedra	Sterne	estrellas

Zahlen

eins	uno	sechzehn	dieciseis
zwei	dos	siebzehn	diecisiete
drei	tres	achtzehn	dieciocho
vier	cuatro	neunzehn	diecinueve
fünf	cinco	zwanzig	veinte
sechs	seis	dreißig	treinta
sieben	siete	vierzig	cuarenta
acht	ocho	fünfzig	cincuenta
neun	nueve	sechzig	sesenta
zehn	diez	siebzig	setenta
elf	once	achtzig	ochenta
zwölf	doce	neunzig	noventa
dreizehn	trece	hundert	cien
vierzehn	catorce	tausend	mil
fünfzehn	quince	null	cero

Um Zahlen bis 100 zu bilden, beispielsweise 85, sagt man achtzig und fünf = ochenta y cinco; 62 ist sechzig und zwei = sesenta y dos. Beim Mehrfachen von hundert und tausend verfährt man wie gewohnt: zweihundert = dos cientos; zweitausend = dos mil.

Einige Verben

Man ist immer wieder erstaunt, wie viel sich mit einigen Grundverben ausdrücken läßt, wenn man seine Schüchternheit überwindet und nach der Karl-May-Methode immer nur den Infinitiv gebraucht, etwa »ich haben kalt« oder »Du geben Geld«. Natürlich ist es nicht perfekt, hat aber den Vorteil, daß man fast immer verstanden wird. Gegenüber den ganzen Sätzen, die man aus einem Sprachführer abliest, hat dieses Verfahren einen weiteren unbestreitbaren Vorteil: Man bekommt auch kurze und klare Antworten. Anders, wenn man eine wohlformulierte Frage abliest: Dann bekommt man nämlich eine normal formulierte Antwort, und die versteht man nicht, wenn man so wenig Spanisch kann, daß man einen Sprachführer benötigt!

essen	comer	nähen	coser
trinken	tomar	kleben	pegar
schlafen	dormir	schneiden	cortar
rauchen	fumar	kaufen	comprar
waschen	lavar	verkaufen	vender
duschen	duchar	wechseln	cambiar
kämmen	peinar	sehen	ver
rasieren	afeitar	hören	oir
kommen	venir	fühlen	sentir
gehen	ir	anfassen	tocar
busfahren	ir en bus	mögen	estimar
reisen	viajar	lieben	amar
laufen	caminar	küssen	besar
rennen	correr	wecken	despertar
schwimmen	nadar	aufstehen	levantar
schreiben	escribir	hinaufsteigen	subir
schicken	mandar	hinabsteigen	bajar
geben	dar	ankommen	llegar
nehmen	tomar	hineingehen	entrar
sprechen	hablar	hinausgehen	salir
sagen	decir	spielen	jugar
schreien	gritar	spielen	
sein	ser	(ein Instrument)	tocar
fragen	preguntar	singen	cantar
antworten	contestar	tanzen	bailar
rechnen	calcular	weinen	llorar
reparieren	arreglar	putzen	limpiar
einstellen	ajustar	bleiben	quedar

Achtung: Diebe!

Es muß einmal gesagt werden: Es ist beileibe kein schönes Gefühl, mitten im wohlverdienten Urlaub ohne Geld, Rückflugbillet und Spanischkenntnisse dazustehen. Und es gibt nun mal in ganz Lateinamerika unliebsame Gesellen, die nur darauf aus sind, Sie in diese Lage zu versetzen, und denen leichtsinnige Ausländer zu einem passablen Lebensstandard verhelfen.

Sie arbeiten gewöhnlich zu zweit auf Märkten, in Bussen und Gedrängen jeder Art – neuerdings auch auf offener Straße – mit der klassischen Methode des Anrempelns. Sie nähern sich meist von hinten. Während man vom Linken »zufällig« angestoßen wird oder abgelenkt, holt der Rechte blitzschnell die Brieftasche aus der über dem Arm baumelnden Handtasche oder aus der Gesäßtasche. Wenn man es gemerkt hat, ist es schon zu spät. Der Erdboden hat die beiden urplötzlich verschluckt. Da kann auch die Polizei nicht helfen. Eine Anzeige beruhigt zwar das verletzte Gerechtigkeitsempfinden, bringt aber sonst nichts ein. Und da Vorbeugen nun mal besser ist als Schwarzärgern, sollten die Damen die Handtasche stets fest unter den Arm nehmen, die Herren das Portemonnaie in die vordere Hosentasche. Vor allem aber gilt es, diese teuflisch geschickte Zunft nicht in Versuchung zu führen. Beliebt ist beim Rucksack-Set eine flache Stofftasche, in der man Billet und Geld unter dem Hemd trägt. Eine nachahmenswerte Erfindung.

Falls Sie im Auto reisen, dürfen Sie nie etwas auf den Sitzen liegen lassen, auch wenn Sie nur für zwei Minuten aussteigen. Legen Sie am besten alles in den Kofferraum und lassen Sie das Handschuhfach offen, damit die Neugier nicht übermäßig angestachelt wird.

Halten Sie auch an Flughäfen, Bahnhöfen, Busbahnhöfen ihre Koffer und den Kofferträger stets im Auge, damit Ihre Gepäckstücke vollzählig bleiben.

Natürlich sind die Langfinger nicht gleichmäßig über den Kontinent und über jedes einzelne Land verteilt. Man findet sie namentlich in Großstädten und überall dort, wo viele Touristen ein gutes Geschäft versprechen. Vorsicht ist überall oberstes Gebot. Und wenn es mal schiefgehen sollte, wenden Sie sich an die örtliche Botschaft Ihres Landes, die ihnen aus der Patsche helfen wird. Sie wären nicht das erste Opfer.

Ein paar wohlgemeinte Tips vom Arzt
(Dr. Wolfgang Perach, Freiburg i. Br.)

In Südamerika erwarten Sie extreme Temperatur- und Höhenunterschiede. Dafür müssen Sie die entsprechende Kleidung mitnehmen und sich – gleich in welchem Alter – von Ihrem Arzt auf Höhentauglichkeit untersuchen lassen, denn die touristischen Höhepunkte sind nicht selten auch die geographischen Höhepunkte. Jeder, bis auf den höhengewohnten Besucher, wird sich anfänglich in Cuzco beispielsweise (3800 m) schwer tun. Der verringerte Sauerstoffdruck macht jeden Schritt zur Anstrengung. Besonders Herz- und Lungenkranke sind davon betroffen, die, bei eingeschränkter Organfunktion, schon beim langsamen Spazierengehen die Grenze ihrer Leistungsfähigkeit erreichen oder gar überschreiten. Dadurch kann es zu akuter Luftnot, ungenügender Herztätigkeit, in ungünstigen Fällen zur »Wasserlunge« kommen. Auch das Gehirn wird vom Sauerstoffmangel betroffen: Gereiztheit, Kritiklosigkeit, Bewußtseinstrübung und sogar Ohnmacht können die Folgen sein. Allen Herz- und Lungenkranken ist darum von einer Reise in solche Höhen unbedingt abzuraten. Gesunde sollten ihren Nikotin- und Alkoholkonsum nach Möglichkeit ganz einstellen. Wenn Ihnen trotzdem mal die Luft wegbleibt, dann sofort an die nächste Sauerstoffflasche, die im Hochland in jedem Dorf zu finden ist, oder in eine Apotheke, wo Sie ein Mittel gegen den »Soroche« bekommen.

Lassen Sie sich rechtzeitig vor Reiseantritt impfen. Die Pockenschutzimpfung ist nicht mehr Pflicht, sie wird von der WHO nicht mehr gefordert. Empfehlenswert sind indes: Typhusschutzimpfung, Wundstarrkrampfvollschutz sowie eine Malaria-Prophylaxe. Wer ganz sicher gehen will, kann sich noch gegen Cholera und Gelbfieber impfen lassen. Sollten Sie regelmäßig Medikamente einnehmen, besorgen Sie sich einen ausreichenden Vorrat und beachten Sie die Zeitverschiebung.

Eine kleine Reiseapotheke sollte nicht fehlen und folgendes enthalten: Heftpflaster, Leukoplast, Mullbinden, sterile Mullagen, ein Dreieckstuch, Schere, elastische Binden, Schmerzmittel, die üblichen Mittel gegen Durchfall, eine desinfizierende Lösung und eine juckreizstillende Salbe.

Der häufig auftretende Durchfall kann mit den mitgeführten Mitteln behandelt werden. Sollten jedoch heftige Bauchschmerzen und Stuhl mit Blutauflagerungen Ihren Therapiekünsten widerstehen, besteht Verdacht auf Amöbenruhr, die mit den heutigen Mitteln gut behandelt werden kann. Begeben Sie sich in einem solchen Fall in die nächste Ambulanz. Um die Durchfallgefahr in Grenzen zu halten, sollten Sie auf ungewaschenes Obst und Leitungswasser verzichten.

Erwähnen muß ich noch die Bilharziose, eine Wurmerkrankung, die man sich in entsprechend verseuchten Süßwasserseen und salzhaltigen Lagunen zuziehen kann. Der Wurm befällt Darm und Blase und führt nach einer Zeitspanne von 3 Tagen bis 7 Wochen zu fieberhaften Zuständen mit Mattigkeit, Gliederschmerzen, Bronchitis, Schwellung von Herz und Leber und zu blutigen Urin- und Stuhlabgängen. Bei derartigen Symptomen empfiehlt es sich dringend, den nächsten Arzt oder das nächste Krankenhaus aufzusuchen.

Hohe Stiefel sind ein guter Schutz gegen Schlangen, Skorpione und Spinnen. Vor dem Anziehen ausschütteln. Sollte es Sie dennoch erwischen, sofort ins nächste Krankenhaus und nehmen Sie, wenn möglich, den zur Strecke gebrachten Übeltäter mit.

Als Sonnenschutz eignet sich ein leichter Hut, der unbedingt den Nacken beschatten sollte. Benutzen Sie für die exponierte Haut eine Sonnenschutzcreme mit hohem Lichtschutzfaktor.

Und noch etwas: Am Anfang keine Gewaltmärsche und keine europäisch voluminösen Mahlzeiten. Sie werden auch mit weniger satt.

Erkundigen Sie sich noch bei Ihrer Krankenkasse, ob sie in diesen fernen Ländern etwaige Arztkosten übernimmt. Andernfalls sollten Sie eine internationale Krankenversicherung für die Dauer des Urlaubs abschließen.

Sportmöglichkeiten

Ärzte und Psychologen waren sich schon seit langem einig: Den ganzen lieben Urlaub lang nur am Strand in der Sonne zu braten, ist nicht das Ideale. Flugs erfanden die Reiseveranstalter den »Aktiv-Urlaub«, und rund ums Mittelmeer schossen künstliche Dörfer aus dem Boden, wo geritten, getaucht, gesegelt, geturnt und getanzt wird. Von dieser Entwicklung hat man in Südamerika noch nichts mitbekommen. In den hier beschriebenen Ländern gibt es nur ein Feriendorf, in dem man, in exklusiver Umgebung, den Streß bei diversen sportlichen Betätigungen abklingen lassen kann: die »Granja Azul« nahe Lima.

Beschwerden über den Mangel an Sportmöglichkeiten sind zwar noch nicht laut geworden – schließlich fährt man ja nach Peru mit anderen Absichten als beispielsweise nach Kenia –, doch viele möchten sich zwischendurch auch einmal ein wenig beim Sport entspannen, die Strapazen vergessen, die auch eine noch so begeisternde Entdeckungsreise durch Südamerika so mit sich bringt. Viel wird in dieser Hinsicht nicht geboten; doch wer sucht, der findet auch.

Vergessen Sie Ihre Gesundheit nicht, denken Sie an die Höhe mancher Gegenden. Wenn Sie daheim beim Tennis fünf Sets so mit links machen, so schaffen Sie das in La Paz, 3800 m, bestimmt nicht so schnell.

Tennis Um gleich bei der erwähnten Sportart zu bleiben: Tennis ist in all diesen Ländern sehr beliebt, aber ausschließlich ein Vergnügen der oberen Zehntausend in exklusiven Clubs, die ihre Mitgliederzahl durch astronomische Beiträge in den gewünschten Grenzen halten. Durchreisende Ausländer werden fast immer für ein paar Tage akzeptiert. Die einfachste Art, Näheres über diese Clubs zu erfahren, besteht darin, sich an die Direktion eines guten Hotels zu wenden oder an die Botschaften. Erfahrungsgemäß genießen Diplomaten in diesen Clubs einen Sonderstatus und sind deshalb dort reichlich vertreten. Im übrigen haben einige Hotels eigene Tennisplätze.

Golf Mit diesem edlen Rasensport verhält es sich ähnlich wie mit dem Tennis: Golf wird ausschließlich in Privatclubs gespielt. Über die Hoteldirektion oder die Botschaft kann man Kontakt aufnehmen und gegen eine Gebühr die 9 oder 18 Löcher spielen.

Reiten Wenn man den Menschen in diesen Ländern erzählt, es gäbe in Mitteleuropa Kinder, die noch nie in ihrem Leben ein leibhaftiges Pferd gesehen hätten, und daß ferner Erwachsene viel Geld dafür bezahlen, mit besonderer Kleidung stocksteif auf einem Pferd durch einen Park reiten zu dürfen, so schütteln sie nur verständnislos den Kopf über diese komischen »gringos«. Wenn sich die Leute hier stillos in den Sattel schwingen und mit eingegrabenen Sporen davonstieben, so nicht etwa, um das Verschmelzen von Roß und Reiter zu jener poetischen Dynamik zu verspüren, sondern ganz banal, um möglichst schnell von Punkt A nach Punkt B zu kommen. Denn in vielen Gegenden ist das Pferd das einzige brauchbare Verkehrsmittel. Und Arbeitsmaschine, zum Beispiel auf den Rinderfarmen. Und danach sehen die armen Gäule auch aus.

In den großen Städten werden Sie lange nach Reittieren suchen. Je kleiner die Siedlung und je mehr Landwirtschaft dort betrieben wird, um so besser sind Ihre Aussichten. Je höher der Ort liegt, desto mehr Maultiere werden Sie finden. Die sind zwar störrisch, werden aber wegen ihrer unglaublichen Zähigkeit und dem ausgeprägten Gleichgewichtssinn in zerklüfteten Gebieten den Pferden vorgezogen. Und da werden sie wiederum weniger als Reit- denn als Lasttiere verwendet.

Am ehesten werden Sie Glück haben, wenn Sie den obligatorischen Taxifahrer, der an jedem Dorfplatz im sonnenheißen Auto ein Nickerchen hält, fragen: »Donde puedo alquilar un caballo?«, »Wo kann ich ein Pferd mieten?« Er kennt nämlich die Gegend und weiß, wer welche hat. Wieviel Sie ein Tag voll des Glücks dieser Erde kosten wird, hängt dann allein von Ihrem Verhandlungsgeschick ab.

Bergsteigen Welchen Bergsteiger befällt nicht ein wohliges Prickeln bei dem Gedanken an die zahllosen Schneegipfel der Anden, die in Peru und Bolivien fast bis auf 7000 m aufragen! Erfreulich: Sehr viele Sechstausender sind wider Erwarten überraschend leicht zu besteigen; viele warten noch auf ihren Bezwinger. Bedauerlich: Der Andinismus steckt noch in den Kinderschuhen. Er wird nur von einer kleinen, aber begeisterten Anhängerschar betrieben. Sie wird von ihren Landsleuten ein wenig belächelt, die zumindest auf dem Gebiet keinerlei sportlichen Ehrgeiz haben. Im gesamten Andengebiet gibt es wohl kaum mehr als ein halbes Dutzend Berghütten; Landkarten mit eingezeichneten Routen sind kaum aufzutreiben. Ferner gibt es nur sehr wenige zuverlässige Bergführer, da sich selbst die Indianer, die hier wohnen, ungern auf die Gletscher begeben. Kein Zweifel also: Bergsteigen ist hier noch ein rechtes Abenteuer, bei dem nicht nur das Erklimmen der Bergflanke Zeit, Kraft und Nerven kostet, sondern bereits die Vorbereitungen. Kletterpartien gibt es hier nicht – um einen Berg zu besteigen, muß man schon eine regelrechte Expedition organisieren. Wenn Sie das Abenteuer nicht scheuen, sollten Sie sich an die Touristenbüros in den jeweiligen Hauptstädten wenden. Ihre Adresse finden Sie in diesem gelben Info-Teil unter »Wichtige Adressen«. In Peru erfahren Sie Genaueres beim »Club Andino de Exploradores«, dem »Anden-Club der Entdecker«, der hin und wieder Expeditionen in weitgehend unerforschte Gebiete Perus startet, denen man sich anschließen kann. Sein Büro finden Sie in Lima im Hotel Savoy, Cailloma 224. Dort erfahren Sie auch, wo man die erforderliche Ausrüstung bekommen kann. Sollten Sie eine Andenexpedition planen, empfiehlt es sich, mit diesem Club rechtzeitig brieflichen Kontakt aufzunehmen. Er wird Sie dann auch über die Zollformalitäten aufklären, wenn Sie Ihre eigene Ausrüstung mitbringen wollen.

Kleiner Hinweis an die Amateure: Mitunter liegt die Schneegrenze erst bei 5500 m, und man meint, dieser eine Berg mit den besonders sanft ansteigenden Flanken ohne Geröll und Felsen könne doch keine Schwierigkeiten machen, wenn man sich schön viel Zeit läßt... Irrtum! Nicht der Berg wird Schwierigkeiten machen, sondern Ihr Körper. Um in solchen sauerstoffarmen Höhen zuverlässig arbeiten zu können, muß er sich zunächst einmal umstellen. Vor allem muß er vermehrt rote Blutkörperchen bilden, damit möglichst viel Sauerstoff aufgenommen werden kann. Jeder Organismus ist anders, einer stellt sich schnell um, ein anderer weniger schnell. Frühestens aber sollte so eine Unternehmung nach einer Woche in Cuzco oder La Paz in Angriff genommen werden.

Wandern, Trekking Puristen meinen, daß man eine Landschaft mit dem Fahrrad kreuz und quer abfahren oder noch besser zu Fuß abklappern sollte, um sie genau kennenzulernen. Schön wär's! Man zeige uns jene, die noch Zeit dazu haben. Es ist jedoch unbestreitbar ein großartiges Erlebnis, einige Tage lang eine exotische Landschaft fern von Dörfern und Straßen zu Fuß abzugehen – ganz was anderes, als mit dem Bus hindurch zu rasen oder sie mit dem Jet zu überfliegen. Die paar Tage Zeit sollte man sich ruhig nehmen.

Eine Einschränkung muß man bei diesen Ländern allerdings machen: Nicht alle Gebiete sind für diesen Sport geeignet. Der Urwald brodelt förmlich vor exotischen Lebewesen; es ist dort unausstehlich heiß; alle paar Kilometer trifft man auf einen Fluß, über den weder Brücke noch Fähre führen; eine Aussicht ist nicht vorhanden, da man immerfort nur die grüne Vegetationswand sieht, durch die man sich einen Weg bahnen muß. Abzuraten. Desgleichen die Küstenwüste Perus. Zwar hat man dort immer freie Sicht, doch was man sieht, ist nicht sonderlich abwechslungsreich; alle 50 km eine Siedlung und zwischendurch nirgendwo Schatten. Bleibt also das Hochland. Doch da müssen wir sogleich das weite und schöne Hochland Kolumbiens streichen, weil man dort Gefahr läuft, den Straßenräubern in die unsauberen Hände zu fallen. Nach diesen wichtigen Abstrichen bleibt uns aber immer noch ein reichlich bemessenes Gebiet: rund eine Million Quadratkilometer. Und in der Mitte dieses Gebiets bieten sich auch die schönsten Gegenden zum Wandern und Trekken: rund um Cuzco. Dazu wollen wir gleich einmal die beliebteste Strecke herausgreifen. Es ist der Inka-Pfad, auf Spanisch »El Camino del Inca«, unter dem Rucksack-Set besser auf Englisch als »Inca-Trail« bekannt. Er führt von Cuzco nach Machu Picchu und hat den Vorteil, daß man mit der Bahn zurückfahren kann. Alle, die ihn kennengelernt haben, sind begeistert und berichten, es sei das größte Erlebnis ihrer Reise gewesen.

Je nach Streckenführung dauert dieses kleine Abenteuer zwischen drei und fünf Tage. Man kann entweder die gesamte Strecke von Cuzco aus laufen oder aber mit der Bahn ein Stück fahren und den Rest zu Fuß machen. So oder so ist es ein Erlebnis, das noch schöner wird, wenn man es korrekt vorbereitet. In einem vertrauenswürdigen Hotel sollte man die Koffer hinterlassen und im Rucksack eine Camping-Ausrüstung mitnehmen, also Schlafsack, denn auf 4200 m wird es nachts bitterkalt, Gaskocher und Verpflegung. Wenn man kein Zelt dabei hat, kann man sich auf dem Markt von Cuzco ein paar Plastikplanen kaufen. Alles andere erfahren Sie in der Oficina de Turismo, dem Touristenbüro, in Cuzco. Dort werden Sie eine genaue Karte vorfinden, die Sie abschreiben oder kopieren lassen können, und auch Gleichgesinnte, mit denen Sie sich zusammentun können. In einer Gruppe macht es viel mehr Spaß, über Bergpässe und Täler, vorbei an halbüberwucherten Ruinen und Indianerdörfern schließlich zur großartigen Kaiserstadt der Inkas zu gelangen. Dann sieht man die Ruinen des archäologischen Juwels von Amerika mit ganz anderen Augen als jene, die vier Stunden rüttelnde Eisenbahn hinter sich haben.

Der Club Andino de Exploradores im Hotel Savoy, Cailloma 224, Lima, organisiert im übrigen auch Expeditionen zu den zahllosen Ruinen im Hochland, die noch unerforscht sind. Tips für unkonventionelles Reisen in Peru gibt es beim »South American Explorers Club« in Lima, Avenida Portugal 146, Tel. 31 4080. – Ein guter Anlaufpunkt für Alleinreisende.

Wassersport Die hier beschriebenen Länder haben zwar insgesamt 5900 km Küste, doch nur an der kolumbianischen Karibikküste finden Wassersportbegeisterte alles, was ihr Herz erfreut. Wohl ist das Küstengebiet Perus an vielen Stellen ausnehmend schön, doch verdirbt einem der eisige Humboldtstrom allzuoft das Badevergnügen. Nur zwischen Dezember und April erreicht sein stahlblaues Wasser Temperaturen um 19 Grad. Dann sind die Strände von Lima und die des Badeortes Ancón total überlaufen. In den Anden gibt es zwar wundervolle Seen, allen voran der Titicaca, doch erreicht ihr Wasser kaum mehr als 11 Grad. In Ekuador ist der Pazifik schon ein bißchen wärmer, weil der Humboldtstrom bei Nordperu nach Westen abbiegt. Die Badeorte Salinas und Playas in der Nähe von Guayaquil bieten darum schon eher badegerechte Temperaturen. Noch wärmer ist das Wasser an der Pazifikküste Kolumbiens, doch gibt es dort nur eine einzige relativ leicht erreichbare Siedlung: Buenaventura. Der Rest ist Urwald. Anders auf der Karibikseite. Mehr kann man da nicht verlangen: türkisklares Wasser, perlweiße Strände mit Palmen und ideale Temperaturen das ganze Jahr lang. Wichtigster Ort ist Santa Marta, den man mit viel Geld und Werbung zur »Südamerikanischen Riviera« ausbauen will. Es hängt von der Geschicklichkeit der Regierung ab, ob dieser Traum wahr wird. Die natürlichen Gegebenheiten könnten jedenfalls nicht besser sein.

Apropos baden: Wie oft hat man im blödsinnig heißen Amazonasbecken oder in den Küstenebenen Kolumbiens Lust, mal schnell im nächsten Fluß oder See rasche Abkühlung zu suchen. Bitte, verzichten Sie auf ein erfrischendes Bad, solange Sie nicht wissen, ob das betreffende Gewässer »sauber« ist, und zwar nicht von Verschmutzung, sondern von den mikroskopisch kleinen Bilharzia-Saugwürmern, die sich in Darm und Blase festsetzen und eine gefährliche Krankheit, die Bilharziose, verursachen. Im Zweifelsfall lieber weiter schwitzen.

Wer gern mit Schnorchel und Schwimmflossen zu den Fischen hinabtaucht, hat nur zwei Gebiete zur Verfügung: rund um die Galapagos-Inseln und natürlich die Karibik. Zu einem wahren Erlebnis aber wird das Tauchen erst rund um die kolumbianische Insel San Andrés, wo es vor knallbunten Fischen förmlich wimmelt. Dort kann man die nötige Ausrüstung für ein geringes Entgelt tageweise mieten.

Wer gern segelt, wird es schwer haben, in diesen Ländern ein Segelboot aufzutreiben. Auf der bolivianischen Seite des Titicaca-Sees ist das noch eher möglich. Auch in Santa Marta können Sie Glück haben, obschon die meisten Boote dort in Privatbesitz sind.

Ein wenig besser ist es mit Wasserski bestellt. In Lima und Ancón kann man sich über die Wellen ziehen lassen, ebenso in Playas und Salinas in Ekuador. Und natürlich in Santa Marta und San Andrés.

Fischen Wer daheim am Wochenende gern mit der Angelrute in der Hand ein paar Stunden an einem Fluß- oder Seeufer philosophiert, möchte natürlich auch im Urlaub sein Glück versuchen. In Südamerika kann er das mehr als genug. Wegen des Angelscheins braucht man sich hier keine Sorgen zu machen: Er ist unbekannt. Und die Flüsse sind noch nicht zu chemisch verseuchten, spärlich mit kranken Fischen bevölkerten Rinnsalen verkommen, sondern sind noch prall von Leben, genau so wie die Küstengewässer.

Die Sportfischerei vor den Küsten Perus und Ekuadors, vor allem in Cabo Blanco in Nordperu und auf ekuadorianischer Seite in Salinas und Playas, hat in den letzten Jahren stark an Beliebtheit gewonnen. Außer einem unbeschreiblichen Hochgefühl für Angelbegeisterte beschert sie aber auch happige Unkosten. Denn es ist nicht gerade billig, sich ein eigens für diesen Zweck ausgerüstetes Motorboot mit Schalensitzen, Angeln und bulligen Motoren, die selbst 200 tobende Kilo Thunfisch mühelos abschleppen, zu mieten: mindestens 100 Dollar pro Tag, Besatzung, Verpflegung, Köder, Aufregung und »Fischer-Latein« inklusive.

Aufregung gibt es zuhauf, denn die gejagten Außenbordkameraden verlassen höchst ungern ihr Element. Vor allem der schwarze Marlin liefert immer wieder epische Schlachten, ebenso wie die Barracudas, die pfeilschnellen Meerhechte. Lassen Sie sich keinen allzu großen Bären aufbinden. In Cabo Blanco wurde der bislang stattlichste schwarze Marlin von ganz Peru gefangen. Er wog 710 Kilo. Hier wurde übrigens auch der Klassiker von Hemingway, »Der alte Mann und das Meer«, verfilmt. Schwarze Marlins sind zwar die begehrtesten Trophäen, doch andere Schwergewichtler des Meeres sind auch nicht zu verachten: Haie, Schwertfische, Tarpons, Thunfische und viele andere exotische Arten, die mindestens 100 Kilo auf die Waage bringen sollten, damit man von ihnen Notiz nimmt.

Wer auf diese Aufregung und Kosten verzichten möchte, kann überall an der Küste seine Angelschnur vom nächsten Felsen nach kleineren Fischen auswerfen, sich dabei eine schöne Bräune holen und bekommt das beruhigende Rauschen der Brandung als Geräuschkulisse.

Das Amazonasgebiet ist zweifelsohne ein Paradies für Angler. In Kolumbien, Ekuador, Peru und Bolivien gibt es zusammen einige hunderttausend Kilometer Flüsse von 1 bis 1000 m Breite, bevölkert mit über einem Dutzend überaus wohlschmeckender Fischarten nebst solchen Kuriosa wie fingerlangen Neonfischen, Zitteraalen, die Stromschläge mit bis zu 500 Volt austeilen, und pfundschweren schwarzen Wasserschnecken.

Das beliebteste Opfer feuchter Jagden am Amazonas ist der Paiche, auch Pirarucu genannt, dessen Anwesenheit man akustisch feststellen kann. Er bellt nämlich. Er bellt wirklich! So jedenfalls hört es sich an, wenn er an der Oberfläche nach Luft schnappt und diese dann schlagartig durch die Kiemen ausbläst. Zur Freude der Jünger Petri kann man diesen Laut kilometerweit hören. Je tiefer das Bellen, desto dicker der Fisch. Wenn es sich anhört wie ein heiserer Bernhardiner, dann liegt ein wahrhaft kapitaler Brocken irgendwo in dem oft nur hüfttiefen Wasser. Ihn dort herauszukriegen, ist allerdings keine ganz einfache Sache. Er ist nur mit der Harpune zu erlegen und ist zudem recht unhandlich: Ein Prachtexemplar hat es auf knappe vier Meter und 300 Kilo gebracht. Sein Fleisch ist so wohlschmeckend und nahrhaft, daß diese Paiches neuerdings sogar gezüchtet werden.

Doch es muß ja nicht unbedingt so ein Koloß sein. Auch andere Amazonasfische machen vor dem Objektiv und später auf dem Grill eine ausgezeichnete Figur. Sogar der Piraña schmeckt wider Erwarten gut. Spätestens wenn Sie das durchgebissene Schnurende aus dem Wasser ziehen, wissen Sie, daß einer dieser unberechenbaren Räuber dran war. Sie werden zwar nur etwa 25 cm lang, haben aber Hunger wie die ganz Großen und setzen ihre rasiermesserscharfen Zähne ohne Furcht oder Respekt ein.

Wer noch nie geangelt hat, wird hier entdecken, daß man sich auf diese Weise eine preiswerte Mahlzeit verschaffen kann. Kaufen Sie sich vor dem Abflug ein paar Meter Nylonschnur, ein Bleigewicht, einen Schwimmer und einige Angelhaken in verschiedenen Größen. Einen Ast als Rute finden Sie überall und auch den Köder, Sie brauchen dafür nur den nächsten dicken Stein umzudrehen oder ein Stück morsche Rinde vom Baum zu lösen. Wenn Sie sich nicht trauen, die exotischen Krabbeltiere anzufassen, können Sie auch ein Stückchen Brot auf den Haken spießen.

Jagen   Der Amazonasurwald bietet zwar jagdbares Wild in Hülle und Fülle, doch hat es der Jäger nicht so leicht wie der Angler. Hier gibt es Anacondas, Alligatoren, Halsbandwildschweine, Peccaris, Tapire, Rehe, Faultiere, Affen aller Größen und Farben sowie ein lärmendes Heer Vögel. Der gezielte Schuß aber, der diese Tiere in einen leblosen Haufen Fell und Knochen verwandeln soll, wird dem Jäger von den Regierungen verleidet.

Zwar freut man sich über jeden Touristen, der seine Devisen hier läßt, man versucht ihm auch entgegenzukommen, wohl wissend, daß ein zufriedener Besucher wichtiger ist als eine Zeitungsanzeige; wenn der Tourist aber seine Flinte mitbringen will, sieht die Sache anders aus. Nicht etwa, weil man die Tiere schützen will – das schlechte Gewissen den Tieren gegenüber, wie es in Europa gepflegt wird, gibt es hier nicht –, sondern weil dann die Bürokratie ein gewichtiges Wort mitzureden hat. Sie ist an Umständlichkeit kaum zu überbieten und hat überdies kein Verständnis für die Jagd.

Kein Wunder, denn Jagen hat hier noch nicht den Prestige-Wert, den man ihm in Europa beimißt, wo es etwas ganz Besonderes ist, unter lautem Horngetute und grün gekleidet einen wehrlosen Hirsch über den Haufen zu schießen. Hier geht es dem Wild an den Kragen, wenn die Waldindianer ihrem liebsten Sonntagsbraten, den Peccaris, nachstellen, oder wenn sie ihrem Häuptling zum Geburtstag bunte Federn für einen noch prächtigeren Kopfschmuck schenken wollen. Oder wenn eine Gegend von Alligatoren regelrecht »gesäubert« werden muß, um sie bewohnbar zu machen. Jagd bedeutet hier hauptsächlich Nahrungsbeschaffung oder Beseitigung von gefährlichen Tieren – einen Wert als hochklassiger Zeitvertreib hat sie kaum.

Wer es trotzdem versuchen möchte, für den gibt es offizielle Wege, die wir am Beispiel Peru zeigen wollen. Hier muß man möglichst bald nach der Ankunft die Waffenscheine im Innenministerium vorlegen und auf Steuerpapier in doppelter Ausführung einen Antrag auf deren Beglaubigung stellen. Mit dieser Beglaubigung begibt man sich umgehend zur Dirección de Parques Nacionales y Vida Silvestre, etwa einer Forst- und Jagddirektion vergleichbar, und stellt dort einen Antrag auf Erteilung einer Jagderlaubnis mit allen Einzelheiten über die geplante Jagd. Damit geht man wiederum zum Zoll, um die Waffen, die bislang dort gelegen haben, frei zu bekommen. Und dann kann man gleich wieder ins Flugzeug steigen, weil der Urlaub vorbei ist.

Wie die bürokratischen Hürden in den anderen Ländern aussehen, erfährt man von den Botschaften dieser Länder.

Um doch noch zu einem Schuß auf ein Prachtstück zu kommen, gibt es einen anderen Weg. In Camps oder auf Plantagen kann man rasch jemand ausfindig machen, der selbst auf die Jagd geht und mit dem man gegen bare Dollar schnell ins Geschäft kommen kann. Doch damit ist nicht alles eitel Sonnenschein. Wenn man stolz mit der Trophäe ins heimische Europa kommt, wird man sie möglicherweise am Zoll des Flughafens gleich wieder los – ersatzlos.

Kleines Überlebens-Brevier für den Rucksack-Set

Nachstehend ein paar Tips für all jene, die Südamerika nicht durch die getönten Scheiben eines vollklimatisierten Landstraßen-Jet sehen, sondern diese Länder mit Rucksack, festen Schuhen und einer gehörigen Portion Optimismus hautnah erleben wollen.

Grenzformalitäten Es ist unerläßlich, an den Grenzen immer ausgesucht höflich zu sein – besonders wenn man mit dem Bus von einem Land ins andere fährt. Die Zöllner legen größten Wert darauf, immer nach ihrer eigenen – hohen – Selbsteinschätzung behandelt zu werden. Ein freundliches »buenos dias« und ein gewinnendes Lächeln ersparen oftmals kleine Schwierigkeiten. Noch besser aber ist es, eine kleine geradebrechte Unterhaltung mit dem Zöllner anzufangen, bei der dessen vorgetragene autoritätsbewußte Sturheit merklich gemildert wird. Wer bei der Reise wenig Zeit hat, sich um Kleidung und Äußeres überhaupt zu kümmern, sollte vor dem Grenzübergang seine besten Sachen anlegen und allzu wallendes Barthaar gegebenenfalls ein wenig stutzen. Nicht weil die Grenzer Ästheten wären, sondern weil sie meist Order haben, abenteuerliche Gestalten abzuweisen. Bei denen nämlich wird vermutet, daß sie kein Geld haben und im Land illegal nach Arbeit suchen würden. Aus diesem gleichen Grunde verlangen manche Länder, daß man für jeden Tag des geplanten Aufenthalts eine bestimmte Anzahl Dollar zur Verfügung hat. Manche gehen sogar so weit, ein Flug- oder Busbillet für die Weiterreise in ein anderes Land zu verlangen. In diesem Fall hilft Ihnen eine Fluggesellschaft weiter, die einen Gutschein über den Flugpreis bis zur nächsten Hauptstadt ausstellen kann, den sie bei der gleichen Gesellschaft bei Nichtbenutzung wieder in bare Dollar umtauschen können (ein sog. MCO).

Den gültigen Reisepaß sollte man immer parat haben, Gepäck schon vorher öffnen und auch eine Leibesvisitation ohne großes Murren über sich ergehen lassen. Wer Unmut zeigt, wird unter Umständen noch mehr Schwierigkeiten haben. Vor dem Grenzübergang sollte man auch möglichst alle Dokumente in Ordnung haben, da in den wenigsten Fällen mit dem Verständnis der Zöllner gerechnet werden kann. Es erspart möglicherweise eine Fahrt zurück in die eben besuchte Hauptstadt, um sich dort das vergessene Visum zu besorgen.

Die beste Zeit, eine Grenze zu überqueren, ist am Vormittag oder Nachmittag. Mittags wird meist Pause gemacht, nachts sind manche Grenzen geschlossen. Dann sollte man möglichst warten, bis eine ganze Gruppe zusammen ist, dann ist die Abfertigung zügiger. Wer möglichst früh am Tage dort ist, hat überdies die Chance, eine bessere Busverbindung zu bekommen und spart sich die leider oft unumgängliche Übernachtung an der Grenze.

Transport   Es ist kein Geheimnis, daß die Vehikel des öffentlichen Verkehrs nicht immer gut gepflegt sind. Und da man schließlich wenig Lust verspürt, beispielsweise die peruanische Verkehrsstatistik zu bereichern, sollte man – in Anbetracht der haarsträubenden Streckenführung in den Anden und der nur selten geteerten Straßen – besser einen Blick auf den Bus werfen, dem man sich und seine Habe anzuvertrauen gedenkt. Hier nämlich werden die Busse bis auf den letzten Tropfen Öl geschunden, und es gibt keine technische Überwachung der Straßentauglichkeit, wie sie beispielsweise die meisten europäischen Länder durchführen, was den Busunternehmern ermöglicht, allein nach Profitmaximierung zu arbeiten und nur dann Reparaturen vorzunehmen, wenn das Fahrzeug zusammengebrochen ist.

Je neuer der Bus, desto besser. Wenn Sie nur zwischen alten Vehikeln wählen können, suchen Sie sich den mit den besseren Reifen aus, das läßt möglicherweise darauf schließen, daß der Eigentümer sich um sein Fahrzeug kümmert. Ein weiteres Indiz für die Tauglichkeit ist der Zustand des Armaturenbretts: wenn es da einigermaßen passabel aussieht, stehen Ihre Chancen besser.

Wichtig ist es auch, sich den Fahrer – wenn möglich – anzuschauen. Wenn er noch einen weiten Weg vor sich hat und schon an Ihrer Station einen abgeschlafften Eindruck macht – das merken Sie daran, wie er aussteigt – sollte man gegebenenfalls verzichten. Denn hier gibt es keinerlei Vorschrift für die maximale Arbeitszeit hinter dem Steuer. Oft ist es auch der Eigentümer selbst, der soviel Fuhren wie möglich machen will.

Manche Busgesellschaften haben zu recht einen miesen Ruf. Bevor man sich am Busbahnhof ein Billet holt, kann man sich im Hotel oder im Busbahnhof selbst bei einem Polizisten informieren. Wenn Sie keine Antwort bekommen, fragen Sie nach der Linie, die die Strecke in der kürzesten Zeit bewältigt, dann wissen Sie, wer wie der Teufel fährt – und suchen sich eine andere.

Bei längeren Strecken ist die Platzwahl im Bus von nicht geringer Bedeutung. Auf schlechten Straßen sollte man nach Möglichkeit in der vorderen Hälfte sitzen, dort schaukelt es am wenigsten. Achten Sie auch auf das Fenster neben Ihnen. Ein kaputtes Fenster oder eines, das sich nicht schließen läßt, mag zwar willkommene Erfrischung bieten, wenn man bei bulliger Tageshitze einsteigt. Hat man aber eine klirrend kalte Andennacht daneben verbracht, vergißt man diesen Irrtum nicht so leicht.

Gepäck   Egal, ob Sie nun mit Koffern oder mit dem Rucksack reisen – beides sollte natürlich so leicht wie nur möglich sein –, Sie sollten immer mit ihrem Gepäck umgehen, als wäre es das Zwanzigfache wert: hautnah. Ferner muß man sich – zumindest was selbiges anbelangt – eine gehörige Portion Mißtrauen aneignen.

Eine flüchtige Bekanntschaft zu bitten, kurz darauf aufzupassen, während man etwas erledigt, ist die beste Art, Rucksack samt Inhalt loszuwerden.

Im Hotel sollte man vorzugsweise stets alles zusammengepackt stehen haben, wenn man den Raum verläßt. Das führt das Personal nicht in Versuchung und verhindert, daß man etwas aus Versehen liegen läßt.

Wenn das Gepäck oben auf dem Dach des Busses befestigt wird, sollte man als letzter einsteigen, damit man es möglichst lange im Auge behalten kann; sodann als erster aussteigen, damit es nicht unbeobachtet bleibt. Es ist nicht verkehrt, sofort »hey!« zu schreien, wenn dort oben jemand Ihre Sachen in die Hand nimmt. Falls er unlautere Absichten haben sollte, weiß er sogleich, daß der Besitzer nicht weit ist.

Wenn Sie es mal leid sind, ewig den Rucksack herumzuschleppen, und statt dessen lieber unbeschwert flanieren wollen, sollten Sie die Sachen im Hotel lassen. Scheint Ihnen Ihre Herberge nicht vertrauenswürdig genug, sollten Sie getrost in einem besseren Hotel fragen, ob Sie es dort am Empfang lassen dürfen. In den meisten Fällen trifft man auf Entgegenkommen. Andernfalls im örtlichen Touristenbüro oder in der Sakristei einer Kirche – da ist es immerhin sicherer als bei der Polizei.

Geld Leider ein leidiges Kapitel, da schon viele Rucksack-Reisende unterwegs ihre Finanzen an dunkle Gesellen haben abgeben müssen. Gegen einen Überfall läßt sich nicht viel machen; aber man kann verhindern, unbemerkt bestohlen zu werden, wenn man ein paar Regeln beherzigt.

Die Finanzen sollte man immer am Körper tragen, genau wie Paß und Flugbillet. Am besten eignet sich dazu eine flache Ledertasche oder eine aus Stoff, innen mit Plastik ausgelegt, die man unter Hemd oder Bluse auf der Haut trägt – geschützt vor Zugriffen und neugierigen Blicken. Ähnlich beliebt sind Gürtel, in deren Innenfutter man die zusammengefalteten Scheine verstauen kann. Das hat aber den Nachteil, daß man sie schlecht beim Schlafen tragen kann. Ideal sind natürlich Traveller-Cheques, deren Gegenwert man bei Verlust anstandslos ersetzt bekommt. Wer nicht seine gesamte Barschaft mit sich durch viele Länder herumschleppen will, kann sich an eine in all diesen Ländern vetretene Bank wenden, beispielsweise Bank of America oder First National City Bank, und dann dort an deren Schaltern gerade soviel abheben, wie er braucht. Ihre Bank kann Ihnen mehr darüber sagen.

Am günstigsten sind immer Dollarnoten in kleinen Nennwerten. Man kann sie fast überall eintauschen, und sie erregen nicht soviel Interesse wie große.

Dokumente Diese Länder sind zwar alle nur mit dem Paß zu bereisen, doch ist es nicht verkehrt, auch den Personalausweis mitzunehmen, den man an anderer Stelle verstaut. Falls der Paß verloren gehen sollte, ist es bei der zuständigen Botschaft ungleich leichter, ein gültiges Dokument für die Heimreise zu bekommen, als wenn man völlig dokumentenlos da steht.

Vor der Reise sollte man auf Verdacht ein paar Paßbilder machen lassen. Das vermeidet unnötigen Zeitverlust, falls man an der Grenze mal eine Touristenkarte benötigen sollte oder ein Dokument, das ein Bild tragen muß.

Achten Sie darauf, daß der Paß noch gültig ist – notfalls können Sie ihn bei Ihrer Botschaft im Lande verlängern lassen – und daß das Bild darin noch ihrem tatsächlichen Äußeren entspricht. Wenn da plötzlich ein Bart ist, wo früher keiner war, muß man ihn notfalls abrasieren, damit die Grenzer zufrieden sind. Komplizierter kann es werden, wenn man auf dem Bild einen Bart hatte und nun keinen mehr. Es ist allerdings noch kein Fall bekannt geworden, wo man an der Grenze warten mußte, bis er nachgewachsen war.

Unterkünfte   Wer preisbewußt schlafen will und bereit ist, auf Komfort zu verzichten, sollte sich in der Nähe der Busbahnhöfe umschauen. Dort gibt es die meisten billigen Hotels, und man kann durchaus eine zumutbare Bleibe für drei Dollar finden. Diese heißen dann nicht mehr Hotel, sondern vielmehr »pension«, »hospedaje«, »residencial« oder auch »alojamiento«. Die Zimmer sind allerdings summarisch eingerichtet: meistens kein Fenster, keine Dusche, selten ein Waschbecken und oft Bettwäsche von zweifelhafter Sauberkeit, so daß viele vorziehen, im Schlafsack zu nächtigen – auch wenns noch so heiß ist.

In kleineren Ortschaften sind diese Unterkünfte meist noch preiswerter, dafür aber noch simpler – und manchmal gar nicht vorhanden. In diesem Fall klopft man beim Pfarrer an, in dessen Kirche man gegen eine kleine Spende für den Opferstock nächtigen darf, oder man versucht sein Glück in der Schule. Als letzte Möglichkeit – aber wirklich als letzte – sollte man sich an die Polizei wenden. Die ist nämlich von Beruf mißtrauisch, und statt ruhig schlafen zu können, wird man möglicherweise mit Fragen gelöchert.

Parks und Grünanlagen sind denkbar schlechte Plätze, um seinen Schlafsack auszurollen. Die Gefahr, bestohlen oder überfallen zu werden, ist in größeren Städten beträchtlich. Auf dem Land ist das Risiko geringer, doch gibt es dort mehr Ungeziefer. Die romantische Nacht am Strand unter den funkelnden Sternen sollte man nur in einer Gruppe verbringen.

Polizei   Es muß leider gesagt werden: Mit dem europäischen »Freund und Helfer« haben die Polizisten in Lateinamerika wenig gemein. Es sind chronisch unterbezahlte, oft mißmutige Beamte, die aus finanzieller Not bestechlich geworden sind. Wenn sie glauben, im Recht zu sein, ist alles diskutieren aussichtslos. Im Grunde weiß man nie so recht, woran man bei ihnen ist, und man muß sehr oft klein beigeben, selbst wenn man sich noch so ungerecht behandelt fühlt. In schwierigen Fällen hilft fast immer ein kleines »Geschenk«, der Gegenwert von ein bis zwei Dollar. Dazu gibt man zu erkennen, daß man es furchtbar eilig habe, macht eine verständnisvolle Miene – man braucht kein konspiratives Getue zu machen –, und wenn gerade keiner hinschaut, wechseln die Scheine den Besitzer. Bei diesen Transaktionen ist ein wenig Vorsicht geboten, denn diese Leute können unersättlich werden, wenn man zu schnell nachgibt.

Sicherheit   Mit all diesen Hinweisen, die kleinen Mißgeschicken vorbeugen sollen, und den verschiedenen Risiken, die wir zeigen, kann leicht der Eindruck entstehen, Lateinamerika sei ein höchst ungesundes Gebiet und die Leute dort warteten nur auf einen Ausländer, um ihn auszuplündern. Dem ist nicht ganz so. Gewiß, das Risiko ist hier arithmetisch größer als in Europa, doch weisen wir vor allem deshalb darauf hin, weil man hier, falls etwas passieren sollte, in einer weit mißlicheren Lage ist als beispielsweise in Paris. Und Vorbeugen ist schließlich besser als ein Berg von Schwierigkeiten.

Rucksack-Reisende sollten ganz besonders vorbeugen, weil sie ja sehr »volksnah« reisen und meist auch sehr volksnah wohnen. Denn weder die Busbahnhöfe noch die preiswerten Hotels liegen in Villenvierteln.

Je größer die Stadt und je volkstümlicher das Viertel, desto geringer ist die Sicherheit, vor allem abends und nachts sowie allein oder nur in weiblicher Begleitung.

Daß hier mehr gestohlen wird und vor allem auch rücksichtsloser, liegt nicht daran, daß man hierzulande eine größere Neigung zur Kriminalität hätte, sondern vor allem daran, daß viele Menschen in einer für Europa unvorstellbaren Not leben. Wo es um die Nahrung der Familie für die nächste Woche geht, vergißt man schon eher mal die Zehn Gebote.

Ausländer sind schon deshalb beliebte Opfer, weil man bei ihnen – sicherlich zu Recht – vermutet, sie hätten mehr Geld als die Einheimischen. Eine teure Armbanduhr, Schmuck und das Einkaufen mit großen Scheinen sind sichere Anzeichen dafür, daß es da was zu holen gibt. Deshalb der Grundsatz: nicht in Versuchung führen.

Wenn's schief geht, am besten gleich zu Ihrer Botschaft oder aber in ein Hotel beziehungsweise in das Touristenbüro. Diebstähle sind jedoch so alltäglich, daß man nicht mehr auf selbstlose Hilfsbereitschaft stößt.

Trinkwasser   Nichts ist schlimmer als Durst, auch nicht der Hunger oder ein Bankrott. Wie oft verspürt man Lust, fernab von jeglicher Zivilisation und von Durst gepeinigt, kurzerhand aus einer einladenden Quelle selbigen zu löschen. Bloß nicht.

Denn keimfreies Wasser kann man in diesen Breitengraden mit der Wünschelrute suchen. Nur gut, daß man keinen »Mikroskop-Blick« hat, sonst würde man vor den absonderlichen Formen jener winzigen Lebewesen erschauern, die den begehrten Schluck Wasser bevölkern. Mit dem Wasser aus den städtischen Leitungen ist es nicht besser bestellt. Zwar lebt darin nur noch die Hälfte dieser Tierchen, doch es hat den Nachteil, daß es nun widerwärtig nach Chlor schmeckt und man sich damit genauso leicht »Atahualpas Rache« holen kann. Das einzige wirklich gefahrlos trinkbare Wasser findet man abgefüllt in Flaschen, mit Hopfen und Malz vorteilhaft veredelt oder mit Süßstoffen und unausstehlich süßen Aromen zu Limonaden denaturiert. Da hilft nur noch Mineralwasser. Wo das fehlt, bleibt nur die Chemie.

So sollte man sich vor der Abreise in einer Apotheke nach einem Mittel erkundigen, mit dem man verschmutztes Wasser keimfrei machen kann. Der Nachteil der meisten dieser Mittel ist, daß sie stark nach Chemikalien schmecken – bis auf eines, und das bekommt man leider nicht in der Apotheke. Es heißt Micropur und wird hergestellt von der Firma Katadyn in D 8000 München 21. Diesen Mitteln ist gemeinsam, daß man einige Stunden warten muß, bis das Wasser trinkfertig ist. Aber besser warten, als einen kaputten Magen oder Darm zu haben.

Daneben gibt es auch tragbare Filter, zum Beispiel keramische, die aber relativ schwer und groß sind; zuverlässiger ist der handgroße, batteriebetriebene elektronische Filter von »Sachs«.

Schließlich gibt es noch ein bewährtes Hausmittel: Abkochen, mindestens fünf Minuten lang. Doch wer hat schon immer einen Spiritus- oder Propankocher bei sich.

Nahrungsmittel   In den ersten Tagen sollte man überaus vorsichtig sein mit allem, was man ißt. Man sollte vorzugsweise ein wenig mehr ausgeben und in vertrauenerweckenden Restaurants essen. Nach einigen Tagen hat sich der Organismus wenigstens einigermaßen an die fremden Bakterien gewöhnt, und man kann nun seine Nahrungsmittel preiswerter erstehen. Die Märkte sind eine wahre Fundgrube für Obst und allerlei wohlschmeckendes Gemüse. Beides sollte man nur nach einer gründlichen Säuberung essen und wenn immer möglich auch schälen. Auf den Märkten und in ihrer unmittelbaren Nähe findet man sehr preiswerte »comedores«, in denen die Einheimischen essen. Wo es am besten schmeckt, erfährt man bei einem Rundgang so um die Essenszeit. Je voller das Lokal, desto besser und großzügiger die Köchin. Allerdings ist dabei nicht immer gewährleistet, daß man die exotische Kost ebenso gut verträgt wie die Einheimischen, denn deren Organismus ist schließlich von jeher daran gewöhnt. Einer Spezialität aber darf man auf den Märkten unbesehen zusprechen: den gekochten Maiskolben. Sie kosten nur ein paar Pfennige, sind überaus nahrhaft und sättigen ungemein.

Wenn man beispielsweise eine längere Wanderung plant, sollte man nach Möglichkeit keine frischen Nahrungsmittel mitnehmen, sondern Dosen, da sich diese fast unendlich halten, während Käse und Wurst spätestens nach 24 Stunden verzehrt werden müssen.

In jedem Dorf gibt es mindestens eine Bäckerei, auch wenn man sie nicht auf Anhieb findet. Das Brot ist immer genießbar, schmeckt aber manchmal etwas fad. Bei süßen Backwaren ist Vorsicht geboten, sofern sie in Fett gebacken wurden.

Frische Milch ist zu meiden, da sie sehr oft Tbc-verseucht ist.

Medikamente Für Traveller haben die Ratschläge von Dr. Perach, die Sie auch auf diesen gelben Seiten finden, ganz besondere Bedeutung, denn bei dieser Art zu reisen muß man natürlich schon eher mit kleinen Zwischenfällen rechnen. Eine Mini-Rucksack-Apotheke sollte nicht fehlen. Sie sollte zumindest einen Teil der von Dr. Perach aufgeführten Gegenstände enthalten.

Anders ist es mit den Medikamenten. Es ist empfehlenswert, sie an Ort und Stelle zu kaufen. Dann braucht man nicht viele Dosen und Fläschchen mit sich herumzuschleppen, die man vielleicht gar nicht benötigt. Von unbestreitbarem Vorteil ist auch, daß sie in Lateinamerika weitaus billiger und fast ausnahmslos ohne Rezept in jeder »Farmacia« zu bekommen sind.

Ein Mittel sollten Sie sich gleich nach der Ankunft besorgen, da die Wahrscheinlichkeit, es zu gebrauchen, außerordentlich groß ist: Kaopectate, bzw. Kaopectate N. Es ist eines der besten Medikamente gegen »Atahualpas Rache«, jene berüchtigte Durchfallkrankheit, über die jeder Traveller ein trauriges Lied zu singen weiß.

Alkohol Die Versuchung, hier mal einen über den Durst zu trinken, wenn man sich gerade in netter Gesellschaft befindet, ist schon deshalb groß, weil erstens die Spirituosen billig sind und zweitens den Lateinamerikanern jede neue Bekanntschaft Anlaß zu einer fröhlichen Zecherei gibt, bei der man die Leute unter Umständen durch allzu offensichtliche Zurückhaltung beleidigt.

Importierte Alkoholika sind im allgemeinen sehr teuer, man greift also auf einheimische Erzeugnisse zurück. Die allerdings haben die fatale Eigenschaft, meist für einen denkwürdigen Brummschädel zu sorgen und das Innenleben sehr zu strapazieren, so daß man am nächsten Tag nicht gerade sehr aufnahmefähig ist. Im übrigen ist das Risiko, ohne Hab und Gut aufzuwachen, dann noch größer.

Rauschgift Die Verlockung ist natürlich immer vorhanden, mal in Kolumbien das »beste Marihuana der Welt« zu probieren oder sich zu einer Prise

Kokain verleiten zu lassen, nach dem Motto »einmal ist keinmal«. Vorsicht, auch wenn beide Rauschmittel in diesen Ländern sehr beliebt sind und in allen Bevölkerungsschichten genossen werden. Besonders Marihuana fehlt auf keiner Party, weil es den Vorzug hat, am Tage danach nur geringes physisches Unwohlsein zu verursachen. Rundweg abzuraten ist allerdings von solch mysteriösen Kompositionen wie Ayahuasca, Jajé oder Lloco, die von den Indianern im Amazonasgebiet aus Lianen und Wurzeln gebraut werden und die man dort in fast jedem Dorf bekommen kann. Ebenfalls nur mit äußerster Vorsicht zu genießen sind psilocibinhaltige Pilze, die in Kolumbien als Delikatesse hoch geschätzt werden. Sie verursachen bald einen widerwärtigen Rauschzustand, führen mitunter grauenhafte Visionen herbei und belasten überdies den Organismus beträchtlich. Kokablätter bekommt man in jeder Andenstadt auf dem Markt, wo sie handlich zu Wochenrationen abgepackt offen verkauft werden. Für ein paar Pfennige bekommt man etwa 100 g. Der daraus gemachte Tee wirkt als mildes – ungefährliches – Stimulans und lindert zudem die Symptome der Höhenkrankheit Soroche.

Marihuana oder Kokain bekommt man nicht auf den Märkten, doch wird man hin und wieder diskret angesprochen. Dabei ist größte Vorsicht geboten, noch besser aber sollte man ganz darauf verzichten. Die Gefahren sind ja hinlänglich bekannt.

Zwar ist der Umgang mit Rauschmitteln in diesen Ländern ungleich liberaler als in Europa, doch sorgt die Polizei hin und wieder für ein jähes Erwachen aus einem schönen Traum, wenn sie wieder einmal die Diskotheken durchkämmt, in denen ständig der süßliche schwere Duft von Marihuana wabert. Hin und wieder werden auf offener Straße Kontrollen durchgeführt und jeder, der gerötete Augen hat – bedingt durch die Gefäßerweiterung, die der Wirkstoff Tetrahydrocannabinol im Marihuana verursacht – landet erst einmal auf der Polizeistation. Und dann meist ins Gefängnis. Denn diese Länder versuchen den Rauschgift-Tourismus zu stoppen und verhängen exemplarische Strafen: Bis zu zehn Jahren für ein Gramm Kokain. Und die Zeit in den Gefängnissen da unten zählt mindestens doppelt!

Briefe Es ist eine schöne Sache, unterwegs Post von zuhause zu bekommen. Das läßt sich ganz einfach machen, indem man zuvor einen mehr oder weniger genauen Reiseplan ausarbeitet und sich die Briefe dann in das entsprechende Land schicken läßt, wobei man bei einem normalen Luftpostbrief rechnen muß, daß er rund zehn Tage unterwegs ist. Man kann sich die Post entweder zur Botschaft schicken lassen, deren Anschrift Sie auf diesen gelben Seiten finden, oder aber an das örtliche Büro von American Express. American Express schickt den Brief auch nach vier Wochen zurück an den Absender, verlangt allerdings manchmal eine kleine Gebühr beim Abholen, wenn man keine Traveller-Cheques von ihnen vorweisen kann. Die Botschaft schickt die Post zwar nicht zurück, verlangt aber nichts für ihre Dienste und hat überdies den Vorteil, daß man dort immer ein paar neue Zeitungen von zuhause vorfindet.

In der Gruppe   Ein delikates Kapitel. Die Begeisterung braucht man gar nicht erst künstlich anzufachen. Wenn jeder über die nötigen Mittel verfügt und über den Enthusiasmus und alle zusammen über den Willen, die gleichen Länder anzuschauen, und man sich sowieso gut versteht, dann muß doch auch eine Reise zu viert oder gar zu sechst ein voller Erfolg werden. Meint man.

Schließlich ist es relativ leicht, sich zu einigen. Weil Soundso gern schwimmt, legt man ein paar Tage am Strand mit ein; weil der andere gern klettert, bleibt man etwas länger in den Bergen. Außerdem ist man ja flexibel und wird sich schon gütlich einigen, wenn man erst einmal da ist. Hoffen wir's.

Auch auf die Gefahr hin, die über der Landkarte dieses Gebiets entstehende Vorfreude etwas zu dämpfen, möchten wir einige Bemerkungen zu diesem Thema machen. Gruppenreisen sind immer eine anstrengende Sache, wobei hier die Gruppe schon bei drei Personen anfängt. Ob es auch für alle Beteiligten eine reine Freude wird, hängt nicht unerheblich von der Planung ab. Es ist nämlich etwas völlig anderes, ob man schon einmal zu viert eine Woche an der Côte d'Azur verbracht hat oder nun sich aufmacht, sechs lange Wochen miteinander durchzustehen. Es ist ein erstaunliches Phänomen, daß allgemein die am Anfang verkündete Konzessionsbereitschaft erstaunlich schnell abnimmt. Ist man beispielsweise in den ersten Tagen noch bereit, weil einer vielleicht weniger Geld dabei hat, in einer Herberge zu übernachten, die man selbst nicht gewählt hätte, so kann nach einer gewissen Zeit dieser Punkt schon zu einer Verstimmung führen, die keiner gewollt hat.

Ein anderes Beispiel: Wenn einer aus der Gruppe plötzlich von der hier grassierenden Durchfallkrankheit gepeinigt wird, die man scherzhaft »Atahualpas Rache« zu nennen pflegt, sehen sich die anderen – falls man abgemacht hat, zusammen zu reisen, und daran festhalten will – nun gezwungen, mehrere Tage an einem Ort zu bleiben, der ihnen vielleicht nicht zusagt.

Hinzu kommt, daß eine lange Reise beileibe keine Erholungsfahrt ist. Von all dem, was man sieht und erlebt, wird man zwar reich belohnt, aber es bleibt trotzdem eine große Anstrengung, sowohl physisch wie auch psychisch. Mitunter sind die Nerven angespannt, oder man ist von endlosen Busfahrten so zermürbt, daß man heftiger reagiert als sonst üblich. Ein paar falsche Worte..., und schon ist der schönste Knatsch da.

Das läßt sich bis zu einem gewissen Grad verhindern, wenn man nur bei der Planung offen genug miteinander spricht und gegebenenfalls vereinbart, sich unterwegs zu trennen, um die Stimmung noch zu retten. Es kann nämlich leicht geschehen, daß sich unterwegs jemand als Führungsperson herauskristallisiert, der sich mit Vorliebe in Museen aufhält, während andere lieber auf den Märkten nach Kuriosem suchen. Statt sich schmollend zu fügen und dabei das ständige Gefühl zu haben, man käme nicht auf seine Kosten, ist es besser, sich zu trennen.

Eine andere Möglichkeit besteht darin, von vornherein festzulegen, daß man sich an einem bestimmten Tag an einem bestimmten Ort trifft, und dort dann Erfahrungen über Gesehenes auszutauschen.

Befürchtungen, allein weitermachen zu müssen, wenn man sich von der Gruppe löst, sind in der Regel unbegründet. Sehr leicht nämlich trifft man an solchen touristischen Knotenpunkten wie Cuzco, La Paz oder Quito andere Rucksack-Reisende, denen man sich anschließen kann. Hunderte von Mitgliedern dieser großen, vielsprachigen, aber noch namenlosen Gruppe durchstreifen zu jedem Zeitpunkt Südamerika.

Gleichgesinnte Man kann durchaus bedenkenlos allein mit dem Rucksack nach Lateinamerika reisen. An Möglichkeiten, Bekanntschaften zu schließen, wird es bestimmt nicht fehlen. Mit den Einheimischen wird es möglicherweise etwas schwierig sein, vor allem dann, wenn man kein Spanisch spricht. Anders mit den Gleichgesinnten, die sich auch gern »traveller« nennen. Mit einem Rucksack, ein paar Dollars zu wenig und unverbrüchlicher Zuversicht bereisen sie die Länder. In den ersten Wochen sind sie vielleicht noch etwas zurückhaltend; nach einem Monat dort aber begrüßen sie die Neuankömmlinge sogleich mit einer Flut von wertvollen Hinweisen aus ihrem nunmehr reichen Erfahrungsschatz.

Unter ihnen sind so ziemlich alle Berufe vertreten – und alle Nationalitäten. So hat sich ein gewisses Traveller-Esperanto herangebildet, das hauptsächlich aus Englisch besteht, dem man nach Ursprung und Kenntnissen ein wenig Spanisch oder Französisch beimengt. – Deutsch ist wenig gefragt.

Diese Spezies Reisender – von den örtlichen Tourismus-Behörden nicht sonderlich geliebt, weil sie immer bestrebt ist, möglichst wenig Geld an Ort und Stelle zu lassen – kann man an bestimmten Stellen in Scharen treffen: an den Busbahnhöfen, auf den Postämtern, in den Büros von American Express und an den Flughäfen. Sie alle sind jederzeit ansprechbar und ein Fundus an wichtigen Informationen über die billigsten Hotels, die preiswertesten Restaurants, über Sehenswürdigkeiten fernab der touristischen Trampelpfade, die in keinem Reiseführer – auch nicht in diesem – zu finden sind. Ihre Informationen sind schon deshalb besonders wertvoll, weil sie stets nur ein paar Wochen alt sind.

Traveller sind jedoch nicht nur eine wertvolle Informationsquelle. Viele haben schon über Kontinente hinweg dauerhafte Freundschaften geschlossen. Von zwei Personen aus dieser kleinen, aber aparten Gemeinschaft weiß man Erstaunliches: Sie stammten aus der gleichen Stadt, hatten sich aber noch nie dort getroffen. Sie schlossen Bekanntschaft in einem kleinen Andendorf und haben – ganz bürgerlich – eine Ehe geschlossen. Bleibt nur zu hoffen, daß ihre Kinder die Wanderlust erben.

Knigge Rucksack-Reisende werden in Südamerika noch gebührend bestaunt – auf den Dörfern wie in den Städten. Diese Art zu reisen ist den Hiesigen schon deshalb unverständlich, weil sie selbst eher zum Hochstapeln neigen und deshalb, so sie im Ausland sind, bedenkenlos die Familienfinanzen gefährden, damit keiner meine, sie seien möglicherweise arm. Wenn dann also jemand Geld genug hat, um eine Flugreise über den großen Teich zu bezahlen, sich aber dortselbst in drittrangigen Hotels einquartiert und überhaupt mit dem lieben Geld knausert, sich aber andererseits kopflos in ein altes Silbergefäß verliebt und dafür ein Heidengeld ausgibt, dann ist hierzulande die Verwunderung grenzenlos.

Als Traveller kann man folglich nicht damit rechnen, so ernst genommen zu werden wie beispielsweise ein europäischer Geschäftsmann oder wie Touristen, die in Nobelquartieren absteigen. Dazu kommt, daß hier die Kleider die Leute machen – wer Jeans und T-Shirts trägt, so meint man, kann sich nichts Besseres leisten. Wenn man nun Wert darauf legt, mit den Einheimischen Kontakt zu bekommen, muß man deren anfängliche Skepsis erst einmal überwinden. Das erreicht man am ehesten mit einem möglichst zuvorkommenden Verhalten, einem gewinnenden Lächeln und einem selbstsicheren, weltmännischen Auftreten.

Im Gespräch sollte man dann die Vorzüge des Landes loben, die Schönheit der Landschaft und anderes mehr in den höchsten Tönen preisen. Kritische Bemerkungen und Naserümpfen sollte man sich sparen; sie lassen oft das entstandene freundliche Verhältnis jäh wieder abkühlen. Es hat auch wenig Sinn, tiefschürfende Diskussionen über die Problematik der Dritten Welt zu beginnen. Denn, bedingt durch die weit geringeren Informationsmöglichkeiten und das geringere Informationsbedürfnis, sind die Menschen in diesen Ländern nicht so sehr auf dem laufenden wie mancher engagierte Europäer – so erstaunlich das auch klingen mag. Je unverfänglicher das Thema, desto näher kommt man sich. Dennoch erfährt man sehr viel über diese Menschen – vorausgesetzt, man versteht »zwischen den Zeilen« zu lesen. Wie ein Einheimischer zu einem bestimmten Tatbestand steht, wird er kaum direkt formulieren; man muß es aus seinen Andeutungen heraushören.

Freundlichkeit ist das Geheimnis, um mit den Lateinamerikanern klar zu kommen. Man bedankt sich überschwenglich für die kleinste Aufmerksamkeit, lobt den vorausgegangenen gemeinsamen Abend, auch wenn man sich tödlich gelangweilt hat, und findet überhaupt alles erstklassig. Wenn man in einer bestimmten Situation nicht mehr weiter weiß, sollte man sich nach den anderen richten – dann liegt man nie falsch.

Arbeiten Es kann durchaus schon mal passieren, daß man – aus welchen Gründen auch immer – plötzlich ohne Geld da steht und gezwungen ist, sich kurzfristig nach einem Job umzusehen. Ganz allgemein untersagt die Fremdenpolizei dieser Länder, gegen Entgelt zu arbeiten, es sei denn, man hat eine Arbeitserlaubnis. Die wird jedoch – wenn überhaupt – nur gegen eine hohe Gebühr und nach einer oft sehr langen Wartezeit abgegeben. Sie brauchen trotzdem nicht zu verzagen: Die Kontrollen sind meist nicht sehr streng, und wenn man es nicht gerade an die große Glocke hängt, kann man durchaus mal einen Monat jobben, ohne aufzufallen. Im Notfall sollte man sich zuerst an die Botschaft des eigenen Landes wenden, dort seinen Fall möglichst drastisch schildern und so lange dort sitzen bleiben, bis man irgendwie vermittelt wird. Sollte dieser Versuch wider Erwarten fehlschlagen und sich die Botschaft ihnen gegenüber etwas frostig zeigen, weil sie in diesem Monat schon der zwölfte sind, dann hilft immer noch ein Blick auf die gelben Seiten des Telephonbuchs, wo man die Adressen und Rufnummern der Vertretungen internationaler Firmen findet. Es empfiehlt sich, möglichst bei einem Landsmann anzufragen, denn bei denen stößt man am ehesten auf Verständnis, zumindest aber bei Ausländern. Dort ist die Bezahlung auch besser. Bei den Einheimischen wird man wenig Entgegenkommen finden, und wenn, dann bekommt man so wenig bezahlt, daß es sich eigentlich gar nicht lohnt. Wenn Sie gefragt werden, was Sie können, sagen sie einfach: alles. Sich als Wagenwäscher oder Gärtner anzubieten, hat keinen Sinn; das machen die Einheimischen viel billiger.

KOLUMBIEN

Kolumbien auf einen Blick

Name   República de Colombia
Hauptstadt   Bogotá, ca. 5 Millionen Einwohner
Fläche   1 138 822 km² (fast fünfmal die BRD)
Einwohner   Ca. 28 Millionen
Sprache   Spanisch, dazu vereinzelt Stammesdialekte
Staatsform   Republik, bestehend aus 30 Departementen und Gebieten. Staats- und Regierungschef ist ein auf vier Jahre gewählter Präsident.
Bevölkerung   Mestizen 68%, Weiße 20%, Indianer 7%, Neger 5%
Währung   Peso (schwankender Wechselkurs)
Religion   99% Katholiken (Staatsreligion)
Grenzen   Im Westen Panama, im Osten Brasilien und Venezuela, im Süden Peru und Ekuador
Küste   1300 km am Pazifik, 1600 km an der Karibischen See
Geographische Lage   Zwischen 12° 30' und 4° 13' Nord, zwischen 66° 50' und 79° 01' West
Höchste Berge   Nevado de Colón 5875 m, Simón Bolívar 5794 m, Nevado del Huila 5600 m, Nevado del Ruiz 5486 m
Längste Flüsse   Magdalena 1550 km, Cauca 1150 km, Atrato 700 km

Klima

Dem kühlen Bogotá auf guten 2600 m Höhe gebührt die zweifelhafte Ehre, die verregnetste Hauptstadt Südamerikas zu sein. Hier sind die Tage mäßig warm, die Nächte kühl. In diesem Land mit den geringsten jährlichen Temperaturschwankungen des Kontinents läßt es sich am besten in etwa 1000 m Höhe leben, mit sonnig warmen Tagen und um 10 Grad kühleren Nächten. Im Amazonastiefland östlich der Anden und an den Küsten werden 28 Grad bereits als willkommene Erfrischung begrüßt.

Mittlere Temperaturen (in °C)

Ort	Höhe ü. NN	Januar	Juli
Andagoya	60	28	27
Pueblo Bello	980	20	21
Medellín	1490	20	21
Bogotá	2600	14	13

Einreiseformalitäten

Ein Reisepaß, dessen Bild man möglichst noch ähnlich sehen sollte, und ein Rück- oder Weiterreisebillet müssen vorgelegt werden. Bei der Einreise erhält man eine Aufenthaltsgenehmigung für 30 Tage.

Hotels (Auswahl)

Bogotá:	Hilton***
	Tequendama***
	Presidente**
	Continental**
	Santa Fé de Bogotá**
	Residencia de la 14*
	Avenida 19*
Villavicencio:	Savoy**
Girardot:	Tocarema**
	Piscina*
Medellín:	Intercontinental***
	Nutibara**
	La Montaña*
Manizales:	Ritz**
	Rokasol*
Cali:	Intercontinental***
	Americana**
	Fritman*
Popayán:	Monasterio**
	Victoria*
San Agustín:	Yalconia**
	Residencias Central*
Ipiales:	Mayasquer**
	Pasviveros*
Leticia:	Ticuna**
	Alemanas*
Cartagena:	Del Caribe**
	Playa**
	San Fernando*
Barranquilla:	Prado**
	Caribana**
	Plaza Bolívar*

Santa Marta: Tamacá**
               Taboga**
               Bucanero*
San Andrés: Royal Abacoa**
               Malibu**
               Tropicana*

Stromspannung

Teils 110 V, teils 220 V, Normalstecker und Flachstecker. Den Adapter bekommen Sie im Fachhandel oder am Flughafen vor dem Abflug.

Trinkgeld

10% in den Restaurants sind hierzulande üblich. Aufmerksame Hotelangestellte bekommen 5 bis 10 Pesos.

Trinkwasser

Vorsicht mit dem Leitungswasser, auch wenn Sie furchtbaren Durst haben! Faustregel: Je kleiner die Stadt, desto schlechter das Wasser. Halten Sie sich an abgefüllte Getränke. Obst vor dem herzhaften Hineinbeißen schälen oder zumindest gründlich waschen.

Ein kleiner »Vorgeschmack« auf Kolumbien

Empanadas – Maultaschen
Für die Füllung:
300 Gramm kleingehackte Bratenreste
2 kleingehackte Pepperoni
3 kleingehackte harte Eier
3 kleingehackte Zwiebeln
1 Tasse entsteinte und gehackte Oliven
1 Tasse gewaschene Rosinen
1 Prise Cayenne-Pfeffer
2 Eßlöffel Öl
1 Prise Majoran
Pfeffer, Salz

Für den Teig:
500 Gramm Mehl
1 Ei
2 Eigelb
1 Gläschen Branntwein
¹/₂ Teelöffel Backpulver
150 Gramm Butter oder Margarine
1 Prise Salz
Evtl. Ei zum Bestreichen

Den Teig bereitet man schon einige Stunden vorher zu. Das Backpulver unter das Mehl mischen. Mehl und Fett durchkneten, bis die Masse bröselig wird. Ein ganzes Ei, zwei Dotter, Salz und Branntwein hinzufügen, gut durchkneten und einige Stunden in den Kühlschrank legen.

Die kleingehackte oder durch den Wolf gedrehte Füllung mit Öl durchkneten und würzen.

Aus dem dünn ausgewallten Teig mit einem passenden Glas handtellergroße Stücke ausstechen, einen Teelöffel Füllung daraufgeben, zum Halbmond zusammenklappen und die Ränder zusammendrücken. Mit reichlich rauchheißem Fett in der Pfanne ausbacken, abtropfen lassen und mit einer scharfen Soße servieren. Eine Variante: Mit Ei überstreichen und für 30 Minuten in den Backofen schieben.

Voilà, fertig ist die hübsche Party-Überraschung. Dazu ein kühles Bier.

Wichtige Adressen

Botschaft der BRD
Embajada Alemana
Carrera 4, 72–35 Edificio Sisky
Tel.: 2 59 25 01
Bogotá

Deutsche Konsulate gibt es in Barranquilla, Bucaramanga, Cali, Cartagena, Cúcuta, Manizales und Medellín.

Schweizerische Botschaft
Embajada Suiza
Calle 93 A No 12–73
Tel.: 2 57 59 02 / 2 57 51 87
Bogotá

Österreichische Botschaft
Embajada de Austria
Carrera 11, 75−29
Tel.: 48 67 78 / 49 33 99
Bogotá

Lufthansa
Carrera 10, 27−17
Bogotá

Touristenbüro
Corporación Nacional de Turismo
Calle 28, 13 A−15
Bogotá

Deutsch-Kolumbianische Handelskammer
Cámara de Comercio Colombo-Alemana
Calle 84, 9−28
Bogotá

Für zusätzliche Auskünfte vor der Abreise:

Kolumbianische Botschaften:
In der BRD
Friedrich-Wilhelm-Straße 35
53 Bonn

In der Schweiz
Weltpoststraße 4
3000 Bern

In Österreich
Stadiongasse 6−8
1010 Wien

EKUADOR

Ekuador auf einen Blick

Name   República del Ecuador
Hauptstadt   Quito, ca. 900 000 Einwohner. Die wichtigste Stadt jedoch ist Guayaquil mit ca. 1,5 Millionen Einwohnern.
Fläche   270 670 km² (knapp größer als die BRD)
Einwohner   Ca. 8,5 Mill.
Sprache   Spanisch ist Hauptsprache, örtlich wird noch Quechua, die alte Inkasprache, gesprochen.
Staatsform   Republik, unterteilt in 20 Provinzen. Staats- und Regierungschef ist der auf vier Jahre gewählte Präsident, der von den Chefs von Marine, Luftwaffe und Heer beraten wird.
Bevölkerung   Indianer 40%, Mestizen 40%, Neger 10%, Weiße 10%
Währung   Sucre (schwankender Wechselkurs)
Religion   95% Katholiken
Grenzen   Im Norden Kolumbien, im Osten und Süden Peru
Küste   Ca. 1000 km am Pazifik
Geographische Lage   Zwischen 1° 20′ Nord und 4° 58′ Süd, zwischen 75° 10′ und 81° 10′ West
Höchste Berge   Chimborazo 6300 m, Cotopaxi 6005 m, Antisana 5705 m, Sangay 5230 m
Längste Flüsse   Napo 855 km, Pastaza 645 km, Aguarico 600 km
Inseln   Zu Ekuador gehört auch der auf dem Äquator liegende Kolumbus-Archipel, besser bekannt unter dem Namen Galapagos-Inseln.

Klima

Wenn es in Europa Sommer ist, nennen die Ekuadorianer die hiesige Jahreszeit Invierno, Winter. Doch nicht, weil es etwa kalt wäre, sondern weil es dann regnet. Die nur geringfügig kühleren Monate nennen sie Sommer, weil sie der Himmel dann mit Wasser verschont. Die minimalen Temperaturunterschiede spürt man bestenfalls in den Anden, wo es tags frühsommerlich warm, nachts herbstlich kalt wird. An der Küste, die im Norden dicht bewachsen ist und im Süden allmählich zur Wüste wird, bleiben die Temperaturen gleich, ebenso wie im tropisch heißen Tiefland östlich der Anden.

Mittlere Temperaturen (in °C)

Ort	Höhe ü. NN	Januar	Juli
Guayaquil	10	27	25
Ancón	5	26	22
Cuenca	2530	15	13
Quito	2880	15	14

Einreiseformalitäten

Ein noch sechs Monate gültiger Reisepaß, dessen Bild man noch ähnlich sehen sollte, wird verlangt. Bei der Einreise erhält man eine Aufenthaltsgenehmigung für 90 Tage, die auf Wunsch für weitere 90 verlängert werden kann.

Hotels (Auswahl)

Quito:	Intercontinental***
	Internacional***
	Inca Imperial***
	Humboldt Capitol**
	Crillón**
	Coral**
	Madison*
Otavalo:	Otavalo**
	Riviera*
Santo Domingo:	Zacaray**
	Siesta*
Ambato:	Florida**
Cuenca:	Cuenca*
	Pensión Americana*
Puyo:	Turingia**
Baños:	Sangay**
	Residencia Teresita*
Guayaquil:	Atahualpa**
	Majestic**
	Pensión Pauker*
Playas:	Humboldt**
	Residencial Cattan*

Salinas:	Miramar**
	Samarina*
Santa Cruz (Galapagos):	Galapagos**
	Colón*

Stromspannung

100 V, Flachstecker. Den erforderlichen Adapter vor der Reise im Fachhandel oder am Flughafen besorgen.

Trinkgeld

Landesüblich sind 10% als Maximum. Kleine Gefälligkeiten werden mit 5 Sucres belohnt.

Trinkwasser

Das Leitungswasser zu trinken, ist denkbar riskant. Verzichten Sie auch auf die auf den Märkten angebotenen offenen Getränke, und beschränken Sie sich auf alles Abgefüllte. Obst schälen oder sehr gründlich waschen.

Ein kleiner »Vorgeschmack« auf Ekuador

Chupe – Eine ungewöhnliche Fischsuppe
4 Goldbarschfilets
150 Gramm Krabben ohne Schale
250 Gramm gewürfelte Kartoffeln
1 kleine Dose Maiskörner
1 kleine Dose Erbsen
4 Eier
2 kleingehackte Zwiebeln
1 Knoblauchzehe
1 Liter Fleischbrühe
½ Tasse Öl
1 Glas Weißwein
½ Teelöffel Cayenne-Pfeffer
50 Gramm geriebener Käse
1 Bund Petersilie
Pfefferkörner, Lorbeerblätter, Salz

Die Knoblauchzehe in Öl kurz anbraten und wieder herausnehmen. Dann Zwiebeln dünsten und wenig später mit der Brühe auffüllen. Lorbeerblätter, Pfefferkörner, Erbsen, Maiskörner und Kartoffeln hinzugeben. Lorbeerblätter herausnehmen. Mit Salz, Cayenne-Pfeffer und Wein abschmecken. Dann separat die Fischfilets mit Salz, Pfeffer und Zitronensaft würzen, in Mehl wälzen und in Öl braten.

Geben Sie die goldbraunen Filets mit den kurz in der Suppe erwärmten Krabben in Portionsschalen, legen Sie je ein pochiertes oder halbiertes hartgekochtes Ei hinein, füllen Sie mit Suppe auf, und garnieren Sie Ihr kleines Kunstwerk mit feingewiegter Petersilie und dem geriebenen Käse. Diese Spezialität wird von dem Ekuadorianern freitags freudig bei Tisch begrüßt.

Wichtige Adressen

Botschaft der BRD
Embajada Alemana
Avenida Patria, Edificio Eteco
Tel.: 23 26 60
Quito

Deutsche Konsulate gibt es in Cuenca, Guayaquil und Manta.

Schweizerische Botschaft
Embajada Suiza
Calle Rio de Janeiro 130
Edificio Previsora
Tel.: 23 16 61
Quito

Österreichisches Generalkonsulat
Consulado General de Austria
Avenida Coruña 1248
Tel.: 23 96 60
Quito

Lufthansa
Avenida 6 de Diciembre 551
Quito

Touristenbüro
DITURIS
Dirección Nacional de Turismo
Reina Victoria 514 y Roca
Quito

Für zusätzliche Informationen vor Reiseantritt:

Ekuadorianische Botschaften:

In der BRD
Koblenzer Straße 37
53 Bad Godesberg

In der Schweiz
Helvetiastraße 19 a
3000 Bern

In Österreich
Gonzagagasse 14
1010 Wien

PERU

Peru auf einen Blick

Name República del Peru
Hauptstadt Lima, ca. 5 Mill. Einwohner
Fläche 1 285 216 km² (gut fünfmal die BRD)
Einwohner Ca. 18 Mill.
Sprache Hauptsprache ist Spanisch, doch werden die in den Anden weitverbreiteten Indianersprachen Quechua und Aymara offiziell anerkannt und neuerdings staatlich gefördert.
Staatsform Republik, bestehend aus 24 Departementen. Seit 1980 regiert nach zwölfjähriger Militärherrschaft wieder ein frei gewählter Präsident.
Bevölkerung Indianer 46%, Mestizen 43%, Weiße, Neger und Asiaten 11%
Währung Sol (schwankender Wechselkurs)
Religion 95% Katholiken
Grenzen Im Norden Ekuador und Kolumbien, im Osten Brasilien, im Süden Bolivien und Chile
Küste Ca. 2000 km am Pazifik
Geographische Lage Zwischen 0° 0′44″ und 18° 21′ Süd, zwischen 83° und 70° West
Höchste Berge Huascarán 6768 m, Yerupajá 6632 m, Coropuna 6613 m, Huandoy 6428 m
Längste Flüsse Ucayali 2000 km, Marañón 1650 km, Huallaga 1126 km
Größter See Titicaca mit 8300 km² in 3812 m Höhe. Er liegt zur einen Hälfte in Peru, zur anderen in Bolivien.

Klima

Für Peru gilt die Faustregel: Zwischen November und März ist es etwas wärmer, zwischen April und Oktober etwas kühler. Die jährlichen Temperaturunterschiede betragen um die acht Grad. Im Januar wird es in Lima bis zu 28 Grad warm, im Juli bis 20 Grad. Weitaus kühler ist das Hochland, wo es im Januar, mitten in der Regenperiode bis zu 20 Grad warm wird, im trockenen Juli nur bis 15 Grad. Dazu sind auf Höhen um 3800 m Temperaturunterschiede von 15 Grad zwischen Tag und Nacht keine Seltenheit.

Über der Küstenwüste lagert im allgemeinen zwischen April und Oktober ein dünner Hochnebelschleier, so daß die Temperaturen für eine Wüste unerwartet kühl sein können. Anders am Osthang der Anden und im Amazonastiefland: Dort sind Temperaturen bis zu 38 Grad keine Seltenheit. Bei den Wolkenbrüchen kann in einer Zigarettenlänge soviel Wasser herabklatschen wie in einem ganzen verregneten europäischen Novembermonat.

Einreiseformalitäten

Ein noch sechs Monate gültiger Reisepaß, dessen Bild man noch ähnlich sehen sollte, wird verlangt. Bei der Einreise erhält man eine Aufenthaltsgenehmigung für 90 Tage, die auf Wunsch verlängert werden kann.

Hotels (Auswahl)

Lima:	Sheraton***
	Crillón***
	Country Club***
	Savoy**
	Alcázar**
	Damasco*
	Oriental*
Ancón:	Playa Hermosa***
Trujillo:	Americano**
	San Martín**
	Latino*
Nazca:	Turistas**
	Nazca*
Arequipa:	Turistas**
	President**
	Internacional*
Huaraz:	Monterrey**
	Barcelona*
Cuzco:	Turistas Cuzco***
	Savoy**
	Los Marqueses**
	Bolívar*
Machu Picchu:	Turistas**
Puno:	Tambo Titicaca**
	Turistas**
	Torino*
Iquitos:	Turistas**
	Isabel*

Stromspannung

220 V, Normalstecker

Trinkgeld

Zuzüglich zu den Steuern auf der Rechnung sind in Restaurants 10% üblich. Etwa 10 Soles sind in den Hotels angemessen. Taxifahrer erhalten gewöhnlich kein Trinkgeld, nehmen es jedoch freudig an.

Trinkwasser

Leitungswasser ist kein Trinkwasser. Greifen Sie lieber auf das reiche Angebot an abgefüllten Getränken zurück.

Ein kleiner »Vorgeschmack« auf Peru

Eigentlich hatten wir vor, Ihnen ein Rezept zur delikaten Zubereitung der in Peru überaus geschätzten Meerschweinchen anzubieten. Da Sie aber beim kritischen Einkaufen in der Tierhandlung auf großes Unverständnis stoßen und der Herzensrohheit geziehen würden – weil man in Europa diese lieben Tierchen lieber in Kinderhänden als gebeizt in Kochtöpfen sieht –, stattdessen nun eine peruanische Grill-Spezialität, ideal für Partys.

Anticuchos – Herzspießchen
1 grob gewürfeltes Kalbsherz
1 kleingehackte Zwiebel
1 zerdrückte Knoblauchzehe
1 Teelöffel Cayenne-Pfeffer
1 Tasse Weinessig
3 Eßlöffel Öl
1 Lorbeerblatt
Pfeffer- und Pimentkörner, Salz
1 Tasse Wasser
1 Teelöffel Zucker
Alle Zutaten bis auf das Kalbsherz zu einer Marinade vermischen. Das Herz darin über Nacht marinieren lassen. Die Stücke herausnehmen, auf Spieße stecken, mit Öl einstreichen und über starker Glut rasch grillen. Mit der schärfsten Soße, die Sie im Supermarkt finden, mit Maiskolben und dicken, gebratenen Kartoffelscheiben servieren.

Quechua – Eine Mini-Sprachlehre

Ganz sicher haben Sie sich auf Reisen schon des öfteren gefragt, woher denn dieser oder jener Stadt- oder Landschaftsname kommt. Im deutschen Sprachraum ist es ja noch relativ einfach, den Ursprung etymologisch zu bestimmen. Anders im Ausland. Wenn man die Landessprache nicht versteht, ist das nahezu unmöglich; schade eigentlich, wo doch Namen mitunter eine kleine Geschichte erzählen können. Damit Sie es in Peru ein wenig leichter haben, finden Sie auf den folgenden Seiten einige Worte aus dem Quechua, der Kaisersprache der Inkas, mit denen sich viele Namens-Rätsel lösen lassen. Da die Inkas bei der Namensgebung ihre Phantasie von örtlichen Gegebenheiten haben beflügeln lassen, werden Sie aus den Namen auch einiges über den Ort erfahren. Quechua-Namen sind im Grunde Beschreibungen.

Gleich zu Beginn ein möglichst kompliziertes Beispiel, ein Name, den nur ein Indio korrekt aussprechen kann. Oberhalb von Lima liegt in einem Bergeinschnitt der kleine See Marcapomacocha. Wenn wir das Wort zerlegen finden wir:
marca = hochgelegenes Gebiet
poma bzw. puma = Berglöwe
cocha = See,
also »See in den Höhen, wo der Puma wohnt«. Auf diese Weise wird aus Yungahuarmicocha »See der Frau, die aus einer heißen Gegend stammt«, aus Jatunrumipampa »Ebene der großen Steine«. Die Aussprache – und damit die Schreibweise – vieler Namen hat sich natürlich im Lauf der Jahrhunderte verändert. So beispielsweise Arequipa. Früher hieß es Ariquepa, von ari = Berg, quepa = hinter; also »Jenseits des (spitzen) Berges«. Das trifft genau zu, denn Arequipa liegt, von Cuzco aus gesehen, hinter dem Vulkan Misti. Die beiden Worte ari und quepa stammen ursprünglich aus dem Aymara und sind nachträglich im Quechua aufgegangen. Solche Worte haben wir entsprechend gekennzeichnet.

Seien Sie nicht entmutigt, falls Sie einen Namen nicht auf Anhieb entziffern können. Wenn Sie sich ein wenig Zeit zum Überlegen nehmen, werden Sie entdecken, daß in Socabaya die beiden Worte socos und huailla stecken und die Übersetzung folglich »Weide mit Büschelgras« heißen muß.

Bis zum Ende des Inkareiches war Quechua die wichtigste Sprache des Hochlandes – aber nicht die einzige. Nur Quechua jedoch wird als »Zivilisationssprache« anerkannt, das heißt, daß sie als Vehikel für neues, fortschrittliches Ideengut diente und folglich die Sprachen kleiner, unbedeutender Stämme mühelos überlagern konnte. Einmalig bleibt, mit welcher Macht und vor allem wie schnell sich diese Sprache ausgebreitet hat. Daraus wiederum kann man schließen, daß die Inkas nicht gerade zimperlich waren, wenn es um die Durchsetzung ihrer Interessen ging. Bis gegen Mitte des 15. Jahrhunderts wurde das Runa Simi, »Menschenworte«, wie die Inkas ihre Sprache nannten, lediglich in einem kleinen Gebiet am Oberlauf des Apurimac gesprochen. Dann jedoch kam Inca Pachacutec an die Macht. Vor allem er, aber auch seine Nachfolger, ließen einen so steifen zivilisatorischen Wind über das Andenhochland fegen, daß man sich nur achtzig Jahre später, bei der Ankunft der Spanier, in einem Gebiet viermal so groß wie die BRD bestens mit Quechua verständigen konnte.

Erstaunlich ist dabei, daß Quechua gar nicht die eigentliche Sprache der Inkas war! Als sie, damals noch ein unbedeutender Stamm, aus dem Amazonastiefland in die Anden vorgestoßen waren, hatten sie als erstes die Sprache ihrer neuen, größeren Nachbarn übernommen und ihre eigene vernachlässigt. Als sie dann zum mächtigsten Volk der Anden avanciert waren, überlagerte das Quechua alle örtlichen Sprachen, ohne sie jedoch ganz verdrängen zu können. Nur das Aymara konnte die Inkasprache nicht überlagern. Noch heute wird es in Bolivien gesprochen und gilt – neben dem Quechua – als anerkannte Verkehrssprache. Bei der Ankunft der Spanier hatte sich das Quechua so fest eingebürgert, daß es nunmehr vom Spanischen weder verdrängt noch überlagert werden konnte, obwohl sich die Eroberer alle erdenkliche Mühe gaben. Spanisch galt fortan als offizielle Landessprache und wurde an allen Schulen gelehrt. Da aber die Indios ihre Kinder seit jeher höchst selten zur Schule schicken, weil sie auf den Feldern dringender gebraucht werden, blieb auch diese Maßnahme wirkungslos. Von den Mestizen jahrhundertelang als niederer Volksdialekt belächelt, kommt das Quechua neuerdings zu unerwarteten Ehren. Seit der Machtübernahme der Militärregierung im Jahr 1968 besinnt sich Peru allmählich auf die Bedeutung der Inkas für die Kulturgeschichte Perus. So wird denn Quechua offiziell gefördert: Es wird an den Schulen, auch an der Küste, als Wahlfach angeboten; an den Abendhochschulen steht es im Studienprogramm; an den Universitäten werden Lehrstühle für diese eigenwillige Sprache eingerichtet. Ein erstaunlicher Gesinnungswandel!

Doch nun zu unserem kleinen Glossar. Das Quechua hat eine Fülle von Lauten, die jedem europäischen Gaumen fremd sind. Der Einfachheit halber haben wir auf eine phonetisch präzise Schreibweise verzichtet und statt dessen die in Peru übliche Schreibweise benutzt, die Sie auch auf den Landkarten und Straßenschildern finden werden. Wenn Sie trotzdem die Worte auch aussprechen wollen, brauchen Sie lediglich daran zu denken, daß »ch« wie das tsch in Kutsche ausgesprochen wird, »j« wie das ch in kochen. – Viel Spaß beim Rätseln!

aco, aqo	Sand	allyu	Stamm, Sippe,
ají	Pfefferschote		Abstammung
allpa	Land	amaru	Schlange

amauta	Berichterstatter, Geschichtserzähler	collca	Vorratskammer, Getreidespeicher
anca, anga	Falke, Adler, Greifvogel	collque	Silber
		comer	grün
ancash	blau	coñi	heiß, warm
anda, anta	Kupfer	cori	Gold
apacheta, apachita	Wegzeichen, Wegweiser	cota	See (Aymara)
		coto	Stapel, Wall
apu	Häuptling, Herr, Haupt-, Groß-	cunti	Westen
		cuntur, kuntur	Kondor
ari	Berg, Gipfel (Aymara)	cupi	rechts
		cusi	froh, Freude
atoj	Fuchs	cusilu	Affe
auca	froh, lustig	cusñi	Rauch, grau
		cuy	Meerschweinchen
cachi	Salz		
caja, qaqa	Fels, Bergpaß	hanca	Schnee
camayu	Leiter, Aufseher, Chef	hatun	allgemein, Allgemeinheit, Menschheit
cancha	Hof, Gehege		
capac	reich, mächtig, edel	hirca	Berg
		huacay	weinen
carhua, carhuas	geld, goldfarben	huailla	Wiese, Weide
chaca	Brücke	huamán	kleiner Falke
chacra	Feld, Garten	huamaní	Provinz mit 10 000 Einwohnern
charqui	getrocknetes Lamafleisch		
chasqui	Bote, Läufer	huanca	Fels, Stein
chaupi	Mitte	huara	Hose
checa	links (Aymara)	huari	Vicuña (Aymara)
chiri	kalt	huaru	Furt
choque	Gold	huayna	jung, klein
chucu	Hut, Helm, Kappe	huilla	Sonne (Aymara)
chuki	Speer	huitu	Hügel (Aymara)
chuño	getrocknete Kartoffel		
chuqi	Gold	inti	Sonne
cocha	See, Lagune		
coillur	Stern		
colla	Berg, Hügel (Aymara)	janan, hanan	oben, oberhalb, Oberteil

jatun, hatun	groß	pacha	Welt, Land, Zeit
jori	Gold	pachaca	Provinz mit 100 Familien
laica	Zauberer (Aymara)	palca	Gabel, Tal
		palta	weit, geräumig
llacta	Dorf, Städtchen	pampa, bamba	Ebene, Feld, Land
llantu	Stirnband	papa	Kartoffel
lloclla	Klamm, Bergeinschnitt	paria	Einsamkeit, Trauer
		pata	Spitze, Gipfel, Stufe, Terrassenfeld, Platz
machay	Spalt, Höhle, Grotte	paucar	blühend
		pauchi	Wasserfall
machu	alt, groß	paya	alte Frau
mallki	Baum	picchu	Berg
mama	Mutter	pillpintu	Schmetterling
manca	Topf, Gefäß	pinkillo	kleine Rohrflöte
marca	hochgelegenes Gebiet, zu einem Dorf gehörendes Acker- und Weideland	pirca	Mauer, Wall
		pocro, pucru	Schlucht, Brunnen, Stollengang, Kehle
		puca	rot
maskapaitscha	purpurnes Kaiserband	puchu	bitter
		puma, poma	Berglöwe, Puma
matu	Stirn, vorn	puquio	Brunnen, Quelle
mauca	alt, verbraucht	puru	Feder
mayo, mayu	Fluß		
millua	Wolle		
mitmac	Fremder, Verstoßener, Reisender	quellu	gelb
		quena, kena	Rohrflöte
		quepa	dahinter (Aymara)
musuc	neu	quinoa	eine Getreideart
		quipu	geknotete Schnur
ñan	Pfad		
ñusta	Prinzessin	raca, racra	Tal, Spalt
		raimi	Fest
		raju, racu	Eis, Schneemantel, Gletscher
olluco	kleine Kartoffelart		
		ranra	Kies, steiniger Boden
paccha	Wasserfall, -strahl	rapi	Blatt

ricuy	sehen	tiyac, tillac	bewohnbarer Ort
rimac	der Sprechende	tucuy	alle, alles
rimay	sprechen, sagen	tullpa	Herde (Aymara)
riti	Schnee, Eis	tuta	Nacht
rumi	Stein, Fels		
runa	Person, Mann, Volk, Mensch	uailla, huailla	Graslandschaft, Weide, Wiese
runtu	Hagel	uaman, huaman	kleiner Falke
		uaqay	weinen
sacha	wild, brach	uara, huara	Hose
sapan	allein, einsam	uarmi, huarmi	Frau
sara	Mais	uasca, huasca	Seil, Liane
sicu	Panflöte	uchchuc	klein
sillu	Kralle, Klaue	ucumari	Bär
simi	Mund, Wort, Sprache	uillca, willca	Abstammung
		uma	Kopf
sinchi	stark	urcu	Gipfel
sipas	jung	urin, hurin	unten, unterhalb, Unterteil
socos	hartes Büschelgras	uta	Haus (Aymara)
suitu	lang, langgestreckt		
sumac	angenehm, schön	vilca, huilca	eine Pflanzenart
sumi	umfangreich, weit und hoch		
		yacu	Wasser, Fluß
		yana	schwarz, Nonne, Sonnenjungfrau
tambo, tampu	Unterkunft der Chasquis, Herberge	yanaconas	unterste, rechtlose Bevölkerungsschicht
tica	sonnengetrockneter Lehmziegel	yapu	Feld (Aymara)
tincu, tingo	Treffpunkt zweier Täler, Schluchten oder Flüsse	yunga	heiße Gegend (Aymara)
		yura	weiß

Wichtige Adressen

Botschaft der BRD
Embajada Alemana
Avenida Arequipa 4202
Tel.: 45 99 97
Lima

Deutsche Konsulate gibt es in Arequipa, Callao, Cuzco und Piura.

Schweizerische Botschaft
Embajada Suiza
Las Camelias 780
Tel.: 22 77 06/8
San Isidro-Lima 27

Österreichische Botschaft
Embajada de Austria
Edificio de las Naciones
Avenida Central 643
Tel.: 22 04 67
San Isidro-Lima 27

Lufthansa
Avenida Nicolás de Piérola 607–611
Lima

Touristenbüros
ENTURPERU
Plaza San Martín 965
Lima

Dirección Nacional de Turismo
Girón de la Unión 1066

Für zusätzliche Informationen vor der Abreise:

Peruanische Botschaften:

In der BRD
Mozartstraße 34
53 Bonn

In Österreich
Gottfried-Keller-Gasse 2
1030 Wien

In der Schweiz
Spitalackerstraße 20 a
3000 Bern 25

BOLIVIEN

Bolivien auf einen Blick

Name República de Bolivia
Hauptstadt Laut Verfassung Sucre, ca. 100 000 Einwohner. Wichtigste Stadt und de facto Hauptstadt ist La Paz, ca. 1 Million Einwohner.
Fläche 1 098 581 km² (gut viermal so groß wie die BRD)
Einwohner Ca. 6,5 Mill.
Sprache Hauptsprache ist Spanisch, doch werden die weitverbreiteten Indianersprachen Quechua und Aymara als Verkehrssprachen anerkannt.
Staatsform Republik, unterteilt in 9 Departemente. Regierungs- und Staatschef ist ein auf vier Jahre gewählter Präsident.
Bevölkerung Indianer 70%, Mestizen 25%, Weiße 5%
Währung Peso (schwankender Wechselkurs)
Religion 93% Katholiken
Grenzen Im Norden und Osten Brasilien, im Westen Peru und Chile, im Süden Paraguay und Argentinien
Küste Bolivien hat keine Küsten. Einziger Zugang zum Meer ist der Paraguay-Fluß, an dem, 1800 km vom Atlantik entfernt, der bolivianische Hafen Corumbá liegt, der auch für Hochseeschiffe erreichbar ist. Zur Zeit wird über einen 20 km breiten Korridor durch Nordchile verhandelt.
Geographische Lage Zwischen 57°30' und 69°33' West, zwischen 9°37' und 22°56' Süd
Höchste Berge Illimani 6562 m, Sajama 6520 m, Illampú 6485 m, Pomerape 6250 m
Längste Flüsse Pilcomayo 1609 km, Madre de Diós 1448 km
Größte Seen Titicaca 8300 km² (16mal so groß wie der Bodensee), auf 3812 m; Poopó 2500 km²

Klima

Die Bolivianer bestehen darauf, ihren Sommer »Winter« (Invierno) und ihren Winter »Sommer« (Verano) zu nennen. Das hat nichts mit den Temperaturen, wie in Europa, zu tun, sondern mit den Regenfällen. Wenn's regnet, ist hier Winter, das heißt von November bis März, wobei die Temperaturen im Schnitt 8 Grad über denen des Sommers liegen, in dem, zwischen April und

Oktober, die Niederschläge recht selten sind. Die Temperaturen sind am Tage immer angenehm frühlingshaft; nachts allerdings wird es empfindlich kalt. Hinzu kommt, daß es mit steigender Höhe naturgemäß kälter wird. Auf 4500 m ist auch am Tage eine warme Jacke willkommen. Auf die kann man allerdings im östlichen und südlichen Tiefland verzichten, wo das ganze Jahr lang hochsommerliche Temperaturen herrschen. Im nördlichen Urwald wird bereits ein Hemd unausstehlich warm.

Mittlere Temperaturen (in °C)

Ort	Höhe ü. NN	Januar	Juli
Sucre	3790 m	12	9
La Paz	3685 m	10	7
Yacuba	622 m	23	13
Santa Cruz	440 m	25	21

Einreiseformalitäten

Ein noch sechs Monate gültiger Reisepaß, dessen Bild man noch ähnlich sehen sollte, wird verlangt. Bei der Einreise erhält man eine Aufenthaltsgenehmigung für 90 Tage, die auf Wunsch für weitere 90 Tage verlängert werden kann. Mitunter muß man ein Billet zur Rück- oder Weiterreise und ausreichend Geld für den Aufenthalt vorweisen.

Hotels (Auswahl)

La Paz:	La Paz***
	Sucre Palace**
	City**
	Tumusla*
Coroico:	Prefectural**
	Lluvia de Oro*
Canaravi:	Espléndido*
Copacabana:	Playa Azul**
	Prefectural*
Oruro:	Repostero**
Potosí:	El IV Centenario**
	Turista*
Sucre:	Municipal**
	Londres*

Cochabamba: Cochabamba**
                   Ambassador**
                   Comercio*
Santa Cruz: Balneario Cortéz**
                   Residencial Copacabana**

Stromspannung

In La Paz 110 V, im restlichen Land 220 V, Flachstecker. Den Zusatzstecker erhalten Sie im Fachhandel oder am Flughafen vor dem Abflug.

Trinkgeld

Die üblichen 10% – max. 23% – sind meist in den Rechnungen der Hotels und Restaurants enthalten. Kleine Aufmerksamkeiten im Hotel sind 1 Peso wert.

Trinkwasser

Weder in La Paz noch in anderen Orten von Bolivien ist das Leitungswasser trinkbar. Das Bier ist gut, und die anderen abgefüllten Getränke sind billig.

Ein kleiner »Vorgeschmack« auf Bolivien

Locro – Ein aparter Mais-Eintopf
1 Dose Maiskörner
250 Gramm gewürfelter Speck
500 Gramm gewürfelter Kürbis oder Zucchini
250 Gramm grüne Erbsen
250 Gramm gewürfelte Kartoffeln
500 Gramm geviertelte Tomaten
1 gehackte Zwiebel
2 entrippte und gehackte Pfefferschoten
$1/2$ Tasse Öl
1 zerdrückte Knoblauchzehe
1 Prise Majoran
1 Prise Oregano
20 Gramm geriebener Käse
1 Bund Petersilie
Pfeffer und Salz

Zwiebel, Knoblauch und Speck im Öl andünsten, Wasser und alle weiteren Zutaten beigeben. 15 Minuten auf kleiner Flamme garen und Kartoffeln zugeben. Nach weiteren 10 Minuten mit Petersilie und Käse überstreut servieren.

Zu diesem beliebten Samstagsgericht trinken die Bolivianer am liebsten ein kühles Bier.

Wichtige Adressen

Botschaft der BRD
Embajada Alemana
Avenida Arce 2395
Tel.: 35 19 80
La Paz

Deutsche Konsulate gibt es in Santa Cruz und Sucre.

Schweizerische Botschaft
Embajada Suiza
Edificio Petrolero
Avenida 16 de Julio No 1616
Tel.: 35 30 91
La Paz

Österreichisches Generalkonsulat
Consulado General de Austria
Avenida 16 de Julio No 1616
Tel.: 2 66 01
La Paz

Lufthansa
Avenida Mariscal Santa Cruz 1328
La Paz

Touristenbüro
Dirección Nacional de Turismo
Avenida 16 de Julio 1440
La Paz

Für weitere Informationen vor Reiseantritt:

Bolivianische Botschaft
Konstantinstraße 16
D 53 Bonn

Diese Vertretung ist auch für die Schweiz und Österreich zuständig.

Bitte beachten Sie auch folgende Veröffentlichungen aus unserem Verlag:

»Richtig reisen«: Südamerika 2
Argentinien, Chile, Uruguay, Paraguay

Von Thomas Binder. 330 Seiten mit 37 farbigen und 128 einfarbigen Abbildungen, Karten und Plänen, 62 Seiten praktischen Reisehinweisen, Register

»Richtig reisen«: Südamerika 3
Brasilien, Venezuela, die Guayanas

Von Thomas Binder. 332 Seiten mit 38 farbigen und 117 einfarbigen Abbildungen, 4 Karten, 64 Seiten praktischen Reisehinweisen, Register

Südamerika: präkolumbianische Hochkulturen
Kunst der Kolonialzeit

Ein Reisebegleiter zu den Kunststätten in Kolumbien, Ekuador, Peru und Bolivien

Von Hans Helfritz. 344 Seiten mit 45 farbigen und 97 einfarbigen Abbildungen, 77 Zeichnungen und Karten, Zeittafel, 16 Seiten praktischen Reisehinweisen, Bibliographie, Register (DuMont Kunst-Reiseführer)

»Richtig reisen«: Mexiko und Zentralamerika

Von Thomas Binder. 330 Seiten mit 32 farbigen und 119 einfarbigen Abbildungen, 6 Karten und Plänen, 62 Seiten praktischen Reisehinweisen, Register

Mexiko
Ein Reisebegleiter zu den Götterburgen und Kolonialbauten Mexikos

Von Hans Helfritz. 283 Seiten mit 37 farbigen und 106 einfarbigen Abbildungen, 77 Zeichnungen und Karten, 60 Seiten praktischen Reisehinweisen, Personen- und Ortsregister (DuMont Kunst-Reiseführer)

Unbekanntes Mexiko
Verborgene Tempelstätten und Kunstschätze aus präkolumbischer Zeit

Von Werner Rockstroh. 384 Seiten mit 65 farbigen und 86 einfarbigen Abbildungen, 132 Zeichnungen und Karten, 60 Seiten praktischen Reisehinweisen, Register (DuMont Kunst-Reiseführer)

»Richtig reisen«: Cuba
Reise-Handbuch

Von Karl Arnulf Rädecke. 304 Seiten mit 56 farbigen und 197 einfarbigen Abbildungen und Karten, 52 Seiten praktischen Reisehinweisen, Register

Guatemala Honduras Belize
Die versunkene Welt der Maya

Von Hans Helfritz. 196 Seiten mit 17 farbigen und 82 einfarbigen Abbildungen, 47 Zeichnungen und Plänen, 12 Seiten praktischen Reisehinweisen, Register (DuMont Kunst-Reiseführer)

Register

Kursive Zahlen beziehen sich auf Seiten mit schwarzweißen Abbildungen, kursive Zahlen mit einem * *auf die Nummern der Farbabbildungen.*

A Alcalde   44, *166*, 184
Alvarado, Pedro de   100
Amauta   23
Ambato   124
Anchoveta   140, *170*
Ancón   153, *170*
Andakís (Stamm)   90
Anden   37 ff.
Äquator   98, 110, *113*
Arawaks (Stamm)   12, 56
Arequipa   *165*, 173 f.; *4**
Arhuacos (Stamm)   85
Atacama-Kultur   232
Atahualpa   18, 100, 138, 158
Aucas (Stamm)   30
Ayahuasca   32
Ayar Akwa   16
Ayar Kachi   16
Ayar Uchu   16
Aymaras (Stamm)   198, 202
B Baal, Robert   92
Bahía de Caraquez   130
Banchero Rossi, Luis   142
Baños   126
Baños del Inca   158
Barbú   64
Bates, Henry Walter   31
Benalcázar, Sebastián de   61, 100
Berlanga, Tomás de   131
Bingham, Hiram   186
Birú   135
Blas de Lenzo   93
Bochica   66
Bogotá   65 ff., 79
 Casa de la Moneda   68
 Goldmuseum   60, 68, *82*, *83*; *12**
 Haus des Marquis San Jorge   68
 Montserrate-Hügel   65
 Museo Colonial   68
 Museo de Arte Popular   68
 Palacio San Carlos   68
 Plaza Bolivar   67
 Quinta de Bolivar   66

 San Francisco   68
 Universität   79
Bolivar, Simon   56, 61, 95, 96, 139, 203
Bolivien   202 ff., *223–232*; *20**, *22**–*28**
Buritaca   95
C Cajamarca   157 f.
Cali   87
Calimas (Stamm)   60
Callao   145, 153
Callejón de Huaylas   *168*, 176
Cañón de Majes   174
Caras-Maya-Kultur   13
Cartagena   79, 91 ff.
 San Felipe de Barajas   86, 92
Cayambe   111
Cerro Rico   202, 233 ff.
Chacaltaya   216 f., *230*
Chalviri   233
Chan-Chan   14, 17, 156, *164*, *193*
Chankas (Stamm)   17
Chasqui   21, 41
Chavín de Huantar, Chavín-Kultur   13, 137, 177
Chibchas (Stamm)   14, 64
Chicha   43
Chili, Manuel   102, 105
Chimborazo   *119*, 124
Chimús (Stamm)   14, 17, 21, 136, 157
Chincheros   185
Chingana Grande   184
Chivor   64
Chordeleg   126
Chorrera   99
Chúa   220
Chullpa   198 f.
Cieza de León   154, 173, 198
Cochabamba   236 f.
Cochrane, Lord Thomas   139
Colón, Cristobal   56
Colorados (Stamm)   *121*, 123
Coñicocha-See   176

I

Contamine, Charles de la   110
Copacabana   218 ff., *228*
Cordillera Blanca   *168*, 176
Cordillera Negra   176
Coroico   218
Cosque   64
Cote, Martin   92
Cotopaxi   *119*, 124
Cuenca   *116*, 124 ff.
Cueva de Morgan   97
Cumbemayo   158
Curare   32
Cuzco   *159*, *160*, *161*, *162*, 178 ff.; *33**
   Belén de los Reyes   180
   Coricancha   20, *162*, 180
   Hanan Cuzco   178
   Hurin Cuzco   178
   Kathedrale   *160*, 179
   La Merced   180
   Santo Domingo   *162*, 180
Cuzco, Schule von   138, 179, 180, 198

D   Darwin, Charles   131
Diabladas   210, 220
Drake, Sir Francis   92
Ducasse, Jean-Baptiste   92
Durán   128

E   Ekkeko   43, 210
Ekuador   98 ff., *113–122*; *13*–19**, *21**
El Acuarío   97
El Ahuano   126
El Dorado   14 f., 75

F   Federmann, Nikolaus   61
Fiesta del Yamor   112
Fuquene-See   76

G   Gachaló   64
Galapagos-Inseln   98, 130 ff.; *19**, *21**
Garcilaso de la Vega, Inca   178
Girardot   76, 77
Gold   60, *82*, *83*, 100, 147
Granja Azul   152
Gualaceo   126
Guaqui   218
Guatavita, Guatavita-See   14, 75
Guayaquil   127 ff.
Guevara, Ernesto   239

H   Hawkins, John   92
Higueras   239
Höhenkrankheit   siehe Soroche
Honda   77
Huaca   23
Huancayo   176

Huanchaco   157; *9**
Huaraz   177
Huari-Tiwanacu-Kultur   137
Huascar   18, 100, 138
Huascarán   199
Huatayata   218, 220
Huaura   155
Huayna Picchu   *187*; *1**
Huayna Potosí   *230*
Huitotos (Stamm)   29
Humboldt, Alexander von   37, 124
Humboldtstrom   140

I   Illimani   209, *224*
Inca Roca   16
Ingapirca   126
Inka-Kaiser   19 ff., 158, 178
Inkas   16 ff., 39
Inti   20, 41
Inti Raimi   181, *193*
Ipiales   90
Iquitos   91, 199 ff.
Isaacs, Jorge   87

J   Jajé   32
Jesuiten   204
Jívaros (Stamm)   29, 127, 201
Johnny Cay   97
Julí   *167*, 198; *5**

K   Kariben (Stamm)   12, 56
Kari-Kari   233
Kenko   182
Koka   22, 44
Kolumbien   56 ff., *79–86*; *11**, *12**, *29*–32**
Kolumbus   siehe Colón, Cristobal

L   La-Cumbre-Paß   217
La Dorada   77
La Oroya   174
La Paz   206 ff., *224*; *23**, *24**, *25**
   Avenida Buenos Aires   209
   Mercado Camacho   209
   Museo Arqueológico al Aire Libre   210
   Museo de Tiwanacu   210
   San Francisco   209
La Sabana   65
Latex   31
Lauricocha-See   27; *8**
Leticia   *86*, 91
Lima   136, 142 ff., *158*; *7**, *10**, *35**
   El Puente de Piedra   146
   Erzbischöfliches Palais   144, *159*
   Kathedrale   144

Museo de Antropología y Arqueología   146
Museo de Arte   146
Palacio Torre Tagle   145, *159*
Parque de las Leyendas   148, 151, *169*
Plaza de Armas   144
San Pedro   145
Llanos   56
Lloco   32
Loma Alta   98 f.

M Machu Picchu   185 f., *187–190, 195;* 1*, 2*
Mama Oqllo   16, 43, 44
Manglaralto   130
Manizales   78
Manko Kapac   16, 44
Medellín   77, 78
Meiggs, Henry   175
Melville, Herman   131
Mendoza, Alonzo de   207
Misahuallí   126
Moche   157
Mochicas (Stamm), Mochica-Kultur   137, 157, 172, *192*
Morgan, Sir Henry   96
Morillo, Pablo   93
Muiscas (Stamm)   14, 58, 60
Muzo   64, 76

N Nariño   61
Nazca, Nazca-Kultur   137, 171
Nevado de Colón   56, 95
Nevado del Ruiz   77, 78

O Ollantaytambo   186
Baño de la Nusta   186
Omaguas (Stamm)   29
Orellana, Francisco de   27
Oruro   220 ff., *229; 28**
Otavalo   111 f., *114, 115; 13**

P Pachacamac   21, 154 f.
Pachacutec Inca Yupanqui   17, 21, 178
Paqariqtampu   16
Paracas, Paracas-Kultur   13, 137, 171
Paramonga   156
Patiño, Simón   208, 222, 237
Perricholi   143
Peru   135 ff., *159–170, 187–194;* 1*–10*, 33*–35*
Pichincha   104
Pimupivos (Stamm)   29
Pisac   *166,* 184
Pisco   171

Pizarro, Francisco   18, 28, 100, 135, 144, 158
Pizarro Gonzalo   180
Pizarro, Hernando   155
Playas   129
Pointis, Jean Bernard Louis de Saint-Jean, Baron de   92
Poopó-See   222, 233
Popayán   79, 87, 88
Potosí   138, 202, 233 ff.
Pucallpa   200
Puca Pucara   184
Puerto Lopez   *14**
Puerto Napo   126
Puno   *167,* 196
Puyo   126

Q Quezada, Gonzalo Jimenez de   61
Quimbayas (Stamm)   60
Quipu-Schnüre   12, 21
Quispe Tito, Diego   138, 180
Quito   104 ff., *116*
Banco Central del Ecuador (Museum)   107
Calle Morales   107
Calle Roca   107
Cerro Panecillo   105, *117*
La Compañía   106
San Francisco   106

R Rancahirca   177
Rio Amazonas   27 ff., 91
Rio Babahoyo   129
Riobamba   127
Rio Cauca   77, 78, 87
Rio Colca   174
Rio Daule   129
Rio Desaguadero   222, 233
Rio Guayas   99, 128
Rio Magdalena   76, 77, 87
Rio Napo   29, *118,* 126; 16*
Rio Paute   126
Rio Rimac   143, 146, 175
Rio Urubamba   185 f., *195;* 3*
Rio Vilcanota   27, 196
Rojas, Teófilo   63
Romero, Pedro   93

S Sacsayhuaman   *168,* 178, 181, *193*
Salasacas (Stamm)   124
Salinas   130
Salpeterkrieg   139
San Agustín   13, *80, 81,* 89, 90
San Andrés   57, 96
Sancho, Pedro   181

San-Pablo-See 112
Santa Cruz 229, 237 ff.
Santa Marta 95
Santa Rosa 126
Santiago, Miguel de 102
Santo Domingo de los Colorados 123
Saquilisí 124
Scharrbilder 171 f.
Schrumpfkopf siehe Tsantsa
Sechín 156
Sibambe 127
Sillustani 198
Sinchi Roka 16
Sinús (Stamm) 60
Soroche 45, 174, 206
Sucre 203, 235 f.
Sucre, José Antonio 139, 203, 235
Suriqui 220

T Taganga 95
Tairona 95
Taironas (Stamm) 60
Tal des Mondes siehe Valle de la Luna
Tampu Machay 182, *193*
Tequendama 74
Tequendama-Wasserfall 66, 73, 74
Tiahuanacu siehe Tiwanacu
Ticlio-Paß 175
Tihuanacu siehe Tiwanacu
Tiquina 219, *229; 22**
Titicaca-See 125, 196 f., 218 ff., 222, 228
Tiwanacu 13, 202, 214 ff.
    Acapana 216

Kalasasaya 215, *226*
Puma Cuncu 216
Sonnentor 215, *226*
Tiwanaca-Kultur 14, *227*
Tota-See 76
Trujillo 156, *164*
Tsantsa 29, 109, *169*
Tunja 75, *85*
Tupac Amaru 26, 185
Tupac Yupanqui 17, 20

U Umayo, Umayo-See 198; *34**
Uncia 222
Urus (Stamm) *194*, 197
Uru-Uru-See 222

V Valle de la Luna 214, *225*
Velasco Ibarra, José Maria 103
Vernon, Edward 92
Villa Concha 95
Villa de Neyva 75
Villamil siehe Playas
Villavicencio 76
Viracocha 18, 25, 40, 219

W Waldindianer 29 f.
Wayna Kapac 18, 19 ff.

Y Yaguas (Stamm) 29, *84*, 91, 201
Yarinacocha-See 200
Yerupajá 199
Yucunas (Stamm) *192*
Yumbos (Stamm) 127
Yunga 217 f.
Yunguyo 218

Z Zipaquirá 74
    Catedral de Sal 74

Abbildungsnachweis:

Farbabbildungen: Avianca, Frankfurt a. M.: 10, 11, 12; Dr. Rolf Correll, Freiburg/Brsg.: 33, 34, 35; Félipe Ferré: 29, 30, 31, 32; Sigrid Hahne, Oberried: 1, 2, 3, 4, 5, 7, 8, 9, 13, 14, 15, 16, 17, 22, 23, 24, 25, 26, Umschlag-Rückseite; Len Sirman Press: Umschlag-Vorderseite (Butler), 18 (Alfred Gregory), 19 (M. u. S. Landre), 20 (Suzanne Hill), 21 (Merrifield), 27 u. 28 (Penny Tweedie).
Schwarzweißabbildungen: airtour suisse, Bern: S. 86 o., 86 u., 193 o.; Daniel Burkhalter, Tavannes: S. 79 M., 80 u. r.; Félipe Ferré: S. 79 o., 79 u., 80 o., 80 u. l., 81, 82 o., 82 u. r., 83, 84, 85 u., 86 M.; Sigrid Hahne, Oberried: S. 114, 115, 116, 117, 118, 120 u., 121 u. r., 122, 159 u., 163 o., 163 M., 164, 165, 167, 168 o., 168 u., 187 u., 188 u., 193 M., 224 o., 224 M., 228 l., 228 r. o., 230 u.; Dr. Hans-Jürgen Perach, Ahrensburg: S. 159 o., 159 M., 160, 161, 162, 188 o., 189, 190, 194, 224 u., 225, 226, 227, 228 r. u., 229 o., 230 o., 230 M., 232 u.; Stefan Troitzsch: Porträt des Autors.
Alle übrigen Abbildungen sind Aufnahmen des Verfassers oder stammen aus seinem Archiv.

Wir danken all denen, die uns ihre Aufnahmen liebenswürdigerweise zur Verfügung gestellt haben.

DuMont Kunst-Reiseführer

Ägypten und Sinai – Geschichte, Kunst und Kultur im Niltal
Vom Reich der Pharaonen bis zur Gegenwart. Von Hans Strelocke

Algerien – Kunst, Kultur und Landschaft
Von den Stätten der Römer zu den Tuareg der zentralen Sahara. Von Hans Strelocke

Belgien – Spiegelbild Europas
Eine Einladung nach Brüssel, Gent, Brügge, Antwerpen, Lüttich und zu anderen Kunststätten. Von Ernst Günther Grimme

Bulgarien
Kunstdenkmäler aus vier Jahrtausenden von den Thrakern bis zur Gegenwart. Von Gerhard Eckert

Dänemark
Land zwischen den Meeren. Kunst – Kultur – Geschichte. Von Reinhold Dey

Deutsche Demokratische Republik
Geschichte und Kunst von der Romanik bis zur Gegenwart. Brandenburg, Mecklenburg, Sachsen-Anhalt, Sachsen, Thüringen. Von Gerd Baier, Elmar Faber und Eckhard Hollmann

Bundesrepublik Deutschland

Das Bergische Land
Kultur, Geschichte, Landschaft zwischen Ruhr und Sieg. Von Bernd Fischer

Bodensee und Oberschwaben
Zwischen Donau und Alpen: Wege und Wunder im ›Himmelreich des Barock‹. Von Karlheinz Ebert

Die Eifel
Entdeckungsfahrten durch Landschaft, Geschichte, Kultur und Kunst – Von Aachen bis zur Mosel. Von Walter Pippke und Ida Pallhuber

Franken – Kunst, Geschichte und Landschaft
Entdeckungsfahrten in einem schönen Land – Würzburg, Rothenburg, Bamberg, Nürnberg und die Kunststätten der Umgebung. Von Werner Dettelbacher

Hessen
Vom Edersee zur Bergstraße. Die Vielfalt von Kunst und Landschaft zwischen Kassel und Darmstadt. Von Friedhelm Häring und Hans-Joachim Klein

Köln
Stadt am Rhein zwischen Tradition und Fortschritt. Von Willehad Paul Eckert

Kölns romanische Kirchen
Architektur, Ausstattung, Geschichte. Von Werner Schäfke

Die Mosel
Von der Mündung bei Koblenz bis zur Quelle in den Vogesen. Landschaft, Kultur, Geschichte. Von Heinz Held

München
Von der welfischen Gründung Heinrichs des Löwen bis zur Gegenwart: Kunst, Kultur, Geschichte. Von Klaus Gallas

Münster und das Münsterland
Geschichte und Kultur. Ein Reisebegleiter in das Herz Westfalens. Von Bernd Fischer

Der Niederrhein
Das Land und seine Städte, Burgen und Kirchen. Von Willehad Paul Eckert

Oberbayern
Kultur, Geschichte, Landschaft zwischen Donau und Alpen, Lech und Salzach. Von Gerhard Eckert

Oberpfalz, Bayerischer Wald, Niederbayern
Regensburg und das nordöstliche Bayern. Kunst, Kultur und Landschaft. Von Werner Dettelbacher

Ostfriesland mit Jever- und Wangerland
Über Moor, Geest und Marsch zum Wattenmeer und zu den Inseln Borkum, Juist, Norderney, Baltrum, Langeoog, Spiekeroog und Wangerooge. Von Rainer Krawitz

Die Pfalz
Die Weinstraße – Der Pfälzer Wald – Wasgau und Westrich. Wanderungen im ›Garten Deutschlands‹. Von Peter Mayer

Der Rhein von Mainz bis Köln
Eine Reise durch das Rheintal – Geschichte, Kunst und Landschaft. Von Werner Schäfke

Das Ruhrgebiet
Kultur und Geschichte im »Revier« zwischen Ruhr und Lippe. Von Thomas Parent

Schleswig-Holstein
Zwischen Nordsee und Ostsee: Kultur – Geschichte – Landschaft. Von Johannes Hugo Koch

Der Schwarzwald und das Oberrheinland
Wege zur Kunst zwischen Karlsruhe und Waldshut: Ortenau, Breisgau, Kaiserstuhl und Markgräflerland. Von Karlheinz Ebert

Sylt, Amrum, Föhr, Helgoland, Pellworm, Nordstrand und Halligen
Natur und Kultur auf Helgoland und den Nordfriesischen Inseln. Entdeckungsreisen durch eine Landschaft zwischen Meer und Festlandküste. Von Albert am Zehnhoff (DuMont Landschaftsführer)

Der Westerwald
Vom Siebengebirge zum Hessischen Hinterland. Kultur und Landschaft zwischen Rhein, Lahn und Sieg. Von Hermann Joseph Roth

Östliches Westfalen
Vom Hellweg zur Weser. Kunst und Kultur zwischen Soest und Paderborn, Minden und Warburg. Von G. Ulrich Großmann

Württemberg-Hohenzollern
Kunst und Kultur zwischen Schwarzwald, Donautal und Hohenloher Land: Stuttgart, Heilbronn, Schwäbisch Gmünd, Tübingen, Rottweil, Sigmaringen. Von Ehrenfried Kluckert

Zwischen Neckar und Donau
Kunst, Kultur und Landschaft von Heidelberg bis Heilbronn, im Hohenloher Land, Ries, Altmühltal und an der oberen Donau. Von Werner Dettelbacher

Frankreich

Auvergne und Zentralmassiv
Entdeckungsreisen von Clermont-Ferrand über die Vulkane und Schluchten des Zentralmassivs zum Cevennen-Nationalpark. Von Ulrich Rosenbaum

Die Bretagne
Im Land der Dolmen, Menhire und Calvaires. Von Almut und Frank Rother

Burgund
Kunst, Geschichte, Landschaft. Burgen, Klöster und Kathedralen im Herzen Frankreichs: Das Land um Dijon, Auxerre, Nevers, Autun und Tournus. Von Klaus Bußmann

Côte d'Azur
Frankreichs Mittelmeer-Küste von Marseille bis Menton. Von Rolf Legler

Das Elsaß
Wegzeichen europäischer Kultur und Geschichte zwischen Oberrhein und Vogesen. Von Karlheinz Ebert

Frankreich für Pferdefreunde
Kulturgeschichte des Pferdes von der Höhlenmalerei bis zur Gegenwart. Camargue, Pyrenäen-Vorland, Périgord, Burgund, Loiretal, Bretagne, Normandie, Lothringen. Von Gerhard Kapitzke (DuMont Landschaftsführer)

Frankreichs gotische Kathedralen
Eine Reise zu den Höhepunkten mittelalterlicher Architektur in Frankreich. Von Werner Schäfke

Korsika
Natur und Kultur auf der ›Insel der Schönheit‹. Menhirstatuen, pisanische Kirchen und genuesische Zitadellen. Von Almut und Frank Rother

Languedoc – Roussillon
Von der Rhône zu den Pyrenäen. Von Rolf Legler

Das Tal der Loire
Schlösser, Kirchen und Städte im ›Garten Frankreichs‹. Von Wilfried Hansmann

Die Normandie
Vom Seine-Tal zum Mont St. Michel. Von Werner Schäfke

Paris und die Ile de France
Die Metropole und das Herzland Frankreichs. Von der antiken Lutetia bis zur Millionenstadt. Von Klaus Bußmann

Périgord und Atlantikküste
Kunst und Natur im Lande der Dordogne und an der Côte d'Argent von Bordeaux bis Biarritz. Von Thorsten Droste

Das Poitou
Westfrankreich zwischen Poitiers, La Rochelle und Angôuleme – die Atlantikküste von der Loiremündung bis zur Gironde. Von Thorsten Droste

Drei Jahrtausende Provence
Vorzeit und Antike, Mittelalter und Neuzeit. Von Ingeborg Tetzlaff

Savoyen
Vom Genfer See zum Montblanc – Natur und Kunst in den französischen Alpen. Von Ruth und Jean-Yves Mariotte

Südwest-Frankreich
Vom Zentralmassiv zu den Pyrenäen – Kunst, Kultur und Geschichte. Von Rolf Legler

Griechenland
Athen
Geschichte, Kunst und Leben der ältesten europäischen Großstadt von der Antike bis zur Gegenwart. Von Evi Melas

Die griechischen Inseln
Ein Reisebegleiter zu den Inseln des Lichts. Kultur und Geschichte. Hrsg. von Evi Melas

Kreta – Kunst aus fünf Jahrtausenden
Von den Anfängen Europas bis zur kreto-venezianischen Kunst. Von Klaus Gallas

Rhodos
Eine der sonnenreichsten Inseln im Mittelmeer – ihre Geschichte, Kultur und Landschaft. Von Klaus Gallas

Alte Kirchen und Klöster Griechenlands
Ein Begleiter zu den byzantinischen Stätten. Hrsg. von Evi Melas

Tempel und Stätten der Götter Griechenlands
Ein Reisebegleiter zu den antiken Kultzentren der Griechen. Hrsg. von Evi Melas

Großbritannien
Englische Kathedralen
Eine Reise zu den Höhepunkten englischer Architektur von 1066 bis heute. Von Werner Schäfke

Die Kanalinseln und die Insel Wight
Kunst, Geschichte und Landschaft. Die britischen Inseln zwischen Normandie und Süd-England. Von Bernd Rink

Schottland
Geschichte und Literatur. Architektur und Landschaft. Von Peter Sager

Süd-England
Von Kent bis Cornwall. Architektur und Landschaft, Literatur und Geschichte. Von Peter Sager

Wales
Literatur und Politik – Industrie und Landschaft. Von Peter Sager

Guatemala
Honduras – Belize. Die versunkene Welt der Maya. Von Hans Helfritz

Das Heilige Land
Historische und religiöse Stätten von Judentum, Christentum und Islam in dem zehntausend Jahre alten Kulturland zwischen Mittelmeer, Rotem Meer und Jordan. Von Erhard Gorys

Holland
Kunst, Kultur und Landschaft. Ein Reisebegleiter durch Städte und Provinzen der Niederlande. Von Jutka Rona

Indien
Indien
Von den Klöstern im Himalaya zu den Tempelstätten Südindiens. Von Niels Gutschow und Jan Pieper

Ladakh und Zanskar
Lamaistische Klosterkultur im Land zwischen Indien und Tibet. Von Anneliese und Peter Keilhauer

Indonesien
Indonesien
Ein Reisebegleiter nach Java, Sumatra, Bali und Sulawesi (Celebes). Von Hans Helfritz

Bali
Tempel, Mythen und Volkskunst auf der tropischen Insel zwischen Indischem und Pazifischem Ozean. Von Günter Spitzing

Iran
Kulturstätten Persiens zwischen Wüsten, Steppen und Bergen. Von Klaus Gallas

Irland – Kunst, Kultur und Landschaft
Entdeckungsfahrten zu den Kunststätten der ›Grünen Insel‹. Von Wolfgang Ziegler

Italien
Elba
Ferieninsel im Tyrrhenischen Meer. Macchienwildnis, Kulturstätten, Dörfer, Mineralienfundorte. Von Almut und Frank Rother (DuMont Landschaftsführer)

Das etruskische Italien
Entdeckungsfahrten zu den Kunststätten und Nekropolen der Etrusker. Von Robert Hess und Elfriede Paschinger

Florenz
Ein europäisches Zentrum der Kunst. Geschichte, Denkmäler, Sammlungen. Von Klaus Zimmermanns

Ober-Italien
Kunst, Kultur und Landschaft zwischen den Oberitalienischen Seen und der Adria. Von Fritz Baumgart

Die italienische Riviera
Ligurien – die Region und ihre Küste von San Remo über Genua bis La Spezia. Von Rolf Legler

Von Pavia nach Rom
Ein Reisebegleiter entlang der mittelalterlichen Kaiserstraße Italiens. Von Werner Goez

Rom
Kunst und Kultur der ›Ewigen Stadt‹ in mehr als 1000 Bildern. Von Leonard von Matt und Franco Barelli

Das antike Rom
Die Stadt der sieben Hügel: Plätze, Monumente und Kunstwerke. Geschichte und Leben im alten Rom. Von Herbert Alexander Stützer

Sardinien
Geschichte, Kultur und Landschaft – Entdeckungsreisen auf einer der schönsten Inseln im Mittelmeer. Von Rainer Pauli

Sizilien
Insel zwischen Morgenland und Abendland. Sikaner/Sikuler, Karthager/Phönizier, Griechen, Römer, Araber, Normannen und Staufer. Von Klaus Gallas

Südtirol
Begegnungen nördlicher und südlicher Kulturtradition in der Landschaft zwischen Brenner und Salurner Klause. Von Ida Pallhuber und Walter Pippke

Toscana
Das Hügelland und die historischen Stadtzentren. Pisa · Lucca · Pistoia · Prato · Arezzo · Siena · San Gimignano · Volterra. Von Klaus Zimmermanns

Venedig
Die Stadt in der Lagune – Kirchen und Paläste, Gondeln und Karneval. Von Thorsten Droste

Japan – Tempel, Gärten und Paläste
Einführung in Geschichte und Kultur und Begleiter zu den Kunststätten Japans. Von Thomas Immoos und Erwin Halpern

Der Jemen
Nord- und Südjemen. Antikes und islamisches Südarabien – Geschichte, Kultur und Kunst zwischen Rotem Meer und Arabischer Wüste. Von Peter Wald

Jordanien
Völker und Kulturen zwischen Jordan und Rotem Meer. Von Frank Rainer Scheck

Jugoslawien
Kunst, Geschichte und Landschaft zwischen Adria und Donau. Von Frank Rother

Kenya
Kunst, Kultur und Geschichte am Eingangstor zu Innerafrika. Von Helmtraut Sheikh-Dilthey

Luxemburg
Entdeckungsfahrten zu den Burgen, Schlössern, Kirchen und Städten des Großherzogtums. Von Udo Moll

Malta und Gozo
Die goldenen Felseninseln – Urzeittempel und Malteserburgen. Von Ingeborg Tetzlaff

Marokko – Berberburgen und Königsstädte des Islam
Ein Reisebegleiter zur Kunst Marokkos. Von Hans Helfritz

Mexiko
Ein Reisebegleiter zu den Götterburgen und Kolonialbauten Mexikos. Von Hans Helfritz

Unbekanntes Mexiko
Entdeckungsreisen zu verborgenen Tempelstätten und Kunstschätze aus präkolumbischer Zeit. Von Werner Rockstroh

Nepal – Königreich im Himalaya
Geschichte, Kunst und Kultur im Kathmandu-Tal. Von Ulrich Wiesner

Österreich
Kärnten und Steiermark
Vom Großglockner zum steirischen Weinland. Geschichte, Kultur und Landschaft ›Innerösterreichs‹. Von Heinz Held

Salzburg, Salzkammergut, Oberösterreich
Kunst und Kultur auf einer Alpenreise vom Dachstein bis zum Böhmerwald. Von Werner Dettelbacher

Tirol
Nordtirol und Osttirol. Kunstlandschaft und Urlaubsland an Inn und Isel. Von Bernd Fischer

Wien und Umgebung
Kunst, Kultur und Geschichte der Donaumetropole. Von Felix Czeike und Walther Brauneis

Pakistan
Drei Hochkulturen am Indus. Harappa – Gandhara – Die Moguln. Von Tonny Rosiny

Papua-Neuguinea
Niugini. Steinzeit-Kulturen auf dem Weg ins 20. Jahrhundert. Von Heiner Wesemann

Portugal
Vom Algarve zum Minho. Von Hans Strelocke

Rumänien
Schwarzmeerküste – Donaudelta – Moldau – Walachei – Siebenbürgen: Kultur und Geschichte. Von Evi Melas

Die Sahara
Mensch und Natur in der größten Wüste der Erde. Von Gerhard Göttler

Sahel Senegal, Mauretanien, Mali, Niger
Islamische und traditionelle schwarzafrikanische Kultur zwischen Atlantik und Tschadsee. Von Thomas Krings

Die Schweiz
Zwischen Basel und Bodensee · Französische Schweiz · Das Tessin · Graubünden · Vierwaldstätter See · Berner Land · Die großen Städte. Von Gerhard Eckert

Skandinavien – Dänemark, Norwegen, Schweden, Finnland
Kultur, Geschichte, Landschaft. Von Reinhold Dey

Sowjetunion
Kunst in Rußland
Ein Reisebegleiter zu russischen Kunststätten. Von Ewald Behrens

Sowjetischer Orient
Kunst und Kultur, Geschichte und Gegenwart der Völker Mittelasiens. Von Klaus Pander

Spanien
Die Kanarischen Inseln
Inseln des ewigen Frühlings: Teneriffa, Gomera, Hierro, La Palma, Gran Canaria, Fuerteventura, Lanzarote. Von Almut und Frank Rother (DuMont Landschaftsführer)

Katalonien und Andorra
Von den Pyrenäen zum Ebro. Costa Brava – Barcelona – Tarragona – Die Königsklöster. Von Fritz René Allemann und Xenia v. Bahder

Mallorca – Menorca
Ein Begleiter zu den kulturellen Stätten und landschaftlichen Schönheiten der großen Balearen-Inseln. Von Hans Strelocke

Südspanien für Pferdefreunde
Kulturgeschichte des Pferdes von den Höhlenmalereien bis zur Gegenwart. Geschichte der Stierfechterkunst. Von Gerhard Kapitzke

Zentral-Spanien
Kunst und Kultur in Madrid, El Escorial, Toledo und Aranjuez, Avila, Segovia, Alcalá de Henares. Von Anton Dieterich

Sudan
Steinerne Gräber und lebendige Kulturen am Nil. Von Bernhard Streck

Südamerika: präkolumbische Hochkulturen
Kunst der Kolonialzeit. Ein Reisebegleiter zu den Kunststätten in Kolumbien, Ekuador, Peru und Bolivien. Von Hans Helfritz

Syrien
Hochkulturen zwischen Mittelmeer und Arabischer Wüste – 5000 Jahre Geschichte im Spannungsfeld von Orient und Okzident. Von Johannes Odenthal

Thailand und Burma
Tempelanlagen und Königsstädte zwischen Mekong und Indischem Ozean. Von Johanna Dittmar

Städte und Stätten der Türkei
Ein Begleiter zu den Kunstwerken Istanbuls und Kleinasiens. Von Kurt Wilhelm Blohm

Tunesien
Karthager, Römer, Araber – Kunst, Kultur und Geschichte am Rande der Wüste. Von Hans Strelocke

USA – Der Südwesten
Indianerkulturen und Naturwunder zwischen Colorado und Rio Grande. Von Werner Rockstroh

»Richtig reisen«

»Richtig reisen«: Algerische Sahara
Reise-Handbuch. Von Ursula und Wolfgang Eckert

»Richtig reisen«: Amsterdam
Von Eddy und Henriette Posthuma de Boer

»Richtig reisen«: Arabische Halbinsel
Saudi-Arabien und Golfstaaten
Reise-Handbuch. Von Gerhard Heck und Manfred Wöbcke

»Richtig reisen«: Australien
Reise-Handbuch. Von Johannes Schultz-Tesmar

»Richtig reisen«: Bahamas
Von Manfred Ph. Obst. Fotos von Werner Lengemann

»Richtig reisen«: Bangkok
Von Stefan Loose und Renate Ramb

»Richtig reisen«: Von Bangkok nach Bali
Thailand – Malaysia – Singapur – Indonesien
Reise-Handbuch. Von Manfred Auer

»Richtig reisen«: Berlin
Von Ursula von Kardorff und Helga Sittl

»Richtig reisen«: Budapest
Von Erika Bollweg

»Richtig reisen«: Cuba
Reise-Handbuch. Von Karl-Arnulf Rädecke

»Richtig reisen«: Florida
Von Manfred Ph. Obst. Fotos von Werner Lengemann

»Richtig reisen«: Friaul – Triest – Venetien
Von Eva Bakos

»Richtig reisen«: Griechenland
Delphi, Athen, Peloponnes und Inseln
Von Evi Melas

»Richtig reisen«: Griechische Inseln
Reise-Handbuch. Von Dana Facaros

»Richtig reisen«: Großbritannien
England, Wales, Schottland
Von Rolf Breitenstein

»Richtig reisen«: Hawaii
Von Kurt Jochen Ohlhoff

»Richtig reisen«: Holland
Von Helmut Hetzel

»Richtig reisen«: Hongkong
Mit Macau und Kanton. Von Uli Franz

»Richtig reisen«: Ibiza/Formentera
Von Ursula von Kardorff und Helga Sittl

»Richtig reisen«: Irland
Republik Irland und Nordirland
Von Wolfgang Kuballa

»Richtig reisen«: Istanbul
Von Klaus und Lissi Barisch

»Richtig reisen«: Kairo
Von Peter Wald

»Richtig reisen«: Kalifornien
Von Horst Schmidt-Brümmer und Gudrun Wasmuth

»Richtig reisen«: Kanada und Alaska
Von Ferdi Wenger

»Richtig reisen«: West-Kanada und Alaska
Von Kurt Jochen Ohlhoff

»Richtig reisen«: Kopenhagen
Von Karl-Richard Könnecke

»Richtig reisen«: Kreta
Von Horst Schwartz

»Richtig reisen«: London
Von Klaus Barisch und Peter Sahla

»Richtig reisen«: Los Angeles
Hollywood, Venice, Santa Monica
Von Priscilla und Matthew Breindel

»Richtig reisen«: Malediven
Reise-Handbuch. Von Norbert Schmidt

»Richtig reisen«: Marokko
Reise-Handbuch. Von Michael Köhler

»Richtig reisen«: Mauritius
Reise-Handbuch. Von Wolfgang Därr

»Richtig reisen«: Mexiko und Zentralamerika
Von Thomas Binder

»Richtig reisen«: Moskau
Von Wolfgang Kuballa

»Richtig reisen«: München
Von Hannelore Schütz-Doinet und Brigitte Zander

»Richtig reisen«: Nepal
Kathmandu: Tor zum Nepal-Trekking
Von Dieter Bedenig

»Richtig reisen«: Neu-England
Boston und die Staaten Connecticut, Massachusetts, Rhode Island, Vermont, New Hampshire, Maine
Von Christine Metzger

»Richtig reisen«: New Mexico
Santa Fe – Rio Grande – Taos
Von Gudrun Wasmuth u. a.

»Richtig reisen«: New Orleans
und die Südstaaten Louisiana, Mississippi, Alabama, Tennessee, Georgia
Von Hanne Zens, Horst Schmidt-Brümmer und Gudrun Wasmuth

»Richtig reisen«: New York
Von Gabriele von Arnim und Bruni Mayor

»Richtig reisen«: Nord-Indien
Von Henriette Rouillard

»Richtig reisen«: Norwegen
Von Reinhold Dey

»Richtig reisen«: Paris
Von Ursula von Kardorff und Helga Sittl

»Richtig reisen«: Peking und Shanghai
Von Uli Franz

»Richtig reisen«: Rom
Von Birgit Kraatz

»Richtig reisen«: San Francisco
Von Hartmut Gerdes

»Richtig reisen«: Die Schweiz und ihre Städte
Von Antje Ziehr

»Richtig reisen«: Seychellen
Reise-Handbuch. Von Wolfgang Därr

»Richtig reisen«: Südamerika 1
Kolumbien, Ekuador, Peru, Bolivien
Von Thomas Binder

»Richtig reisen«: Südamerika 2
Argentinien, Chile, Uruguay, Paraguay
Von Thomas Binder

»Richtig reisen«: Südamerika 3
Brasilien, Venezuela, die Guayanas
Von Thomas Binder

»Richtig reisen«: Süd-Indien
Von Henriette Rouillard

»Richtig reisen«: Texas
Von Horst Schmidt-Brümmer und Gudrun Wasmuth

»Richtig reisen«: Tunesien
Reise-Handbuch. Von Michael Köhler

»Richtig reisen«: Venedig
Von Eva Bakos

»Richtig reisen«: Wallis
Von Antje Ziehr

»Richtig reisen«: Wien
Wachau, Wienerwald, Burgenland
Von Wolfgang Kuballa und Arno Mayer